РУССКО-АНГЛИЙСКИЙ РАЗГОВОРНИК ПО ВНЕШНЕЭКОНОМИЧЕСКИМ СВЯЗЯМ

RUSSIAN-ENGLISH PHRASE BOOK ON FOREIGN ECONOMIC RELATIONS

L. G. PAMUKHINA, S. N. LUBIMTSEVA,
T. V. DVORNIKOVA, L. R. ZHOLTAYA

Russian-English Phrase Book on Foreign Economic Relations

RUSSKY YAZYK PUBLISHERS
MOSCOW
1993

Л. Г. ПАМУХИНА, С. Н. ЛЮБИМЦЕВА,
Т. В. ДВОРНИКОВА, Л. Р. ЖОЛТАЯ

РУССКО-АНГЛИЙСКИЙ РАЗГОВОРНИК ПО ВНЕШНЕ-ЭКОНОМИЧЕСКИМ СВЯЗЯМ

МОСКВА
«РУССКИЙ ЯЗЫК»
1993

ББК 81.2Р-96
Р 89

Рецензент *А. М. Сулим*

Памухина Л. Г. и др.

Р89 Русско-английский разговорник по внешнеэкономическим связям – М.: Рус. яз., 1993 – 654 с.

ISBN 5-200-00628-7

В разговорнике представлены основные слова и словосочетания, относящиеся к внешнеэкономическим связям СССР, видам сотрудничества и технического содействия, выполнению проектно-изыскательских работ, заключению и выполнению различного вида контрактов, а также формам внешнеэкономического сотрудничества Восток-Запад, совместным предприятиям на территории СССР, производственной кооперации, свободным экономическим зонам.

Разговорник рассчитан на круг внешнеэкономических и внешнеторговых работников, переводчиков, референтов, преподавателей и студентов экономических вузов.

П $\frac{4602030000-068}{015(01)-93}$ без объявления **ББК 81.2Р-96**

ISBN 5-2000-00628-7

СОДЕРЖАНИЕ / CONTENTS

ПРЕДИСЛОВИЕ

Русско-английский разговорник по внешнеэкономическим связям входит в серию русско-иностранных книг для специалистов. Он предназначен для широкого круга работников внешнеэкономических и внешнеторговых промышленных организаций СССР, руководителей и сотрудников совместных предприятий, для переводчиков, референтов, преподавателей и студентов вузов, которым необходимо знание русской и английской терминологии.

Материал разговорника отобран с учетом современной терминологии, относящейся к внешнеэкономическим связям СССР, видам сотрудничества и технического содействия, деятельности совместных предприятий, вопросам маркетинга, выполнению проектно-изыскательских работ, заключению и выполнению различного вида контрактов, предоставлению услуг и др.

Каждая глава включает словарь, фразы и образцы деловых бесед, в которых обыгрываются типичные ситуации и активизируется основная терминология разговорника.

Тематическая подача материала дает читателю возможность выборочно или последовательно знакомиться с терминологией на английском языке. В книгу включены штампы, оформляющие деловое письмо, и образцы деловой переписки. В тематике писем и диалогов представлены типичные ситуации, возникающие при обсуждении коммерческих вопросов между представителями советских и зарубежных торговых и промышленных организаций. Предложенный речевой материал может быть использован специалистами при подготовке к деловой встрече с зарубежными коллегами.

Тема «Знакомство, встречи, общение» включает как отдельные коммуникативные элементы, так и микродиалоги, сопровождающие деловые переговоры.

Несколько слов о пользовании разговорником. Факультативная часть фразы в книге заключена в квадратные скобки, варианты фразы, имеющие смыслоразличительное значение,— в круглые; пояснения даны курсивом; в английской части предлоги, которые представляют трудность для перевода, выделены курсивом.

Авторы сердечно благодарят кандидата экономических наук Вартумяна Э. Л. за помощь, оказанную при написании этой книги.

Ваши отзывы просим направлять по адресу: 103012, Москва, Старопанский пер., 1/5, издательство «Русский язык».

УСЛОВНЫЕ СОКРАЩЕНИЯ, ПРИНЯТЫЕ В РАЗГОВОРНИКЕ

Русские

А.— агент
Ад.— администратор
В/О — Всесоюзное объединение
З.— заказчик
Инж.— инженер
И.п.— иностранный представитель
Л.к.— лидер консорциума
Лцр.— лицензиар
Лцт.— лицензиат
О.— оператор
Пас.— пассажир
П.— поставщик
Пд.— подрядчик
Пр.— принципал
Сек.— секретарь
С.п.— советский представитель
Ст.— стендист
С.т.— служащий таможни
Ч.к.— член консорциума

Английские

A.— agent
R.— receptionist
V/O — Vsesojuznoje objedinenije
C.— customer
En.— engineer
F.r.— foreign representative
C.l.— consortium leader
Lr.— licensor
L-e — licensee
O.— operator
Pas.— passenger
S.— supplier
Cnt.— contractor
P.— principal
Sec.— secretary
S. r.— Soviet representative
St.at.— stand-attendant
C.of.— customs official
C.m.— consortium member
smb.— somebody
smth.— something

МЕЖДУНАРОДНЫЕ ЭКОНОМИЧЕСКИЕ ОТНОШЕНИЯ / INTERNATIONAL ECONOMIC RELATIONS

ЭКОНОМИЧЕСКОЕ И ТЕХНИЧЕСКОЕ СОТРУДНИЧЕСТВО / ECONOMIC AND TECHNICAL COOPERATION

государство	**state**
зависимое государство	dependent state
иностранное государство	foreign state
исламское государство	islamic state
капиталистическое государство	capitalist state
многонациональное государство	multinational state
независимое государство	independent state
социалистическое государство	socialist state
суверенное государство	sovereign state
федеративное государство	federative state
глава государства	head of state
независимость государства	state independence
суверенитет государства	state sovereignty
государственные интересы	**state interests**
защита государственных интересов	protection of state interests
обеспечивать защиту государственных интересов	provide protection of state interests
соблюдение государственных интересов	observance of state interests
осуществлять контроль за соблюдением государственных интересов	exercise control over state interests
деятельность, причиняющая ущерб интересам государства	activity detrimental to the interests of the state
деятельность	**activity**
внешнеторговая деятельность	foreign trade activity
структура внешнеторговой деятельности	foreign trade structure, structure of foreign trade
совершенствовать структуру внешнеторговой деятельности	reshape the structure of foreign trade
внешнеэкономическая деятельность	foreign economic activity, external economic activity

государственное законодательство по внешнеэкономической деятельности	state regulation of foreign economic activity
масштабы внешнеэкономической деятельности	scope of foreign economic activity
расширение масштабов внешнеэкономической деятельности	expansion of the scope of foreign economic activity
механизм внешнеэкономической деятельности	mechanism of foreign economic activity
новый механизм внешнеэкономической деятельности	new mechanism of foreign economic activity
налаживание нового механизма внешнеэкономической деятельности	adjusting the new mechanism of foreign economic activity
оказывать помощь в налаживании нового механизма внешнеэкономической деятельности	assist in adjusting the new mechanism of foreign economic activity
область внешнеэкономической деятельности	field of foreign economic activity
осуществление внешнеэкономической деятельности	carrying out foreign economic activity
документы, необходимые для осуществления внешнеэкономической деятельности	documents required for carrying out foreign economic activity
принцип государственной монополии на внешнеэкономическую деятельность	principle of state monopoly on the country's foreign economic activity
сохранять и развивать принцип государственной монополии на внешнеэкономическую деятельность	retain and deepen the principle of state monopoly on the country's foreign economic activity
развитие внешнеэкономической деятельности	development of foreign economic activity
дальнейшее развитие внешнеэкономической деятельности	further development of foreign economic activity
реформа внешнеэкономической деятельности	foreign economic activity reform
участники внешнеэкономической деятельности:	participants in external economic activity:
министерства	ministries
ведомства	government departments
государственные, кооперативные и иные общественные предприятия, объединения и организации	state, cooperative and other public enterprises, associations and organizations

защита экономических интересов советских участников внешнеэкономической деятельности	protection of economic interests of Soviet participants in external economic ties
функциональная деятельность	functional activity
экономическая деятельность	economic activity
совместная экономическая деятельность	joint economic activity
выполнять совместную экономическую деятельность в широких масштабах	carry out joint economic activity on a large scale
углублять совместную экономическую деятельность	deepen joint economic activity
сфера совместной экономической деятельности	area of joint economic activity
действовать в сфере совместной экономической деятельности	perform in the area of joint economic activity
должное применение экономической деятельности	due exercise of economic activity
области экономической деятельности с допуском иностранного капитала	branches of activity open to companies in foreign ownership
экспортно-импортная деятельность	export-import activity
оценка экспортно-импортной деятельности	assessment of export-import activity
деятельность советских министерств, ведомств и организаций на внешних рынках	activity of Soviet ministries, government departments and organizations on foreign markets
сфера(-ы) деятельности	area(-s) of activity
новые сферы деятельности	new areas of activity
характер деятельности	nature of activity
деятельность, основанная на принципах хозрасчета и самофинансирования	activity based on principles of cost-accounting and self-financing
зависимость	**dependence**
политическая зависимость	political dependence
экономическая зависимость	economic dependence
попадать в экономическую зависимость	become economically dependent
становиться экономически независимым	become economically independent
импорт	**import, imports, importation**
советский импорт	Soviet imports
импорт машин и оборудования	import of machinery and equipment

импорт продовольственных товаров	import of foodstaffs
импорт товаров широкого потребления	import of consumer goods
номенклатура импорта	range of imports
объем импорта	volume of imports
расширение импорта	expansion of imports
сокращение импорта	curtailment of imports
статья импорта	article of imports
товарный ассортимент импорта	assortment of imports
увеличивать объем и товарный ассортимент импорта	increase the volume and assortment of imports
финансирование импорта	financing of imports
расширять импорт	expand imports
сокращать импорт	curtail imports, reduce imports
финансировать импорт	finance imports
индустрия *см.* **промышленность**	
интеграция	**integration**
вертикальная интеграция	vertical integration
достигать вертикальной интеграции	achieve vertical integration
взаимовыгодность интеграции	mutual benefit of integration
интеграция существующего производства	integration of existing production
области и направления интеграции	economic spheres of integration
предмет интеграции	object of integration
эффект интеграции	effect of integration
осуществлять интеграцию	effect integration
компаньон *см.* **партнер(-ы)**	
кооперация	**cooperation**
межфирменная кооперация	interfirm cooperation
поощрять межфирменную кооперацию	encourage interfirm cooperation
производственная кооперация	production cooperation, industrial cooperation, cooperation in production
научно-техническая и производственная кооперация во внешних экономических связях	scientific and technological cooperation and coproduction in external economic relations
осуществление производственной кооперации	carrying out production cooperation
экономическая кооперация	economic cooperation
стороны, участвующие в кооперации	cooperation parties

разделение обязательств сторон, участвующих в кооперации	division of obligations of the cooperating parties, responsibility sharing
королевство	**kingdom**
хашемитское королевство	Hashemite kingdom
корпоративная единица	**corporate entity, corporative entity**
новая корпоративная единица	new corporate entity
создание новой корпоративной единицы	creation of a new entity
создавать новую корпоративную единицу	create a new separate entity
круг(-и)	**circle(-s)**
банковские круги	banking circles
влиятельные круги	influential circles
деловые круги	business circles
коммерческие круги	business circles
научно-техническая революция	**scientific and technological revolution**
осуществление научно-технической революции	carrying out scientific and technological revolution
плоды (результаты) научно-технической революции	fruits (results) of the scientific-technological revolution
пользоваться плодами научно-технической революции	enjoy the fruits of scientific-technological revolution
независимость	**independence**
политическая независимость	political independence
экономическая независимость	economic independence
укрепление экономической независимости	strengthening of economic independence
быть независимым	be independent, enjoy independence
гарантировать независимость	safeguard independence
добиваться независимости	struggle for independence
общество	**society**
акционерное общество	joint-stock company
объединение(-я)	**association, amalgamation(-s), corporation**
внешнеторговое объединение	foreign trade corporation
республиканское внешнеторговое объединение	republican foreign trade corporation (association)
Всесоюзное объединение	All-Union Association, V/O, Vsesojuznoje objedinenije, All-Union Corporation
Всесоюзное внешнеторговое объединение	All-Union Foreign Trade Association
Всесоюзное внешнеэкономическое объединение	All-Union Foreign Economic Association

импортно-экспортное объединение	import-export corporation
международные хозяйственные объединения	international economic amalgamations
создавать международные хозяйственные объединения	set up international economic amalgamations
многоотраслевые объединения	multiindustrial associations, multilateral associations
научно-производственное объединение	scientific production amalgamation, science and industry pools, production associations
деятельность объединения	activity of a corporation
оценка деятельности объединения	assessment of the activity of a corporation
правление объединения	corporation board, board of a corporation
устав объединения	corporation charter, charter of a corporation
устанавливать деловые контакты с объединением	establish business relations with a corporation
обязательство(-а)	**obligation(-s), commitment(-s)**
взаимные обязательства	mutual obligations
денежные обязательства	liabilities
договорные обязательства	contractual obligations, treaty commitments
долгосрочные обязательства	long-term obligations
контрактные обязательства	contractual commitments, contractual obligations
краткосрочные обязательства	short-term obligations
параллельные обязательства	counterpart obligations
выполнение обязательств	fulfilment of obligations
обеспечить выполнение обязательств	secure the fulfilment of *one's* obligations
отвечать за выполнение обязательств	be responsible for the fulfilment of *one's* obligations
отказываться от выполнения обязательств	refuse to fulfil *one's* obligations
прерывать выполнение обязательств	default on *one's* obligations
обязательства сторон (*по соглашению*)	obligations of the parties concerned
брать обязательства	assume obligations, undertake obligations
выполнять обязательства	fulfil *one's* obligations
игнорировать обязательства	ignore *one's* obligations
объект	**project**
мощность объекта	project capacity

расширение мощности объекта	expansion of project capacity
пересматривать мощность объекта	reconsider project capacity
расширять мощность объекта	expand project capacity
техническая характеристика объекта	technical characteristics of a project
вводить объект в эксплуатацию	commision a project, put a project into operation
обеспечивать объект кадрами	provide a project with personnel
реконструировать объект	reconstruct a project
строить объект	construct a project
операция *см.* **сделка**	
организация(-и)	**organization(-s), amalgamation, association**
внешнеторговая организация	foreign trade organization
компетентная внешнеторговая организация	competent foreign trade organization
советская внешнеторговая организация	Soviet foreign trade organization
внешнеторговая организация на хозяйственном расчете [в министерстве]	self-supporting foreign trade association [incorporated by the Ministry]
внешнеэкономическая организация	foreign economic organization
вышестоящая организация	overhead organization, higher authority organization
головная организация	parent organization
государственная организация	state organization
консультационно-посредническая организация	organization giving consultations and rendering mediating services
международные экономические организации	international economic organizations
список международных экономических организаций	list of international economic organizations
полный список международных экономических организаций	an exhaustive list of international economic organizations
принимать участие в деятельности международных экономических организаций	take part in the activity of international economic organizations
наиболее известные организации	most prominent organizations
неправительственная организация	nongovernmental organization
ревизионная организация	auditing organization

советская ревизионная организация, действующая на условиях хозрасчета	Soviet auditing organization operating on a self-supporting basis
смешанная организация	mixed organization
участие в смешанных организациях (обществах)	participation in mixed organizations
специализированная организация	specialized organization
торговая организация	trade organization
компетентная торговая организация	competent trade organization
организации, занимающиеся экономической деятельностью на внутреннем рынке	domestic trade organization
закупки через организации, занимающиеся экономической деятельностью на внутреннем рынке	purchases from domestic economic organizations
организация-член, хозяйственная единица-член	**member-entity**
действующая организация-член	operating entity
учет на основе самостоятельного баланса хозяйственной единицы	entity accounting
принимать участие в принятии решений по деятельности новой хозяйственной единицы	be involved in the new entity's business decisions
основа	**basis**
взаимовыгодная основа	mutually beneficial basis
договорная основа	contract basis
долговременная основа	long-term basis
техническая основа, техническая база	technological basis, technical basis
отставание технической базы	lagging behind in technology
устойчивая основа, стабильная основа	stable basis, firm basis
экономическая основа	economic basis
на ... основе	on the basis
на взаимовыгодной основе	on a mutually beneficial basis
на паритетной основе	on a parity basis
закладывать основу *чего-либо*	lay the foundation of *smth.*
развиваться на основе	develop on the basis *of*
партнер(-ы) (*в делах*), **компаньон**	**partner(-s), associate**
зарубежный партнер	foreign partner
компетентный зарубежный партнер	competent foreign partner

поиск компетентного зарубежного партнера — search for a competent foreign partner
иностранный партнер — foreign partner
надежный партнер — reliable partner
ненадежный партнер — unreliable partner
равноправные партнеры — equal partners
знание партнера — appreciation of the partner
координация действий партнеров — coordination of partners' activity
разногласия между партнерами — disputes between partners
урегулирование разногласий между партнерами — settlement of disputes between partners
экономические связи между советскими и зарубежными партнерами — economic ties between Soviet and foreign partners
интенсификация экономических связей между советскими и зарубежными партнерами — boosting economic ties between Soviet and foreign partners
искать партнера — search for a partner
находить партнера — find a partner
связываться с партнером — contact a partner

партнерские отношения — **partners' relations**
выгодные партнерские отношения — profitable partners' relations
необходимые партнерские отношения — required partners' relations
устанавливать партнерские отношения с различными фирмами за границей — establish partners' relations with different firms abroad

перестройка — **restructuring, reconstruction**
экономическая перестройка — economic restructuring
неотъемлемая часть экономической перестройки — part and parcel of the economic restructuring
процесс экономической перестройки — process of economic restructuring

политика — **policy**
автаркистская экономическая политика — autarchic[al] economic policy
внешнеторговая политика — foreign trade policy
внешнеэкономическая политика — foreign economic policy
эффективная внешнеэкономическая политика — effective foreign economic policy
проведение эффективной внешнеэкономической политики — conducting (implementing) effective foreign economic policy

внешняя политика	foreign policy, external policy
внутренняя политика	home policy, domestic policy
государственная политика	state policy
деловая политика	business policy
кредитная политика	credit policy
торговая политика	trade policy
экономическая политика	economic policy
оценка политики	policy appraisal, policy evaluation
оценка и координация политики	policy evaluation and coordination
политика жесткой экономики	austerity policy, cheese-paring policy
политика руководства	management policy
придерживаться политики	adhere to the policy
проводить политику	conduct policy
помощь	**aid, help, assistance**
безвозмездная помощь	free aid, gratuitous help
бескорыстная помощь	disinterested help
взаимная помощь	mutual aid
иностранная помощь	foreign aid
техническая помощь	technical aid
финансовая помощь	financial aid
экономическая помощь	economic aid
оказание помощи	rendering assistance
прекращать оказание помощи	stop rendering assistance
приостановить оказание помощи	suspend rendering assistance
помощь в целях развития	development assistance
предоставлять помощь	render assistance, give assistance, lend assistance
расширять помощь	expand assistance, extend assistance
продукция	**products, production, goods, produce**
экспортная продукция	export products
экспортная продукция высокого качества	export products of high quality
конкурентоспособность экспортной продукции	competitiveness of export products
технический уровень экспортной продукции	technical level of export products
вносить предложения с целью повышения технического уровня и конкурентоспособности экспортной продукции	make proposals in order to improve the technical level and boost competitiveness of export production

организация производства экспортной продукции	arranging production of export goods
конкурентоспособность продукции	competitiveness of products
повышение конкурентоспособности продукции	achieving higher competitiveness of products
повышать конкурентоспособность продукции на мировом рынке	achieve higher competitiveness of products on international markets
продукция зарубежных производителей	products of foreign producers (manufacturers)
технический уровень продукции зарубежных производителей	technical level of foreign producers' goods
изучение иностранных рынков и технического уровня продукции зарубежных производителей	close scrutiny of foreign markets and technical level of foreign producers
продукция экспортной ориентации	export-oriented products
улучшать качество выпускаемой в СССР продукции	improve the quality of Soviet goods
производство	**production**
отечественное производство	domestic production, home production
промышленное производство	industrial production
плановое производство	planned production
экспортное производство	export production
повышать заинтересованность в экспортном производстве	enhance one's interest in export production
техническое перевооружение и реконструкция производства	retooling and reconstruction of production
промышленность, индустрия	**industry**
автомобильная промышленность	motor industry
военная промышленность	munitions industry
добывающая промышленность	mineral industry, raw minerals industry
крупная промышленность	large-scale industry
кустарная промышленность	artisan industry
легкая промышленность	light industry
машиностроительная индустрия	engineering industry, machinery-producing industry
металлообрабатывающая промышленность	metal fabricating industry
металлургическая промышленность	iron and steel industry

национализированная промышленность	nationalized industry
нефте- и газодобывающая промышленность	crude petroleum-and-natural gas industry
обрабатывающая промышленность	manufacturing industry
отечественная промышленность	home industry, local industry, domestic industry
основные отрасли отечественной промышленности	basic home industries, national industries
пищевая промышленность	food-processing industry
строительная индустрия	building industry
текстильная промышленность	textile industry, textiles
тяжелая промышленность	heavy industry
электроэнергетика	electric-power industry
отрасли промышленности	branches of industry, industries
ведущие отрасли промышленности	key industries
смежные отрасли промышленности	allied industries
развитие отраслей промышленности	development of industries
отрасли промышленности, в которых деятельность иностранного капитала запрещена	branches of industry in which foreign companies are not allowed to operate
промышленность строительных материалов	construction materials-producing industry
республика	**republic**
ресурсы	**resources**
людские ресурсы	manpower
материальные ресурсы	material resources
объединенные ресурсы	pooled resources
финансовые ресурсы	financial resources
экспортные ресурсы	export resources
рациональное распоряжение экспортными ресурсами	rational utilization of export resources
энергетические ресурсы	energy resources
использовать ресурсы	utilize resources
сокращать ресурсы	cut resources, curtail resources
увеличивать ресурсы	increase resources
экономить ресурсы	economize resources
руководство *см.* **управление, связи**	**connections, contacts, links, relations, ties**
внешнеэкономические связи	foreign economic relations, external economic ties

государственные планы советских внешнеэкономических связей	state plans of Soviet foreign economic relations
разрабатывать государственные планы советских внешнеэкономических связей	map out state plans of Soviet foreign economic relations
международные договоры по вопросам внешнеэкономических связей	international treaties on foreign economic relations
научно-техническая и производственная кооперация во внешнеэкономических связях	scientific and technological cooperation and coproduction in external economic ties
организационная инфраструктура внешнеэкономических связей	organizational infrastructure in external economic ties
появление и развитие новых элементов организационной инфраструктуры внешнеэкономических связей	emergence and development of new elements of the organizational infrastructure in external economic ties
особенности внешнеэкономических связей	particulars of foreign economic relations
перестройка механизма внешнеэкономических связей	revamping (restructuring) of foreign economic activity
планирование внешнеэкономических связей	regulation of foreign economic relations
эффективное планирование внешнеэкономических связей	effective regulation of foreign economic relations
развитие внешнеэкономических связей	development of foreign economic relations
равномерное развитие внешнеэкономических связей	balanced development of foreign economic relations
содействие развитию внешнеэкономических связей	assistance in development of foreign economic relations
руководство внешнеэкономическими связями	management of foreign economic relations
эффективное руководство внешнеэкономическими связями	effective management of foreign economic relations
обеспечение эффективного руководства внешнеэкономическими связями	ensuring effective management of foreign economic relations
система управления внешнеэкономическими связями	management system of foreign economic relations

перестройка системы управления советскими внешнеэкономическими связями	restructuring the management system of Soviet foreign economic relations
изменить систему управления внешнеэкономическими связями	reshape the management system of foreign economic relations
совершенствование внешнеэкономических связей	streamlining of foreign economic relations
разрабатывать конкретные направления совершенствования советских внешнеэкономических связей	shape specific trends in streamlining foreign economic relations
стратегия внешнеэкономических связей СССР	strategy of the USSR's foreign economic relations
сфера внешнеэкономических связей	area of foreign economic relations
существенное расширение сферы внешнеэкономических связей	considerable extension of the area of foreign economic relations
участник внешнеэкономических связей	participant of foreign economic relations
повышать роль внешнеэкономических связей	enhance the role of foreign economic relations
деловые связи	business connections
международные связи	international contacts
научно-технические связи	scientific and technological links
прямые связи	direct links, direct ties
прямые производственные связи	direct production ties
прямые связи между соответствующими агентствами и организациями	direct links between appropriate agencies and organizations
установление прямых связей [на уровне предприятий]	establishment of direct links [at the enterprise level]
облегчать установление прямых связей	facilitate the establishment of direct ties
устанавливать прямые связи	establish direct ties
тесные и долгосрочные связи	long-term and close business relations
торгово-экономические связи	trade and economic links
экономические связи	economic contracts
обширные экономические связи	extensive economic links
разнообразные экономические связи	diverse economic links
расширение экономических связей	expansion of economic relations, expansion of economic links

укрепление экономических связей	strengthening of economic relations
поддерживать связи	maintain relations
прекращать (*временно*) связи	suspend relations
развивать связи	develop relations, develop contacts
разрывать связи	break off relations
расширять связи	expand relations, broaden contacts
укреплять связи	strengthen links, strengthen contacts
устанавливать связи	establish links, establish contacts
сделка, операция	**transaction, operation, deal, bargain**
бартерная сделка	barter deal
внешнеторговая сделка	foreign economic transaction
заключение и исполнение внешнеторговых сделок	conclusion and execution of foreign economic transactions
выгодная сделка	good bargain
деловая операция	business transaction
клиринговая операция	clearing transaction
коммерческая операция	commercial transaction
компенсационная сделка	compensation deal
кредитная сделка	credit transaction
невыгодная сделка	bad bargain
прямая сделка	direct transaction
осуществление прямой сделки	carrying out direct transaction
экспортно-импортная сделка	export-import transaction
приостановка действия сделки	suspension of a foreign economic transaction
решение о приостановке действия сделки	decision to suspend a foreign economic transaction
изменить решение о приостановке действия сделки	alter a decision to suspend a foreign economic transaction
отменить решение о приостановке действия сделки	cancel a decision to suspend a foreign economic transaction
принимать решение о приостановке действия сделки	take a decision to suspend a foreign economic transaction
заключать сделку	conclude a transaction, make a deal, conclude a bargain
запрещать сделку	ban a transaction
приостанавливать сделку	suspend a transaction
разрешать сделку	approve a transaction

соглашение	**agreement**
двустороннее соглашение	bilateral agreement
джентльменское соглашение	gentlemen's agreement
кооперационное соглашение	agreement on cooperation
международное соглашение	international agreement
межправительственное соглашение	intergovernment[al] agreement
многостороннее соглашение	multilateral agreement
платежное соглашение	payments agreement
резервное соглашение	stand by agreement
торговое соглашение	commercial agreement
торгово-экономическое соглашение	agreement on trade and economic cooperation
трехстороннее соглашение	tripartite agreement
заголовок соглашения	heading of an agreement
подписание соглашения	signing of an agreement
дата подписания соглашения	the date of signing an agreement
по соглашению	under the agreement
преамбула соглашения	preamble of an agreement
проект соглашения	draft of an agreement, draft agreement
реализация соглашения	realization of an agreement
соглашение об авиасообщении	agreement on aircraft service
соглашение о возмещении затрат и гонораре	cost plus fee agreement
соглашение о двойном налогообложении	double taxation agreement
соглашение о кооперации и интеграции	agreement on cooperation and integration
соглашение о кредите	credit agreement
соглашение о культурном обмене	cultural exchange agreement
соглашение о культурном сотрудничестве	agreement on cultural cooperation
соглашение о производственной специализации и кооперировании	agreement on industrial cooperation and cooperation in production
соглашение о разделе рынка	market-sharing agreement
соглашение о совместном производстве	coproduction agreement
соглашение о сотрудничестве в области...	agreement on cooperation in the field of...
медицины	medicine
подготовки национальных кадров	training of local personnel
рыболовства	fishery

спорта	sports
соглашение о торговом и морском судоходстве	agreement on trade and navigation
соглашение о туризме	agreement on tourism
соглашение об устранении двойного налогообложения	agreement on cancellation of double taxation
срок действия соглашения	term of an agreement, validity of an agreement
статья соглашения	article of an agreement
текст соглашения	text of an agreement
аннулировать соглашение	rescind an agreement, cancel an agreement
денонсировать соглашение	denounce an agreement
заключать соглашение	conclude an agreement, enter into an agreement
парафировать соглашение	initial an agreement
подписывать соглашение	sign an agreement
ратифицировать соглашение	ratify an agreement
содействие 1.	**assistance**
экономическое и техническое содействие	economic and technical assistance
комплексность экономического и технического содействия	comprehensive nature of economic and technical assistance
оказать экономическое и техническое содействие	render economic and technical assistance
объем содействия	amount of assistance, volume of assistance
осуществление содействия	rendering assistance
содействие в осуществлении социально-экономических преобразований	assistance in carrying out socio-economic reforms, assistance in carrying out socio-economic changes
содействие в развитии ключевых отраслей государственного сектора экономики развивающихся стран	assistance in development of state sector key industries of the economy of developing countries
сферы содействия	spheres of assistance
цель содействия	purpose of assistance
эффективность содействия	efficiency of assistance
содействие 2. (*комплексность экономического и технического содействия*)	**assistance** (*comprehensive nature of economic and technical assistance*)
командирование специалистов	sending of specialists
оказание инженерно-консультационных услуг	provision of engineering services
оказание содействия в подготовке национальных технических кадров	rendering assistance in training local technical personnel

поставка комплектного оборудования и материалов	delivery of complete equipment and materials
проведение консультаций	giving consultations
проведение проектно-изыскательских и научно-исследовательских работ	carrying out design, survey and research works
сотрудничество	**cooperation**
взаимовыгодное сотрудничество	mutually advantageous cooperation
расширение взаимовыгодного сотрудничества	stepping up mutually advantageous cooperation
сотрудничать на взаимовыгодной основе	cooperate on a mutually advantageous basis
внешнеэкономическое сотрудничество	external economic cooperation
ассоциация внешнеэкономического сотрудничества экспортеров	association of exporters in external economic cooperation
установление и развитие новых форм внешнеэкономического сотрудничества	creation and development of new forms of external economic cooperation
всестороннее сотрудничество	all-round cooperation
деловое сотрудничество	business cooperation
ассоциация делового сотрудничества с зарубежными странами	association of business cooperation with foreign countries
новые формы делового сотрудничества	new forms of business cooperation
развитие делового [взаимовыгодного] сотрудничества	development of business [mutually advantageous] cooperation
международное сотрудничество	international cooperation
межфирменное сотрудничество	interfirm cooperation
расширять межфирменное сотрудничество	broaden interfirm cooperation
многостороннее сотрудничество	multilateral cooperation
научное сотрудничество	scientific cooperation
научно-техническое сотрудничество	scientific-technical cooperation, scientific and technological cooperation, cooperation in science and technology
комиссия по научно-техническому сотрудничеству	committee on scientific-technical cooperation, commission on scientific-technological cooperation,

межправительственная комиссия по научно-техническому сотрудничеству	intergovernmental committee on scientific-technological cooperation, intergovernmental commission on scientific-technological cooperation
плодотворное сотрудничество	fruitful cooperation
промышленное сотрудничество	industrial cooperation
тесное сотрудничество	close cooperation
работать в тесном сотрудничестве	work in close cooperation
торговое сотрудничество	trade cooperation
торгово-экономическое сотрудничество	trade and economic cooperation
участвовать в работе межправительственных комиссий и комитетов по вопросам торгово-экономического и научно-технического сотрудничества	take part in the work of intergovernmental committees and commissions on the problems of trade, economic and scientific technological cooperation
широкое сотрудничество	broad cooperation, large-scale cooperation
экономическое и научно-техническое сотрудничество	economic and scientific-technological cooperation
выполнение долгосрочных программ экономического и научно-технического сотрудничества	carrying out long-term programmes of economic and scientific-technological cooperation
содействовать выполнению долгосрочных программ экономического и научно-технического сотрудничества	assist in carrying out long-term programmes of economic and scientific-technological cooperation
развитие новых направлений и форм экономического и научно-технического сотрудничества	development of new trends and forms of economic and scientific-technological cooperation
экономическое и техническое сотрудничество	economic and technological cooperation
контракт по сотрудничеству	contract of association
концепция сотрудничества	concept of cooperation
меморандум сотрудничества	memorandum of cooperation
методы сотрудничества	methods of cooperation
объем сотрудничества	scope of cooperation
основа сотрудничества	basis for cooperation
юридическая основа сотрудничества	legal basis for cooperation, juridical basis for cooperation
перспективы сотрудничества	prospects for cooperation
планы сотрудничества	plans for cooperation

предложения по сотрудничеству	proposals on cooperation
участвовать в разработке предложений по сотрудничеству	take part in elaborating proposals on cooperation
принципы сотрудничества	principles of cooperation
программа сотрудничества	programme of cooperation
долгосрочная программа сотрудничества	long-term programme of cooperation
прямое сотрудничество	direct cooperative ties
развитие сотрудничества	development of cooperation
расширение сотрудничества	broadening of cooperation, expansion of cooperation, stepping up cooperation
политика расширения сотрудничества	policy of broadening cooperation
сотрудничество в выполнении комплексных планов развития	cooperation in carrying out comprehensive programmes of development
сотрудничество на базе реализации лицензий и ноу-хау, инжиниринговых, консультационных услуг, лизинговых операций	cooperation in the field of licences and know-how, engineering, consultative services, leasing transactions
сотрудничество на коммерческих условиях	cooperation on commercial terms
сотрудничество на компенсационной основе	cooperation on a compensation basis, buy-back
сотрудничество на условиях генподряда («под ключ»)	cooperation on a "turn-key" basis
сотрудничество на условиях «продакшн шеринг»	cooperation on "production-sharing" terms
сотрудничество на условиях техсодействия	cooperation on technical assistance terms
специфика сотрудничества	specific feature of cooperation
структура сотрудничества	structure of cooperation
формы сотрудничества	forms of cooperation
взаимовыгодные формы сотрудничества	mutually beneficial forms of cooperation
новые формы сотрудничества	new forms of cooperation
способствовать развитию новых форм экономического сотрудничества [с зарубежными странами]	serve to facilitate new forms of economic cooperation [with foreign partners]
оптимальная форма сотрудничества	optimal form of cooperation
выбор оптимальной формы сотрудничества	choosing an optimal form of cooperation

совершенствование форм сотрудничества	refining the forms of cooperation
характер сотрудничества	nature of cooperation
долговременный характер сотрудничества	long-term cooperation
кратковременный характер сотрудничества	short-term cooperation
эффективность сотрудничества	efficiency of cooperation
оптимальная эффективность сотрудничества	optimal efficiency of cooperation
достижение оптимальной эффективности сотрудничества	achievement of optimal efficiency of cooperation
осуществлять сотрудничество	cooperate, organize cooperation
осуществлять сотрудничество по прямым сделкам	be engaged in direct cooperative ties
поддерживать сотрудничество	maintain cooperation
продолжать сотрудничество	continue cooperation
расширять сотрудничество	broaden cooperation
разнообразить формы и методы сотрудничества	diversify forms and methods of cooperation
устанавливать сотрудничество	establish cooperation
сотрудничать	**cooperate, carry on cooperation**
страна(-ы)	**country(-ies)**
зависимая страна	dependency, dependent country
капиталистическая страна	capitalist country
независимая страна	independency, independent country
неприсоединившаяся страна	non-aligned country
промышленно развитая страна	industrially developed country
развивающаяся страна	developing country
социалистическая страна	socialist country
третьи страны	third countries
потребности страны	requirements of a country, country's needs
удовлетворять потребности страны в готовой продукции, сырье и пищевой продукции	satisfy the country's needs in manufacturing products, raw materials and foodstuffs
содружество стран	community
экспортный потенциал страны	country's export potential
повышать экспортный потенциал страны	strengthen the country's export potential
султанат	**sultanate**

техническое перевооружение	**technological reconstruction, technical retooling**
товар(-ы)	**goods**
ввоз товаров	import of goods
вывоз товаров	export of goods
импортный товар	imported goods, import goods
тарифные барьеры для импортных товаров	tariff barriers for imported goods
экспортный товар	exported goods, export goods
выпуск высококачественных экспортных товаров	output of high-quality exported goods
расширение выпуска высококачественных экспортных товаров	enhanced production of high quality exported goods
происхождение товара	origin of goods, goods origin
свидетельство о происхождении товара	certificate of goods origin
реэкспорт товаров	reexport of goods
транзит товара через СССР	transit of goods via the USSR
импортировать товар	import goods
экспортировать товар	export goods
товары и услуги	**goods and services**
качество и конкурентоспособность советских товаров и услуг	quality and competitiveness of Soviet goods and services
повышать качество и конкурентоспособность советских товаров и услуг	improve the quality and boost competitiveness of Soviet goods and services
конъюнктура рынка товаров и услуг	market conditions of goods and services
ознакомиться с конъюнктурой рынка товаров и услуг	familiarize oneself with market conditions of goods and services
торги	**tender**
торговля	**trade**
бартерная торговля	barter trade
взаимовыгодная торговля	mutually advantageous trade
внешняя торговля	external trade, foreign trade
монополия внешней торговли	monopoly of foreign trade
структура внешней торговли	commodity structure of foreign trade
перестройка структуры внешней торговли	restructuring of foriegn trade structure
постепенная перестройка структуры внешней торговли	step-by-step restructuring of foreign trade

эффективность внешней торговли — efficiency of foreign trade
повышение эффективности внешней торговли — making foreign trade more effective
внутренняя торговля — home trade, domestic trade
выгодная торговля — advantageous trade, profitable trade
двусторонняя торговля — bilateral trade
оптовая торговля — wholesale trade
рынок оптовой торговли — market for wholesale trade
развитие рынка оптовой торговли в СССР — development of market for wholesale trade in the USSR
объем торговли по импорту — volume of imports
объем торговли по экспорту — volume of exports
преференциальная торговля — preferential trade

торговое объединение — **trade association**

торговый баланс — **balance of trade, trade balance**

активное сальдо торгового баланса — export surplus, active balance of trade
дефицит торгового баланса — deficit of trade balance, negative balance of trade, adverse balance of trade

торговый оборот — **trade turnover**

внешнеторговый оборот — foreign trade turnover
рост внешнеторгового оборота — growth of foreign trade turnover
увеличивать внешнеторговый оборот — increase the turnover of foreign trade, increase foreign trade turnover

торговая политика — **trade policy, commercial policy**

совершенствование инструментария торговой политики страны — improvement in the instruments of the country's trade policy

торговое представительство — **trade representation**

деятельность торгового представительства — activity of a trade representation
основные задачи торгового представительства — main objectives of a trade representation
определять основные задачи торгового представительства — define the main objectives of a trade representation
структура торгового представительства — structure of a trade representation
определять структуру торгового представительства — define the structure of a trade representation
торговое представительство СССР в стране пребывания — trade representation of the USSR in the host country

штат торгового представительства	personnel of a trade representation
комплектовать штат торгового представительства	appoint personnel of a trade representation
представлять и обеспечивать государственные интересы СССР в стране пребывания по всем вопросам внешнеэкономической деятельности	represent and ensure the protection of the state interests of the USSR in every area of foreign economic activity in the country where it is stationed
управление, руководство	**management**
экономическое управление	economic management
новые условия экономического управления	new conditions of economic management
выполнять внешнеэкономическую деятельность в новых условиях экономического управления	carry out external economic activity in the new conditions of economic management
перестройка экономического управления	economic management restructuring
эффективная форма экономического управления	effective economic management
методы управления	methods of management, methods of managing
административно-командные методы управления	administrative methods of managing
органы управления	management bodies
органы управления внешнеэкономическим комплексом	foreign economic [management] bodies, external economic [management] bodies
центральные органы управления внешнеэкономическим комплексом	steering (central) foreign economic [management] bodies
перестройка центральных органов управления внешнеэкономическим комплексом	restructuring of the steering foreign economic bodies
соответствующий орган управления	appropriate managing body
система управления	management system
усовершенствовать всю систему управления	update the entire management system
управление, основанное на экономической заинтересованности	management based on economic incentives
условия	**conditions, terms**
коммерческие условия	commercial terms
неприемлемые условия	unacceptable conditions
приемлемые условия	acceptable conditions

социально-экологические условия	social-ecological conditions
экономические условия	economic conditions
изучение условий	considering conditions, studying conditions
условия развития	conditions of development
изучать условия	study conditions
рассматривать условия	consider conditions
создавать условия	create conditions
фирма	**firm**
иностранная фирма	foreign firm
инжиниринговая фирма	engineering firm
консультационная фирма	consultation firm
зарубежные консультационные и маркетинговые фирмы	foreign consultation and marketing firms
крупная фирма	large firm
мелкая фирма	small firm
местная фирма	local firm
рекламная фирма	advertising firm
сервисная фирма	service-rendering firm
смешанные фирмы	mixed firms
средняя фирма	medium-sized firm
торговая фирма	trade firm
фирма всесоюзного внешнеторгового объединения	firm of an All-Union foreign trade corporation
адрес фирмы	address of a firm
деятельность фирмы	activity of a firm
ликвидация фирмы	dissolution of a firm
название фирмы	name of a firm
оказание услуг фирмой	rendering services by a firm
репутация фирмы	reputation of a firm
филиал фирмы	branch office [of a firm]
делать предложения фирме	make an offer to a firm
заключать контракт с фирмой	make a contract with a firm, conclude a contract with a firm
создавать фирму	establish a firm, set up a firm
сотрудничать с фирмой	do business with a firm, cooperate
хозяйственная единица-член *см.* **организация-член**	
экология	**ecology**
промышленная экология	industrial ecology
сельскохозяйственная экология	agricultural ecology

социальная экология	social ecology
экология населения	population ecology
экология человека в условиях города	urban ecology
экологическая ситуация	**ecological situation**
экологические интересы	**ecological interests**
защита экологических интересов СССР	protection of ecological interests of the USSR
экологические характеристики	**ecological characteristics**
экономика	**economy**
застойная экономика	stagnant economy
мировая экономика	world economy
многоотраслевая экономика	diversified economy
национальная экономика	national economy
развитие национальной экономики	development of national economy
укрепление национальной экономики	strengthening of national economy
плановая экономика	planned economy
развивающаяся экономика	expanding economy, developing economy
развитая экономика	advanced economy
рыночная экономика	market economy
слаборазвитая экономика	poorly developed economy
социалистическая экономика	socialist economy
устойчивая экономика	stable economy, well-balanced economy
возможности экономики	possibilities of economy, opportunities of economy
исчерпывать возможности экономики	exhaust the possibilities of economy
открывать новые возможности экономики	open up new opportunities for economy
зависимость экономики	dependence of economy
независимость экономики	independence of economy
отрасли экономики	branches of economy
новые отрасли экономики	new branches of economy
создание новых отраслей экономики	setting up of new branches of economy
доля отраслей экономики в валовом национальном продукте	share of different branches of economy in gross national product
перестройка экономики	reorganization of economy
структурная перестройка экономики	restructuring of economy, reorganization of economy
развитие экономики	development of economy

планы развития экономики	plans for economic development
долговременные планы развития экономики	long-term plans of economic development
стимулирование развития экономики	stimulation of economy development
ресурсы экономики	resources of economy
экспортные ресурсы экономики	export resources of economy
развитие экспортных ресурсов экономики	development of export resources of economy
сектор экономики	sector, major sector
государственный сектор экономики	public sector
частный сектор экономики	private sector
структура экономики	economy structure
сложившаяся структура экономики	the present economy structure
сферы экономики, открытые для частного предпринимательства	fields of economy open to private economic activity
управление экономикой	economic management
административно- командный метод управления экономикой	administrative method of managing economy
управление экономикой, основанное на заинтересованности	management based on economic incentives
переход от административно-командного метода управления экономикой к управлению экономикой, основанному на заинтересованности	transition from administrative method of managing economy to the management based on economic incentives
экономика (*основные отрасли экономики*)	**economy**
газовая индустрия	gas industry
геологоразведка	geological prospecting
горнодобывающая индустрия	mining [industry]
машиностроение	machine-building, engineering
металлургическая индустрия [черная и цветная]	metallurgy [ferrous and non-ferrous]
нефтедобыча	oil extracting
нефтеперерабатывающая индустрия	oil refining
нефтехимическая индустрия	petrochemical industry
сельское хозяйство	agriculture
строительная индустрия	building industry

химическая индустрия	chemical industry
электроэнергетика	electric power [supply] industry
атомная электроэнергетика	nuclear-generated power, atomic engineering
экономическая единица, экономический объект	**[economic] entity**
экономическая реформа	**economic reform**
программа экономической реформы	economic reform programme
приступить к выполнению программы экономической реформы	embark on the economic reform programme
проведение экономической реформы	implementation of an economic reform
условия проведения экономической реформы	conditions under which an economic reform is being implemented
в условиях проведения экономической реформы	in conditions of implementing an economic reform
экономическая целесообразность	**economic feasibility, economic expediency**
экономические и торговые интересы	**economic and trade interests**
соблюдение экономических и торговых интересов СССР	observance of economic and trade interests of the USSR
экономические отношения Восток-Запад	**East-West economic relations**
заниматься развитием экономических отношений Восток-Запад	be engaged in the development of East-West relations
быть заинтересованным в развитии экономических отношений Восток-Запад	be interested in the development of East-West relations
экономические рычаги	**economic levers**
разрабатывать систему экономических рычагов	introduce economic levers
экономический(-ие) механизм(-ы)	**economic mechanism(-s)**
национальные экономические механизмы	national economic mechanisms
принимать во внимание национальные экономические механизмы	take into account national economic mechanisms
экономический рост	**economic growth**
темпы экономического роста	rate of economic growth, economic growth rate, growth rate of economy

высокие темпы экономического роста	high rate of economic growth
поддерживать высокие темпы экономического роста	maintain high rate of economic growth
меры по поддержанию темпов экономического роста	measures to be taken to ensure economic growth rate
экономический спад	**economic recession**
экономическое развитие	**economic evolution, economic development**
планы и программы экономического развития	plans and programmes of economic evolution
способствовать экономическому развитию страны	promote economic development of the country
удовлетворять потребности текущего экономического развития страны	meet the requirements of the country's current economic development
экспорт	**export, exports, exportation**
растущий экспорт	growing exports
советский экспорт	Soviet exports
доля экспорта	share of exports
повышать в советском экспорте долю обрабатывающей промышленности	boost the share of manufacturing industries in Soviet exports
объем экспорта	volume of exports
политика в области экспорта	export policy
развитие экспорта	development of exports
способствовать развитию экспорта	help boost exports
сокращение экспорта	reduction in exports
статьи экспорта	articles of exports
структура экспорта	composition of exports
темпы роста экспорта	growth rate of exports
экспорт готовой продукции	export of ready-made products, export of finished products
незначительные темпы роста советского экспорта готовой продукции	modest growth rate of Soviet finished products export
экспорт сырья	export of raw materials
изменить сырьевую направленность экспорта	reorient the export of raw materials
экспорт технологий	exportation of technology
быть первоначально ориентированным на экспорт	be primarily export-oriented
расширять экспорт	expand exports
сокращать экспорт	curtail exports
увеличивать экспорт	increase exports, boost exports

экспортная база	**export base**
развитие экспортной базы	development of export base
принимать меры для развития экспортной базы	provide for the development of export base
экспортные показатели	**export performance, export indicators**
улучшение экспортных показателей	boost in export performance
улучшать экспортные показатели	contribute to a boost in export performance
экспортные поступления	**export earnings**
увеличение экспортных поступлений	increase in export earnings
способствовать увеличению экспортных поступлений	boost an increase in export earnings, promote an increase in export performance
экспортный сектор	**export sector**
расширять экспортный сектор	expand export sector
эмираты	**emirates**

ФРАЗЫ

Я представляю деловые круги...	I am here to represent the business circles of...
Аргентины	Argentina
Швеции	Sweden
Японии	Japan
Мы интересуемся...	We are interested in...
внешнеэкономической деятельностью СССР	foreign economic activity of the USSR
коммерческими операциями вашей фирмы	commercial operations of your firm
Мы неоднократно убеждались, что ваша... надежный партнер	We have had many opportunities to see that your... is a reliable partner
страна (фирма)	country (firm)
организация	organization
Мы хотим установить с вашей страной... экономические связи	We are willing to establish with your country... economic relations
взаимовыгодные	mutually advantageous
долговременные	long-term
стабильные	stable
Это отвечает и нашим желаниям	We feel the same
Не могли бы вы познакомить нас с организацией внешнеэкономической деятельности...?	Could you put us in the picture about the organization of the foreign economic activity of the...?
Внешэкономбанка СССР	Bank for Foreign Economic Affairs of the USSR, Vneshekonombank

Государственной внешнеэкономической комиссии Совета Министров СССР	State Commission for Foreign Economic Relations of the Council of Ministers of the USSR
Государственного комитета по науке и технике	State Committee for Science and Technology
Министерства внешних экономических связей СССР	Ministry of Foreign Economic Relations of the USSR
Что именно вас интересует?	What interests you in particular?
Меня интересует...	I wonder...
какие организации занимаются внешнеэкономическими связями	which organizations deal with foreign economic links
отличаются ли ваши внешнеторговые организации по своим функциям	whether your foreign trade organizations have different functions
Я постараюсь ответить на ваши вопросы	I'll do my best to answer your questions
Внешэкономбанк осуществляет...	Vneshekonombank effects...
кредитование объединений, предприятий и организаций, осуществляющих внешнеэкономические связи	crediting of foreign trade associations, organizations and enterprises
операции на международных валютных и кредитных рынках	operations on the international foreign currency and credit markets
операции, связанные с наличной валютой и валютными ценностями	payments involving foreign currencies and valuables
Государственная внешнеэкономическая комиссия Совета Министров СССР руководит работой...	The State Commission for Foreign Economic Relations of the Council of Ministers of the USSR supervises the work of the...
Министерства внешних экономических связей СССР	Ministry of Foreign Economic Relations of the USSR
Государственного комитета СССР по иностранному туризму	USSR State Committee for Foreign Tourism
Внешэкономбанка СССР	Bank for Foreign Economic Affairs of the USSR
Главного управления государственного таможенного контроля при Совете Министров СССР	Main Administration for State Customs Inspection under the Council of Ministers of the USSR
всех министерств и ведомств, осуществляющих внешнеэкономические связи	all ministries and government departments engaged in foreign economic relations
Министерство внешних экономических связей СССР занимается...	The Ministry of Foreign Economic Relations of the USSR...

проведением экспортно-импортных операций по товарам общегосударственного назначения	executes export-import transactions in goods of national importance
оказанием содействия экономическому и техническому сотрудничеству в строительстве объектов за рубежом и на территории СССР	renders assistance in economic and technical cooperation to erect projects abroad and on the USSR territory
ГКНТ осуществляет научно-техническое сотрудничество с промышленно развитыми капиталистическими странами	The State Committee for Science and Technology organizes cooperation with industrially developed capitalist countries
Как организовано сотрудничество с ...?	In what way is cooperation with... arranged?
Великобританией	Great Britain
Норвегией	Norway
Германией	Germany
Создан целый ряд межправительственных комиссий по научно-техническому сотрудничеству с промышленно развитыми странами	A number of intergovernmental committees for scientific-technical cooperation with industrially developed countries have been set up
Этот вид сотрудничества осуществляется только с капстранами?	Is this cooperation practised only with capitalist countries?
Нет, подобные комиссии существуют с развивающимися странами по линии МВЭС	No, it isn't. The Ministry of Foreign Economic Relations of the USSR sets up similar committees for cooperation with developing countries
Каковы их функции?	What are their functions?
Изучить перспективы экономического и технического сотрудничества с данной страной и содействовать их развитию	They are to consider prospects for economic and technical cooperation with a certain country and assist in their development
Как организационно осуществляется такое сотрудничество?	How do they carry on such cooperation?
МВЭС подписывает соглашения на...	The USSR Ministry of Foreign Economic Relations signs agreements...
выполнение определенных работ	to execute certain types of work
оказание тех или иных видов услуг	to render services of either kind
МВЭС привлекает в качестве Генпоставщиков и Генподрядчиков отраслевые министерства и ведомства	The USSR Ministry of Foreign Economic Relations engages branch ministries and departments as General Suppliers and General Contractors
Ряд внешнеторговых организа-	The USSR Ministry of Foreign

ций (Всесоюзных внешнеэкономических объединений — ВВО) входит в состав МВЭС	Economic Relations consists in part of some All-Union foreign economic associations (VVO)
Каждое объединение МВЭС является самостоятельным юридическим лицом	Each Association of the Ministry of Foreign Economic Relations is an independent juridical person
Объединения МВЭС входят в непосредственные контакты с зарубежными фирмами	The All-Union associations of the USSR Ministry of Foreign Economic Relations establish direct contacts with foreign firms
Участвует ли МВЭС в подписании межправительственных соглашений?	Does the USSR Ministry of Foreign Economic Relations take part in the signing of intergovernmental agreements?
Такие соглашения подписываются МВЭС по поручению правительства СССР	Such agreements are signed by the USSR Ministry of Foreign Economic Relations on behalf of the government of the USSR
Всесоюзное внешнеэкономическое объединение... подписывает контракты в развитие межправительственных соглашений	The All-Union foreign economic association... signs separate contracts as a result of intergovernmental agreements
«Техноэкспорт»	"Technoexport"
«Машиноимпорт»	"Mashinoimport"
Объединения участвуют в торгах на строительство объектов	The All-Union associations participate in tenders for the construction of projects
Создаются ассоциации делового сотрудничества	Associations of business cooperation are being set up
Они послужат развитию новых форм экономического сотрудничества с зарубежными партнерами	They will serve to facilitate new forms of economic cooperation with foreign partners
Каковы принципы сотрудничества?	What are the principles of cooperation?
Соглашения предусматривают следующие принципы сотрудничества:	Agreements provide for the following principles of cooperation:
равноправие	equality
взаимовыгодность	mutual benefit
невмешательство во внутренние дела	non-interference in the internal affairs
уважение суверенитета	respect for sovereignty
Каковы формы и методы сотрудничества?	What're the forms and methods of cooperation?
Соглашения предусматривают следующие формы и методы сотрудничества:	Agreements provide for the following forms and methods of cooperation:
сотрудничество на условиях техсодействия	cooperation on terms of technical assistance

сотрудничество на условиях генподряда («под ключ»)	cooperation on a "turn-key" basis
сотрудничество на компенсационной основе	cooperation on a compensation basis (buy-back)
сотрудничество в создании совместных предприятий	cooperation in setting up joint ventures
сотрудничество на условиях «продакшн шеринг»	cooperation on "production sharing" basis
Прямые связи между советскими предприятиями и их зарубежными партнерами направлены на расширение и углубление специализации и кооперации	Direct contacts between Soviet producers and their partners abroad are aimed at developing and deepening the process of specialization and cooperation
На основе... соглашений СССР участвует в создании объектов в третьих странах	On the basis of... agreements the USSR takes part in the construction of projects in third countries
межправительственных	intergovernmental
двусторонних	bilateral
трехсторонних	tripartite
многосторонних	multilateral
Советский Союз заключает соглашения с... странами по объектам в третьих странах	The Soviet Union concludes agreements with... countries in order to fulfil its committments to the projects in third countries
промышленно развитыми	industrially developed
капиталистическими	capitalist
МВЭС за рубежом представлен Торговым представителем Посольства СССР и представителями от объединений	The USSR Ministry of Foreign Economic Relations is represented abroad by a Trade Representative of the USSR Embassy and representatives of the All-Union associations

ВНЕШНЯЯ ТОРГОВЛЯ — FOREIGN TRADE

ВНЕШНЯЯ ТОРГОВЛЯ — FOREIGN TRADE

база	**base**
сырьевая база	raw materials base
экономическая база	economic basis
энергетическая база	power base
барьер(-ы)	**barrier(-s)**
охранительные импортные барьеры	protective import barriers
протекционистские барьеры	protectionist barrriers
беспошлинный	**exempt from duties, duty free**
ввоз	**import**
беспошлинный ввоз	duty free import
ввоз товаров	inflow of commodities, import of commodities
ограничения на ввоз	import restrictions
предметы ввоза	articles of import
взвешенный по составу регионального экспорта и импорта	**weighted by regional composition of export and import**
взвешенный по удельному весу во внешней торговле	**trade-weighted**
внешнеторговая практика	**[foreign] trade practices**
ограничительная внешнеторговая практика	restrictive trade practices
воздействие	**impact**
заметное воздействие	notable impact
иметь воздействие	have an impact *on*
вывоз	**export**
выпуск	**output**
год	**year**
базисный год	reference year
отчетный год	reporting year
давление	**pressure**
давление конкуренции	pressure of competition
давление товарных запасов	inventory pressure
оказывать давление	exert pressure

демпинг	**dumping**
депрессия	**depression**
затяжная депрессия	prolonged depression
дефицит	**deficit**
товарный дефицит	want of goods
дефицит во внешней торговле товарами	merchandise deficit
финансировать дефицит	finance the deficit
деятельность	**activity**
торговая деятельность	trading activity
деятельность по продаже	sales activity
доля	**share**
доля составляет...	the share constitutes...
зависимость	**dependence**
закупка(-и)	**purchase(-s), buying, procurement**
буферные закупки	buffer purchases
массовые закупки	bulk-buying
экспортные закупки	export purchases
закупка необходимых импортных товаров	procurement of import requirements
замещение	**substitution**
замещение импорта внутренним производством	import substitution
застой	**stagnation**
общий застой	general stagnation
застой в деловой активности	stagnation of business
застой в торговле	depression of trade
импорт	**import[s]**
беспошлинный импорт	[duty] free imports
конкурирующий импорт	competitive imports
неконкурирующий импорт	complementary imports, non-competitive imports
прямой импорт	direct import
чистый импорт	net import
диверсификация импорта	diversification of imports
замещение импорта внутренним производством	import substitution
замещение импорта отечественной продукцией	import substitution by local production
импорт в ценах СИФ	imports C.I.F.
конечное назначение импорта	ultimate destination of imports
контроль над импортом	import control
объем импорта	import volume
общий объем импорта	total import volume

физический объем импорта	imports quantum, physical imports, volume of imports
ограничение импорта	regulation of imports, import restrictions
количественные ограничения импорта	quantitative regulations of imports
потребность в импорте	import requirements
разрешение на импорт	import license
расходы по импорту	import expenditures, import bill
система контингентирования импорта	import quota system
средняя цена импорта	unit value of imports
статьи импорта	articles of import
стоимость импорта	value of imports
диверсифицировать импорт	diversify imports
сократить импорт	reduce import
импортер	**importer**
основной импортер	main importer
импортный залог	**import deposit**
индекс	**index**
скорректированный индекс	adjusted index
индекс объема производства	production index
индекс оптовых цен	wholesale price index
индекс потребления	index of consumption
индекс сезонности	seasonal index
индекс средней цены импорта	unit value index of import
индекс средней цены экспорта	unit value index of export
индекс условий торговли	terms of trade index
инфляция	**inflation**
квота(-ы)	**quota(-s)**
глобальные квоты	global quotas
двухсторонние квоты	bilateral quotas
импортные (экспортные) квоты	import (export) quotas
общие согласованные квоты	overall agreement quotas
текущие квоты	current quotas
квоты для торговли по договорным ценам	negotiated price quotas
квоты на сельхозпродукцию	farm production quotas
колебание(-я)	**fluctuation(-s)**
коньюнктурные колебания	trade fluctuations
минимальные колебания	minimum fluctuations
сезонные колебания	seasonal fluctuations
колебания в экспорте и импорте	fluctuations in exports and imports

с поправкой на сезонные колебания	seasonably adjusted
компания	**company**
компания, специализирующаяся на...	company specializing in...
конкурент(-ы)	**competitor(-s)**
потенциальные конкуренты	would-be competitors, potential competitors
конкуренция	**competition**
неценовая конкуренция	non-price competition
свободная конкуренция	free competition
отсутствие конкуренции	non-competitive conditions
концессия	**concession**
коэффициент	**coefficient**
коэффициент пересчета внешней торговли из национальной валюты в доллары США	external trade conversion ratio, foreign trade conversion factor
кризис	**crisis**
экономический кризис	economic depression
кризис перепроизводства	overproduction crisis
либерализация	**liberalization**
либерализация торговли	liberalization of trade
выборочная либерализация торговли	discriminatory liberalization of trade
лицензия	**license**
импортная лицензия	import license
экспортная лицензия	export license
мера(-ы)	**measure(-s)**
дефляционные меры	deflationary measures
протекционистские меры	protectionist measures
мера потребления	measure of consumption
меры по увеличению сбыта	sales promotion
монополия	**monopoly**
монополия внешней торговли	foreign trade monopoly
налог(-и)	**tax(-es)**
сельскохозяйственный налог	agricultural tax
налог на добавленную стоимость	value added tax, VAT
налог на импорт	import tax
налог на предметы роскоши	luxury tax
налоги на товары	commodity taxes
налог на экспорт	export tax
нехватка	**shortage**

нехватка сырьевых материалов	shortage of raw materials
номенклатура	**classification**
товарная номенклатура	commodity classification
оборот	**turnover**
внешнеторговый оборот	total trade, foreign trade turnover
годовой оборот	annual turnover
торговый оборот	volume of business, trade turnover
ограничения	**restrictions**
импортные ограничения	import restrictions
количественные ограничения	quantitative restrictions
торговые ограничения	trade barriers
экспортные ограничения	export restrictions
отношения	**relations**
длительные деловые отношения	long-term business relations
торговые отношения	commercial relations
оценка	**estimate**
необъективная оценка	biased estimate
объективная оценка	objective estimate
оценка внешней торговли	trade estimates
перепроизводство	**overproduction**
хроническое перепроизводство	chronic overproduction
перепроизводство товаров	overproduction of commodities
перспектива	**outlook**
долгосрочная перспектива	long-term outlook
краткосрочная перспектива	near-term outlook, short-term outlook
экономическая перспектива	economic outlook
перспектива расширения	prospects of expansion
прогнозировать перспективу	forecast the prospects
показатель(-и)	**indicator**
самый низкий показатель за год	year's low
текущие показатели	current figures
политика	**policy**
государственная внешнеторговая политика	official trade policy
торговая политика	commercial policy, trade policy
положение	**position, situation**
ведущее положение	leading position

стабильное положение	stable position
финансовое положение	financial situation
укреплять положение	strengthen the position, consolidate the position
поступления	**receipts, earnings**
экспортные поступления	export earnings, export receipts
поступления от экспорта	export earnings, export receipts
поступления по линии туризма	tourist receipts
потенциал	**potential**
поток(-и)	**flow(-s)**
внешнеторговые потоки	[external] trade flows
товарные потоки	commodity flows
динамика товарных потоков	shifts of commodity flows
потоки отдельных товаров	individual commodity flows
потолок	**ceiling**
потолок объема производства	production ceiling
потолок, установленный правительством	government-established ceiling
потребитель	**consumer**
конечный потребитель	ultimate consumer
оптовый потребитель	large-scale consumer
вкусы потребителей	consumer tastes
предпочтение потребителей	consumers' preference
потребление	**consumption**
внутреннее потребление	domestic consumption
годовое потребление	annual consumption
личное потребление	personal consumption
ожидаемое потребление	expected consumption
промышленное потребление	industrial consumption
потребление на душу населения	per capita consumption
структура потребления	consumption pattern
темпы роста потребления	consumption growth rates
потребность(-и)	**requirement(-s), needs**
внутренние потребности	internal requirements
удовлетворять потребности	meet the requirements
пошлина(-ы)	**duty(-ies)**
высокие пошлины	heavy duties
дифференциальная пошлина	discriminating duty, differential duty
запретительная пошлина	prohibitive duty
импортная пошлина	import duty
покровительственная пошлина	protective duty

таможенная пошлина	customs duty
преференциальная скидка с пошлины	preferential margin of a duty
вводить пошлину	impose a duty
отменять пошлину	abolish a duty
предмет международной торговли	**item of international trade**
прогноз(-ы), прогнозирование	**projection, forecast(-s), forecasting**
долгосрочное прогнозирование	long-term projection, long-term forecast
краткосрочные прогнозы	short-term forecasts
ошибка прогнозирования	forecasting error
прогноз тенденции изменения	trend projection
прогнозирование *см.* **прогноз**	
продажа(-и)	**sale(-s)**
концессионные (*льготные*) продажи	concessional sales
протекционизм	**protectionism**
государственно-монополистический протекционизм	state-monopolistic protectionism
импортный протекционизм	import protectionism
нетарифный протекционизм	non-tariff protection
тарифный протекционизм	tariff protection
равновесие	**equilibrium**
равновесие в мировой торговле	world market equilibrium
равновесие между спросом и предложением	equilibrium of supply and demand
равновесие цен	price equilibrium
разделение труда	**division of labour**
международное разделение труда	international division of labour
режим наибольшего благоприятствования	**most-favoured nation treatment**
резерв(-ы)	**reserve(-s)**
стратегические резервы	strategic reserves
ресурсы	**resources**
рынок	**market**
внешний рынок	external market
внутренний рынок	internal market, local market, home market
сделка	**deal, transaction**
коммерческая сделка	business deal
компенсационная сделка	compensation deal
рыночная сделка	market transaction

честная сделка	fair deal
сделка за наличный расчет	cash transaction
соглашение	**agreement**
Генеральное соглашение о тарифах и торговле, ГАТТ	General agreement on tariffs and trade
спад	**recession**
мировой экономический спад	world-wide economic recession
резкий спад	slump
резкий экономический спад	economic slump
спад деловой активности	business depression
статистика	**statistics**
внешнеторговая статистика	trade figures, foreign trade statistics
статистика международной торговли товарами	commodity trade statistics
статистика розничных цен	consumer price statistics
статья(-и) (*импорта и экспорта*)	**item(-s)**
видимые статьи	visible items
невидимые статьи импорта	invisible import[s]
невидимые статьи экспорта	invisible export[s]
стимул	**incentive**
экономический стимул	economic incentive
страна	**country**
страна происхождения товаров	country of origin
страна с большим удельным весом внешней торговли	trade-intensive country
страна с быстро растущим экспортом готовых изделий	fast growing manufactures exporters
страна, на которую распространяется режим наибольшего благоприятствования	most favoured nation
страна-экспортер	**exporting country**
страна — чистый экспортер	net exporter
страна-экспортер нефти	petroleum exporter
тариф	**tariff**
зональный тариф	zone tariff
таможенный тариф	customs tariff
возврат таможенных тарифов	tariff rebates
ставки таможенных тарифов	customs tariff rates
тарифная война	**tariff war, rate war**
тарифная сетка	**table of rates**

тарифный пояс	**tariff zone**
темп(-ы) роста	**growth rate**
намеченные темпы роста	growth target [rate]
среднегодовой темп роста	annual average growth rate
тенденция	**tendency, trend**
длительная тенденция	long-term trend
кратковременная тенденция	short-term trend
общая тенденция	general trend
сезонная тенденция	seasonal trend
скрытая тенденция	latent tendency
тенденция к повышению	upward trend
тенденция к понижению	downward tendency, falling tendency, weaker tendency
тенденция цен	price trend
товар(-ы)	**goods, commodity(-ies)**
товары, (не) пригодные для хранения	(non-)storable commodities
товары, пригодные для экспорта	exportable goods
товары, продаваемые за наличные	cash commodity
товары, являющиеся объектом мировой торговли	goods entering international trade
товарные фонды	**commodity funds**
товарный бум	**commodity boom**
товарооборот	**commodity turnover, goods turnover**
товарооборот в неизменных ценах	real sales
товары-субституты	**substitute goods**
торговля	**trade**
видимая торговля	visible trade
внешняя торговля	foreign trade
свободная внешняя торговля	free trade
ограничение внешней торговли	[foreign] trade curbing practices
оживление внешней торговли	trade revival
товарная структура внешней торговли	commodity composition of trade, commodity pattern of trade
удельный вес внешней торговли в национальном доходе страны	trade intensity of a country, foreign trade quota of national income
выгодная торговля	profitable trade

международная торговля сырьевыми товарами	commodity trade, international trade in basic [raw] materials
мировая торговля	world trade
невидимая торговля	invisible trade
незаконная торговля	illicit trade
оптовая торговля	wholesale marketing, wholesale trade
посредническая торговля	intermediate trade
розничная торговля	retail trade
объем торговли	volume of trade
состояние торговли	state of trade
стандартная классификация международной торговли	Standard International Trade Classification
структура торговли	trading pattern, commodity composition
стабильная структура торговли	fixed trading pattern
торговля на наличные	cash trade
торговля на основе взаимной выгоды	fair trade, mutually advantageous trade
торговые операции	**trade operations**
уровень	**level**
общий уровень цен	general price level
превышать уровень	exceed the level
условия	**conditions**
благоприятные условия, льготные условия	favourable conditions
неблагоприятные условия	unfavourable conditions
условия внешней торговли	terms of trade
ухудшение условий внешней торговли	deterioration of terms of trade
цена	**price**
минимальная цена	floor price
рыночная цена	market price
конкурентная цена	competitive price
система конкурентных цен	competitive price system
прейскурантная цена	price-list price
фиксированная цена	fixed price
движение цен	price movement
динамика цен	price behavior, dynamics of prices, price changes, movement in price
контроль над ценами	price control
отменить контроль над ценами	abandon price control

снять контроль над ценами	decontrol prices
регулирование цен	price adjustment, price control
скидка с цены	price discount
увеличение цен	rise in prices
резкое увеличение цен	price jumps, price rocketing
формирование цен	price formation
поддерживать цены на уровне	maintain prices
ценообразование	**price formation**
экономика	**economy**
дефицитная экономика	deficit economy
экспансия	**expansion**
экспорт	**export[s]**
невидимый экспорт	invisible export
несельскохозяйственный экспорт	nonagricultural export
товарный экспорт	commodity exports
объем экспорта	volume of exports
физический объем экспорта	volume of exports
ограничения экспорта	export restrictions
добровольные ограничения экспорта	voluntary export constraint
рост экспорта	boost in exports
стимулирование экспорта	export incentives, export promotion
стоимость и физический объем экспорта	value and volume of exports
экспорт в погашение прошлой задолженности	unrequited exports
экспорт с разбивкой по странам назначения	export by countries of destination
экспорт с разбивкой по странам происхождения	export by countries of origin
эластичность экспорта	export elasticity
диверсифицировать экспорт	diversify export
сократить экспорт	curtail export
экспортер	**exporter**
экспортная выручка	**export earnings, export proceeds**
экспортное регулирование	**export control**
экспортные поступления	**export proceeds, export earnings, export receipts**
экспортные премии	**export bonuses**
эмбарго	**embargo**
вводить эмбарго	introduce an embargo

ФРАЗЫ

В... году доля страны в мировой торговле...	In... the country's share in world trade...
выросла в... раза по сравнению с...	grew up... times in comparison with...
сократилась до...%	declined to...%
сократилась на...%	declined by...%
составила...%	accounted for...%
Страна... целого ряда товаров	The country... of a number of commodities
ввела запрет на импорт	imposed a ban on the imports
сняла запрет с импорта	lifted the ban on the imports
Импорт товаров вырос...	Commodity imports have risen...
значительно	substantially
незначительно	moderately
на...%	by...%
Рост импорта был скомпенсирован резким увеличением экспорта	The rise in imports was offset by a sharp rise in exports
Какова политика правительства по отношению к импорту товаров?	What is the government's policy towards the import of goods?
Страна пытается сократить импорт товаров за счет замещения импорта внутренним производством	The country tries to curtail its imports by import substitution
Замещение импорта становится все более важным для страны	Import substitution is becoming more important for the country
Замещение импорта охватывает целый ряд...	Import substitution covers a wide range of...
потребительских товаров длительного пользования	consumer durables
потребительских товаров кратковременного пользования	consumer nondurables
средств производства	capital goods
Замещение импорта поможет стране сдерживать расходы по импорту	Import substitution will help the country to keep the import bill
Что дает либерализация внешней торговли вашей стране?	What does liberalization of foreign trade give your country?
Страна извлекла большую выгоду из либерализации внешней торговли	The country has largely benefited from the liberalization of trade
В связи с нехваткой иностранной валюты в стране правительство	The government has imposed severe import restrictions as a result

ввело жесткие ограничения на импорт потребительских товаров	of the shortage of foreign exchange in the country
Основными торговыми партнерами страны являются...	The principal trading partners of the country are...
развитые капиталистические страны	advanced capitalist countries
развивающиеся страны	developing countries
Были... пошлины на целый ряд потребительских товаров	Duties on a wide range of commodities...
введены	have been imposed
сняты	have been lifted
Целый ряд стран... ограничительные санкции в торговле с ...	A number of countries... sanctions in trade with...
ввел	have introduced
снял	have lifted
Когда было подписано долгосрочное торговое соглашение между вашими странами?	When was the long-term trade agreement between your countries signed?
Оно было подписано	It was signed...
в... году	in...
... года назад	... years ago
Соглашение о свободной торговле...	The free trade agreement...
стимулирует экспорт	promotes exports
увеличивает конкуренцию	increases competition
Спрос на товары...	The demand for goods...
небольшой	is not great
остается высоким	remains strong
резко вырос	has risen sharply
Политика правительства привела к резкому росту спроса на импортные товары	The government's policy has led to a sharp rise in the demand for imports
Сокращение доходов от невидимых статей платежного баланса приводит к необходимости расширять экспорт	The reduction of receipts from invisibles makes it necessary to expand exports
Стоимость экспортных товаров оценивается по ценам ФОБ, а импортных товаров по ценам СИФ	The export goods value is estimated at FOB prices and the value of imported goods is estimated at CIF prices
Большая часть внешней торговли страны падает на... страны	The bulk of the country's foreign trade is conducted with... countries
развитые капиталистические	advanced capitalist
развивающиеся	developing
Цифры показывают, что в... году объем внешней торговли страны...	The figures show that in... the volume of the country's foreign trade...

был в... раза больше, чем в... году	was... times higher than in...
сократился значительно по сравнению с предыдущим годом	fell considerably of comparison with the previous year
резко увеличился	increased sharply
Страна занимает... место в мире по объему внешней торговли	The country occupies the... place in the world as to its foreign trade volume
Какова динамика экспортных цен?	What are the movements of the export prices?
Экспортные цены...	The export prices...
выросли	have increased
упали	have weakened
стабильны	are stable
понижаются	are going down
повышаются	are rising
Правительству удается поддерживать стабильность цен	The government maintains the price stability
По-видимому, будет наблюдаться... тенденция экспортных цен	The export prices are likely to tend...
повышательная	upward
понижательная	downward
Каково состояние экспорта страны в этом году?	What is the position of the country's exports this year?
Экспорт...	The exports...
вырос на...%	have grown up by...%
выше, чем он был в... году	are higher than those in...
резко расширился	have expanded sharply
резко увеличился	have increased sharply
составил..% от объема прошлого года	account for...% from the volume of the previous year
увеличился и составил...	have increased and amounted to...
резко сократился	have decreased sharply

ДИАЛОГИ

С. п. В ходе нашей беседы я не могу не подчеркнуть важную роль, которую играла и продолжает играть взаимовыгодная торговля в отношениях между нашими двумя странами.	S. r. In the course of our discussion I can't help stressing the important part which mutually beneficial trade played and continues to play in the relations between our two countries.
И. п. Да, мы с вами торгуем уже более 60-ти лет, и все эти годы наша торговля сближала наши	F. r. Yes, we have been trading with you for more than sixty years and all these years trade

страны и помогала нам лучше узнать друг друга.

has been bringing us closer and has been helping us to get to know each other better.

С. п. Однако торговые отношения между нашими странами не всегда развивались гладко, имели место периоды устойчивого роста и были годы, когда объем торгового оборота значительно сокращался.

S. r. However, the trade relations between our two countries have not always developed smoothly; they knew periods of steady growth and also the years when the amount of trade turnover was substantially curtailed.

И. п. Вы абсолютно правы. Например, три года назад на советский рынок было поставлено товаров из нашей страны только на сумму... или...% нашего общего экспорта, а советский рынок обеспечил только... нашего импорта. Тем не менее, наши деловые люди считают вашу страну исключительно важным рынком и проявляют большой интерес к тем процессам, которые происходят сейчас в вашей стране.

F. r. You are absolutely right. For instance, three years ago the Soviet market took only... worth of our goods or...% of our total export and provided... of our imports. However our businessmen look upon your country as a very important market and show a great interest in the processes going on in your country now.

С. п. Должен сказать, что уже есть первые результаты. Статистические данные за этот год говорят о том, что советско-... торговля выросла на 18% по сравнению... Ваш экспорт в СССР вырос на..., а наш на... и составил...

S. r. I must say there have already been first results. The statistics for this year show an increase of 18% in Soviet-... trade over... Your exports to the USSR rose by... and our exports to your country rose by... and amounted to...

И. п. Я рад это слышать, однако, совершенно очевидно, что наш товарооборот не соответствует нашим возможностям.

F. r. I am glad to hear it, but however it is obvious that our trade turnover doesn't match our potential.

С. п. Я согласен с вами в том, что существуют реальные возможности увеличения торговли между нашими странами, как в абсолютных цифрах, так и в реальном исчислении. Мы понимаем, что дальнейшее развитие торговли невозможно без коренного изменения ее структуры. И мы работаем над расширением экспорта готовых изделий, прежде всего машин и оборудования, доля которых в экспорте из СССР в вашу страну в данный момент в несколько раз меньше, чем доля машин и оборудования в вашем экспорте в СССР.

S. r. I agree with you that there are real prospects for an increase in trade in both absolute and percentage terms. We understand that the future development of mutual trade is impossible without a fundamental change in its commodity composition. And we are working to develop the exports of manufactured goods, first of all, machinery and equipment the share of which in the Soviet exports to your country at the moment is several times smaller than in your exports to the USSR.

И. п. Я рад это слышать. Нам всем хотелось бы надеяться, что все препятствия и трудности, имеющие место в нашем сотрудничестве, будут ликвидированы, и оно будет развиваться на благо наших народов.

F. r. I am happy to hear that. We would like to hope that the obstacles and difficulties in our business cooperation will be eliminated and it will develop for the benefit of our two nations.

МИРОВЫЕ ТОВАРНЫЕ РЫНКИ / WORLD COMMODITY MARKETS

СЛОВА

барьер для доступа *(на рынок, в отрасль)*	**barriers to entry**
запас(-ы)	**stockpile, stock[s]**
резервные запасы	buffer stocks
запасы, контролируемые правительством	government-controlled stocks
истощение запасов	depletion of stock[s]
оценка запасов	assessment of stock[s]
увеличение запасов	inventory boom
уменьшение запасов сырьевых материалов	fall-off in raw material supplies
финансирование буферных товарных запасов	financing of commodity buffer stocks
истощать запасы	run short of supplies
затоваривание (*рынка*)	**oversupply, overstocking**
затоваривать (*рынок*)	**overstock**
изделие(-я)	**product(-s), goods, item**
готовые изделия	finished products, finished goods, finished manufactures
полуобработанные изделия	semifinished goods, semimanufactured goods
излишек(-и)	**surplus(-es)**
сезонные излишки	seasonal surpluses
товарные излишки	marketable surpluses, surpluses of goods
излишки продукции земледелия	crop surplus, farm surplus
излишки производства	production surplus
изменение(-я)	**change(-s)**
циклические изменения в спросе и предложении	cyclical changes in demand and supply
конкурент	**competitor**
конкурентоспособность товаров	**merchandise competitiveness**
конкуренция	**competition**
консультирование (*консультационные услуги*)	**consulting service**

инженерно-техническое консультирование, инжиниринг	engineering
концентрация	**concentration**
рыночная концентрация	market concentration
показатель концентрации	concentration ratio
конъюнктура	**state of business**
рыночная конъюнктура	state of market
купля-продажа	**sale and purchase**
номенклатура	**nomenclature, range of products**
обмен	**exchange**
оборудование	**equipment**
стандартное оборудование	standard equipment
универсальное оборудование	general purpose equipment
образец(-ы)	**sample(-s)**
купля-продажа по образцам	sale and purchase by sample
обзор	**report, survey**
обзор конъюнктуры рынка	market report
обзор состояний рынка	survey of market conditions
оценка	**estimation, estimate**
методы оценки ёмкости рынка	techniques for estimating the size of market
поведение фирмы на рынке	**conduct of a firm in the market**
покупатель	**purchaser**
портфель заказов	**order book**
поставка(-и)	**delivery(-ies)**
внутримонопольные поставки	inter-affiliate supplies
остановить поставки	stop deliveries
стабилизировать поставки	stabilize deliveries
поставщик	**supplier, producer**
ведущий поставщик	leading producer
крупный поставщик	large producer
монопольный поставщик	monopoly supplier
предложение (*товара*)	**supply**
долгосрочное предложение	long-term supply, long-range supply
избыточное предложение	oversupply
обуздать избыточное предложение	curb oversupply
общее предложение	total supply
чрезмерное предложение	excessive supply
превышение предложения над спросом	surplus conditions

кривая предложения на рынке	market supply curve
продукция	**production, produce**
серийная продукция	serial production
вид продукции	type of production
выпуск продукции на рынок	commercial manufacture
индивидуализация продукции	product differentiation
экспортные возможности продукции	exportability of production
производитель	**producer**
производство	**production**
массовое производство	mass production
серийное производство	lot production, serial production
рынок(-и)	**market(-s)**
внешний рынок	foreign market, external market
внутренний рынок	domestic market, home market
высокомонополизированный рынок	highly-monopolized market
вялый рынок	inactive market, sluggish market
затоваренный рынок	heavy market
мировой рынок	international market
нерегулируемый рынок	open market
неустойчивый рынок	unsteady market
потенциальный рынок	potential market
товарный рынок	commodity market
международные товарные рынки	international commodity markets
раздел товарных рынков	division of commodity markets
устойчивый рынок	firm market
экспортный рынок	export market
сужение экспортных рынков	decline of export markets
взаимозависимость рынков	interdependence of markets
взаимосвязь рынков	interconnection of markets
доступ к рынкам	access to markets, market accessibility
ёмкость рынка	capacity of market, size of market, market magnitude
изучение рынка	market analysis
нарушение равновесия на рынке	market disruption
несовершенство рынка	market imperfections
нестабильность рынка	market instability
неустойчивость рынков	fluctuation of markets
положение на рынке	market situation

«прорыв» (*проникновение*) на рынок	market penetration
цена «прорыва» на рынок	penetration price
реакция рынка	market behaviour
рынок машин и оборудования	equipment and machinery market
мировые рынки машин и оборудования	world markets of machinery and equipment
национальные рынки машин и оборудования	national markets of machinery and equipment
рынок покупателей	buyers' market
рынок продавцов	sellers' market
рынок конкурирующих продавцов	competitive sellers' market
рынок сбыта	outlet
рынок сельскохозяйственной продукции	agricultural commodities market
рынок сырьевых товаров	raw materials market
мировые рынки сырьевых товаров	world markets of raw materials
национальные рынки сырьевых товаров	national markets of raw materials
рынок товаров	commodity market
состояние рынка	state of market, market condition
напряженное состояние рынка	pressure on the market
понижательное состояние рынков	depression of market
требования рынка	market requirements
рынок, свободный от ограничений	free market
внедряться на рынок	penetrate the market
затоваривать рынок	overstock the market with goods
предохранять рынок от колебаний	peg the market
рыночная депрессия	**depression of the market**
рыночная стратегия	**marketing strategy**
гибкая рыночная стратегия	flexible marketing strategy
рыночная структура	**market structure**
рыночный оборот	**market turnover**
сбыт	**marketing**
затраты по сбыту	marketing costs
ограничительные мероприятия по сбыту	restrictive marketing arrangements
система сбыта	marketing network

регулирование сбыта	marketing control
скидка	**discount**
оптовая скидка	quantity discount, wholesale discount
розничная скидка	retail discount
снижение	**decline**
заметное снижение	notable decline
неуклонное снижение	steady decline
сезонное снижение	seasonal decline
соглашение(-я)	**agreement(-s)**
товарное соглашение	commodity agreement
международные товарные соглашения	international commodity agreements
торговое соглашение	trade agreement, commercial agreement
соглашение о разделе рынка	market-sharing agreement
соглашение о стабилизации товарных рынков	commodity stabilization agreement
список товаров	**list of goods**
список товаров, в отношении которых действуют тарифные квоты	tariff quota list
список товаров, на которые распространяются преференции	preferential treatment list of goods
список товаров, не облагаемых пошлиной	free list
спрос	**demand**
внутренний спрос	internal demand, home demand
замедленный спрос	retarded demand
небольшой спрос	poor demand
непрерывный спрос	continuous demand
оживленный спрос	active demand
ожидаемый спрос	expected demand
потребительский спрос	consumer demand
рыночный спрос	market demand
совокупный рыночный спрос	aggregate market demand
темпы роста рыночного спроса	growth rate of market demand
эластичный спрос	elastic demand
изменения в характере спроса	shift in demand
колебания спроса	demand fluctuations
равновесие спроса и предложения	supply-demand ballance

сдвиги в спросе	demand shifts
сокращение спроса	fall in demand
внезапное сокращение спроса	demand slump
соотношение спроса и предложения	supply-demand situation
структура спроса	pattern of demand
регулирование спроса	regulation of demand, management of demand, demand management
уровень спроса	demand conditions
нормальный уровень спроса	normal demand conditions
пользоваться спросом	enjoy demand
способствовать увеличению спроса	boost demand
удовлетворять спрос	meet demand
стоимость	**value**
рыночная стоимость	market value, commercial value
составляющая стоимости	cost component
товар(-ы)	**goods, commodity(-ies)**
беспошлинные товары	free goods
дефицитный товар	commodity in short supply, scarce goods
непродовольственные сырьевые товары	non-food commodities
несельскохозяйственные товары	nonagricultural commodities
основные товары	basic commodities
потребительские товары	consumer commodities, consumer goods
потребительские товары длительного пользования	consumer durable goods
набор потребительских товаров	consumer basket
промышленные товары	manufactured goods
промышленные товары широкого потребления	manufactured consumer goods
сельскохозяйственные товары	agricultural commodity
стандартизированный товар	standardized commodity
сырьевые товары	basic commodities
электротехнические товары длительного пользования	electrotechnical durables
группы товаров:	groups of goods:
лесные товары	wood products
промышленные товары	industrial goods
сельскохозяйственные товары	agricultural goods

сырьевые товары	raw materials
топливо	fuel
классификация товаров	commodity classification
купля-продажа товаров	sales and purchase of goods
международная купля-продажа товаров	international sales of goods
наименование товара	commodity heading
обращение товаров	circulation of commodities
осмотр товаров	inspection of goods
товары кратковременного пользования	nondurable goods
товары, которые могут быть экспортированы	exportable commodities
товарный ассортимент	**assortment**
торги	**tenders**
торговля	**trade, commerce**
торговля комплектным оборудованием	complete plant and equipment trade
торговля машинами и оборудованием в разобранном виде	trade in knocked down machinery and equipment
торговый партнер	**trading partner**

ФРАЗЫ

Запасы импортных товаров...	The stocks of imported goods...
увеличились	have increased
сократились	have decreased
Запасы товаров равны годичной потребности в них	The stocks amount to one year's demand
Правительство приняло меры по защите интересов национальной промышленности и снижению конкурентоспособности импортных товаров	The government has taken measures to protect the interests of the national industry and to reduce the competitiveness of imported goods
Изменилась ли конкуренция между иностранными фирмами на рынке вашей страны?	Has the competition between foreign firms in the market of your country changed?
Да. Она стала более острой	Yes, it has become more acute
Какова рыночная конъюнктура в вашей стране?	What are the market conditions in your country?
Рыночная конъюнктура...	The market conditions have...
улучшилась (ухудшилась)	improved (worsened)
осталась без изменений	remained unchanged
Какие страны являются основными поставщиками импортной продукции на рынок вашей страны?	What countries are the main suppliers of imported goods to the market of your country?

... традиционно является крупнейшим поставщиком товаров на наш рынок, за ней идут...	... is traditionally the main supplier of goods to our market, followed by...
Что является отличительной чертой рынка...?	What are the peculiarities of the market of...?
сырьевых товаров	raw material goods
сельскохозяйственных товаров	agricultural goods
машин и оборудования	machinery and equipment
потребительских товаров	consumer goods
металлов	metals
цинка	zink
олова	tin
Рынок характеризуется...	The market is characterized by...
нестабильностью	instability
неустойчивостью	instability
затовариванием	oversupply
нарушением равновесия	disturbance of equilibrium
рыночной депрессией	market depression
В целях защиты внутреннего рынка правительство...	To protect the local market the government...
пересмотрело предпочтительные тарифы	has reconsidered the preferencial tariffs
прибегло к тарифным барьерам	has resorted to tariff barriers
ввело ограничения на импорт	has introduced import restrictions
Страна является крупнейшим иностранным рынком для английских...	The country is the largest market for British...
промышленных товаров	industrial goods
сельскохозяйственных товаров	agricultural goods
электротехнических товаров	electrotechnical goods
готовых изделий	manufactured goods
Экспорт американских товаров на... рынок...	The export of American goods to the... market...
превысил...%	has exceeded...%
составил...%	has amounted to...%
равен...%	is equal to...%
Какую роль играет... в экспорте вашей страны?	What role does... play in your countries exports?
олово	tin
цинк	zinc
электроника	electronics
нефть	oil
Олово...	Tin...
занимает 3-е место в нашем экспорте	occupies the 3-rd place in our exports

является основным источником инвалютных поступлений	is the major earner of hard currency
является основным экспортным товаром	is the main export item

■ ДИАЛОГИ

С. п. Что с вашей точки зрения является отличительной особенностью рынков цинка и свинца?	S. r. What is an important feature of the zinc and lead markets from your point of view?
И. п. Прежде всего их взаимозависимость и взаимосвязь.	F. r. First of all it is their interdependence and interconnection.
С. п. А какие страны обладают наибольшими разведанными запасами этих металлов?	S. r. What countries have the largest explored resources of the metals?
И. п. В капиталистическом мире это США, и поэтому она занимает важное положение на рынках этих металлов.	F. r. It is the USA in the capitalist world, so the USA has an important position in the markets of the metals.
С. п. А каково положение развивающихся стран на этих рынках?	S. r. What is the position of developing countries in these markets?
И. п. Развивающиеся страны располагают одной пятой запасов свинца и цинка.	F. r. The developing countries have one-fifth of lead and zinc reserves.
С. п. А каковы темпы роста производства этих металлов?	S. r. What are the production growth rates for the metals?
И. п. В целом в капиталистических странах в течение последних трех десятилетий производство свинца и цинка ежегодно увеличивалось в среднем на 2,8% и 2,9% соответственно.	F. r. On the whole, the capitalist countries' lead and zinc production over the last three decades increased at annual average growth rates of 2,8% and 2,9% respectively.
С. п. Насколько мне известно, за последние 15 лет резко усилилась конкуренция на этих рынках. Для защиты своих интересов развитые капиталистические страны широко используют различные протекционистские меры: повышают таможенные тарифы, вводят количественные экспортные и импортные ограничения.	S. r. As far as I know the competition in the markets has become more acute over the last 15 years. To protect their interests advanced capitalist countries widely use different protective measures: they increase customs tariffs, introduce quantitative export and import restrictions.

И. п. Да, эти рынки являются чрезвычайно важными. Они становятся все более и более организованными, поставки этих металлов контролируются достаточно узким кругом постоянных поставщиков.

F. r. Yes, you are right, these markets are very important. They are becoming more and more organized, deliveries of the metals are controlled by a closed circle of regular suppliers.

С. п. Это, конечно, сказывается на ценах, не так ли?

S. r. It affects the prices, doesn't it?

И. п. Да, но не только это. Одной из характерных особенностей динамики цен на эти металлы в 70-х и начале 80-х годов был их быстрый рост в результате увеличения издержек производства.

F. r. Yes, it does, but not only that. One of the characteristic features of the dynamics of prices for the metals in the 1970s and early 1980s was their rapid rise due to increased metal production costs.

БИРЖЕВАЯ ТОРГОВЛЯ / EXCHANGE TRADE

активы	**assets**
мертвые активы	dead assets
неликвидные активы	risk assets
свободные активы	available assets
активы, являющиеся обычным предметом купли и продажи для данного типа деловых предприятий	ordinary assets
акция(-и)	**share(-s)**
обыкновенные акции	ordinary shares
обычные акции наиболее известных крупных компаний («*голубые фишки*»)	blue chips
привилегированные акции	preference shares
выпуск акций	issue of shares, stock issue
свободный выпуск акций	scrip issue
выпуск бесплатных акций для распределения их среди акционеров какой-либо компании	bonus issue
выпуск новых акций, предлагаемый имеющимся акционерам компаний	rights issue
дробление акций	split-up
номинал акции	par value
свидетельство на акцию	share certificate
акции, не имеющие номинальной стоимости	no par value shares
андеррайтер (*гарант*)	**underwriter**
арбитраж (*арбитражная операция*)	**arbitrage**

аукцион	**auction, auction sale**
публичный аукцион	open outcry auction
проводить аукцион	conduct an auction
продавать с аукциона партию товара	auction a lot of goods
банкрот	**bankrupt**
объявлен банкротом (о *члене фондовой биржи*)	hammered
«без передачи»	**free of delivery**
«без права»	**ex rights**
«без привилегий»	**ex all**
биржа	**exchange**
неофициальная биржа	kerb
товарная биржа	commodity exchange, merchandize exchange
государственное регулирование товарных бирж	government regulations of commodity exchanges
фондовая биржа	stock exchange
закрытие биржи	close, closing of the market
организация работы биржи	organization of an exchange
открытие биржи	[market] opening
часы работы биржи	trading hours
брокер	**broker**
двухдолларовый брокер	two-dollar broker, floor broker
независимый брокер	independent broker
правительственный брокер	government broker
«слепой» брокер	blind broker
брокер — не член фондовой биржи	outside broker
брокер по покупке зерна	grain broker
брокер фондовой биржи	stock (exchange) broker
брокер — член фондовой биржи	inside broker
брокерская фирма	**brokerage house**
брокерская фирма, осуществляющая сделки на наличный товар или срочные сделки	commission house
«бык» — *см.* **спекулянт**	
«включая все»	**cum all**
«возведение пирамиды»	**pyramiding**
время	**time**
время в течение определенного дня биржи, когда фиксируются цены по фьючерским сделкам	make a call

«все или на любую часть»	**all or any part**
«все или ничего»	**all or none**
выравнивание	**evening up**
выручка от продажи пакета облигаций, которая используется для покупки пакета других облигаций	**applied proceeds swap**
гарантия	**guarantee**
гарантия размещения на условиях «стэнд-бай»	standby underwriting
год	**year**
сельскохозяйственный год	crop year
«горячие» деньги	**hot money**
день	**day**
расчетный день	accounting day, settlement day
расчетный день для новых операций, которым начинается каждая новая двухнедельная сессия биржи	carryover day
день уведомления	notice day
первый день уведомления	first notice day
последний день уведомления	last notice day
последний день, в течение которого могут совершаться сделки в текущем месяце поставки	last trading day
депозит	**deposit**
вносить депозит	lodge a deposit
дивиденд	**dividend**
без дивиденда	ex div
с включением дивиденда	cum div, together with dividend
дилер	**dealer**
официальный дилер	authorized dealer
джоббер	**jobber**
доверенность	**power of attorney**
документ, удостоверяющий право купить акции в течение определенного периода времени	**stock-purchase warrant**
доход (*по ценным бумагам*)	**yield**
евролиния	**euroline**
закладная	**mortgage**
закрытие	**close, closing**
закрытие операций на бирже	closing of the stock exchange
«к закрытию»	at the close

запас(-ы)	**supply(-ies)**
невидимые запасы	invisible supplies
переходящие запасы	carry over stock
запасы товаров, предназначенные для продажи	free supply
играть на повышение	**be long of the market, buy long**
играть на повышение ценных бумаг	be long of the securities
играть на понижение	**sell short, be short of the market**
извещение	**notice**
извещение о намерении поставить товар по срочному контракту	tender
извещение о поставке	delivery notice
индекс	**index**
промышленный индекс Доу-Джонса	The Dow-Jones industrials, Dow-Jones index
информация	**information**
каналы связи для передачи только биржевой информации	narrow tape
линии связи, по которым передаются сообщения о текущих ценах, информация о товарах и ценных бумагах	broad tape
источник	**source**
источник снабжения	source of supply
капитал	**capital**
спекулятивный капитал	venture capital
капитализация	**capitalization**
без капитализации	ex cap
качество	**quality**
однородное стандартное качество	uniform standard quality
самое низкое качество товара, приемлемое при его поставке по срочному контракту	sample grade
качество при сдаче	deliverable grades
колебание(-я)	**fluctuation(-s)**
периодические колебания	periodic fluctuations
прогнозируемые колебания	predictable fluctuations
количество	**quantity**
команда «продать»	**write**
комиссия	**commission**
комиссия брокеру	brokerage

контанго	**contango**
контракт(-ы)	**contract(-s)**
долгосрочный контракт	long-term contract
отдаленные контракты	back contracts
среднесрочный контракт	medium-term contract
срочный контракт	future contract
заключение срочного контракта на покупку товара против контракта на продажу того же товара при условии немедленной поставки	cover
фьючерский контракт	futures contract
ликвидировать фьючерский контракт	liquidate a futures contract
продать фьючерский контракт	sell a futures contract
урегулировать фьючерский контракт	settle a futures contract
контракт на срок	futures contract, trade futures contract
срок действия контракта	life of contract
контрактные условия	**contract terms**
унификация контрактных условий	standardization of contract terms
контроль	**control, inspection**
выборочный контроль	sampling inspection
государственно-монополистический контроль	state-monopolistic control
прямой контроль над объемом покупок	direct control on purchasing
контроль за качеством пищевых продуктов	food control
контроль качества	quality control, quality inspection
котировка	**quotation**
биржевая котировка	exchange quotation
начальная котировка	first quotation
окончательная котировка	final quotation
самая последняя котировка	latest quotation
сегодняшняя котировка	today's quotation
котировка акций	stock quotation
котировка товара с немедленной сдачей	spot quotation
культура	**crop**
кормовая культура	forage crop

сельскохозяйственная культура	crop
товарная культура	cash crop
купон	**coupon**
«без купона»	ex coupon
курс (*на бирже*)	**exchange prices, exchange rate, market price**
курс валюты	exchange rate
ежедневная встреча, в ходе которой официально устанавливаются курсы различных валют	fix[ing]
курс для сведе́ния	information rate
курс окончательного расчета по сделкам на срок	settlement price, clearing price
курс форвард	forward rate
курсовой бюллетень	**list**
ежедневный курсовой бюллетень	daily list
лимит(-ы)	**limit(-s)**
движение вверх или вниз в пределах установленного лимита	limit up and down
лимиты, устанавливаемые дилеру	intra day limit
линия связи, по которой передаются сообщения о текущих ценах и основная информация о товарах, брод тейп	**broad tape**
лицо(-а), имеющее(-ие) больше ценных бумаг, чем необходимо для выполнения заключенных контрактов, лонг	**long(-s)**
лицо(-а), имеющее(-ие) меньше ценных бумаг, чем необходимо для выполнения заключенных контрактов, шорт	**short(-s)**
лицо, предлагающее цену	**bidder**
лицо, предлагающее наивысшую цену	highest bidder
лицо, покупающее товар за наличные и страхующее его стоимость путем одновременного заключения сделки по продаже на срок	**long the basis**
лот (*партия*)	**lot**
неполный лот	odd lot
отдельный лот	job lot
полный лот	round lot

маклер	**broker**
биржевой маклер	specialist, floor broker
вексельный маклер	bill broker
маклер товарной биржи	trader, pit trader
маржа	**margin, equity**
продать маржу	sell a margin
«медведь» *см.* **спекулянт**	
место в помещении товарной биржи, где заключаются сделки по срочным контрактам	**pit, ring**
месяц(-ы)	**month(-s)**
ближайший месяц поставки товаров по срочному контракту	nearby delivery month
месяц выполнения срочных контрактов	delivery month
месяцы заключения срочных сделок или срочных контрактов на поставку товаров в будущем	forward months
минимальное количество, являющееся единицей торговли на бирже:	**trading unit:**
баррель	barrel
бушель	bushel
галлон	gallon
крытый товарный вагон	boxcar
мешок	bag
отправка меньше минимальной нормы загрузки грузовика	less-than-truckload shipment
отправка меньше одного вагона	less-than-carload shipment
тонна	ton
метрическая тонна	metric ton
тройская унция	troy ounce
фунт	pound
налог(-и)	**tax(-es)**
льготные налоги	preferential taxes
на плаву	**afloat**
номинал	**par**
по номиналу	at par
облигация	**bond**
дисконтная облигация	discount bond
номинал облигации	par value
облигация акционерной компании	debenture

облигация с «полным купоном»	full-coupon bond
облигация с премией	premium bond
облигация, погашение которой гарантировано доходами	revenue bond
облигация, продаваемая по номинальной цене	par bond
операция(-и)	**operation(-s)**
незаконные операции на товарной бирже	bucket, bucketing
операции по поставке нестандартной партии товаров	job lot trading
операции с небольшими партиями ценных бумаг	odd lot trading
операционный зал биржи	**[trading] floor**
опцион	**option, call**
двойной опцион	double option, straddle
опцион на продажу	put
опцион покупателя	call option
опцион продавца	put option
отказ от опциона	abandonment of option
осмотр	**inspection**
ветеринарный осмотр	veterinary inspection
открытие	**opening**
к открытию	at the opening
паритет	**parity**
период, когда биржевые сделки заключаются с ликвидацией позиции в расчетный день	**account**
подписка	**subscription**
сертификат на участие в подписке	scrip
подать заявление о подписке на акции	tender for shares
позиция	**position**
длинная позиция	long position
закрытая позиция	closed position
короткая позиция	short position
максимальная фьючерская позиция	trading limit
незастрахованная длинная или короткая позиция	naked position
открытая позиция	open position
замена одной открытой позиции на другую	switch[ing]

лимит позиций	position limit
позиция спекулянтов, играющих на повышение	bull position
позиция спекулянтов, играющих на понижение	bear position
размер позиции на рынке, при достижении которого требуется ежедневное представление данных о виде товара, месяце отгрузки и т. д.	reporting limit
показатель чистого дохода в процентах к объему реализации или капитала	**profit margin**
покрытие	**cover**
короткое покрытие	bear covering, short covering
покрытие по срочной сделке	forward covering
соотношение покрытий	times covered
покупать	**buy**
покупать в конце операционного дня	buy on close
покупать в начале операционного дня	buy on opening
покупка	**purchase**
покупка в конце операционного дня	buy on close
покупка в начале операционного дня	buy on opening
покупка определенного количества товара на несколько пунктов выше или ниже цены определенного месяца поставки по фьючерскому контракту	buyer's call
покупка фьючерских контрактов в ожидании фактических покупок на рынке за наличный расчет	long hedge, buying hedge
покупка ценных бумаг для покрытия сделок на понижение	bear covering, short covering
сочетание одновременной покупки одного товара с продажей другого	straddling
порода (*скота*)	**breed, strain**
портфель (*ценных бумаг*)	**portfolio**
«агрессивный» портфель	agressive portfolio
поставка(-и)	**delivery(-ies)**
отсроченная поставка	deferred delivery
оценка поставки	projection of supplies

поставка зерна	grain deliveries
пункты поставки	delivery points
переносить поставки с одного сельскохозяйственного года на другой	carry over supplies from one crop year to another
расширять поставки	enlarge supplies
потребитель	**user**
главный потребитель	chief user
потенциальный потребитель	would-be user
промышленный потребитель	industrial user
право .	**right**
право на акции	stock right
право совершения двухкратной дополнительной сделки с премией	call of twice more
право совершения однократной дополнительной сделки с премией	call of more
право участников отдельных срочных контрактов, получивших через расчетную палату уведомление об отгрузке, предложить это уведомление к покупке на открытом рынке	retendering
предел	**limit**
предел допустимого колебания цены на некоторых товарных рынках	limit [of price fluctuations]
предложение	**supply, bid**
эластичность предложения	supply elasticity
предложение о покупке контрольного пакета акций другой компании	take-over bid
премия	**premium**
обратная премия	put
премия по срочным сделкам	premium
премия, полученная при продаже акций по цене, превышающей их номинальную стоимость	share premium
прибыль	**profit**
курсовая прибыль	turn
для получения небольшой, но быстро реализуемой прибыли	for a turn
привес	**weight gains**
приказ	**order**
альтернативный приказ	alternative order

лимитный приказ	limit order
приказ брокеру о покупке товаров или ценных бумаг	market order
приказ брокеру, действующий в течение месяца	good till month order
приказ брокеру, действующий в течение недели	good till week order
приказ брокеру, действующий до момента исполнения приказа или исполнения срока	good till cancelled order
приказ брокеру, действующему на фондовой бирже или товарном рынке, произвести покупку или продажу в случаях, когда цена достигает определенного уровня	stop order, stop loss order
приказ исполнить или аннулировать	fill or kill order
аннулировать приказ	cancel an order
выполнить приказ	fulfil an order
не выполнять приказ	mishandle an order
принципал	**principal**
приобретение	**acquisition**
проба(-ы)	**sample(-s), fineness**
проба золота	fineness of gold
брать пробы	sample
проверка	**inspection**
проверка хранения	storage inspection
продавец	**seller**
продажа	**sale**
продажа активов за наличные	liquidation
продажа без покрытия на срок	short sale
продажа на срок	forward sale
продажа на срок за наличные	cash forward sale
продажа с немедленной оплатой и доставкой	spot trading
продажа ценных бумаг крупными партиями	block trading
обязаться произвести продажу на срок	commit oneself to a forward sale
продуктивность (*скота*)	**productive life**
продукт(-ы)	**product(-s)**
скоропортящиеся сельскохозяйственные продукты	perishable farm products
производитель	**producer, manufacturer**

проспект (*объявление о новом выпуске акций*)	**prospectus**
процент	**interest**
накопленный процент	accumulated interest
процент, взимаемый брокерами за ссуду под ценные бумаги	carrying charge[s]
разница, спрэд	**spread**
общая разница	gross spread
разница между курсом валюты по сделкам за наличный расчет и курсом валюты по срочным сделкам	forward margin
разрешение	**authorization**
письменное разрешение	written authorization
разрыв	**gap**
растущий разрыв	breakaway gap
разрыв между курсом покупателя и курсом продавца	spread
расчет	**settlement**
окончательный расчет	final settlement
расчет наличными	cash settlement
расчетная палата	**clearing house**
сообщать в расчетную палату	report to the clearing house
регистрация (*допуск ценных бумаг на фондовую биржу*)	**listing**
двойная регистрация	dual listing
рэйтинг	**rating**
риск	**risk**
равный риск	equal risk
ценовой риск	price risk
риск порчи товара	risk of perishability
застраховать себя от риска	cover oneself against a risk
избежать риска	avoid the risk
ограничить риск	limit the risk
принять риск на себя	assume the risk
свести риск до минимума	minimize the risk
скомпенсировать риск	offset the risk
снизить риск	reduce the risk
рынок	**market**
двухъярусный рынок	two-tier market
ликвидный рынок	liquid market
«серый» рынок	gray market
скотный рынок	livestock market
товарный рынок	commodity market

форвардный рынок	forward market
фьючерский рынок	futures market
рынок без посредников	over the counter market
рынок «быков»	bull market
рынок золота	gold market
рынок «медведей»	bear market
рынок наличных товаров	actuals market, spot market, cash market
«рынок наоборот»	inverted market
рынок незарегистрированных ценных бумаг	over-the-counter market
рынок олова	tin market
рынок покупателей	buyers' market
рынок по продаже откормочного крупного рогатого скота	feeder cattle market
рынок продавцов	sellers' market
рынок свинца	lead market
рынок сделок на срок	forward market
рынок серебра	silver market
рынок товаров	merchandize market
рынок цинка	zinc market
рынок, на котором дилеры котируют курс покупки и курс продажи	two way market
играть на рынке	gamble on the market
сбыт	**merchandizing, sale**
своп	**swap**
своп с целью продления срока	extension swap
сделка	**deal**
биржевая сделка	bargain
закрытие биржевой сделки	closing of a bargain
заключить биржевую сделку	strike a bargain
срочная сделка	forward contract, forward transaction, future transaction
полностью завершенная срочная товарная сделка	round turn
стеллажная сделка	put and call option
отсрочка исполнения сделки на бирже до следующего периода путем выплаты процентов	carry-over
сделка в счет «нового времени»	new time dealing
сделка за наличный расчет	cash transaction
сделка на срок	future transaction, forward transaction, trading in futures

сделка с премией	option, call
сделка с обратной премией	put option
сделка, закрывающая длинную или короткую позицию	closing out
ситуация	**situation**
ситуация, когда предложение превышает спрос на определенном рынке или на ценные бумаги	offered market
ситуация, при которой курсы или цены валют, товаров или ценных бумаг, вследствие больших объемов покупок, могут подниматься очень высоко, создавая неустойчивый рынок	overbought
скидка	**discount**
скидка с обусловленного курса (*как плата за отсрочку поставки ценных бумаг до следующего расчетного периода*)	backwardation
соглашение между гарантами	**agreement amongst underwriters**
сорт	**grade**
отборный сорт	choice grade
стандартный сорт	standard grade
товарный сорт	commercial grade
составление диаграмм и графиков при анализе рынка с целью прогнозирования его состояния	**charting**
спекулянт	**speculator**
спекулянт, играющий на повышение, «бык»	bull, long
спекулянт, играющий на понижение, «медведь»	bear, short
«давление на медведей»	"bear squeeze"
«налет медведей»	"bear raid"
спекулянт ценными бумагами (*новых выпусков*)	stag
список	**list**
список заявок (*на приобретение ценных бумаг*)	list
закрытие списков	lists closed
спот	**spot**
спрэд *см.* **разница**	
срок(-и)	**date(-s)**
сроки погашения срочных сделок	forward maturuties

ставка	**bid**
ставка по ценным бумагам или депозитам	bid
стандартизация	**standardization**
неподдающийся стандартизации	insusceptible to standardization
стандартизировать [до определенного качества]	**standardize [to a certain quality]**
стеллаж	**straddle**
страна(-ы)	**country(-ies)**
страна, добывающая золото	gold-producing state
страна, добывающая серебро	silver-producing state
страна-производитель	**producing country, manufacturing country**
страны-производители какао-бобов	cocoa bean producing nations
страны-производители пшеницы	wheat-producing countries
страны, являющиеся основными производителями...	major...-producing countries
страна-экспортер	**exporting country**
страна-экспортер сахара	sugar-exporting nation
страхование (*на бирже*)	**hedge**
встречное страхование	cross hedge
счет	**account**
брокерский счет	discretionary account
общий счет	joint account
тикер (*биржевой аппарат, передающий котировки*)	**ticker**
лента тикера	ticker tape
товар(-ы)	**commodity(-ies), goods**
биржевые товары	exchange commodities
наличный товар	cash commodity
наличные, фактически существующие товары	actuals
освидетельствованные товары	certificated stock
реальные товары	physicals, physical commodities
ходовой товар	go-go stock
максимальное количество товара, которое может быть продано или куплено любым лицом за 1 день, в течение которого производятся сделки	trading limit
товар, который может быть складирован	storable commodity

брать образцы товаров — sample goods
инспектировать товары — inspect goods
стандартизировать товары — standardize commodities

товарная квитанция — **warehouse receipt**

торговец — **merchant**
оптовый торговец, покупающий товары для продажи на рынке срочных сделок за комиссионное вознаграждение — futures commission merchant

торговля — **trading**
дневная торговля — day trading
торговля наличными товарами — trading in actuals
торговля сырьем — raw material trade

требование о дополнительном обеспечении — **margin call**

фьючерсы — **futures**
обмен фьючерсов на наличные сделки — exchange of futures for cash transactions
покупать фьючерсы — buy futures

хедж — **hedge**

хеджирование — **hedging, hedging operations**

цена — **price**
действительная цена — actual price
ежедневная цена, по которой расчетная палата осуществляет расчеты по всем сделкам между ее членами — clearing price
запрашиваемая цена — asked price
мировая цена — world price
нарицательная цена — nominal price
номинальная цена — nominal price
отправная цена — reserve price
очень низкая цена — rock-bottom price
справедливая цена — fair price
цена на бирже — exchange price
цена, зарегистрированная на бирже перед ее закрытием — closing price
цена на рынке наличных сделок — cash price
изменение (*динамика*) цен — price movement
предел ежедневного изменения цены — daily price movement limits
лимит цены — price limit
надбавка к цене, взимаемая продавцом за отсрочку — contango

предложение цены, репорт	bidding
движение цены вверх и вниз	tick
взвинчивать цены до уровня...	bid prices up to level...
ценная(-ые) бумага(-и)	**security(-ies)**
«активные» ценные бумаги	active securities
краткосрочные ценные бумаги	short
первоклассные ценные бумаги	gilt-edged securities
предъявительские ценные бумаги	bearer securities
«старшая» ценная бумага	senior security
ценные бумаги с фиксированной датой погашения	dated security
выпуск ценных бумаг	float, floatation
допуск ценных бумаг на фондовую биржу	listing
обязательство купить ценные бумаги по определенной цене	bid
покупка или продажа ценных бумаг в последние два дня текущего ликвидационного периода с осуществлением расчетов в следующем ликвидационном периоде	dealing for new time
поставка ценных бумаг в день продажи	cash delivery
размещение ценных бумаг	distribution
вторичное размещение ценных бумаг	secondary distribution
сделки купли-продажи ценных бумаг, совершаемые в течение одного ликвидационного периода	dealing within the account
ценные бумаги, привлекающие внимание спекулянтов, как потенциальный источник спекулятивной прибыли	specialities
ценные бумаги, свободно обращающиеся на рынке	floating supply
член	**member**
член фондовой биржи, имеющий право заключать сделки	ring-dealing member
член расчетной палаты	clearing house member
членство на фондовой или товарной бирже	**seat**
эмиссионный дом	**issuing house**
эмиссия	**issue**
возобновлять эмиссию	reopen an issue

СЛОВА

ПЛАТЕЖНЫЙ БАЛАНС	**BALANCE OF PAYMENTS**
авуары	**holdings**
общее движение авуаров	total change in holdings
активы	**assets**
заграничные активы	foreign assets
прочие активы	other assets
акция(-и)	**share(-s)**
акции корпораций	corporate equities
баланс	**balance**
платежный баланс	balance of payments
давление на платежный баланс	pressure on the balance of payments
колебания платежного баланса	fluctuations in the balance of payments
положение платежного баланса	balance of payments position
равновесие платежного баланса	balance of payments equilibrium
урегулирование платежного баланса	balance of payments adjustment
торговый баланс	trade balance
активный торговый баланс	active trade balance, favourable trade balance, positive trade balance
пассивный торговый баланс	adverse balance of trade, gative balance of trade, unfavourable balance of trade
валюта	**currency**
иностранная валюта	foreign currency
иностранная валюта (*название статьи в платежном балансе*)	foreign exchange assets
зарабатывать иностранную валюту	earn foreign currency
обменивать одну валюту на другую	exchange one currency for another
деньги	**money**
«горячие» деньги	"hot" money
дефицит	**deficit**
внешнеторговый дефицит	[foreign] trade deficit
внешний дефицит	external deficit
дефицит платежного баланса	balance of payments deficit
дефицит текущих статей платежного баланса	deficit of current accounts
дефицит торгового баланса	deficit of balance of trade

долг	**debt**
внешний долг	foreign debt
обслуживание внешнего долга, погашение внешнего долга	debt-service payments
доход	**income**
доход от невидимых статей экспорта	income from invisible items
доход по инвестициям	investment income
доход по прямым инвестициям	direct investment income
получать доход	derive income
заем(-ы)	**loan(-s)**
внешние займы	external borrowings
погашение предоставленных займов	repayment on loans extended
поступления от предоставленных займов	drawings on loans extended
золото	**gold**
монетарное золото	monetary gold
импорт	**import**
сумма импорта	import sum, import value
инвестировать	**invest**
инвестиции	**investment**
прямые инвестиции заграницей	direct investment abroad
портфельные инвестиции	portfolio investment
капитал	**capital**
акционерный капитал	equity capital
долгосрочный капитал	long-term capital
прочий долгосрочный капитал государственного сектора	other long-term capital of resident official sector
прочий долгосрочный капитал депозитных банков	other long-term capital of deposit money banks
прочий долгосрочный капитал других секторов	other long-term capital of other sectors
краткосрочный капитал	short-term capital
прочий краткосрочный капитал государственного сектора	other short-term capital of resident official sector
прочий краткосрочный капитал депозитных банков	other short-term capital of deposit money banks
прочий краткосрочный капитал других секторов	other short-term capital of other sectors

бегство капитала	flight of capital
предотвратить бегство капитала	prevent flight of capital
движение капиталов (*название статьи в балансе*)	capital account
капитал без учета резервов	capital excluding reserves
приток капитала	inflow of capital
утечка капитала	leakage of capital
капиталовложение(-я)	**investment(-s)**
долгосрочные капиталовложения	long-term investments
иностранные капиталовложения	foreign investments
квота	**quota**
квота в МВФ	IMF quota
кредит(-ы)	**credit(-s)**
кредиты МВФ (*название статьи в балансе*)	use of Fund credit
некоммерческие потоки (*платежи и поступления, название статьи в балансе*)	**unrequited transfers**
облигация(-и)	**bond(-s)**
прочие облигации	other bonds
облигация, выпущенная правительством или другим органом государственной власти	public bond
обязательства, образующие валютные резервы иностранных официальных органов (*название статьи в балансе*)	**liabilities constituting foreign authorities' reserves**
ограничения	**restrictions**
импортные ограничения	import restrictions
ослабление импортных ограничений	relaxation of import restrictions
операция(-и)	**transaction(-s)**
капитальная операция	capital transaction
текущие операции	current transactions
равновесие внешнеэкономических операций	external equilibrium
восстановить равновесие внешнеэкономических операций	restore the external equilibrium
ошибки и пропуски (*название статьи в балансе*)	**errors and omissions**
пассивы	**liabilities**
пассивы, состоящие из зарубежных государственных ценных бумаг	liabilities constituting foreign authorities' reserves

перевод(-ы)	**transfer(-s)**
государственные односторонние переводы	transfers of resident official
частные односторонние переводы	private transfers
перевод капитала	capital transfers
переводы иностранных государств	transfers of foreign official
переводы мигрантов	migrants' transfers
переводы рабочих	workers' remittances
международные перевозки (*название статьи в балансе*)	**shipping**
помощь	**assistance, aid**
иностранная помощь	foreign aid, foreign assistance
финансовая помощь	financial assistance
оказывать финансовую помощь	furnish financial assistance
поступления	**earnings, receipts**
экспортные поступления	export earnings
поступления в иностранной валюте	foreign exchange receipts
поступления от туризма	tourist receipts
поступления от экспорта	export earnings
реинвестирование поступлений	reinvestment of earnings
прочие требования (*название статьи в балансе*)	**other claims**
расходы	**expenditure**
устанавливать контроль за расходами	set controls on expenditure
расчеты	**payments**
внешние расчеты	external payments
положение с внешними расчетами	external payments position
исправить положение с внешними расчетами	rectify the external payments
текущие расчеты	current transactions
расчеты по иностранному туризму	tourist transactions
резервная позиция в МВФ (*название статьи в балансе*)	**reserve position in the Fund**
резервы	**reserves**
валютные резервы	external reserves
ухудшение валютных резервов	deterioration in external reserves

компенсировать ухудшение валютных резервов	offset the deterioration in external reserves
итоговые изменения резервов (*название статьи в балансе*)	total change in holdings
резервы золота и конвертируемых валют	reserves of gold and convertible currencies
утечка резервов	drain on the reserves
сальдо	**balance**
активное сальдо	export balance of trade, surplus
дебетовое сальдо	debit balance
дебетовое сальдо торгового баланса	debit trade balance
кредитовое сальдо	credit balance
кредитовое сальдо по статьям невидимого экспорта и импорта	credit invisible balance
отрицательное сальдо	passive balance, unfavourable balance, adverse balance
положительное сальдо	active balance, favourable balance, surplus
сальдо валютных резервов	external reserves position
сборы	**charges**
банковские сборы	bank charges
страховые сборы	insurance charges
специальные права заимствования (*название статьи в балансе*)	**special drawing rights**
статья(-и) (*в балансе*)	**item(-s)**
видимые статьи	visible items
невидимые статьи	invisible items
стоимость	**value**
стоимость импорта	import value
стоимость товаров	cost of goods
стоимость импортных товаров по ценам СИФ	cost of import goods at CIF prices
стоимость товаров в момент перехода ими таможенной границы	cost of goods at the point of crossing the customs border
стоимость экспортных товаров по ценам ФОБ	cost of export goods at FOB prices
стоимость экспорта	export value
превышение стоимости экспорта над стоимостью импорта	surplus, trade surplus, export surplus
страхование	**insurance**
счет	**account**
текущий счет	current account

счет движения капиталов	capital account
таможенная граница	**customs border**
переход товарами таможенной границы	goods crossing the customs border
тариф	**tariff**
почтовый тариф	postal tariff
телеграфный тариф	telegraph tariff
телефонный тариф	telephone tariff
товары (*статья в балансе*)	**goods**
торговля	**trade**
видимая торговля	visible trade
невидимая торговля	invisible trade
услуги (*название статьи в балансе*)	**services**
фрахт	**freight**
экспорт	**export**
экспорт капитала	export of capital
сдерживать экспорт капитала	check the export of capital

ФРАЗЫ ◄

Официальные активы за границей равны стоимости импорта за 3,5 года	The official foreign assets are equal to three and a half years' imports
Страна произвела больше (меньше) платежей, чем получила из-за границы, ее платежный баланс...	The country made more (fewer) payments than received, its balance of payments is...
пассивный	passive
активный	active
Каково положение платежного баланса страны?	What is the position of the country's balance of payments?
Состояние платежного баланса...	The balance of payment position...
ухудшилось	has deteriorated
улучшилось	has improved
В платежном балансе...	The balance of payments...
зарегистрирован общий дефицит	showed an overall deficit
зарегистрировано положительное сальдо	has recorded a surplus
Состояние платежного баланса улучшилось...	The balance of payments position has improved...
в результате изменения условий торговли страны	due to the improvements in the country's terms of trade

в результате повышенного спроса на экспортную продукцию страны	due to the high demand for the country's exports
в результате получения иностранной помощи	due to foreign aid
в связи с переносом платежей в погашение внешнего долга	due to the rescheduling of external debt-service payments
Состояние платежного баланса ухудшилось...	The balance of payments position has worsened...
из-за резкого увеличения торгового дефицита	owing to the sharp increase in the trade deficit
из-за сокращения притока капитала	owing to the decline in the capital inflow
из-за понижения цен	owing to the decline in prices
из-за сокращения переводов из-за границы	owing to the decline in transfers
несмотря на жесткие валютные ограничения	despite severe exchange restrictions
несмотря на жесткие торговые ограничения	despite severe trade restrictions
Торговый баланс страны — активный	The country's balance of trade is active
Стоимость экспорта превышает стоимость импорта	Exports exceed imports
Торговый баланс страны — пассивный	The country's balance of trade is adverse
Стоимость импорта превышает стоимость экспорта	Imports exceed exports
Какое состояние экспорта и импорта страны?	What is the position of the country's exports and imports?
Экспорт (импорт) растет, что приведет к... торговому балансу	Export (import) is growing, which will cause a... trade balance
положительному	positive
отрицательному	negative
Ухудшение торгового баланса произошло...	The deterioration of the trade balance occurred...
несмотря на значительный рост экспорта	despite a substantial increase in exports
из-за резкого роста импорта	owing to a sharp rise in imports
Рабочие за границей и быстрорастущая индустрия туризма страны обеспечивают необходимую иностранную валюту	The workers abroad and the country's rapidly expanding tourist industry provide the required foreign exchange
Торговый дефицит...	The trade deficit ...
был сокращен с... до...	was reduced from... to...
увеличился	increased
остался на прежнем уровне	remained at the same level

Страна имеет... торговый дефицит	The country has a... trade deficit
большой	high
незначительный	small
Торговый дефицит страны был ликвидирован за счет поступления от статей невидимого экспорта	The country's foreign trade deficit was offset by income from invisibles
Дефицит платежного баланса...	The balance of payments deficit...
ниже среднего уровня дефицита за последние несколько лет	is below the average deficit of recent years
рекордный	is a record one
Платежи в погашение внешнего долга...	Debt-service payments...
выросли	have risen
достигли наивысшего уровня	have reached their peak
Доходы страны от инвестиций за границей...	The country's earnings on investments abroad...
выросли	increased
сократились	went down
остались на прежнем уровне	remained at the same level
Правительству приходится прибегать к иностранным займам	The government has to resort to foreign borrowings
Заем оценивается в...	The loan is valued at...
По-видимому предпочтение отдается... займам	... loans seem preferable
долгосрочным	Long-term
краткосрочным	Short-term
среднесрочным	Medium-term
Ваша страна успешно проводит политику «открытых дверей», не так ли?	Your country is successfully persuing the policy of "open doors", right?
Да, и недавно был принят закон, предусматривающий дополнительные стимулы для иностранных капиталовложений в нашей стране	Yes it is, and not long ago a legislation was passed to provide additional incentives for foreign investment in our country
... капитала увеличилось(-лась)	The... of capital showed an increase
Бегство	flight
Приток	inflow
Утечка	leakage
Доход страны от перевозок составляет..	The country's income from shipping amounts to...
Правительство ввело ограничения на перевод капитала в...	The government imposed restrictions on capital transfers to...
Внешняя помощь страны в среднем ежегодно составляет...	The country's foreign aid averages... annually
Каково положение с поступлениями от невидимого экспорта?	What is the position of receipts from invisibles?

Рост поступлений от... продолжается	The increase in receipts from... continues
перевозок	shipping
страхования	insurance
туризма	tourism
фрахта	freight
Поступления от... достаточны, чтобы покрыть торговый дефицит	Earnings from... are sufficient to cover the trade deficit
перевозок	shipping
страхования	insurance
туризма	tourism
Инвалютные резервы страны...	The country's foreign exchange reserves...
достигли рекордного уровня	reached a record level
сократились	decreased
увеличились	increased
составили...	amounted to...
равны стоимости импорта за 5 месяцев	are equal to the five months' imports
Общие инвалютные запасы страны увеличились, что отражает улучшение состояния платежей	The country's overall foreign exchange reserves improved reflecting the improvement in the payments position
Положительное сальдо...	The surplus...
оценивается в...	is estimated at...
равно...	is equal to...
Положительное сальдо главным образом было достигнуто за счет...	The surplus was achieved largely because of...
роста экспорта	a rise in exports
увеличения иностранной помощи	increased foreign aid
резкого увеличения объема торговли	sharp increases in the volume of trade
улучшения положения по статьям движения капитала	improvement in the capital account
роста цен	higher prices
сокращения платежей по импорту	a decline in import payments
кредитных ограничений	credit restrictions
сокращения импорта	a reduction in imports
введения импортного контроля	imposed import controls
роста поступлений в иностранной валюте	higher foreign exchange receipts
В... году положительное сальдо	At SDR... in... the balance of pay-

платежного баланса в сумме... СДЗ было в 2 раза больше положительного сальдо предыдущего года — ments surplus was double that of the previous year

Невидимые статьи платежного баланса включают платежи за... — Invisible items of a balance of payments include payments for...

банковские операции — banking operations

услуги страхования — insurance

перевозку — shipping

Видимые статьи — это статьи торгового баланса — Visible items are items of a trade balance

Многие страны компенсируют дефицит торгового баланса за счет кредитового сальдо по статьям невидимого экспорта и импорта — Many countries rely on a credit invisible balance to offset a debit trade balance

Как оценивается стоимость экспорта и импорта в торговом балансе страны? — How are exports and imports in the country's trade balance estimated?

Оценка производится по стоимости товаров в момент перехода ими таможенной границы страны — The estimates are based on the value of the goods at the point of their crossing the customs border

ДИАЛОГИ

С. п. В начале 80-х годов положение платежного баланса вашей страны было хорошим. Был ли прошлый год удачным для торговли и платежей?

S. r. Your country's balance of payments performed well during the early 1980 s. Was last year a good one for trade and payments?

И. п. Нет, не был. Главной проблемой было резкое повышение цен на импортируемые товары. Другим неблагоприятным обстоятельством были цены на рис.

F. r. No, not really. The main problem was the steep increase in the prices of imported commodities. Another disappointment was the price of rice.

С. п. Рис является одной из наиболее важных экспортных культур вашей страны, не так ли?

S. r. Rice is one of your most important export crops, right?

И. п. Да, и влияние падения цен на рис на торговый баланс было крайне отрицательным.

F. r. Yes, and the effect of the drop in rice prices on our country's balance of trade was drastic.

С. п. Понимаю, но, насколько я знаю, вы увеличили экспорт говядины, не так?

S. r. I see, but as far as I know your beef exports went up, didn't they?

И. п. Да, вы правы, но сокращение экспортных поступлений

F. r. Yes, they did. But the decline in rice export earnings offset the

от запродаж риса свело на нет увеличение экспортных поступлений от запродаж говядины. В результате у нас был дефицит платежного баланса по текущим операциям, превышающий рекордный уровень дефицита предыдущего года.

improvement in beef export earnings. As a result we had a current account deficit on the balance of payments exceeding the previous year's record deficit.

С. п. Что планирует предпринять ваше правительство в связи с таким резким переходом от положительного сальдо по текущим операциям к дефициту?

S. r. What is your government planning to do about this swing from a trade surplus to a deficit?

И. п. Надеемся, что если мы увеличим производство на экспорт, то мы сможем увеличить экспортные поступления несмотря на неблагоприятные цены.
Однако, трудно делать какие-либо предположения. Наша страна не имеет выхода к морю, и наши экспортные поставки в значительной мере зависят от политической обстановки в странах, через которые идут наши экспортные грузы.

F. r. We hope that if we increase production for export we'll raise export earning despite poor prices.
However, it's difficult to predict, you know. We are a land-locked country, and our exports are seriously affected by the political situation in the countries through which our exports go.

С. п. Таким образом, дефицит по статьям видимого экспорта был причиной дефицита по текущим операциям, приведшего к дефициту платежного баланса.
А как обстоят дела с невидимым экспортом? Прежде всего с туризмом?

S. r. So, the visible trade deficit was the main factor responsible for the current account deficit resulting in the last year's overall payments deficit.
And what about your invisible export? First of all tourism?

И. п. Туризм является важным источником поступления иностранной валюты для нашей страны. Но должен сказать, что его лучшие дни уже в прошлом.

F. r. Tourism is an important source of foreign exchange for our country. But it has seen better days, I must say.

С. п. Что вы имеете в виду?

S. r. What do you mean?

И. п. В последнее время число туристов сократилось. Ситуация в нашем регионе достаточно нестабильна, как вы знаете.

F. r. The number of tourists has dropped recently. The situation in the region is unstable, you know.

С. п. Значительный дефицит, как я полагаю, вызвал необходимость получения займов за границей, не так ли?

S. r. The substantial deficit necessitated substantial borrowing abroad, right?

И. п. Да, наши займы были действительно значительными. Мы получили займы от Международного банка реконструкции и развития, получили кредиты от МАР, мы также воспользовались кредитами МВФ.

F. r. Yes, our borrowings were really substantial. We raised loans from the World Bank, got credits from IDA, we also drew from IMF.

С. п. Понимаю, вам нужны значительные суммы в иностранной валюте, чтобы покрыть растущий дефицит платежного баланса.

S. r. I see, you need considerable sums of foreign exchange to cover your growing balance of payments deficit.

И. п. Да, правительство вынуждено прибегать к займам, так как в последнее время увеличился отток капитала по счету основного капитала и счету услуг. И, несмотря на предполагаемое увеличение переводов из-за границы и приток капитала, положение, по всей вероятности, еще больше ухудшится к концу года.

F. r. Yes, the government is forced to resort to borrowing because the net outflow of funds on investment account and outflow of capital on the services accounts have increased lately. And despite the projected increase in transfers and capital inflow the situation is likely to worsen towards the end of the year.

ФОРМЫ ВНЕШНЕЭКОНОМИЧЕСКОГО СОТРУДНИЧЕСТВА ВОСТОК-ЗАПАД
FORMS OF EAST-WEST FOREIGN ECONOMIC COOPERATION

СОВМЕСТНЫЕ ПРЕДПРИЯТИЯ НА ТЕРРИТОРИИ СССР
JOINT VENTURES ON SOVIET TERRITORY

СЛОВА

активы, капитал	**assets, capital**
активы СП, в том числе оборотный капитал	JV assets including current assets
виды вкладов в активы СП	types of contributions in JV capital
доля иностранного участия в капитале СП	share of foreign participation in JV capital
равное распределение акционеров в капитале СП	JV equal equity distribution
долевое участие (*в активах*)	equity participation
использовать долевое участие	involve equity participation
долевая часть (*акционера*) в активах	one's share of the equity capital
соотношение долевых частей (*акций*) в активах	equity ratios in capital
акция(-и), доля, доля участия	**share(-s), equity**
обыкновенные акции промышленных предприятий	industrial equity
владелец акций	shareholder
владение большинством акций	majority ownership, majority shareholdings
допускать иностранное владение большинством акций	allow foreign majority shareholdings
владение меньшинством акций	minority ownership, minority shareholdings
передача акций третьей стороне	transfer of shares to third parties
перераспределение акций	shares redistribution
организовать перераспределение акций между участниками	arrange for the redistribution among the participants
распределение акций	shares distribution
акции в руках иностранного капитала	shares in foreign ownership
акции иностранного владельца	foreign shareholder shares
акции (*активы*) СП	JV equity

акции фирмы	company shares
доля акционера в капитале предприятия	shareholder's equity
доля в деле, доля в предприятии	share in business
доля в кооперативе	co-op share, share in a cooperative
акции, выпущенные в обращение	outstanding shares
акции, разрешенные к продаже	transferable shares
иметь акции компании	hold shares in a company
иметь большее количество акций	hold a majority share
иметь долю участия	hold a share *in*
иметь меньшее количество акций	hold a minority share
оплачивать акции	pay up shares
погашать акции	pay off shares
амортизационные отчисления	**depreciation charges, amortization deductions**
нормы амортизационных отчислений	rates of depreciation charges
устанавливать нормы амортизационных отчислений	set the rates of depreciation charges
амортизационная политика	**amortization policy**
вырабатывать правильную амортизационную политику	work out an effective amortization policy
баланс	**balance, balance sheet**
баланс СП	JV balance sheet
утверждение баланса СП	endorsement of JV balance sheet
бухгалтерия	**accounts department**
бухгалтерия самостоятельного организационного подразделения	entity accounting
бухгалтер-ревизор	**auditor**
внешний бухгалтер-ревизор	external auditor, independent auditor
внутренний бухгалтер-ревизор [фирмы]	internal auditor
выездной бухгалтер-ревизор	travelling auditor
предоставлять услуги бухгалтера-ревизора	provide auditing services
бухгалтерская документация	**auditing documentation**
бухгалтерский отчет	**accounting report**
представлять бухгалтерский	submit an accounting report

отчет местному финансовому органу	to the local financial body
бухгалтерский учет	**bookkeeping, accounting**
бухгалтерский учет и анализ хозяйственной деятельности в рамках фирмы	business bookkeeping and statistical accounting
правила бухгалтерского учета	accounting rules and standards
пересматривать правила бухгалтерского учета	revise accounting rules
обеспечивать бухгалтерский учет	provide bookkeeping
валюта	**currency, exchange**
иностранная валюта	foreign currency
резервы иностранной валюты СП	foreign currency reserves of a JV
поступление иностранной валюты	earnings of foreign currency
рост поступлений иностранной валюты	increase in foreign currency earnings
экономить иностранную валюту	obtain foreign currency saving
конвертируемая валюта	convertible currency, hard currency
затраты в конвертируемой валюте	hard currency expenses
местная валюта	local currency
затраты в местной валюте	local currency expenses
неконвертируемая валюта	inconvertible currency, nonconvertible currency
необратимая валюта	inconvertible currency
свободно конвертируемая валюта, СКВ	[freely] convertible currency, free currency
организовать финансирование в СКВ	mobilize the convertible currency financing
совершать прямые закупки за границей в СКВ	make direct purchases from abroad in convertible currency
конвертируемость валют	convertibility of currency
оценка валюты	currency evaluation
договариваться о соответствующей оценке валюты	agree on appropriate currency evaluation
в счет (не)конвертируемых валют	on account of (in)convertible currencies
валютная выручка	**foreign exchange receipts, fixed revenue**
валютная самоокупаемость	**recoupment in hard currency**
принципы валютной самоокупаемости	principles of recoupment in hard currency

валютное законодательство, валютное регулирование	**exchange regulations**
валютные ограничения	**exchange restrictions**
валютные поступления	**currency receipts, currency proceeds**
источники валютных поступлений	sources of currency proceeds
валютный контроль	**currency control**
взнос *см.* **вклад**	
вклад(-ы), взнос(-ы)	**contribution(-s)**
безналичные вклады	non-cash contributions
оценка безналичных вкладов	evaluation of non-cash contributions
принимать во внимание цены мирового рынка при определении безналичных вкладов	take into account world market prices when evaluating non-cash contributions
регулировать использование валюты в оценке безналичных вкладов	regulate the currency to be used in evaluating non-cash contributions
значительный вклад	substantial contribution
делать значительный вклад в форме капитала и технологии	make a substantial contribution in the form of capital and technology
первоначальный взнос	primary contribution, initial contribution
полный взнос	total contribution
частичный взнос	partial contribution
вклады в совместное предпринимательство	contributions to joint undertakings
вклады наличными	contributions in cash
делать вклад в капитал (*предприятия*) наличными	contribute in capital in the form of cash
вклады партнеров	contributions made by the parties
формировать СП, используя первоначальные вклады партнеров	form a JV from initial contributions made by the parties
возмещение вкладов (*затрат*)	refund of contributions
получать возмещение затрат западного партнера в СП наличными или товарами	obtain refund of Western partner's contribution to the JV in money or in kind
выплата вкладов совместным предприятием	payment of contributions by a JV
оценивать вклады в инвалюте	evaluate contributions in foreign currency
оценивать вклад западного	evaluate Western party's contri-

партнера по официальному курсу Госбанка СССР	bution at the official exchange rate published by the USSR State Bank
разрешать участникам делать вклады в виде технологии и услуг	permit participants to contribute know-how and services
выручка	**return**
валютная выручка СП	JV returns in hard currency
рублевая выручка СП	JV returns in roubles
деятельность	**activity, action, operation**
совместная деятельность в осуществлении прямых связей между предприятиями	enterprise-to-enterprise joint undertaking
деятельность СП	JV operation
экономическая деятельность СП	JV's economic activity
расширение деятельности СП	JV growth
участвовать в расширении деятельности СП	share in the growth of a JV
сфера деятельности СП	JV's scope of action
закупки, [необходимые для деятельности СП], в принимающей стране и за рубежом	purchases [necessary for the JV' operations] in the host country and from abroad
документация *см.* **документ**	
документ(-ы), документация	**document(-s), documentation, papers**
договорная документация	contractual documentation
заявочные документы	application papers
официальные документы	official documents
сопроводительные официальные документы	accompanying official documents
учредительные документы *см.* **совместное предприятие**	
полный список требований к документации	a full list of documentation requirements
утверждение документации	approval of documentation
представлять необходимую для утверждения документацию	submit documents required for approval
документы, требуемые по законам СП	documents required by the JV's law
выдавать документы	release documents
направлять документы	forward documents
определять основные вопросы в документах	set out principle matters in the documents

доля *см.* **акция**

доля участия *см.* **акция**

заем, займ(-ы), ссуда(-ы)	**loan(-s)**
банковская ссуда	bank loan
внутренний заем	domestic loan
государственный заем	state loan
долгосрочный заем (*свыше 6-ти лет*) для СП	long-term (*over 6 years*) loan for a JV
иностранный заем	external loan
краткосрочный заем (*до 2-х лет*) для СП	short-term (*up to 2 years*) loan for a JV
правительственная ссуда, правительственный заем	government loan
среднесрочный заем (*от 2-х до 6-ти лет*) для СП	medium-term (*from 2 up to 6 years*) loan for a JV
заем развития	development loan
заем развития на льготных условиях	development loans on concessionary terms
погашение займа	payment of a loan
срок погашения займа	maturity of a loan
ссуды деловым предприятиям	business loans
выпускать заем	issue a loan, float a loan
заключать сделку о займе	take up a loan
заключать соглашение о займе	negotiate a loan
получать ссуду	raise a loan
погашать ссуду	pay [off] a loan, redeem a loan

займ(-ы) *см.* **заем**

закон(-ы), законодательный акт	**law(-s), decree**
специфический закон	specific law
постановления закона	provisions of law
цели закона (*юридического акта*)	purposes of law
закон, действующий внутри страны	domestic law
закон о налоге на прибыль	decree regarding tax on profits
законы, определяющие создание СП в СССР	Soviet JV laws
законодательные акты, регулирующие деятельность СП	Soviet JV decree
закон о создании экономического объединения с участием иностранных партнеров	decree on economic association with foreign participation
закон о составе, организации и деятельности СП	decree on the constitution, organization and operation of a JV
нарушать законы	violate laws, break laws
принимать законы	adopt laws

рассматривать законы	consider laws
руководствоваться законами	be governed by the laws
соблюдать законы [принимающей страны]	observe laws [of the host country]
законодательный акт *см.* **закон(-ы)**	
законодательный орган	**legislative body**
законодательное стимулирование	**legislative encouragement**
различные формы законодательного стимулирования	various forms of legislative encouragement
законодательство	**legislation**
действующее законодательство СП	JV legislation currently in force
справочник по действующему законодательству СП	guide to the JV legislation currently in force
краткий и доступный справочник по действующему законодательству СП	concise and easily understood guide to the JV legislation currently in force
советское законодательство	Soviet legislation
в соответствии с советским законодательством	in accordance with Soviet legislation
новое советское законодательство по СП	new Soviet JV legislation
советское законодательство социального страхования	Soviet social security legislation
соответствующее законодательство	relevant legislation
страховое законодательство	insurance legislation
существующее законодательство	existing legislation
внести некоторые изменения в существующее законодательство через закон №...	make certain amendments to the existing legislation through decree No...
трудовое законодательство	labour legislation
соблюдение трудового законодательства	compliance with labour legislation
законодательство совместных предприятий страны	Joint Ventures Rules and Regulations, country's JV legislation
особенности законодательства	specific feature of the legislation
формулирование законодательства на официальном уровне	legislation formulated at the official level
ввести законодательство и (или) основные принципы	introduce legislation and (or) general principles
внести значительные изменения в законодательство	make significant amendments in the legislation

высветить огрехи или двоякое толкование положений в существующем законодательстве	flash out gaps or ambiguities in the existing legislation
ознакомиться с законодательством на ранней стадии	familiarize oneself with the legislation at an early stage
импорт	**imports**
доля импорта	share of imports
замена импорта	imports substitution
развитие импортозаменяющих производств	import substitution developments
структура импорта	imports pattern
совершенствовать структуру импорта	improve imports pattern
тариф для импортных грузов	imports rate, imports customs tariff
увеличение импорта	increase in imports
уменьшение импорта	curtailed imports
импорт товаров и услуг	imports of goods and services
свободный от пошлины импорт товаров для использования на СП	duty-free imports of goods for use by JVs
товары, ограничения на импорт которых сняты	liberalized imports
увеличивать импорт	increase imports
уменьшать импорт	decrease imports
инвестиции *см.* **капиталовложения**	
инвестор	**investor**
иностранный инвестор	foreign investor
потенциальный инвестор	potential investor
частный инвестор	private investor
страна инвестора	investor's home country
интересоваться современным управленческим опытом инвестора	be interested in the management know-how of the investor
информация	**information**
достоверная информация	adequate information
засекреченная информация	classified information
недостоверная информация	inadequate information
неполная информация	incomplete information
подробная информация	detailed information
комплект подробной информации	set of detailed information
полная информация	complete information
техническая информация	technical information
точная информация	exact information

учетно-бухгалтерская информация	accounting information
информация о создании и действии СП	information on the creation and operation of a JV
использовать информацию	use information
обмениваться информацией	exchange information
передавать информацию	hand over information
получать информацию	receive information, get information, obtain information
предоставлять информацию	submit information
проверять информацию	check information
кадры *см.* **персонал**	
капитал	**capital**
акционерный капитал	stock capital
инвестированный капитал	invested capital
прибыль на инвестированный капитал СП	JV return on capital
иностранный капитал	foreign capital
получение иностранного капитала	obtaining foreign capital
собственный капитал	equity capital, stockholder's equity
совместный капитал	joint capital, mixed capital
компании с совместным капиталом	mixed (joint) capital companies
создавать компании с совместным капиталом в принимающей стране	create mixed capital companies in the host country
ссудный капитал	loan capital
рынок ссудного капитала	capital market
прогнозировать движение рынков ссудных капиталов	forecast the movement of loan capital
уставный капитал СП *см.* **совместное предприятие**	
СП, контролируемое местным капиталом	locally controlled JV
привлекать капитал	attract capital
капитализация	**capitalization**
минимальная капитализация	minimum capitalization
капитализация и собственность	capitalization and ownership
капитализация ноу-хау и патентов	capitalization of know-how and patents
норма капитализации	capitalization rate
капиталовложения, инвестиции	**investment(-s), contribution(-s)**

активные капиталовложения	active financial investments
иностранные капиталовложения	foreign investments
ограничение иностранных капиталовложений	foreign investments restriction
проекты иностранных инвестиций	foreign investment projects
одобрять проекты иностранных инвестиций	approve foreign investment projects
прямые иностранные капиталовложения	direct foreign investments
отношение к прямым иностранным капиталовложениям	attitude towards direct foreign investments
быть открытым для иностранных инвестиций	be open to foreign investments
дать разрешение на иностранные капиталовложения на территории своей страны	authorize foreign investment in one's territory
регулировать иностранные инвестиции	regulate foreign investments
пассивные капиталовложения	passive financial investments
первоначальные капиталовложения	start-up investments, initial investments
путем первоначальных капиталовложений	by way of start-up investments
сохранять первоначальные капиталовложения на относительно низком уровне	keep one's initial investments relatively low
принятые формы капиталовложений: наличными и товарами	accepted forms of capital contributions: cash and kind
разделение ответственности по инвестициям	investments responsibility sharing
разрешение на инвестиции	investments permission
получать разрешение на инвестиции	be granted an investment permission
темп роста капиталовложений	investment rate
получать приемлемый доход от капиталовложений в СП	earn an acceptable return on a JV capital investment
защищать инвестиции	protect one's investment
искать пути помещения капиталовложений	seek to optimize capital investments
поощрять инвестиции	encourage investments
увеличивать инвестиции	increase investments
конкурент(-ы)	**competitor(-s)**
потенциальные конкуренты	would-be competitors, potential competitors

создавать будущего потенциального конкурента	create a potential future competitor
конкурентоспособность	**competitiveness**
конкурентоспособность принимающей страны	competitiveness of the host country
повышение конкурентоспособности принимающей страны	improvement of the host country's competitiveness
конкурентоспособность советской готовой продукции, машин и оборудования	competitiveness of Soviet finished products, machinery and equipment
повышать качество и конкурентоспособность советских машин, оборудования и другой готовой продукции	upgrade the quality and competitiveness of Soviet machinery, equipment and other finished products
конкуренция	**competition**
взаимная конкуренция	mutual competition
неэффективная конкуренция	unrewarding competition
избегать неэффективной конкуренции	avoid unrewarding competition
эффективная конкуренция	rewarding competition
ограничение конкуренции	limitation of competition
устранение конкуренции	elimination of competition
ограничивать конкуренцию	limit competition
устранять конкуренцию	eliminate competition
контракт	**contract**
заключение контракта	conclusion of a contract
способствовать заключению и успешному выполнению контрактов по СП Восток-Запад	facilitate the conclusion and successful operation of East-West JV contracts
контракт на создание СП Восток-Запад	East-West JV contract
контракт по найму	employment contract
успешное действие контракта СП	successful operation of a JV contract
кредит(-ы)	**credit(-s)**
государственный кредит	state credit
долгосрочный кредит	long-term credit
коммерческий кредит	commercial credit
предоставлять коммерческий кредит СП советскими банками	make available commercial credit to a JV by Soviet banks
краткосрочный кредит	short-term credit
предоставлять краткосрочный кредит в рублях (*до 2-х*	advance short-term credit (*up to 2 years*) against the proper-

лет) под имущество СП или будущую товарную продукцию	ty of a JV or goods due to be produced by it
среднесрочный кредит	medium-term credit
возможные размеры кредита	possible amount of a credit
кредит в иностранной валюте	credit in foreign currency
кредит в переводных рублях	credit in transferrable roubles
кредит в советских рублях Госбанка СССР	credit in roubles from the USSR State Bank
получать кредит в советских рублях в Госбанке СССР	obtain a credit in roubles from the USSR State Bank
кредит на коммерческих условиях	credit on commercial terms
получать кредиты на коммерческих условиях в инвалюте во Внешэкономбанке СССР	obtain credits on commercial terms in foreign currency from the USSR Bank for Foreign Economic Affairs
предоставление кредита	credit arrangement, credit granting
заявка о предоставлении кредита	application for credit arrangement
удовлетворять заявку о предоставлении кредита	meet the application for credit arrangement
условия предоставления кредита	credit terms
обращаться в банк о предоставлении кредита	apply to a bank for credit
получение кредита	obtaining a credit
процедура получения кредита	procedure for obtaining credit
срок кредита	credit period
сумма кредита	credit amount
брать кредиты под вклады советской стороны в СП	draw credits against the assets of the Soviet party to the JV
предоставлять кредит	advance a credit, grant a credit
получать кредит	obtain a credit
кредитование	**crediting**
кредитование в рублях	crediting in roubles
кредитование в свободно-конвертируемой валюте	crediting in hard currency
решать вопросы рублевого и валютного кредитования	solve problems of rouble and hard currency crediting
ликвидация СП	**JV liquidation**
процедура ликвидации СП	procedure of a JV's liquidation
быть ликвидированным за деятельность, несовместимую с оговоренными целями	be liquidated for activities inconsistent with its specified objects

быть ликвидированным по выполнении своих обязательств	be liquidated after discharging one's obligations
быть ликвидированным по распоряжению...	be liquidated by order...
налог(-и), платеж	**tax(-es)**
взимание налога	tax collection, taxation, charging of tax
законодательное положение о налогах	tax regulations
недоплата налога [в предыдущем году]	underpayment of tax [in the previous year]
обнаружить недоплату [суммы] налога	disclose an underpayment of tax
переплата налога [в предыдущем году]	overpayment of tax [in the previous year]
обнаружить переплату [суммы налога]	disclose an overpayment of tax
размер налога	tax rate
увеличивать размер налога	increase the tax rate
уменьшать размер налога	reduce the tax rate
ставка налогового обложения	tax rate
уплата налога	payment of tax, tax payment
просроченный платеж	overdue tax payment
платить штраф в размере... в день от суммы просроченного платежа	pay a fine amounting to... per diem of the amount of the overdue sum
процедура уплаты налога	procedure for payment of tax
полностью освобождать отдельные СП от уплаты налога	completely exempt individual JVs from the payment of tax
налог по социальному страхованию	social security tax
налог с прибыли	profits tax
освобождение от уплаты налога с прибыли	exemption from payment of profits tax
подсчет налога с прибыли	calculation of the profits tax
оценивать налог с прибыли	assess the profits tax
взимать налог	collect taxes, levy taxes
освобождать от налога	exempt from taxes
собирать налоги	collect taxes, raise taxes
удерживать налог в размере...	withhold tax at the rate of...
налогообложение	**taxation**
справедливость налогообложения	tax equity
закон о налогообложении	taxation law
налоговые льготы	**tax privileges, fiscal incentives**

налоговые скидки	**tax concessions**
получать налоговые скидки	be granted tax concessions
операции	**operations**
банковские операции	banking operations
закупочные операции	buying operations, purchasing operations
запродажные операции	selling operations
кредитные операции	lending operations, credit operations
кредитные операции на открытом рынке	open-market credit operations
международные операции	international operations
расширять международные операции	expand international operations
сбытовые операции	marketing operations
совместная работа	joint operation
товарообменные операции	countertrade, barter deals
финансовые операции	financial operations
экспортно-импортные операции	export-import operations
расширять операции	expand operations
опыт	**experience**
имеющийся опыт	available experience
управленческий опыт	management know-how
доступ к управленческому опыту	access to management know-how
приобретать управленческий опыт работы в условиях местного рынка	acquire managerial know-how about operating in local market conditions
опыт восточной компании	Eastern company experience
опыт западной компании	Western company experience
опыт западных партнеров	Western partners' experience
опыт СП	JV experience
общий анализ опыта СП	general survey of a JV experience
опыт сотрудничества между партнерами	available experience of cooperation between the partners
опыт управления предприятием	enterprise management know-how
приобретать опыт управления предприятием	acquire enterprise management know-how
практический опыт, приобретенный предприятием	practical experience acquired by enterprise
оценка	**assessment, evaluation**
неточная оценка	inaccurate assessment
предварительная оценка	preliminary assessment

точная оценка	accurate assessment
экономическая оценка	economic assessment
оценка осуществимости проекта	feasibility evaluation
оценка подрядчика	contractor performance evaluation
оценка предполагаемого размера и стоимости объекта	evaluation of the prospective size and cost of the project
оценка решения	policy evaluation
оценка рынка	market evaluation
имеющаяся оценка рынка	available market evaluation
оценка эффективности	assessment of efficiency
давать оценку	give assessment
производить оценку	assess, evaluate
партнер(-ы)	**partner(-s), party(-ies)**
зарубежный партнер	foreign partner
организационный опыт зарубежного партнера	managerial experience of a foreign partner
иностранный партнер	foreign partner
потенциальный иностранный партнер	potential foreign partner
советский партнер	Soviet partner
выбор партнера	selecting a partner
использование практики международных тендеров в выборе партнера	use of the international tenders' practice in selecting a partner
доверие между партнерами	trust between partners
высокая степень доверия между партнерами	high degree of trust between partners
доли партнеров	shares of partners
определять доли партнеров учредительными документами	define shares of the partners by foundation documents
мотив выгоды для партнеров	profit motive for partners
исходить из выгоды как для советского, так и для иностранного партнера	observe the profit motive for both Soviet and foreign partners
основные позиции партнеров	basic positions of partners
выяснять основные позиции партнеров	clarify basic positions of partners
партнеры по СП	parties to a JV
сбытовая сеть партнеров	marketing network of the parties, distribution network of the parties
использовать сбытовую сеть партнеров	make use of the marketing network of the parties

партнер-учредитель	**founding partner**
усилия партнеров-учредителей	efforts of the founding partners
имена партнеров-учредителей СП	names of a JV partners
стать партнером-учредителем СП	enter into a JV
персонал, кадры	**personnel, staff, employees**
иностранный персонал	foreign personnel
величина потребности в иностранном персонале	demand for foreign personnel
квалифицированный персонал	skilled personnel
приток новых квалифицированных кадров	introduction of new skills
местный персонал	local personnel
подготовка местного персонала	training of local personnel
советский персонал	Soviet personnel
обслуживающий персонал	maintenance personnel
управленческий персонал	managerial staff
утечка управленческих кадров	drain on a company's managerial resources
эксплуатационный персонал	operating personnel
возможности привлечения кадров в СП	possibility of personnel employment by a JV
персонал западного участника	western employees
подготовка кадров в принимающей стране	training of host country employees
профессиональная подготовка и специализация кадров	occupational training and specialization of personnel
труд персонала	work of personnel
оплата труда персонала	wages and salaries of personnel
вопрос оплаты труда персонала	question of pay for work of personnel
стимулирование труда персонала	stimulating the work of personnel
нанимать персонал	hire personnel
обучать персонал	train personnel
увольнять персонал	fire personnel
персонал СП:	**personnel of a JV:**
временная целевая рабочая группа	temporary target working group
рабочая сила СП *см.* **рабочая сила**	
руководители СП	enterprise executives, JV executives
ведущие руководители СП	leading executives of JV

специалисты	specialists
иностранные специалисты	foreign specialists
советские специалисты	Soviet specialists
специалист в области международного и советского права	specialist in international and Soviet law
специалист-консультант по вопросам управления и организации производства	consultant on production management and organization
специалист из банковской системы	specialist from the banking system
специалист по материально-техническому снабжению	expert on material and technical supply
специалист по финансовым и валютным проблемам	specialist in financial and currency problems
эксперт от внешнеторговой организации	expert from a foreign trade organization
эксперт по маркетингу	expert in marketing
платеж *см.* **налог**	
поощрение *см.* **стимул**	
поставки	**supplies, deliveries**
взаимные поставки	mutual supplies, mutual deliveries
перечни и объемы взаимных поставок	lists and volumes of mutual deliveries
согласовывать перечни и объемы взаимных поставок	agree on the lists and volumes of mutual deliveries
принимать независимые решения по объему взаимных поставок	make independent decisions regarding the volume of mutual deliveries
регулировать поставки совместным предприятиям и сбыт их продукции в СССР	regulate supplies to JVs and the marketing of their products within the USSR
потребление	**consumption**
внутреннее потребление	domestic consumption
предназначаться для внутреннего потребления	be intended for domestic consumption
ограниченное потребление	restricted consumption
ожидаемое потребление	expected consumption
эффективное потребление	efficient consumption
норма потребления	consumption rate
объем текущего потребления	current consumption
общий объем потребления	overall consumption
правление СП	**governing body of a JV**
право(-а)	**law, right(-s), equity authority**
законное право	legal right
иметь законное право	be legally entitled

имущественное право	property right
сохранять полностью имущественное право как над предприятием, так и над будущей продукцией	retain full property right over both the plant and the future product
права и обязанности участника СП	membership rights and obligations
передавать права и обязанности третьим лицам	transfer membership rights and obligations to third persons
право на внешнюю торговлю	foreign trade right
право на имущество	property rights
право на самоуправление	self-management rights
использовать право на самоуправление	use one's self-management rights
право назначать должностных лиц на ключевые посты	right to appoint executives to key positions
право торговать на внутреннем рынке в иностранной валюте	right to trade in foreign currency on the domestic market
иметь право на...	have the right to...
рассматривать право	view the right
терять право	forfeit the right
предприятие	**enterprise**
государственное предприятие	state-owned enterprise
предприятие оптовой торговли	wholesale trade enterprise
прибыль предприятия	profit of an enterprise
иметь долю в прибыли предприятия	take a share in the profit of an enterprise
прибыльность предприятия	profitability of an enterprise
рост прибыльности предприятия	increase of the profitability of an enterprise
прямые связи предприятия	direct ties of an enterprise
создавать прямые связи на уровне предприятий	create direct ties at the enterprise level
управление предприятия	enterprise management
участвовать в управлении предприятием	participate in the management of an enterprise
экономическая деятельность предприятия	economic activities of an enterprise
регулировать экономическую деятельность предприятия	regulate economic activity (-ies) of an enterprise
быть оснащенным наиболее современным промышленным оборудованием	be equipped with the most up-to-date production equipment available
переоборудовать предприятие	reequip a plant

предприятие-учредитель	**founding enterprise**
прибыль	**profit(-s), earnings**
доля прибыли	share of profits
иметь право на долю прибыли	be entitled to a share in profits
норма прибыли	profit rate
перевод прибыли	repatriation of profits
передача прибыли и перевод капитала	transfer of profits and repatriation of capital
распределяемые прибыли	distributed profits
доля распределяемых прибылей	share of distributed profits
участие в прибыли	share in the profit
участвовать в разделе прибыли	share in the earnings, share in the profit
участие сторон в прибылях и рисках	sharing of profits and risks
принимающая страна	**host country**
модернизация промышленности принимающей страны	modernization of the host country industry
служащие принимающей страны	host country employees
готовить служащих принимающей страны	train host country's employees
экономически отсталые районы принимающей страны	less developed areas of the host country, depressed areas of the host country
работа СП, находящегося в принимающей стране	operation of a JV domiciled in the host country
продукция	**produce, production, products**
импортная продукция	import products
конкурентоспособная продукция	competitive products
отечественная продукция	domestic products
совместно производимая продукция	joint products
экспортная продукция	export products
обязательство экспортировать из страны всю или часть полученной продукции	committment to export all or part of resultant production
реализация продукции СП	sale of JV products
реализация продукции СП на внешнем рынке иностранным потребителям	sale of JV products to foreign consumers on foreign markets
реализация продукции СП на внутреннем рынке советским партнерам	sale of JV products to Soviet partners on domestic markets

поступления от реализации продукции СП	proceeds from sales of JV products
сбыт продукции СП	marketing of JV products
общие условия сбыта продукции на внутреннем и внешнем рынках	general conditions for products sales on the domestic and foreign markets
эффективность сбыта продукции	effectiveness of the existing marketing
усовершенствовать эффективность сбыта продукции	improve the effectiveness of the existing marketing
производить сбыт продукции СП	make sales of JV products
производство	**production, manufacture**
выгодное производство	advantageous production
высокорентабельное производство	highly profitable production
импортозаменяющее производство	import substituting production
организация импортозаменяющего производства	organization of import substituting production
создание импортозаменяющих производств	creation of import substituting production
расширять импортозаменяющее производство	expand import substituting production
крупномасштабное производство	large-scale production
местное производство	local production
серийное производство	series production
совместное производство	joint production, joint manufacture
экспортное производство	export oriented production
расширять экспортное производство	expand export-oriented production
издержки производства	cost of production
объем производства СП	production volume of a JV
общий объем производства СП	total volume of a JV production
расширять объем производства путем создания новых производств	expand production by creating new capacities
развертывание производства в данной стране	starting production in a given country
темпы роста производства	rate of production growth
производство товаров, ранее не производившихся в стране	production of goods not made earlier in the country
диверсифицировать производство	diversify production

расширять и диверсифицировать производство за счет выпуска новых товаров или создания новых отраслей	extend and diversify the existing activities into new production lines or other sectors
производительность труда	**labour productivity**
поднимать производительность труда	raise labour productivity
рабочая сила	**labour [force], manpower**
квалифицированная рабочая сила	skilled labour
наличие квалифицированной рабочей силы	availability of skilled manpower
местная рабочая сила	local labour
использовать местную рабочую силу и сырьевые материалы	use local labour and raw materials
затраты на рабочую силу	labour costs
избыток рабочей силы	excess of labour
нехватка рабочей силы	shortage of labour
потребность в рабочей силе	labour requirements
приток иностранной рабочей силы	entry of foreign manpower
ограничивать приток иностранной рабочей силы	limit the entry of foreign manpower
темп набора рабочей силы	hiring rate
использовать рабочую силу	use of labour
обеспечивать рабочей силой	supply labour
рабочие места	**job opportunities**
создавать новые рабочие места	create new job opportunities, create new jobs
разрешение	**permit, permission, authorization**
валютное разрешение	exchange permit
предварительное разрешение	preliminary permit
разрешение на осуществление внешнеторговых сделок	foreign trade permit
обращаться за разрешением на осуществление внешнеторговых сделок	apply for a foreign trade permit
получать необходимое разрешение	obtain the necessary authorization
регистрация	**registration**
книга регистраций СП	JV registration book
справка о регистрации СП	certificate of a JV registration
выдавать справку о регистрации СП	issue a certificate of a JV registration
отказать в регистрации СП	decline registration of a JV

приостановить регистрацию СП	suspend registration of a JV
рынок(-и)	**market(-s)**
валютный рынок	money market, exchange market
ставки валютного (денежного) рынка	money market rates
внешний рынок	external market
внутренний рынок	internal market
западные рынки, рынки западных стран	Western countries' foreign markets
особенности требований западных рынков	Western markets' requirements
масштабный рынок	vast market
проявлять особую заинтересованность в масштабных советских рынках	display special interest in the vast markets of the USSR
местный рынок	local market
мировой рынок	world market
широкомасштабный выход на мировой рынок	large-scale breakthrough
новые рынки	new markets
осваивать новые рынки и сбытовые каналы	encompass new markets and marketing channels
обширный рынок	vast market
возможность получения приоритета на обширном советском внутреннем рынке	possibility of gaining foothold in the vast Soviet domestic market
потребительский рынок	consumption market, comsumer goods market
обслуживать местный потребительский рынок	serve local consumption market
товарный рынок	commodity market
экспортные рынки	export markets
возможности рынка	market conditions, market opportunities
конъюнктура рынка	market situation, market conditions
нужды рынка	market needs
опыт рынка, знание рынка	marketing know-how
потребности рынка	market requirements
изучать потребности рынка в новых товарах	learn newly developing market needs
проникновение на рынок	penetrating the market
наиболее эффективные методы проникновения на рынок	most effective ways of penetrating the market

рынок долгосрочного капитала	long capital market
рынок иностранной валюты	foreign exchange market
рынок сбыта продукции СП	sales market of a JV
рынок труда	labour market
насыщенный рынок труда	tight labour market
быть представленным на рынке	be present in the market
находить важные внешние рынки сбыта	find important foreign markets
рыночные ставки	**market rates**
мировые рыночные ставки	world market rates
сбытовая сеть	**marketing network, distribution network**
мероприятия по организации сбыта	marketing arrangement
создание сбытовой сети за границей	establishment of a marketing network abroad
использовать товаропроводящую сеть	acquire a means of distribution network
совместное(-ые) предприятие(-ия), СП	**Joint Venture(-s), JV**
акционерное СП	equity JV
желать вступить в акционерное СП	wish to enter into an equity JV
определять юридические рамки действия акционерного СП	establish legal framework for equity JV
составлять юридическую основу для акционерного СП	constitute JV legal framework for equity JV
действующее СП	operating JV
договорное СП	contractual JV
полноправное СП	fully-fledged JV
создаваемое СП	JV undertaking
объем и возможности создаваемого СП	scope and size of the JV undertaking
имущество и имущественные интересы СП	assets and property interests of a JV
организация СП	JV organization
основные характеристики СП	essential characteristics of a JV
общие принципы и направления СП	JV guidelines
формулировать общие принципы и направления СП	formulate JV guidelines
рост числа СП	increase in the number of JVs
собственность СП	property of a JV
по усмотрению СП	at the JV option

целесообразность импортозаменяющего СП	expediency of an import-substituting JV
цели СП	JV objectives
экспортные операции СП	JV exports
экспортные показатели СП	JV export performance
юридический адрес СП	legal address of a JV
СП, имеющие прямые связи с потребителями	JVs selling directly to the public
СП, не предусматривающие непосредственного участия партнеров в акционерном капитале компании на договорной основе	non-equity type of JVs
быть образованным на договорной основе	be established on a contractual basis, be established in the form of a contractual JV
СП, созданные на двусторонней и многосторонней основе	JVs created on a bilateral and multilateral basis
соглашение	**agreement, arrangement**
коллективное соглашение	collective agreement
заключение коллективного соглашения между СП и профсоюзом	conclusion of a collective agreement between the JV and the trade union
кооперационное соглашение	cooperation agreement
межфирменное кооперационное соглашение	interfirm cooperation agreement
межбанковское соглашение	interbank arrangement
неофициальное соглашение	informal agreement
окончательное соглашение	final agreement
официальное соглашение	formal agreement
торговое соглашение	trade (trading) agreement
осуществлять закупки и продажи на основе ежегодных торговых соглашений	conduct sales and purchases on the basis of annual trading agreements
соглашение между поставщиками и покупателями	customer-supplier agreement
соглашение о производственной кооперации, производственное соглашение	industrial cooperation arrangement, production cooperation agreement
переход производственных соглашений в соглашение о СП	transformation of cooperation arrangements into JV agreements
соглашения о совместном производстве	coproduction agreement
соглашение о создании СП	JV agreement
согласовывать меры защиты в соглашении о создании СП	negotiate safeguard provisions in the JV agreement

соглашение по общим долговременным целям:	agreement on long-term business objectives:
производство	production
запродажи	sales
закупки	purchasing
обслуживание	maintenance
ремонт	repair
сотрудничество в (*научных*) исследованиях	research cooperation
консультационные услуги	consultancy services
соглашение по передаче технологии	technology transfer
достигать соглашения	reach an agreement
подписывать соглашение	sign an agreement
проводить переговоры по соглашению	negotiate an agreement
согласовывать меры защиты в соглашениях по СП	negotiate safeguard provisions in the JV agreements
создание СП	**JV formation, JV creation, JV establishment**
инициаторы создания СП	initiators of a JV creation
контракт на создание СП	JV contract
переговоры по созданию СП	negotiation on a JV establishment
предложение о создании СП	proposal on founding a JV
причины, побуждающие (*партнеров*) к созданию СП	reasons justifying JV creation
разрешение на создание СП	JV foundation permit
цели создания СП	JV aims, JV objectives
принципы создания и действия СП	principles of a JV creation and operation
уведомление о создании СП	notification of a JV creation
публиковать в прессе уведомление о создании СП	publish a notification of a JV creation
ссуда *см.* **заем**	
статус СП	**JV status**
статус независимого СП	independent JV status
приобрести статус независимого СП	obtain the status of an independent JV
статус СП в системе экономического и административного планирования принимающей страны	status of a JV in the economic planning and administrative system of the host country
юридический статус СП	legal status of a JV
стимул(-ы), поощрение, стимулирование	**incentive(-s)**

дополнительные стимулы	additional incentives, extra incentives
создание дополнительных стимулов	offering additional incentives
налоговые стимулы	fiscal incentives, tax incentives
финансово-материальный стимул	financial incentive, wage incentive
экономический стимул	economic incentive
стимулирование капиталовложений	investment incentives
меры по стимулированию экспорта	export incentives
потеря стимула	disincentive
ставка заработной платы с учетом денежного поощрения	incentive wages rate
получать стимулы	be granted some incentives
(не) являться стимулом для заводов-изготовителей	be a(n) (dis)incentive for producing enterprises
(не) являться стимулом для западных партнеров	be a(n) (dis)incentive for the Western partners
стимулирование *см.* **стимул**	
страхование	**insurance**
добровольное страхование	optional insurance
обязательное страхование	compulsory insurance
социальное страхование	social security
государственное социальное страхование	state-sponsored social security
внесение вкладов совместным предприятием в госбюджет СССР на расходы по государственному социальному страхованию	payment of contributions by a JV to the USSR national budget for state-sponsored social security
транспортное страхование грузов в пути	transport insurance of freight in transit
виды страхования	types of insurance
разрабатывать специальные виды страхования для СП	draw up special types of insurance for a JV
договор о страховании СП	JV insurance contract
заключение договора о страховании в виде страхового полиса	conclusion of a JV insurance contract in the form of an insurance policy
заключать договор о страховании	conclude a JV insurance contract
составлять договор о страховании	draw up a JV insurance contract
заявка на страхование	application for insurance
письменная заявка на страхование	written application for insurance

подавать письменную заявку на страхование	file a written application for insurance
направлять заявку на страхование в Ингосстрах СССР	forward an application for insurance to Ingosstrakh
рассматривать заявку на страхование	consider an application for insurance
правила и условия страхования	rules and terms of insurance
определять правила и условия страхования	set out rules and terms of insurance, set out the conditions of insurance
претензия по страхованию	insurance claim
предъявлять претензию по страхованию	file an insurance claim
удовлетворять претензию по страхованию	admit an insurance claim
срок(-и) страхования	insurance period
степень риска при страховании	degree of insurance risk
стоимость страхования	insurance cost
страхование в отношении гражданской ответственности СП за причинение ущерба здоровью или имуществу советского персонала в процессе работы	insurance in respect of civil liabilities of a JV for causing injury and losses of the property of its Soviet employees in the cause of their duties
страхование имущества от кражи со взломом	insurance of property against burglary
страхование оборудования и машин от поломок	insurance of equipment and machinery against failure
страхование основных средств и имущественных интересов СП	insurance of assets and property interests of a JV
страхование от всех рисков, связанных со строительством и монтажными работами	insurance against all risks of construction and installation
страхование от пожара и других стихийных бедствий	insurance against fire and other hazards
страхование от убытков вследствие перерыва в производстве в связи с поломкой оборудования	insurance against losses due to downturn in production resulting from a machinery failure
страхование СП	insurance of a JV
[широко] использовать международную практику в страховании	make [wide] use of international practices in effecting insurance
страховая компания	**insurance company**
лимит ответственности страховой компании	liability limits of the insurance company
определять лимит ответ-	set out the limits of liability of

ственности страховой компании	the insurance company
уплата компенсации страховой компанией	payment of compensation by the insurance company
быть подписанным полномочными представителями страховой компании и СП	be signed by authorized representatives of the insurance company and the JV
подлежать страхованию в страховой компании	be subject to insurance, to be effected by the insurance company
страховая премия	**insurance premium**
определять размер страховой премии	set out the insurance premium
платить страховую премию из балансовой прибыли	pay insurance premium out of a JV balance profits
страховая сумма	**the sum insured**
определять размер страховой суммы	set out the sum insured
страховой полис	**insurance policy**
проект страхового полиса	draft insurance policy
замечания по проекту страхового полиса	remarks on the draft insurance policy
направлять страховой полис совместному предприятию	forward an insurance policy to a JV
перерабатывать страховой полис	revise an insurance policy
составлять страховой полис	draw up an insurance policy
технико-экономическое обоснование, ТЭО	**feasibility study, FS**
подготавливать технико-экономическое обоснование	prepare a feasibility study
технология	**technology**
наукоемкая технология	high technology, high-tech
внедрение наукоемкой технологии	introduction of high technology
новая технология	new technology
внедрение новой технологии	introduction of new technology
овладевать новой технологией	obtain new technology
предоставлять новую технологию	make available new technology
патентованная технология	proprietory technology
создавать юридическую структуру для передачи патентованной технологии	create a formal structure for the transfer of proprietory technology
специальная технология	specific technology
устаревшая технология	obsolete technology

доступ к технологии	access to technical know-how
передача технологии	technology transfer
внедрять технологию	introduce technology
передавать технологию	transfer technology, hand over technology
привлекать технологию	attract technology
товары	**goods**
импортные товары	imported goods
местные товары	local goods
использование местных товаров и (или) услуг	using local goods and (or) services
новые товары	new goods
выпуск новых товаров	introduction of new goods
вводить новые товары на рынок принимающей страны	introduce new goods on host country market
советские товары	Soviet goods
экспортные товары	exported goods
важнейшие экспортные товары	staple exports
закупка товаров	purchase of goods
реализация товаров	marketing goods
время реализации товаров	period of marketing goods
условия реализации товаров	terms of marketing goods
сбыт товаров	sale of goods
ввозить товар	import goods
вывозить товар	export goods
закупать товар	purchase goods
продавать товар	sell goods
управление	**management**
структура управления СП:	JV management system:
правление	Board of Governors
дирекция	Board of Directors
ревизионная комиссия	Auditing Commission
председатель правления	Chairman of the Board
генеральный директор	Director-General
финансовый директор	Finance Director
коммерческий директор	Commercial Director
технический директор	Technical Director
директор по вопросам персонала	Personnel Director
защищать права западного партнера в управлении СП	safeguard the role of the Western party in the JV management
защищать права советского партнера в управлении СП	safeguard the role of the Soviet party in the JV management

осуществлять контроль в управлении СП — exercise JV management control

услуги — **services**

консультационные услуги — consultancy services, engineering services

посреднические услуги — mediating services, intermediary services

полагаться на посреднические услуги — rely on mediating services

объем услуг — volume of services

предоставление услуг — supply of services

приходить к соглашению о предоставлении услуг — agree on the supply of services

разделение услуг — division of services

сфера услуг — service industry

предоставлять услуги — render services

устав — **charter**

определять структуру, состав и ответственность правления в уставе — specify the structure, composition and responsibility of the governing body in the charter

участники — **participants**

деятельность участников СП — activity of a JV participants

координация деятельности участников СП — coordination of the activity of a JV participants

учет — **accounting**

оперативный учет, связанный с нуждами управления — administrating accounting

управленческий учет — management accounting

учет коммерческих операций — business accounting

учет на основе самостоятельного баланса — entity accounting

организовывать учет исходной стоимости и финансовых затрат — organize primary cost and financial accounting

учредительные документы — **foundation documents, foundation papers, constituent instruments**

изменения, вносимые в учредительные документы — changes introduced into the foundation documents

пакет учредительных документов — package of foundation documents

пакет учредительных документов включает: — package of foundation documents includes:

договор о создании СП — agreement on the establishment of a JV

устав СП — charter of a JV

технико-экономическое обоснование — feasibility study of a JV

подготовка учредительных документов	drafting of foundation papers, drafting of constituent instruments
положения, зафиксированные в учредительных документах	positions of the foundation documents
включать в учредительные документы	incorporate in the foundation documents
составлять учредительные документы быстро и качественно	draw up foundation documents quickly and competently
составлять статью учредительных документов	draft a clause of the foundation documents
четко определять цифры, процедуры в учредительных документах	clearly specify figures, procedures in the foundation documents
обсуждать, определять и включать каждую важную альтернативу в учредительные документы	negotiate, define and incorporate every important variable in the foundation documents
финансирование	**financing**
источники финансирования	sources of financing
(не)значительная степень зависимости от источников финансирования	(low) high dependence on capital sources
разрешение на финансирование	financial authorization
средства финансирования	means of financing
финансирование совместных предприятий Восток-Запад	financing of East-West JVs
финансовая структура	**financial structure**
финансовые операции	**financial business**
проводить ревизию финансовых операций и коммерческой деятельности СП	carry out the auditing of financial business and commercial activities of a JV
фонд(-ы)	**fund(-s)**
амортизационный фонд	amortization fund, depreciation fund
средства, отчисленные в амортизационный фонд	the sums deducted to the amortization fund
резервный фонд	reserve fund, emergency fund
величина резервного фонда	size of the reserve fund
строго фиксированная величина резервного фонда	rigidly fixed size of the reserve fund
стабильность резервного фонда	reserve fund stability
уставный фонд СП	JV authorized fund, authorized capital of the JV participants
величина уставного фонда СП	amount of the JV authorized fund

вклад в уставный фонд СП	contribution to the JV authorized fund
требования к рентабельности и окупаемости вклада в уставный фонд СП	requirements for the profitability and recoupment of the contributions to the JV authorized fund
доли участников в уставном фонде СП	shares of the partners in the JV authorized fund
оценка уставного фонда СП по стоимости	the JV authorized fund in terms of value
размер уставного фонда СП	size of the JV authorized fund
изменение размера уставного фонда СП	change in the size of the JV authorized fund
предложения по размеру уставного фонда СП	proposals for the size of the JV authorized fund
структура фондов	structure of the funds
формирование фондов СП	JV funds formation
источники формирования фондов:	sources of the funds formation:
фонды, формируемые из затрат, включаемых в себестоимость продукции	funds formed from the expenses included in the production costs
фонды, формирующиеся из отчислений от балансовой прибыли до налогообложения	funds from the deductions from balance profit before tax
фонды, формирующиеся из прибыли, оставшейся после выплаты налога в госбюджет	funds formed from profit remaining after tax paid to the state budget
порядок формирования фондов	procedure of funds formation
определять порядок формирования фондов	specify the procedure for raising the funds
решать вопрос о порядке формирования фондов	settle the question of the procedure for raising the funds
процедура формирования фондов	procedure of funds formation
цели формирования фондов	purpose of the funds
фонд жилищного строительства	housing construction fund
фонд заработной платы	the wages fund
использовать фонд заработной платы на фиксированную оплату	use the wages fund to make fixed payments
фонд культурно-массовых мероприятий	cultural and recreation events fund
фонд материального поощрения	material incentives fund

использовать фонд материального поощрения на выплату премий, вознаграждения	use the material incentives fund for payment of bonuses, awards (renumeration)
фонд потребления	consumption fund
фонд развития	development fund
фонд развития производства, науки и техники	production, scientific and technological development fund
формировать фонд	form a fund, raise a fund, set up a fund
формировать фонд из балансовой прибыли	raise a fund from balance profit
цена(-ы)	**price(-s)**
действующая цена	actual price
договорная цена	contractual price
сбывать продукцию СП по договорным ценам с учетом цен на мировом рынке	sell JV products at contractual prices taking account of the world market prices
оптовая цена	wholesale price
определять оптовые цены на конечный продукт СП на основе действительных цен	determine the wholesale prices of the final products of a JV on the basis of the actual price
розничная цена	retail price
сопоставимые цены	comparable prices
текущие цены	current prices
контроль над ценами	price control
эластичность цен	price flexibility
несовершенная эластичность цен	imperfect price flexibility
цена, установленная на внутреннем рынке	domestic price, home market price
цена, установленная на внешнем рынке	external price, foreign market price
назначать цену	set a price
экономическая договоренность (*обязательства*)	**economic undertaking**
экономическая эффективность	**economic efficiency**
требования к уровню экономической эффективности СП в целом	requirements for the economic efficiency of the JV as a whole

ФРАЗЫ

Каков процесс создания СП?	How is a JV created?
Создание СП... проходит через несколько этапов	In the process of a JV creation... several stages may be singled out

на территории СССР	on Soviet territory
на мировой арене	in the world practice
Какие это этапы?	What are these stages?
Это...	They are...
выбор области создания СП	the choice of the field of a JV
поиск иностранного партнера	the search of a foreign partner
переговоры о возможности создания СП	negotiations on the possibility of establishing a JV
подписание протокола о намерениях	the signing of a protocol of intentions
проработка ТЭО	the drafting of a feasibility study
подготовка проектов учредительных документов	the drafting of foundation documents
переговоры о создании СП	negotiations on the establishment of a JV
регистрация СП	registration of a JV
Есть ли... у партнеров-учредителей?	Are there any... that unite founding partners?
общие цели	common goals
общие задачи	common tasks
Да, СП действует, исходя из интересов партнеров-учредителей, так как является продавцом и покупателем	Yes, as a seller and buyer, a JV operates in the interests of its founding partners
Каковы же эти цели?	What are these aims?
У партнеров есть общая цель — стремление к высокоэффективному производству для получения большей прибыли	The partners have a common goal, that is — highly efficient production at the joint venture for greater profit returns
Кем разрабатывается предложение о создании СП с советской стороны?	Who works out a proposal for founding a JV on Soviet territory from the Soviet side?
Такое предложение разрабатывается потенциальным учредителем:	A proposal of this kind is worked out by a potential founder:
советским предприятием	a Soviet enterprise
учреждением	some association
министерством	ministry
ведомством	government department
Могут ли учредители (инициаторы создания СП) обращаться за... в хозрасчетные фирмы?	Is it possible for the founders (initiators of a JV) to apply for... to self-supporting firms?
консультацией	consultation
помощью	help
советом	advice
инструкцией	instruction

Разумеется. Учредители СП могут обращаться в...	It goes without saying. The founders of a JV may turn to...
государственные организации	government bodies
специализированные хозрасчетные фирмы	specialized self-supporting firms
Вопросы, подлежащие изучению при подготовке ТЭО,...	Questions to be studied in preparing a FS are...
сложные	complicated
многоплановые	many-sided, versatile
Необходимо подготовить технико-экономическое обоснование экономического, финансового и практического аспектов совместных предприятий Восток-Запад	It is necessary to prepare a feasibility study of the economic, financial and practical aspects of East-West joint ventures
Какие(-ую) ... необходимо представить на рассмотрение для принятия решения о создании СП?	What... should be submitted for consideration in order to adopt a decision on establishing a JV?
документы	documents
документацию	documentation
материалы	materials
Этот пакет документов включает:	This package of documents includes:
договор о создании СП	agreement on the establishment of a JV
устав СП	charter of a JV
ТЭО СП	FS for a JV
Какие требуются специалисты для изучения всей необходимой информации?	What specialists are required to study all the necessary information?
Это большая работа. Требуются специалисты различного профиля, такие как...	That involves a lot of work. Specialists of various kinds such as... are needed
инженеры	engineers
организаторы производства	production managers
экономисты	economists
бухгалтеры	accountants
специалисты по материально-техническому снабжению	specialists in logistics
Такие специалисты требуются только с советской стороны?	This kind of specialists are required from the Soviet side only, aren't they?
Не только. Аналогичные специалисты желательны и со стороны иностранного партнера	No, not only. It's desirable that foreign partners also commission their specialists to do this work
Каково поле деятельности СП?	Where is a JV to be set up?

Наиболее перспективными с позиций взаимовыгодного сотрудничества являются...	The best prospects for mutually beneficial cooperation have...
агропромышленный комплекс	the agroindustrial complex
отрасли машиностроения	branches of engineering
производство товаров народного потребления	the manufacture of consumer goods
сфера услуг	services
химическое производство	chemical production
Как происходит поиск иностранного партнера?	On what principle is a foreign partner chosen?
Точно так же как в мировой практике, а именно: необходимо...	The same way as in world practice, namely, it is necessary to...
очертить круг фирм-продуцентов	identify the range of producers known on the world market
привлечь Вычислительный центр коллективного пользования	make use of the Computer Service for Collective Use
активно использовать зарубежные информационные источники	make active use of foreign information sources
Для чего оформляется протокол о намерениях?	What is a Protocol of Intentions drafted for?
Он необходим для..., так как упрощает подготовку учредительных документов	It is necessary for... as it simplifies the preparation of foundation papers
иностранных партнеров	foreign partners
советских партнеров	Soviet partners
Какие основные вопросы обсуждаются до подписания протокола о намерениях?	What main questions are discussed before a Protocol of Intentions is signed?
Это...	They are...
общий объем производства	total volume of production by a JV
объем поставок на внутренний и внешний рынок	volume of deliveries to the domestic and foreign markets
предложения по размеру уставного фонда	proposals for the size of the authorized fund
доля участников в уставном фонде	shares of the partners in the authorized fund
источники поступления и использования СКВ и другие	sources of proceeds and the use of convertible currency and others
Что такое уставный фонд?	What is authorized fund?
Величина средств, необходимая в начале деятельности СП, это и есть...	The amount of resources required in the initial period of the activities of a JV is the...

уставный фонд	authorized fund
уставный капитал	authorized capital
В какой форме представлен уставный фонд?	In what form does the authorized fund exist?
Уставный фонд существует в виде...	The authorized fund exists in the form of...
земельного участка	a land area
зданий	buildings
сооружений	structures
оборудования	machinery and equipment
различных коммуникаций	various communications
природных ресурсов	natural resources
Что такое уставный фонд по стоимости?	What is the authorized fund in terms of value?
Это... капитал	It is... capital
основной и	fixed and
оборотный	circulating
Из чего образуется уставный фонд?	What is the authorized fund formed of?
Уставный фонд образуется из...	The authorized fund is formed of...
вкладов участников	the partners' shares
прибыли от хозяйственной деятельности	income from its economic activities
дополнительных вкладов участников	additional contributions from the partners
Каким документом регулируются взаимоотношения советского и иностранного персонала СП?	What documents specify relations between Soviet and foreign partners in a JV?
Все вопросы регулируются договором	All the above questions are specified by a contract
Вопрос оплаты труда — важнейший для персонала, не так ли?	The question of pay for work done is the most important one for the personnel, isn't it?
Безусловно. Все вопросы об оплате, отпуске и пенсии решаются в контракте по найму с каждым иностранным работником отдельно.	Quite so. All the matters relating to the pay, holidays and pensions of foreign employees are settled in the employment contract with each foreign employee.
Оплата труда советского персонала производится по советскому законодательству	Pay to Soviet personnel is regulated by Soviet legislation
Источником оплаты труда персонала СП является...	The sources of pay for work done to the personnel of a JV are...
фонд заработной платы	the wages fund
фонд материального поощрения	the material incentives fund

Как используется фонд материального поощрения?	How is the material incentives fund used?
Выплата... производится из фонда материального поощрения	Payment of... is effected out of the material incentives fund
премий	bonuses
вознаграждений	awards
поощрений	incentives
Вопрос о величине фонда решается по обоюдной договоренности партнеров, и решение фиксируется в учредительных документах	The founders themselves decide the size of the fund to be set up and their decision is set down in the constituent documents
Каким образом реализуется продукция СП?	What's the procedure for marketing JV products?
СП могут реализовывать продукцию через...	The JVs can market their products through...
отраслевые системы материально-технического снабжения и сбыта	the branch systems of logistics and marketing
внешнеторговые организации	foreign trade organizations
систему оптовой торговли	the wholesale trade system
территориальные отделения Госснаба	the territorial divisions of the State Committee for Material and Technical Supply
Каков рынок сбыта СП?	What is the sales market of a JV?
Рынок сбыта СП состоит из 2-х сегментов:	The sales market of a JV consists of 2 segments:
внутреннего советского рынка	the Soviet domestic market
внешнего рынка	the external market
Есть ли необходимость дифференцирования цен?	Is there any need for a price differentiation?
Да, несомненно, так как на внешнем рынке продукция реализуется за СКВ	Certainly, as on the external market JV products are marketed for convertible currency
На внутреннем рынке СП может получать выручку в рублях и валюте	On the domestic market a JV can gain proceeds both in roubles and hard currency
Предприятия в настоящее время имеют собственные валютные фонды от реализации экспортной продукции	At present enterprises have their own hard currency funds formed by marketing their export products
С советской стороны сбытовые сети существуют по линии...	From the Soviet side marketing networks exist abroad in lines of...
внешнеторговых объединений МВЭС	foreign trade organizations of the USSR Ministry of Foreign Economic Relations
отраслевых министерств	branch ministries

ведомств	government departments
Совместные предприятия могут производить весь сбыт продукции на внутреннем рынке СССР в рублях через организации внешней торговли	The JVs can make all sales of their products on the USSR domestic market in roubles through Soviet foreign trade organizations
Каким образом оформляются эти отношения?	In what way are these business contacts regulated?
СП заключает соглашения с внешнеторговыми организациями, имеющими юридический статус	A JV concludes agreements with foreign trade organizations which have a legal status
Все вопросы, связанные с фондами, фиксируются в учредительных документах	All the questions concerning the funds are set down in the foundation papers
Как распределяется прибыль между участниками?	In what way is the profit divided between the JV partners?
Прибыль распределяется пропорционально доле каждого участника в уставном фонде	The profit is divided (distributed) in proportion to each party's share in the authorized fund
Существуют ли льготы в налогообложении СП?	Are there any privileges in terms of JV taxation?
Да. СП освобождаются от уплаты налога на прибыль в первые 2 года с момента получения объявленной прибыли	Yes, there are some. JVs are exempted from the tax on profit during the first two years from the time of obtaining the declared profit
Что подлежит страхованию в СП?	What does insurance cover in a JV?
Страхованию подлежат имущество и имущественные интересы СП	Insurance covers assets and property interests of a JV
Кем осуществляется страхование СП в СССР?	What company effects JV insurance in the USSR?
Страхование СП в СССР осуществляется Страховым акционерным обществом СССР, Ингосстрахом	JV insurance is effected by the Insurance Company of the USSR, Ingosstrakh, the Insurance Joint-Stock society of the USSR
Какие виды страхования разрабатываются для СП?	What types of insurance are drawn up for a JV by Ingosstrakh?
Страхование заключается в отношении...	Insurance covers...
гражданской ответственности СП	civil liability of a JV
принадлежащих СП или полученных в аренду основных средств	fixed assets owned or rented by a JV
убытка от перерыва в про-	losses due to downturn in pro-

изводстве в связи с поломкой оборудования	duction resulting from a machinery failure
На основании какого документа Ингосстрах составляет проект страхового полиса?	On the basis of which document does Ingosstrakh draw up a draft insurance policy?
Проект страхового полиса составляется на основе заявления СП на страхование	A draft insurance policy is drawn up on the basis of a JV application for insurance
Проект страхового полиса содержит...	A draft insurance policy covers the...
правила и условия страхования	rules and terms of insurance
лимит ответственности Ингосстраха	limits of liability of Ingosstrakh
сроки страхования	insurance period
стоимость страхования	insurance cost
Вы ознакомились с...?	Have you familiarized yourself with the...?
заявлением на страхование	application for insurance
претензией по страхованию	insurance claim
договором о страховании	insurance contract
Мы рассмотрели...	We have considered the...
страховые премии	insurance premium
страховую сумму	sum insured
Традиционна ли система управления СП?	The managerial system of a JV is traditional, isn't it?
Вполне. Управленческая система на СП строится по международной системе менеджмента	Quite. The management system of a JV conforms to international management standards
Органы управления также традиционны:	The JV management bodies are traditional:
правление	the Board of Governors
дирекция	the Board of Directors
ревизионная комиссия	the Auditing Commission
Каковы функции правления?	What is the Board of Governors engaged in?
Правление...	The Board of Governors...
осуществляет стратегическое руководство	exercises strategic direction of the JV
вырабатывает техническую и хозяйственную политику предприятия	works out the technological and business policy of the enterprise
Правление решает вопросы...	The Board of Governors settles the problems of...
обновления ассортимента	renewal of the assortment of products
модернизации оборудования	modernization of equipment

распределения прибыли	distribution of profit[s]
формирования фондов предприятия	formation of the funds of the enterprise
оплаты труда	pay for work
Какими вопросами занимается дирекция СП?	What is the Board of Directors engaged in?
Дирекция СП...	The Board of Directors...
руководит текущей деятельностью	takes care of the current operations
контролирует исполнение принятых правлением решений	supervises the implementation of the decisions taken by the Board of Governors

ВСТРЕЧНАЯ ТОРГОВЛЯ. ПРОИЗВОДСТВЕННАЯ КООПЕРАЦИЯ. СВОБОДНЫЕ ЭКОНОМИЧЕСКИЕ ЗОНЫ. НАУЧНО-ТЕХНИЧЕСКОЕ СОТРУДНИЧЕСТВО

COUNTERTRADE. PRODUCTION COOPERATION. FREE ECONOMIC ZONES. SCIENCE AND TECHNOLOGY COOPERATION

СЛОВА

акционер, пайщик	**shareholder**
акция(-и)	**share(-s), stock(-s)**
обыкновенные акции	common stock, ordinary shares, ordinary stocks
привилегированные акции	preferential stock, preference shares
анализ *см.* **проработка**	
аренда, лизинг	**leasing, lease**
долгосрочная аренда	long-term leasing [arrangements]
краткосрочная аренда	short-term leasing [arrangements]
«оперативная» аренда	operating leasing [arrangements]
приграничная аренда	cross-border leasing
среднесрочная аренда	medium-term leasing [arrangements]
финансовая аренда	financial leasing
аренда оборудования	equipment leasing
возражение против аренды	objection[s] to leasing
договор об аренде	lease[ing] agreement
заключать договор об аренде	make a leasing agreement
формулировать договор об аренде	formulate a leasing agreement
на основе аренды	on the leasing basis
обязательство по аренде	leasing obligation
выполнять обязательство по аренде	fulfil the leasing obligation

платежи по аренде	leasing payments
сдача в аренду	leasing
сделки на основе аренды	leasing business
организовать сделки на основе аренды	arrange leasing business
соглашение об аренде	lease[-ing] agreement
срок аренды	lease, lease term
первоначальный срок аренды	primary lease term, initial leasing term
продлевать срок аренды	extend the lease term
брать в аренду	lease
прекращать аренду	cancel a lease
сдавать в аренду	lease
арендатор	**leaseholder, lessee**
обязанности арендатора	obligations of a lessee
база	**base**
научно-техническая база	scientific and technical base
экспортная база	export base
развивать экспортную базу	develop export base
улучшать экспортную базу	improve export base
"бай-бэк" (*сделка на условиях компенсации*)	**buy-back**
сделка на основе «бай-бэк»	buy-back transaction
банк	**bank**
агропромышленный банк	agro-industrial bank
ведущий банк	leading bank
государственный банк	the State Bank
жилсоцбанк	the Zhilsotsbank, the Bank for Housing, Community services and Social Development
коммерческий банк	commercial bank
международный банк	international bank
национальный банк	national bank
отдельный банк	individual bank
отраслевой банк	sector[al] bank
служащий банка	an official with a bank, bank clerk
класть деньги в банк	bank money
открывать банк	establish a bank
создавать банк	create a bank
банк-консультант	**consultant bank**
бартер	**barter**
прямой бартер	straight barter
на основе бартера	on a barter basis

формы бартера	forms of barter
сложные формы бартера	sophisticated forms of barter
биотехнология	**biotechnology**
бланк	**form**
бланк учреждения	letterhead
брокер	**broker**
бюрократия	**bureaucracy, red tape**
валюта	**currency**
иностранная валюта	foreign currency, exchange
запасы иностранной валюты	foreign currency reserves
конвертируемая валюта	convertible currency
нехватка конвертируемой валюты	shortage of convertible currency
неконвертируемая валюта	non-convertible currency
твердая валюта	hard currency, foreign exchange
получать твердую валюту	obtain hard currency
единица валюты	unit of currency
конвертируемость валюты	convertibility of currency
контроль за валютой	currency control
неконвертируемость валюты	non-convertibility of currency
приток валюты	influx of currency
слабый приток валюты	low influx of currency
часть валюты	part of currency
удерживать часть валюты	retain part of currency
ввозить валюту	take currency *into*
вывозить валюту	take currency *out of*
переводить валюту	remit currency
покупать валюту	purchase currency
регистрировать валюту	register currency
взаимный зачет *см.* **взаимопогашение**	
взаимопогашение, взаимный зачет, оффсет	**offset**
закупка на условиях «оффсет»	offsetting purchase
возможность(-и)	**opportunity(-ies), possibility(-ies) option(-s), scope**
благоприятные возможности	advantageous possibilities
большие возможности	considerable scope
ограниченные возможности	limited possibilities
торговые возможности	trading opportunities
определять торговые возможности	identify trading opportunities

возможности развития экспорта	export potential, export development potential
давать возможность	allow scope *for*
предлагать возможности	offer possibilities
расширять возможности	widen the scope *for*
гарантия	**guarantee**
банковская гарантия	bank guarantee
давать банковскую гарантию	issue a bank guarantee
получать банковскую гарантию	obtain a bank guarantee
госзаказ	**state order**
децентрализация	**decentralization**
децентрализация управления	decentralization in management
деятельность	**activity**
возобновленная деятельность	renewed activity
инвестиционная деятельность	investment activity
координировать инвестиционную деятельность	coordinate investment activity
торговая деятельность	trading activity
хозяйственная деятельность	economic activity
экономическая деятельность	economic activity
оценивать экономическую деятельность	evaluate economic activities
стимулировать экономическую деятельность	boost economic activities
усиливать экономическую деятельность	increase economic activities
документация	**documentation, documents, papers**
контрактная документация	contract documents
техническая документация	technical documentation
изготавливать по документации	manufacture to documentation
дотация(-и), субсидия(-и)	**subsidy(-ies)**
дотация в форме налоговых льгот	tax subsidy
выплачивать дотации	pay subsidies
отменять дотации	eliminate subsidies
заем	**loan**
финансировать заем	finance loan
закон(-ы)	**law(-s)**
внутренний закон	domestic law
основные законы	major laws
сложность закона	complexity of law
формировать законы	shape the laws

закупка	**purchase**
авансовая закупка	advance purchase
встречная закупка	counterpurchase
закупка на условиях «оффсет»	offsetting purchase
затраты	**inputs, expenditure[s]**
капитальные затраты	capital expenditures
первичные затраты	primary inputs
финансовые затраты	financial expenditures
распределение затрат (*на производство*)	input distribution
зона(-ы)	**zone(-s)**
замкнутая зона	closed zone
интегрированные зоны	integrated zones
специальные зоны	special zones
экономическая зона	economic zone
свободная экономическая зона, СЭЗ	free economic zone, FEZ
предполагаемая СЭЗ	proposed FEZ
модель СЭЗ	FEZ model
разрабатывать модель СЭЗ	develop a FEZ model
преимущество СЭЗ	advantage of a FEZ
статус СЭЗ	FEZ status
функционирование СЭЗ	FEZ's functioning
эффективное функционирование СЭЗ	effective FEZ functioning
обеспечивать эффективное функционирование СЭЗ	ensure effective FEZ functioning
приводить функционирование СЭЗ в соответствие с...	harmonize FEZ's functioning with...
развивать СЭЗ	develop FEZ, set up FEZ
создавать СЭЗ	create FEZ, set up FEZ
управлять свободной экономической зоной	govern a FEZ
изделие(-я)	**article(-s), product(-s), goods**
готовые изделия	finished articles, finished goods, manufactured products
комплектующие изделия	completing parts and accessories
конкурентоспособные изделия	competitive goods
разрабатываемые изделия	articles under development
изделия тяжелого машиностроения	heavy engineering products
импорт	**imports**
беспошлинный импорт	duty-free imports

соответствующий импорт	relevant imports
замена импорта	import substitution
контроль за импортом	import control
ограничения на импорт	import restrictions
состав импорта	composition of imports
стоимость импорта	import value
запрещать импорт	prohibit import *of*
лицензировать импорт	license imports
сокращать импорт	reduce imports, cut back on imports
увеличивать импорт	increase imports
финансировать импорт	finance imports
инвестиции, капиталовложения	**investment[s]**
краткосрочные инвестиции	temporary investment[s]
последующие инвестиции	follow-up investment
инвестор	**investor**
иностранный инвестор	foreign investor
привлекать инвесторов	attract investors
интеграция	**integration**
инфраструктура	**infrastructure**
высокоразвитая инфраструктура	highly developed infrastructure
развивать инфраструктуру	develop infrastrucutre
капитал	**capital, assets**
акционерный капитал	capital stock
иностранный капитал	foreign capital
привлечение иностранного капитала	involvement of foreign capital
ликвидный капитал	available capital
оборотный капитал	current assets
основной капитал	fixed assets, capital assets
ссудный капитал	loan capital
оборот капитала	turnover of capital
капиталовложения *см.* **инвестиции**	
картотека	**file**
картотека фирм	file on firms
качество	**quality**
высокое качество	high quality
низкое качество	poor quality
качество продукции	product quality
контроль за качеством	quality control
несоответствие качества (*стандарту*)	quality discrepancy

проблема качества	quality-related problem
комиссионер *см.* **посредник**	
компания	**company**
акционерная компания	stock company
дочерняя компания	subsidiary, affiliate
торговая компания	trading company
компания со смешанным капиталом	mixed capital company
конвертируемость (*валюты*)	**convertibility**
контракт	**contract**
единый контракт	single contract
заключать контракт	conclude a contract
расторгать контракт	cancel a contract, terminate a contract
контроль	**control**
бюрократический контроль	bureaucratic control
жесткий контроль	rigid control
ослаблять контроль	relax control
устанавливать контроль	establish control *over*
концепция	**concept**
концепция встречной торговли	concept of countertrade
претворять концепцию	implement a concept
кооператив	**cooperative**
закупочный кооператив	purchasing cooperative
производственный кооператив	producers' cooperative
сельскохозяйственный кооператив	agricultural cooperative, farmer cooperative
снабженческо-сбытовой кооператив	purchasing and trading cooperative
кооператор	**cooperator**
кооперация	**cooperation**
научно-производственная кооперация	scientific and production cooperation
потребительская кооперация	consumer cooperation
производственная кооперация	production cooperation, industrial cooperation
сельскохозяйственная кооперация	cooperation in agriculture
снабженческо-сбытовая кооперация	marketing cooperation
на основе кооперации	on a cooperated basis
соглашение о кооперации	cooperation agreement
заключать соглашение о... кооперации	conclude a... cooperation agreement

корпорация	**corporation**
иностранная корпорация	foreign corporation
производственная корпорация	industrial corporation
промышленная корпорация	industrial corporation
торговая корпорация	trade corporation
дирекция корпорации	Board of Directors
правление корпорации	Board of Directors
создавать корпорацию	establish a corporation
коэффициент	**factor, ratio**
коэффициент эффективности	efficiency factor
лизинг *см.* **аренда**	
лицензия	**licence**
экспортная лицензия	export licence
владеть лицензией	hold a licence
выдавать лицензию	issue a licence
льготы	**benefits**
налоговые льготы	tax benefits
материал(-ы)	**material(-s)**
исходные материалы	primary materials
использование исходных материалов	use of primary materials
рационализация использования исходных материалов	a more rational use of primary materials
межотраслевой	**intersectoral**
мера(-ы)	**measure(-s), step(-s), procedure(-s)**
дополнительные меры	supplementary measures
защитные меры	protective measures
организационные меры	organizational measures
радикальные меры	radical measures, radical steps
рекламные меры	promotional measures
решительные меры	drastic steps
специальные меры	special measures
удобные меры	suitable measures
экономические меры	economic measures
юридические меры	legal measures
комплекс (*пакет*) мер	package of measures
осуществлять меры	implement measures
применять меры	apply procedures
принимать меры	take measures
разрабатывать меры	work out measures
упрощать меры	simplify measures

механизм	**mechanism**
рыночный механизм	market mechanism
вводить рыночный механизм	introduce a market mechanism
хозрасчетный механизм	self-supporting mechanism
хозяйственный механизм	economic mechanism
экономический механизм	economic mechanism
министерство	**ministry**
вышестоящее министерство	superior ministry
соответствующее министерство	appropriate ministry, relevant ministry
согласовывать с министерством	confirm *smth.* with the ministry
надбавка	**increment**
налог(-и)	**tax(-es)**
облагать налогами	impose a tax *on*, levy a tax *on*
освобождать от [уплаты] налогов	exempt from taxes
налогообложение	**taxation**
льготное налогообложение	cut-rate taxation, easy-term taxation
народное хозяйство	**economy, national economy**
неконвертируемость (*валюты*)	**non-convertibility**
нехватка	**shortage(-s)**
хроническая нехватка	chronic shortages
реакция на нехватку	response to shortages
усугублять нехватку	worsen the state of shortage
норма(-ы)	**norm(-s), rate**
законодательные нормы	legislation norms
организационные нормы	organizational norms
производственная норма	production rate
обязательство(-а)	**liability(-ies), obligation(-s)**
арендное обязательство	leasing obligation
вексельное обязательство	promissory note
долгосрочные обязательства	long-term liability, fixed liability, debentures
невыполненные обязательства	pending obligations, outstanding liabilities
срочные обязательства	accrued liabilities
выполнять обязательства	fulfil obligations, settle obligations, meet obligations, handle obligations

операция(-и)	**operation(-s)**
экспортно-импортные операции	export-import operations
децентрализация экспортно-импортных операций	decentralization of export-import operations
объем экспортно-импортных операций	volume of export-import operations
опыт	**experience, expertise**
большой опыт	extensive experience
зарубежный опыт	foreign expertise
международный опыт	international expertise
опыт управления	management experience
изучать опыт	analyze the experience
приобретать опыт	gain experience
отдача (*окупаемость*)	**payoff**
коммерческая отдача	commercial payoff
период отдачи (*окупаемости*) капиталовложений	pay back
организация	**organization**
внешнеторговая организация	foreign trade organization
исследовательская организация	research organization
отдельная организация	individual organization
соответствующая организация	appropriate organization
торговая организация	trade organization
аккредитовывать организацию	accredit an organization
создавать организацию	establish an organization, set up an organization
отрасль(-и)	**industry(-ies), sector(-s)**
высокотехнологическая отрасль	high-tech industry
крупные отрасли	major industries
наукоемкая отрасль	science-intensive sector
смежные отрасли	allied industries
техническое перевооружение отраслей	re-equipment of industries
отставание	**lagging behind**
отчетность	**accountability**
экономическая отчетность	economic accountability
система отчетности	system of accountability
оффсет *см.* **взаимопогашение**	
пайщик *см.* **акционер**	

партнер	**partner**
внешнеторговый партнер	foreign trade partner
потенциальный партнер	prospective partner
торговый партнер	trading partner
задевать интересы партнера	affect the partner
привлекать партнеров	attract partners
перепродажа	**resale**
перепроизводство	**over-production**
перестройка	**restructuring, "perestroika"**
размах перестройки	extent of restructuring
персонал	**personnel**
отбирать персонал	select personnel
перспектива(-ы), прогноз	**prospect(-s), outlook**
долгосрочные перспективы	long-term prospects
экономические перспективы	economic prospects
перспективы развития	outlook, prospects for development
перспективы развития мировой экономики	world economic outlook
плата, платеж	**payment, fee**
арендная плата	leasing fee
осуществлять платеж	settle payment, make payment, pay
подразделение	**subdivision, entity**
самостоятельное подразделение	entity
подрядчик	**leaser, lessor**
покупатель	**buyer, customer**
находить покупателя	find a buyer
политика	**policy**
кредитная политика	credit policy
ценовая политика	prices policy
единая кредитная и ценовая политика	unified credit and prices policy, common credit and prices policy
экспортная политика	export policy
пользователь	**user**
конечный пользователь	end user
постоянный пользователь	constant user
потенциальный пользователь	potential user
посредник	**mediator, middleman**
финансовый посредник	financial mediator
выступать посредником	serve as a mediator

потенциал	**potential**
научный потенциал	scientific potential
огромный потенциал	huge potential
производственный потенциал	industrial potential, production potential
экспортный потенциал	export potential
развитие экспортного потенциала	expansion of export potential
ускорять развитие экспортного потенциала	accelerate expansion of export potential
наращивать экспортный потенциал	build up export potential
пошлина(-ы)	**duty(-ies)**
льготные пошлины	easy-term duties
таможенные пошлины	customs duties
отменять таможенные пошлины	abolish customs duties
сокращать размер таможенных пошлин	reduce customs duties
уплата пошлин	payment of duties
освобождать от уплаты пошлин	exempt from duties
право	**right, authority**
давать право	give authority, give the right
практика	**practice**
мировая практика	world practice
принятая практика	adopted practice
широко принятая практика	generally adopted practice
предпринимательство	**entrepreneurship, enterprise**
свободное предпринимательство	free enterprise
совместное предпринимательство	joint entrepreneurship
предприятие	**enterprise**
государственное предприятие	state enterprise
иностранное предприятие	foreign enterprise
кооперативное предприятие	cooperative enterprise
отдельное предприятие	individual enterprise
подсобное предприятие	auxiliary enterprise, auxiliary works
промышленное предприятие	industrial enterprise
крупное промышленное предприятие	major industrial enterprise
сборочные предприятия	assembly industries
сельскохозяйственное предприятие	agricultural enterprise

совместное предприятие	joint enterprise, joint venture
среднее предприятие	medium range enterprise
фирменное сбытовое предприятие	sales branch
хозрасчетное предприятие	self-supporting enterprise
баланс предприятия	balance sheet
на уровне предприятия	at the enterprise level
самоуправление предприятия	autonomy of an enterprise
собственные средства предприятия	equity, net worth
ликвидировать предприятие	liquidate an enterprise
разорять предприятие	bankrupt an enterprise
создавать предприятие	set up an enterprise
прибыль(-и)	**profit(-s), return(-s)**
чистая прибыль	net profit, net income
вычеты из прибыли	income deduction
норма прибыли	rate of profit
перевод прибылей	transfer of profits
прибыль от экспорта	export profit
прибыль после уплаты налогов	profit after tax
вывозить прибыль	repatriate profits
определять прибыль	determine profit
получать прибыль	make profit
репатриировать прибыль	repatriate profits
терять прибыль	lose profit
приватизация	**privatisation**
проблема(-ы)	**problem(-s)**
обычная проблема	common problem
сложная проблема	complex problem
проблемы, присущие...	inherent problems
заниматься проблемой	treat a problem
представлять проблему	constitute a problem
решать проблему	solve a problem
справляться с проблемой	overcome a problem
прогноз *см.* **перспектива**	
программа	**programme**
в соответствии с программой	in accordance with the programme, according to the programme
программа жесткой экономии государственных расходов	austerity programme
программа финансовой либерализации	financial liberalisation programme
вводить программу	institute a programme

продажа, сбыт	**sale[s]**
прямая продажа	direct sales
выручка от продажи	[net] sales earnings
пригодность для продажи	marketability
продукция	**products, output, produce**
высокотехнологичная продукция	high-tech products
готовая продукция	finished product
имеющаяся (*в наличии*) продукция	available products
конкурентоспособная продукция	competitive products
наукоемкая продукция	science-intensive products, high-tech products
реализованная продукция	products sold
сельскохозяйственная продукция	agricultural produce
выход сельскохозяйственной продукции	agricultural yield
вывозить сельскохозяйственную продукцию	take out agricultural produce
выпуск продукции	output
план выпуска продукции	production programme
качество продукции	product quality
количество продукции	amount of products
переработка продукции	processing of products, product processing
продажа продукции	sale of products
продукция машиностроения	engineering products
продукция для нужд промышленности	industrial purpose products
продукция местного производства	locally-made products
продукция, не пользующаяся спросом	hard-to-sell products
разнообразие продукции	variety of products
реализация продукции	sale of products
технический уровень продукции	technical standard of products
повышать технический уровень продукции	raise technical standard of products
цена на продукцию	product price
устанавливать цены на продукцию	price products
выпускать продукцию	manufacture products, make products
продавать продукцию	sell products

реализовывать продукцию	sell products
рекламировать продукцию	promote products, advertize products
скупать продукцию	buy out products, buy up products
торговать продукцией	handle products
экспортировать продукцию	export products
производство	**production**
вспомогательное производство	auxiliary production
кооперированное производство	coproduction
мелкосерийное производство	short run production
местное производство	local production
наукоемкое производство	science-intensive production, high-tech production
незавершенное производство	work in progress
прибыльное производство	profitable production
сборочное производство	assembly production
убыточное производство	loss making production
экологически безопасное производство	ecologically safe production
эффективное производство	efficient production, effective production
вредные условия производства	occupational health hazard
модернизация производства	industrial modernization
программа модернизации производства	industrial modernization scheme
специализация производства	production specialization
специалист по рационализации производства	efficiency engineer, efficiency expert
способ производства	mode of production
средства производства	capital equipment, capital goods
арендованные средства производства	leased capital equipment
структура производства	production structure, production pattern
технология производства	production engineering
управление производством	production management
организовать производство	set up production
расширять производство	expand production
создавать производство	build production
стимулировать производство	stimulate production
проработка, анализ	**analysis**
организационная проработка	organisational analysis
техническая проработка	technical analysis

проработка сделок	analysis of transactions
прорыв, успех	**breakthrough**
технологический прорыв	technological breakthrough
проспект(-ы)	**pamphlet(-s)**
рекламный проспект	promotional pamphlet
протекционизм	**protectionism**
растущий протекционизм	growing protectionism
барьеры протекционизма	barriers of protectionism
разрушать барьеры протекционизма	break the barriers of protectionism
рабочая сила	**labour [force], manpower**
иностранная рабочая сила	foreign labour [force]
местная рабочая сила	local labour
динамика профессиональной структуры рабочей силы	occupational mobility
политика в отношении рабочей силы	labour policy
приток рабочей силы	inflow of manpower
регулировать приток рабочей силы	regulate the inflow of manpower
мобилизовать рабочую силу	mobilize labour
развитие	**development**
приоритетное развитие	priority development
район	**region, territory, area**
прибрежный район	maritime territory
экономический район	economic region
районы растущей встречной торговли	growing countertrade areas
расходы	**expenses, costs**
дополнительные расходы	extra expenses
накладные расходы	overhead costs
общие расходы	general expenses
оперативные расходы	operating expenses
результат	**result**
возможный результат	a likely result
конечный результат	final result, end result
оплата по конечному результату	payment according to the final result
производить оплату по конечному результату	pay according to the final result
реинвестиция(-и)	**reinvestment(-s)**
налог на реинвестиции	reinvestment taxes
отменять налог на реинвестиции	abolish reinvestment taxes

ресурсы	**resources**
кредитные ресурсы	credit resources
наличные ресурсы	available resources
скудные ресурсы	scarce resources
товарные ресурсы	goods resources
трудовые ресурсы	labour force, manpower
финансовые ресурсы	financial resources
экономические ресурсы	economic resources
высвобождать ресурсы	release resources
использовать ресурсы	use resources
мобилизовать ресурсы	mobilize resources
объединять ресурсы	pool resources
реформа(-ы)	**reform(-s)**
банковская реформа	banking reform
внутренние реформы	domestic reforms
денежная реформа	monetary reform
законодательная реформа	law reform
сложная реформа	complex reform
торговая реформа	trade reform
ход реформы	course of reform
осуществлять реформы	implement reforms
откладывать реформу	put off the reform
проводить реформы	carry out reforms
решение(-я)	**decision(-s), solution(-s)**
жизнеспособное решение	viable solution
комплексные решения	package decisions
обоснованное решение	justified decision
оправданное решение	justified decision
удовлетворительное решение	satisfactory solution
экономически-мотивированное решение	economically-motivated decision
принятие решений	decision making
децентрализовать принятие решений	decentralize decision-making
принимать решение	make a decision
рынок	**market**
валютный рынок	currency market, market in currencies
внешний рынок	foreign market
выход на внешний рынок	access to the foreign market
прямой выход на внешний рынок	direct access to the foreign market
получать право выхода на внешний рынок	obtain access to the foreign market

внутренний рынок	domestic market
международный рынок	international market
свободный рынок	free market
товарный рынок	commodity market
динамика рынка	market behaviour
доступ к рынкам сбыта	market accessibility
ёмкость рынка	market potential, market volume
изучение рынка	market analysis, market research
конъюнктура рынка	market condition
положение на рынке	market condition
потенциал рынка	market potential
определять потенциал рынка	determine market potential
прогноз рынка сбыта	sales forecast
рынок встречной торговли	countertrade market
требования рынка	market requirements
внедряться на рынок	penetrate the market
изучать рынок	carry out market research
монополизировать рынок	monopolize a market
покупать на рынке	market, purchase at a market
попасть на рынок (*о продукции*)	reach the market
продавать на рынке	market, sell at a market
проникать на рынок	enter a market
рубль	**rouble**
переводной рубль	transferable rouble
самоуправление	**self-administration**
самофинансирование	**self-financing**
правила самофинансирования	self-financing rules
сборка	**assembly**
поточная сборка	assembly line technique
сбыт *см.* **продажа**	
связь(-и), отношения	**tie(-s), contacts, relations**
внешнеэкономические связи	foreign trade relations
двусторонние связи	bilateral ties
деловые связи	business relations
осуществлять деловые связи	do business
долговременные связи	long-established contacts
научно-технические связи	scientific and technical ties
обратная связь с рынком	feedback from the market
приграничные связи	cross-border ties
производственные связи	production ties
прямые производственные связи	direct production ties

спутниковая связь	satellite communications
торговые связи	trade relations
экономические связи	economic relations, economic ties
углублять экономические связи	deepen economic ties
сделка(-и)	**transaction(-s), arrangement(-s), deal(-s)**
бартерная сделка	barter arrangement, barter transaction
вести переговоры по бартерной сделке	negotiate a barter deal
компенсационная сделка	compensation deal, buy-back
комплексная сделка	package transaction
конкретная сделка	concrete deal
простая сделка	simple transaction
сложная сделка	complex transaction
товарообменная сделка	barter arrangement, barter transaction, barter deal
торговая сделка	trade transaction
экспортные сделки	export transactions, export deals
осуществлять экспортные сделки	effect exports, effect export deals, carry out export transactions
гибкость в сделках	flexibility in transactions
сделка в конвертируемой валюте	transaction in convertible currency
сделка по встречной закупке	counterpurchase deal
сделка по импорту	import transaction
осуществлять важные сделки по импорту	perform vital imports
сделка типа «суич»	switch [trading]
заключать сделку	conclude a deal
заниматься сделкой	handle a transaction
осуществлять сделки	carry out transactions
себестоимость	**cost value, prime cost, cost price**
себестоимость реализованной продукции	cost of sales, cost of products sold
продавать по себестоимости	sell at cost value
система	**system**
административно-командная система	administrative-command system
банковская система	banking system
координатор банковской системы	co-ordinator of the banking system
гибкая система	flexible system

управленческая информационная система	information management system
централизованная система	centralized system
система лицензирования экспорта	export licensing system
укреплять систему лицензирования экспорта	strengthen the export licensing system
система платежей	payments system
единообразная система платежей	uniform payments system
система сбыта	distribution system
неразвитая система сбыта	undeveloped distribution system
развитая система сбыта	developed distribution system
система стандартизации	standardization system
международная система стандартизации	international standardization system
изменять систему	change the system
модифицировать систему	modify the system
регулировать систему	regulate the system
унифицировать систему	unify the system
совладение	**co-ownership**
собственность	**ownership, property**
государственная собственность	public ownership, state ownership
частная собственность	private property
право собственности	legal ownership, property rights
передавать право собственности	transfer legal ownership
собственность на средства производства	ownership of means of production
сотрудничество	**cooperation**
взаимовыгодное сотрудничество	mutually beneficial cooperation
международное сотрудничество	international cooperation
научно-техническое сотрудничество	science and technology cooperation
плодотворное сотрудничество	effective cooperation
торгово-экономическое сотрудничество	trade and economic cooperation
экономическое сотрудничество	economic cooperation
поощрять сотрудничество	encourage cooperation
расширять сотрудничество	broaden cooperation
углублять сотрудничество	deepen cooperation

средства	**means**
денежные средства	cash
«неосязаемые» средства	intangibles
оборотные средства	floating assets
разнообразие средств	variety of means
средства, поступившие из...	funds provided from...
стандарты	**standards**
общие стандарты	common standards
технические стандарты	technological standards
по стандартам	by standards
применять стандарты	apply standards
соответствовать стандартам	comply with standards, conform to standards
старение	**depreciation factor**
быстрое старение	rapid obsolescence
моральное старение	moral depreciation factor
стимул(-ы), поощрение, стимулирование	**incentive(-s)**
доступные стимулы	available incentives
экономические стимулы	economic incentives
стимулирование экспорта	export incentives
ослаблять стимулы	blunt incentives
структура	**structure**
административная структура	administrative structure
сложная структура	complex structure
изменять структуру	change the structure, develop a structure
субсидия *см.* **дотация**	
«суич» *см.* **обмен**	
счет(-а)	**account(-s)**
активные счета	favourable accounts
банковский счет	bank account
валютный счет	foreign exchange account, hard currency bank account
иметь валютный счет	maintain hard currency bank account
общий счет прибылей и убытков	common profit and loss pool
подтверждающий счет	evidence account
сводный счет прибылей и убытков (*результатов*)	consolidated income statement
на счете	on the account
переводить на счет	transfer to the account
счета к оплате	accounts payable
счета к получению	accounts receivable

счет субсидий	subsidy account
открывать счет в банке	open a bank account
относить расходы на чей-либо счет	charge expenses to smb's account
снимать со счета	draw on the account
сырье	**raw materials, primary products**
источники сырья	raw materials sources
производители сырья	primary producers
страны-производители сырья	primary producing countries
производство сырья	primary production
территория	**territory**
административная территория	administrative territory
прибрежная территория	maritime territory, coastal territory
технология	**technology, process engineering**
иностранная технология	foreign technology
привлекать иностранные технологии	attract foreign technologies
новая технология	new technology
лицензировать новую технологию	license new technology
приобретать новую технологию	obtain new technology
передовая технология	advanced technology
сложная технология	sophisticated technology
современная технология	modern technology, up-to-date technology
разработка технологии	development of technology
стимулировать разработку технологии	promote development of technology
передавать технологию	transfer technology
разрабатывать технологию	develop technology
товар(-ы)	**goods, commodity(-ies), product(-s)**
дешевые товары	low-priced goods
основные товары	main commodities, basic goods
первичные товары	primary products
потребительские товары	consumer goods
преференциальные товары	preferential goods
сырьевые товары	primary commodities
убыточные товары	loss making commodities
ассортимент товаров	range of goods
широкий ассортимент товаров	a broad range of goods
узкий ассортимент товаров	narrow range of goods

годность (*товарность*) товаров для продажи	marketability of goods
наличие товаров	availability of goods
обмен товарами	swap of goods, exchange of goods
прямой обмен товарами	barter transaction, direct exchange of goods
отсутствие товаров	lack of products
спрос на товары	demand for goods
товары первостепенной важности	products of top priority (top priority products)
товары стратегического характера	products of strategic nature
товар, годный для продажи	marketable goods
выпускать товары	produce commodities
обмениваться товарами на условиях бартера	swap goods on a barter basis, to barter goods for goods
предлагать товары	offer goods
производить товары	produce commodities
рекламировать товар	promote product sales
товарность	**marketability**
торговля	**trade**
взаимная торговля	mutual trade
внешняя торговля	foreign trade
баланс внешней торговли	foreign trade balance
заниматься внешней торговлей	conduct foreign trade
встречная торговля	countertrade
возможности встречной торговли	countertrade potential, scope of countertrade
методы встречной торговли	countertrade techniques
потенциал встречной торговли	countertrade potential
риск во встречной торговле	risk to countertrade
рост встречной торговли	growth in countertrade
сделка по встречной торговле	countertrade deal
участие в сделке по встречной торговле	involvement in countertrade
участник сделки по встречной торговле	countertrader
координировать сделку по встречной торговле	co-ordinate a countertrade deal
структура встречной торговли	countertrade pattern, pattern of countertrade
определять структуру встречной торговли	identify the pattern of countertrade

цели встречной торговли	objectives of countertrade
элементы встречной торговли	countertrade elements
заниматься встречной торговлей	practise countertrade
поддерживать встречную торговлю	favour the use of countertrade
двусторонняя торговля	two-way trade
международная торговля	international trade
мировая торговля	world trade
конъюнктура мировой торговли	situation in world trade
обычная (*традиционная*) торговля	conventional trading
прямая торговля	straight trading
в рамках прямой торговли	within straight trading
объем торговли	volume of trade
опыт торговли	experience in trade
организация торговли	organisation of trade
торговля на компенсационной основе	compensation trade, buy-back
торговля с рассрочкой платежа	tally trade
препятствовать торговле	impede trade
придавать торговле динамизм	give trade some dynamics, make trade more dynamic
увеличивать торговлю	increase trade
резко увеличить торговлю	boost trade
труд	**labour**
высокопроизводительный труд	efficient labour
производительность труда	labour efficiency, labour productivity
разделение труда	division of labour
международное разделение труда	international division of labour
управление	**management**
неэффективное управление	inefficient management
повседневное управление	day-to-day management
централизованное управление	centralized management
отказываться (*отходить*) от централизованного управления	withdraw from centralized management
эффективное управление	efficient management
механизм управления	management mechanism
модифицировать механизм управления	modify management mechanism

разделение управления	split of management
решения по вопросам управления	management decisions
система управления	management system
автоматизированная система управления	automated management system
вводить автоматизированную систему управления	introduce an automated management system
совет по управлению	Management Board
структура управления	management structure
управление научно-техническим развитием	technology management
управление производством	industrial management
услуги	**services**
банковские услуги	banking services
комплексные услуги	comprehensive services
консультационные услуги	consultancy services
посреднические услуги	intermediary services
соответствующие услуги	relevant services
специализированные услуги	specialized services
управленческие услуги	management services
финансовые услуги	financing services
обеспечивать услуги	provide services
предоставлять услуги	provide services, furnish services, extend services
предусматривать услуги	provide for services
развивать услуги	develop services
успех *см.* **прорыв**	
финансирование	**financing, finance**
государственное финансирование	state finance
обычное (*простое, традиционное*) финансирование	conventional financing
чрезмерное финансирование	excessive finance
источник финансирования	source of finance
техника (*метод*) финансирования	financing techniques
разрабатывать технику (*метод*) финансирования	develop financing techniques
предоставлять финансирование	extend financing *to*
финансировать	**finance, sponsor**
фирма	**firm**
внешнеторговая фирма	foreign trade firm

хозрасчетная внешнеторговая фирма	self-supporting foreign trade firm
устав фирмы	charter [of the firm]
утверждать устав фирмы	endorse the charter
создавать фирму	set up a firm
фонд(-ы)	**fund(-s)**
взаимные фонды	mutual funds
достаточные фонды	sufficient funds
резервный фонд	reserve fund
выделять фонды	allocate funds
лишать фондов	deprive *smb.* of funds
накапливать фонды	accumulate funds
создавать фонд	establish a fund
создавать фонд знаний (опыта)	build up a fund of expertise
хозрасчет	**cost-accounting, profit and loss accounting [basis]**
работать на основе хозрасчета	operate on cost-accounting basis, operate on a profit and loss basis, work on cost-accouting basis
хозяйство	**economy**
народное хозяйство	national economy
потребности народного хозяйства	demands of the national economy, the national economy requirements
удовлетворять потребности народного хозяйства	meet the demands of the economy, meet the national economy requirements
рыночное хозяйство	market economy
ценз, ограничение	**qualification**
имущественный ценз	property qualification
налоговый ценз	tax qualification
ценообразование	**pricing, price formation**
рыночное ценообразование	market pricing
экономика	**economy**
единая экономика	single economy, unified economy
мировая экономика	world economy
неплановая экономика	market economy
нерыночная экономика	command[-directed] economy, non-market economy
«перегретая» экономика	overheated economy
плановая экономика	planned economy
рыночная экономика	market economy, market-based economy

управляемая экономика	managed economy
централизованная экономика	centralized economy
изменения в экономике	changes in the economy
структурные изменения в экономике	structural changes in the economy
инструмент экономики	economy apparatus
оживление экономики	economic recovery
реконструкция экономики	reconstruction of economy
рост экономики	economic growth
значительный рост экономики	significant economic growth
децентрализовать экономику	decentralize economy
модернизовать экономику	modernize economy
перестраивать экономику	restructure economy
сказываться на экономике	affect the economy
экспорт	**exports**
беспошлинный экспорт	duty-free exports
дополнительный экспорт	additional exports
основные статьи экспорта	export staples, main exports
возможности развития экспорта	export potential
динамизация экспорта	dynamic growth of exports
контроль за экспортом	export control
объем экспорта	volume of exports
увеличивать объем экспорта	increase exports
ограничения на экспорт	export restrictions
расширение экспорта	expansion of exports
состав экспорта	composition of exports
состояние экспорта	export performance
стоимость экспорта	export value
заняться экспортными сделками	undertake exports
запрещать экспорт	prohibit export *of*
интегрировать экспорт в...	integrate exports *into*
способствовать развитию экспорта	promote exports
увеличивать экспорт	increase exports
резко увеличить экспорт	boost exports
экспортер	**exporter**
эффективность	**efficiency**
производственная эффективность	productive efficiency
экономическая эффективность	economic efficiency

Мы должны внимательно изучить вопрос о...	We should carefully study the question of...
свободных экономических зонах	free economic zones
сотрудничестве	cooperation
кооперации	cooperation, collaboration
Как вы изучаете возможности, связанные со свободными экономическими зонами?	How do you study the possibilities connected with free economic zones?
Мы...	We...
изучаем мировой опыт	analyse the world expertise
проводим консультации с потенциальными партнерами	have consultations with our prospective partners
вырабатываем концепции СЭЗ	work out the concepts of FEZ
Что даст создание у нас СЭЗ?	How shall we benefit from establishing FEZ here?
Эти территории превратятся в высокоразвитые экономические районы	These territories will turn into highly developed economic regions
Создание подобных зон (СЭЗ) будет способствовать развитию народного хозяйства	Creation of zones like this (FEZ) will promote the development of the [national] economy
Создание СЭЗ обеспечит стимулы для конкуренции между местными предприятиями	Creation of FEZ will provide incentives for competition among domestic enterprises
Создание СЭЗ улучшит экономическое положение страны	Establishment of FEZ will improve the economic situation in the country
Это также обеспечит благоприятный экономический режим для иностранных инвесторов	This will also provide a favourable economic regime for foreign investors
В СЭЗ мы будем создавать... производство	We shall be setting up... production
наукоемкое	science-intensive, high-tech
экологически безопасное	ecologically safe
Кто будет финансировать ваши проекты?	Who will be financing your projects?
СЭЗ будут функционировать на основе самофинансирования	FEZ will be operating on a self-financing basis
Кто получит право работать в СЭЗ?	Who will have the right to operate in a FEZ?
Такая зона должна быть открыта для любых компаний	A zone of this kind should be open to any companies
Мы сможем обеспечить... продукции	We'll be able to ensure... of products
высокое качество	high quality
конкурентоспособность	competitiveness
товарность	marketability

Очень важно наращивать... потенциал	It's essential to build up... potential
научный	scientific
производственный	industrial
экспортный	export
Хозяйственная деятельность СЭЗ может регулироваться специальной совместной компанией	Economic activity of FEZ may be governed by a special joint company
У нас будет возможность...	We'll have an opportunity to...
участвовать в международном разделении труда	take part in the international division of labour
развивать наукоёмкое производство	develop science-intensive (high-tech) production
Нам придется привлечь в СЭЗ...	We'll have to... in (to) FEZ
дополнительные материальные ресурсы	use additional material resources
трудовые ресурсы	attract labour force
управленческий опыт	invite management experience
При организации производства в СЭЗ необходимо учитывать...	To set up production in FEZ we have to consider...
источники сырья	raw materials sources
производственные мощности	production capacity
инфраструктуру	infrastructure
Наше сотрудничество...	Our cooperation...
способствует развитию экспортной базы	promotes the development of export base
стимулирует экономическую деятельность	stimulates economic activity
позволяет сократить импорт	enables us to reduce imports
Какие стимулы могут привлечь иностранные компании?	What incentives may attract foreign companies?
Иностранные компании могут быть привлечены... льготами	Foreign companies may be attracted by... benefits
таможенными	customs
налоговыми	tax
Соглашение о СЭЗ может включать развитие...	An agreement on FEZ may cover the development of...
стройиндустрии	building industry
инфраструктуры	infrastructure
туризма	tourism
услуг	services
Как будут развиваться отраслевые зоны?	How will sector[al] zones be developing?
Производство в отраслевых зонах будет осуществляться на основе...	Production in sector[al] zones will be based on...

источников сырья	raw material sources
производственных мощностей	production capacity
Производство ориентировано на...	Production is...
экспорт	export oriented
решение социально-экономических проблем	aimed at solving socio-economic problems
Необходимо определить...	It's necessary to define the...
статус зоны	status of a zone
систему управления зоной	management system of a zone
Как будет отбираться персонал?	How will personnel be selected?
Мы будем отбирать персонал на конкурсной основе	We'll be using principles of competition in personnel selection
Приток рабочей силы в СЭЗ будет регулироваться...	The inflow of manpower to FEZ will be regulated by...
упрощенной процедурой найма и освобождения от работы	simplified hiring and firing procedures
оплатой	pay-fixing procedures
Необходимо также установить организационные и законодательные нормы, регулирующие въезд и выезд иностранных граждан	It's also necessary to establish organizational and legislative norms regulating the entry and exit of foreign nationals
Это упростит меры, связанные с приездом иностранных граждан	This will simplify measures for the arrival of foreign citizens
Встречная торговля может представлять собой...	Countertrade may come in...
оффсет (бартер)	offset (barter)
«бай-бэк»	buy-back
«суич»	switch [deal]
Мы придаем большое значение развитию...	We attach great importance to the development of...
прямых производственных связей	direct production ties
научно-технической базы	scientific and technical base
экономических зон	economic zones
Я думаю, мы сможем...	I think we'll be able to...
продавать наши научные разработки	market our scientific research developments
успешно развивать инфраструктуру	develop infrastructure successfully
увеличить экспорт	increase exports
привлечь инвесторов	attract investors
Мы считаем, что... меры помогут ввести рыночный механизм	We think that... measures will help introduce a market mechanism
организационные	organizational

экономические	economic
решительные	drastic
Очень многое будет зависеть от нашего... партнера	A lot will depend on our... partner
внешнеторгового	foreign trade
потенциального	prospective
торгового	trading
Это поможет нам наращивать... потенциал	This will help us build up... potential
научный	scientific
производственный	production
экспортный	export
Мы планируем создать... предприятие	We are planning to set up... enterprise
кооперативное	a cooperative
промышленное	an industrial
совместное	a joint
Это предприятие будет выпускать... продукцию	This enterprise will be making... products
высокотехнологичную	high-tech
наукоемкую	science-intensive, high-tech
Все эти меры позволят осуществить... реформу	All these measures will make it possible to implement a... reform
денежную	monetary
торговую	trade
Мы заинтересованы в углублении... связей	We're interested in deepening... ties (contacts, relations)
деловых	business
научно-технических	scientific and technical
экономических	economic
Наши фирмы могут предоставить... услуги	Our firms can extend (furnish)... services
комплексные	comprehensive
посреднические	intermediary
специализированные	specialized
Мы будем проводить техническую проработку... сделок	We'll be carrying out technical analysis of... deals (transactions)
импортных	import
комплексных	package
товарообменных	barter
экспортных	export

МАРКЕТИНГ / MARKETING

анализ	**analysis**
глубокий анализ	in-depth analysis
машинный анализ	computer analysis
общий анализ	integrated analysis
политический анализ	political analysis
тщательный анализ	thorough analysis
экономический анализ	economic analysis
юридический анализ, анализ юридических аспектов	legal analysis
анализ в сфере культуры	cultural analysis
анализ возможностей	opportunity analysis
анализ данных	data analysis
анализ личных потребностей (*покупателей*)	analysis of personal needs
анализ прибыльности	profitability analysis
анализ рынка	market analysis
анализ ситуации	situation analysis
анализ спроса	demand analysis
анализ факторов	factor analysis
анализ условий внешней среды	environmental analysis
средства проведения анализа на фирме	in-house analysis facilities
завершать анализ	complete analysis
проводить анализ	carry out analysis
расширять сферу анализа	expand analysis
агентская фирма	**agency, company, service**
внешняя агентская фирма по рекламе	outside advertising agency
внутренняя агентская фирма по рекламе	internal advertising agency
консультационная агентская фирма	consulting agency
рекламная агентская фирма	advertising agency
агентская фирма, проводящая исследование	research agency
средняя агентская фирма	medium-sized agency

анкета	**questionnaire**
подробная анкета	detailed questionnaire
почтовая анкета	postal questionnaire
анкета для изучения состояния рынка	market research questionnaire
анкета для обработки на компьютере	computer designed questionnaire
подготовка анкеты	preparation of a questionnaire
разработка анкеты	questionnaire design
подготовить анкету	prepare a questionnaire
разработать анкету	design a questionnaire
собирать анкеты	collect questionnaires
анкетирование	**collecting questionnaires**
подсчет результатов анкетирования	questionnaire count
проводить анкетирование	collect questionnaires
ассигнования	**appropriations**
ассигнования на маркетинг	marketing appropriations
ассигнования на рекламу	advertising appropriations
изменять ассигнования	alter appropriations
представлять ассигнования	provide appropriations, give appropriations
бюджет	**budget**
маркетинговый бюджет	marketing budget
рекламный бюджет	advertising budget
бюджет на организацию контактов	communications budget
использовать бюджет	use a budget
превышать бюджет	exceed a budget
сокращать бюджет	cut a budget, reduce a budget
устанавливать бюджет	establish a budget
выводы	**findings**
окончательные выводы	final findings, conclusive findings
представлять выводы	present findings
делать выводы	produce findings, make findings
давать рекомендации на основании выводов	translate findings into recommendations
сообщать выводы	report findings
возможность(-и)	**opportunity(-ies), capability(-ies), possibility(-ies)**
потенциальные возможности	potential opportunities, potentials

производственные возможности (*мощности*)	production capabilities
возможности маркетинга	marketing possibilities
возможности (*ёмкость*) рынка	market capability
возможности сбыта	sales opportunities
использовать возможности	use opportunities
определять возможности	determine opportunities
оценивать возможности	assess opportunities
создавать возможности	produce opportunities
данные	**data**
безошибочные данные	error-free data
вторичные данные	secondary data
краткие данные	brief data
основные данные	basic data
рабочие данные	actionable data
числовые данные	numerical data
анализ данных	data analysis
банк данных	data bank
ввод данных (*в машину*)	data entry
данные об истории рынка	market background data
данные об истории фирмы	company background data
подготовка данных	data preparation
сбор данных	data collection
вводить данные	enter data
выверять данные	verify data
обрабатывать данные	process data
предоставлять данные	provide data
собирать данные	collect data
деловая активность	**business activity**
деятельность	**activity, effort**
исследовательская деятельность	research activity
маркетинговая деятельность	marketing activity
рекламная деятельность	advertising activity
совместная деятельность	integrated activity
осуществлять деятельность	carry out activity
защита потребителя	**consumer protection**
группа по защите потребителя	consumer protection group
изучение	**study**
глубокое изучение	in-depth study
комплексное изучение	complex study
крупномасштабное изучение	large-scale study
изучение вопроса упаковки	packing study

изучение прав покупателя	consumer study
изучение [конъюнктуры] рынка	market study
изучение специфики потребительского спроса	consumer profile study
изучение товарного ассортимента	product study
изучение цен	pricing study
заказать изучение	commission a study
предпринимать изучение	undertake a study
проводить изучение	carry out a study, conduct a study
интервью	**interview**
подробное интервью	depth interview
прямое интервью	direct interview
интервью по телефону	telephone interview
интервью на улице	street interview
лицо, проводящее интервью	interviewer
проводить интервью, брать интервью	interview
исследование(-я)	**research**
внутрифирменное исследование	internal research
вторичное исследование	secondary research
кабинетное исследование	desk research
комплексное исследование	complex research
корпоративное исследование	corporate research
первичное исследование	primary research
«полевое» исследование	field research
промышленные исследования	industrial research
социальное исследование	social research
специализированное исследование	ad-hoc research
фундаментальное исследование	fundamental research
эффективное исследование	effective research
вид исследования	type of research
исследование каналов товародвижения	product distribution research
исследование количественных и качественных показателей	qualitative and quantitative research
исследование в области маркетинга	marketing research
исследование мнений	opinion research
исследования в области разработки новой продукции	new product development research, NPD research
исследование рекламы	advertising research

исследование рынка	market research
исследование международного рынка	international research
исследование товара	product research
исследование розничной торговли и товародвижения	retail and distribution research
исследование поведения потребителя	behavioural research
исследование потребительского спроса	consumer research
исследование принципов размещения предприятий	production placement research
исследование с выработкой практических рекомендаций	actionable research
исследование средств информации	media research
исследование мнений потребителей	attitudinal research
краткая информация о результатах исследования	research brief
метод исследования	research method
объект исследования	research project
прием исследования	research technique
сеть исследования	research network
цель исследования	research objective
информация, сведения	**information, intelligence**
маркетинговая информация	marketing intelligence
оперативная информация	operational information
первичная информация	primary information
источник информации	source of information
сведения о конкурентах	competitive information
информация о рынке	market information
анализировать информацию	analyse information
воспроизводить информацию	retrieve information
изыскивать информацию	seek information
обрабатывать информацию	process information
оплачивать информацию	disburse information
получать информацию	obtain information
собирать информацию	collect information
хранить информацию	store information
контакт(-ы) *см.* **связь**	
концепция	**concept**
концепция рынка	market concept
концепция выбора позиции фирмы	positioning concept

концепция организации контактов с потребителями	communications concept
концепция маркетинга	marketing concept
концепция сбыта	sales concept
концепция товара	product concept
концепция управления	management concept
представить концепцию	present a concept
применять концепцию	practice a concept
реализовать концепцию	implement a concept
маркетинг	**marketing**
конверсионный маркетинг	remarketing
поддерживающий маркетинг	supportive marketing
промышленный маркетинг	industrial marketing
противодействующий маркетинг	demarketing
развивающий маркетинг	development marketing
современный маркетинг	contemporary marketing
социальный маркетинг	social marketing
стимулирующий маркетинг	stimulating marketing
изменения в маркетинге	changes in marketing
исследования маркетинга	marketing research
мероприятия по маркетингу, маркетинговые мероприятия	marketing activities
методы маркетинга	marketing methods, marketing techniques
определение маркетинга	definition of marketing
план маркетинга, маркетинговый план	marketing plan
посредники в маркетинге	marketing intermediaries
практика маркетинга	marketing practices
принципы маркетинга	principles of marketing
программа маркетинга	marketing programme
роль маркетинга	role of marketing
ревизия маркетинга	marketing audit
сведения о маркетинге	marketing intelligence
стратегия маркетинга	marketing strategy
сущность маркетинга	nature of marketing
управление маркетингом	marketing management
управляющий маркетингом	marketing manager
функция маркетинга	marketing function
функции, связанные с маркетингом	marketing-related functions
элементы маркетинга	elements of marketing
общая система маркетинговой деятельности	marketing mix

оказывать влияние на маркетинг	affect marketing
осуществлять маркетинг	implement marketing
мероприятия	**activities, efforts**
маркетинговые мероприятия	marketing efforts
мероприятия по сбыту	sales efforts
мероприятия по установлению контактов с потребителями	communication efforts
проводить мероприятия	conduct activities, carry out activities
метод, прием, способ	**method, technique, way**
усовершенствованный метод	sophisticated technique
прием борьбы	method of struggle
метод введения данных	method of data entry
метод исследования [рынка]	[market] research technique
метод контроля	method of control
способ оценки	method of assessing
метод получения качественных и количественных показателей	qualitative and quantitative method
метод прогнозирования	forcasting technique
метод содействия продажам	sales promotion method
метод работы	method of cooperation
метод сбора данных	data collection technique
использовать метод	use a technique, practise a technique, use a method
накладные расходы	**overheads**
высокие накладные расходы	high overheads
значительные накладные расходы	heavy overheads
низкие накладные расходы	low overheads
исключать накладные расходы	eliminate overheads
снижать накладные расходы	reduce overheads, bring down overheads
обзор	**survey**
ежегодный обзор	annual survey
квартальный обзор	quarterly survey
обзор исследований	research survey
обзор почтовых материалов	mail survey
обзор мнений потребителей	attitudinal survey
обзор, выпускаемый группой компаний	syndicated survey
изучать обзор	study a survey
представлять обзор	present a survey
делать обзор	make a survey

обслуживание	**service**
послепродажное обслуживание	after-sale service
предпродажное обслуживание	pre-sale service
техническое обслуживание	technical service
эффективное обслуживание	effective service
организовать обслуживание	arrange a service, run a service
обучение	**training**
методика обучения	training technique
обучение персонала	personnel training
программа обучения	training programme
проводить обучение	train
определение	**determination, definition**
определение цены	price determination
определение функций	function determination
опрос	**poll, interviewing**
опрос общественного мнения	public-opinion poll
опрос мнений группы людей	group discussion
методы опроса	opinion collection techniques
опрос потребителей	customer interviewing
опрос по телефону	telephone interviewing
опрос с помощью анкет	questionnaire collection
проводить опрос	carry out interviewing
организация	**organization**
коммерческая организация	commercial organization
обслуживающая организация	service organization
промышленная организация	industrial organization
торговая организация	business organization
организация с рыночной ориентацией	marketing-oriented organization
организация управления с ориентацией на покупателя	customer-oriented organization
организация управления с ориентацией на товар	product-oriented organization
отдел, отделение	**department, division, service**
оперативный отдел	operating division
региональный отдел	regional department
отдел (*служба*) доставки	delivery service
отдел [маркетинговых] исследований	[marketing] research department
отдел маркетинга	marketing department
отдел сбыта	sales department
отдел товарной продукции	product department
основать отдел	establish a department, set up a department

отделение *см.* **отдел**	
оценка	**assessment, evaluation, appraisal**
диагностическая оценка	diagnostic evaluation
оценка ассортимента изделий	product assessment
оценка деятельности, аттестация	performance appraisal
оценка методов	technique appraisal
оценка обзора	survey evaluation
оценка перспектив рынка	market forecast assessment
оценка рентабельности	cost-benefit assessment
оценка ресурсов	resource assessment
оценка состояния розничных цен	retail price assessment
давать оценку	assess, evaluate
изучать оценку	study an assessment
корректировать оценку	correct an assessment
ориентация	**orientation**
потребительская ориентация	customer orientation
производственная ориентация	production orientation
рыночная ориентация	marketing orientation
сбытовая ориентация	sales orientation
техническая ориентация	engineering orientation
ориентация на конечный результат	result orientation
ориентация на прибыль	profit orientation
создавать ориентацию	develop orientation
отчетность	**accounting**
внутренняя отчетность	internal accounting
план	**plan**
общий план	total plan
эффективный план	effective plan
план организации контактов (*с покупателями*)	communications plan
план маркетинга	marketing plan
выполнять план	carry out a plan, fulfil a plan
разработать план	design a plan, develop a plan
реализовать план	implement a plan
создавать план	create a plan
планирование	**planning**
альтернативное планирование	alternative planning
долгосрочное планирование	long-term planning
корпоративное планирование	corporate planning
краткосрочное планирование	short-term planning
общее планирование	overall planning

перспективное планирование	forward planning
эффективное планирование	effective planning
меры по планированию маркетинга	marketing planning efforts
отдел планирования	planning department
планирование маркетинга	marketing planning
планирование по качественным и количественным показателям	quantitative and qualitative planning
планирование разработки новой продукции	new-product planning
стадия планирования	planning stage
применять планирование	practice planning
подход	**approach**
математический подход	mathematical approach
научный подход	scientific approach
общий подход	integrated approach
творческий подход	creative approach
подход с ориентацией на массовый потребительский рынок	mass market consumer approach
подход с ориентацией на престиж фирмы	corporate image approach
подход с ориентацией на целевую установку	objective-oriented approach
пользоваться *каким-либо* подходом	use an approach
позиция *см.* **положение**	
покупатель(-и)	**buyer(-s)**
потенциальный покупатель	potential buyer
модель покупателя	buyer model
разрабатывать модель покупателя	develop a buyer model
поведение покупателя	buyer behaviour
изучать поведение покупателя	study buyer behaviour
предсказывать поведение покупателя	predict buyer behaviour
рынок покупателей	buyers' market
положение, позиция	**position**
предполагаемое положение	imagined position
реальное положение	real position
выбор позиции	positioning
концепция завоевания позиции	positioning concept
создавать положение	create a position

посредник	**intermediary**
маркетинговый посредник	marketing intermediary
специализированный посредник	specialized agency
поставщик	**supplier**
потребитель	**customer**
потенциальный потребитель	potential customer
потребности	**requirements, needs**
потребности потребителя	customer requirements, customer needs
изучать потребности	study requirements, study needs
определять потребности	identify requirements, identify needs
удовлетворять потребности	meet requirements, satisfy requirements, satisfy needs
принятие решений	**decision-making**
принятие решений в вопросах маркетинга	marketing decision-making
проверка отчетности *см.* **ревизия**	
прогноз	**forecast**
долгосрочный прогноз	long-term forecast
краткосрочный прогноз	short-term forecast
научно-технический прогноз	technological forecast
прогноз потребительского спроса	consumer [demand] forecast
прогноз развития рынка	market forecast
прогноз состояния запродаж	sales forecast
разрабатывать прогноз	develop a forecast
регулировать прогноз	adjust a forecast
следить за прогнозом	monitor a forecast
делать прогноз	make a forecast
прогнозирование	**forecasting**
прогнозирование рынка	market forecasting
программа	**programme**
годичная программа	annual programme
долгосрочная программа	long-term programme
единая программа	integrated programme
квартальная программа	quarterly programme
краткосрочная программа	short-term programme
превентивная программа	preventive programme
финансовая программа	financial programme
программа маркетинга	marketing programme
контроль программы маркетинга	marketing programme control

программа непрерывных исследований	continuous research programme
программа производства	production programme
программа разработки [продукции]	[product] development programme
программа сбыта	sales programme, marketing programme
программа управления	management programme
корректировать программу	correct a programme
координировать программу	correlate a programme
осуществлять программу	implement a programme
представлять программу	supply a programme, provide a programme
разрабатывать программу	develop a programme
проверка отчетности *см.* **ревизия**	
продажа	**sale(-s)**
объем продаж	volume of sales, sales volume
потенциальный объем продаж	sales volume potential
меры содействия продажам	promotion efforts
стимулировать продажу	stimulate sale[s]
продвижение товара	**product distribution**
налаживать продвижение товара	effect distribution
обеспечивать продвижение товара	ensure distribution
продукция *см.* **товар**	
производитель	**manufacturer**
радиореклама	**radio advertising**
разработка	**development, design**
разработка анкеты	questionnaire design
разработка новой продукции	new product development, NPD
разработка (*план*) программы исследования	research design
разработка существующей продукции	existing product development
размещение	**placement**
размещение товара	product placement
ревизия, проверка отчетности	**audit[ing]**
периодическая проверка	periodic audit
ревизия, проверка маркетинга	marketing audit
проводить проверку, ревизию	perform an audit, carry out an audit, make an audit
резюме (*краткое изложение*)	**brief, summary**

реклама	**advertising**
престижная реклама	[corporate] image advertising
прямая почтовая реклама	direct mail advertising
товарная реклама	product advertising
бюджет рекламы	advertising budget
воздействие рекламы	advertising effect
принципы рекламы	principles of advertising
психология рекламы	psychology of advertising
расходы на рекламу	advertising expenses
средства (*каналы*) рекламы	advertising media
единица объема рекламы	commercial gross rating point
респондент	**respondent**
решение	**decision**
маркетинговое решение	marketing decision
отрицательное решение	no-go decision
положительное решение	go decision
принятие решений	decision-making
принимать решение	make a decision
руководство *см.* **управление**	
рынок	**market**
динамично развивающийся рынок	dynamic market
корпоративный рынок	corporate market
недостаточно изученный рынок	underresearched market
потенциальный рынок	potential market
потребительский рынок	consumer (product) market
предполагаемый рынок	assumed market
специализированный рынок	specialized market
существующий рынок	existing market
целевой рынок	target market
деятельность на рынке	market activity
доля (*фирмы*) на рынке	market share
потерять долю на рынке	lose a market share
расширить долю на рынке	expand a market share
увеличить долю на рынке	increase a market share
исследование рынка	market research
план рынка	market plan
планирование рынка	market planning
проникновение на рынок	market penetration
усилить проникновение на рынок	increase market penetration
размер рынка	size of a market

определить размер рынка	identify the size of a market
ряд рынков	series of markets
сегментирование рынка	market segmentation
ситуация на рынке	market situation
обслуживать рынок	service a market, cover a market
потерять рынок	lose a market
проникать на рынок	penetrate a market, break into a market
расширять рынок	expand a market
сегментировать рынок	segment a market
создавать рынок	create a market
сбыт	**sale(-s), distribution**
каналы сбыта	distribution channels, distribution network
методы сбыта	sales techniques
объем сбыта	volume of sales
планирование сбыта	sales planning
прогноз сбыта	sales forecast
размер сбыта	sales amount
район сбыта	sales district, sales area
стратегия сбыта	sales strategy
сфера сбыта	sales area
территория сбыта	sales territory
управление сбытом	sales management
цель сбыта	sales objective
изучать сбыт	study sales
определять сбыт	identify sales
расширять сбыт	promote sales
связь, контакты (*с потребителями*)	**communication(-s)**
информативная связь	informative communication
маркетинговые контакты	marketing communications, marketing contacts
обратная связь	feedback
послепродажные контакты	post-sale communications
предпродажные контакты	pre-sale communications
план контактов	communications plan
программа организации контактов	communications programme
общая система организации контактов (*с потребителями*)	communications mix
стратегия организации контактов	communications strategy
расширять контакты	expand contacts
устанавливать контакты	establish communications

сегментирование	**segmentation**
сегментирование рынка	market segmentation
сегментирование потребителей	customers segmentation
стратегия сегментирования	segmenting strategy
сегментирование товара	product segmentation
система	**system**
система маркетинга	marketing mix
система мероприятий по сбыту	sales and distribution system
общая система организации контактов (*с потребителями*)	communications mix
система сбора маркетинговой информации	marketing information system
система управления маркетингом с разделением функций	marketing management system with separate functions
спрос	**demand**
колеблющийся спрос	fluctuating demand
негативный спрос	negative demand
неудовлетворенный спрос	unsatisfied demand
полный спрос	total demand
потенциальный спрос	potential demand
существующий спрос	current, existing demand
чрезмерный спрос	excessive demand
анализ спроса	demand analysis
кривая спроса	demand curve
покупательский спрос	customer demand
спрос на товары	demand for products
спрос на услуги	demand for services
отсутствие спроса	lack of demand
тенденция спроса	demand trend
анализировать спрос	analyse demand
выявлять спрос	identify demand
изучать спрос	study demand
ликвидировать спрос	eliminate demand
повышать спрос	increase demand
пользоваться спросом	be in demand
превосходить спрос	surpass demand, exceed demand
сбалансировать спрос	level off demand
снижать спрос	reduce, bring down demand
создавать спрос	create demand
стимулировать спрос	stimulate demand
стратегия	**strategy**
наступательная стратегия	offensive strategy
оборонительная стратегия	defensive strategy

общая стратегия	overall strategy
стратегия маркетинга	marketing strategy
стратегия с ориентацией на товар	product strategy
стратегия цен	price strategy
стратегия ценообразования	pricing strategy
изменять стратегию	modify a strategy
определять стратегию	determine a strategy
осуществлять стратегию	implement a strategy, carry out a strategy
применять стратегию	practise a strategy, apply a strategy
разрабатывать стратегию	develop a strategy
формулировать стратегию	formulate a strategy
транспортировка	**transportation**
организация транспортировки	transportation arrangement
способ транспортировки	method of transportation, way of transportation
средства транспортировки	transportation facilities
совершенствовать транспортировку	improve transportation, perfect transportation
телереклама	**TV advertising**
технология	**technology**
наукоемкая (*высокая*) технология	high technology, high-tech, Hi-tech
современная технология	modern technology
товар, продукция	**product, goods**
конкурентоспособный товар	competitive product
новейшая технологическая продукция	Hi-tech product
новый товар	new product
потребительский товар	consumer product
реальный товар	tangible product
жизненный цикл товара	product life cycle
демонстрация товара, показ товара	product show
представление о товаре («*образ*» *товара*)	image of a product
продвижение товара	product distribution
размещение товара	product placement
себестоимость продукции	product cost
сегментация товара	product segmentation
стоимость товара	product value
товар длительного пользования	durable product

товар для личного пользования	convenience product
товар массового производства	mass product
оборот товара	turnaround of products, turnover of products
характер товара	nature of product
цена товара	product price
оценивать товар	price a product
продавать товар	sell a product
производить товар	manufacture a product, make a product, produce a product
рекламировать товар	advertise a product, promote a product
упаковывать товар	package a product
уценивать товар	mark down a product
хранить товар	store a product
упаковка	**packaging**
привлекательная упаковка	attractive packaging
современная упаковка	modern packaging
удобная упаковка	convenient packaging
отдел упаковок	packaging department
контролировать упаковку	supervise packaging
управление, руководство	**management**
рыночная ориентация управления	market-oriented management
стиль управления	management style
управление маркетингом	marketing management
уравление проектом	project management
управление рынком	market management
управление спросом и сбытовыми операциями	sales and demand management
управляющий	**manager**
управляющий маркетинговыми исследованиями	marketing research manager
управляющий по видам товаров	product manager
управляющий по маркетингу	marketing manager
управляющий по рекламе	advertising manager
управляющий по сбыту (*коммерческий директор*)	sales manager
управляющий производством	production manager
управляющий финансами	finance manager
услуги	**services**
консультационные услуги	consultancy services, consulting services

ощутимые услуги	tangible services
«полевые» услуги (*услуги, оказываемые на стороне*)	fieldwork services
разнообразные услуги	variety of services
специализированные услуги	non-class services, specialized services
индустрия услуг	service industry
широкая гамма услуг	wide range of services
услуги населению	[customer] services
услуги по проведению исследования рынка	market research services
услуги по проведению предварительных испытаний	pretesting services
предлагать услуги	offer services
учет	**accounting**
внутренний учет	internal accounting
фактор(-ы)	**factor(-s)**
факторы внешней среды	environmental factors
демографический фактор	demographic factor
неожиданный фактор	unexpected factor
неуправляемый фактор	uncontrollable factor
определяющий фактор	determining factor
основной фактор	principle factor
отрицательный фактор	negative factor
положительный фактор	positive factor
предсказуемый фактор	predictable factor
управляемый фактор	controllable factor
ценообразующий фактор	pricing factor
влияние фактора	effect of a factor, influence of a factor
значение фактора	importance of a factor
роль фактора	role of a factor
сочетание факторов	combination of factors
изучать фактор	study a factor
рассматривать фактор	consider a factor
соотносить факторы	correlate factors
философия	**philosophy**
философия бизнеса	philosophy of business
философия маркетинга	marketing philosophy
воплощать в жизнь философию маркетинга	implement marketing philosophy
хранение	**storage, warehousing**
ценообразование	**pricing**
нарушение ценообразования	pricing violation

стратегия ценообразования	pricing strategy
тактика ценообразования	pricing tactics
ценообразование с ориентацией на спрос	demand-oriented pricing
ценообразование с ориентацией на рынок	market-oriented pricing
ценообразование с ориентацией на издержки производства	cost-oriented pricing
элемент	**element, component**
элемент маркетинга	element of marketing
элемент системы маркетинга	element of marketing mix
штат	**staff, personnel, force**
штат отдела исследований	research staff
штат отдела маркетинга	marketing staff
штат сотрудников	labour force, people
штат «полевых» сотрудников	fieldforce, field workers
быть в штате	be on the staff
обучать штат	train personnel, train stuff
подбирать штаты	select workers, select personnel, recruit workers

ФРАЗЫ

Какова общая концепция маркетинга?	What is the general marketing concept?
Маркетинг включает разнообразные элементы, такие, как планирование, исследование рынка, разработку новой продукции, сбыт, организацию контактов, рекламу и т. д.	Marketing concept includes various elements such as planning, research, new product development, sales, communications, advertising, etc.
Маркетинг удовлетворяет потребности как потребителя, так и компании	Marketing involves meeting both the company and the Customer's needs
Маркетинг изучает все стадии до производства товара, в ходе его производства, до и после сбыта товара	Marketing studies stages before, during and after production and also following the sale
Маркетинг предоставляет информацию о перспективах спроса на продукцию или услуги фирмы, помогает определить и стимулировать рынок товаров и услуг	Marketing provides information about foreward demand for the company's products or services, helps to indentify and stimulate demand for products and services
Маркетинг применяется в сфере производства	Marketing is used in production and manufacturing

Производство базируется на изучении маркетинговой информации	Production is based on marketing intelligence study
Чтобы достичь конечной цели, все маркетинговые мероприятия должны быть скоординированными	All marketing-related activities should be integrated to achieve the final goal
Маркетинговые мероприятия измеряются качественными и количественными показателями	Marketing efforts are measurable quantitatively and qualitatively
Планирование маркетинга является неотъемлемой частью общей системы маркетинговых мероприятий	Marketing planning is an integral part of the marketing mix
От чего зависит эффективное планирование маркетинга?	What does effective marketing planning depend on?
Оно зависит от тщательного анализа ситуации на рынке	First of all it depends on a thorough situation analysis
Какие вопросы разбираются при анализе ситуации?	What points are considered in analysing the situation?
При анализе ситуации необходимо учитывать управляемые и неуправляемые факторы, то есть, факторы, связанные с внешней средой	When analysing the situation it is necessary to consider controllable and uncontrollable factors, that is environmental factors
Имеется тесная связь между фактором внешней среды и сбытом	There is a close relationship between the environmental factor and sales
Каковы контролируемые факторы планирования маркетинга?	What are controllable factors in marketing planning?
Их фактически четыре — четыре Р	There are actually four of them, four Ps
Это продукция, цена, место сбыта, формы рекламы	They are product, price, place, and promotion
План рынка необходим для разработки прогноза продаж. Он определяет направление деятельности фирмы и пути достижения поставленных целей	A market plan is necessary for developing sales forecasts. It shows where a company is going and how it is going to get there
План рынка разрабатывается на основе информации о рынке и внутренней отчетности	A market plan is designed through the use of marketing intelligence and internal accounting
Какого рода анализ проводится отделом маркетинга?	What kind of analysis is carried out by the marketing department?
Самый разнообразный. Анализ рынка, сбыта, различных данных, покупательского спроса и культурных запросов покупателей	All kinds of analysis. Market and sale analysis, data analysis, analysis of the customer's demand and cultural analysis
В настоящее время он разрабатывается с помощью компьютера	Today the process is computer-assisted

Маркетинговые исследования и исследования рынка включают вопросы выбора товара, изучения интересов и потребностей конкурентов	Marketing research and market research are concerned with product choice study and study of competitors' interests and their claims
Способы проведения исследований в области маркетинга — наблюдение, обзор, эксперимент, опрос общественного мнения по различным каналам	Methods of conducting marketing research are observation, survey, experiment and public opinion polls through different channels
Исследование мнений потребителей должно влиять на выбор планируемой к выпуску продукции	Attitudinal research should affect the product to be produced
Мероприятия по организации контактов с потребителями охватывают рекламу, внешние связи, прямую почтовую связь и специальные мероприятия, такие как демонстрация товара, проведение конференций и выставок	The communications mix comprises advertising, public relations, direct mail and special events such as product shows, conferences and exhibitions
Рынки потребительских товаров сегментируются на основании данных демографических и психологических исследований	Markets for consumer products are segmented on the basis of demographic and psychographic data research
Фирмы, изучающие сегментацию рынка, стремятся скорее найти разнообразные рынки сбыта для своих товаров и услуг, чем один большой рынок сбыта	Market segmenters search for a variety of markets rather than one large market for their products and services
Сбыт всегда связан с разнообразными формами обслуживания потребителя	Sales are always involved with customer service of all kinds
Сбыт товаров дает ощутимый результат (непосредственную прибыль), а организация обслуживания его не дает, поэтому она с трудом поддается оценке	All products are tangible and all services are intangible. They are more difficult to evaluate
Какие каналы сбыта используются этой фирмой?	What distribution channels are used by the company?
Каковы обязанности управляющего по видам товаров?	What are the duties of a product manager?
Он отвечает за работу предприятий, выпускающих этот вид или эти виды товаров	He is responsible for the factories which produce the product or a group of products
Чему посвящена эта выставка?	What is the exhibition devoted to?
Новейшей технологической продукции. Это прекрасный способ рекламы	To hi-tech products. It's an excellent method of advertising
Когда вы собираетесь разрабатывать...?	When are you doing to develop a...?

программу превентивных мер (превентивную программу)	preventive programme
программу сбыта	sales programme
единую программу	overall programme
долгосрочную программу	long-term programme
краткосрочную программу	short-term programme
программу производства	production programme
программу управления	management programme
Какие составные компоненты... необходимо учитывать в деятельности фирмы?	What components of the... should be considered in a company's activity?
маркетингового плана	marketing plan
плана организации контактов с потребителями	communications plan
программы маркетинга	marketing programme
стратегии маркетинга	marketing strategy
программы рекламы	advertizing programme
стратегии сбыта	sales strategy
Какие ассигнования выделены на...?	What appropriations have been allotted for...?
престижную рекламу	corporate image advertising
товарную рекламу	product advertising
прямую почтовую рекламу	direct mail
радиорекламу	radio advertising
телерекламу	TV advertising
разработку анкет	questionnaire preparation
сбор данных	data collection
обработку данных	data processing
изучение мирового рынка	the (world) international market study
изучение сбыта	sales study
изучение потребительского спроса	consumer study
Какие элементы представлены в отчете?	What elements does the study represent?
Собственно говоря, это...	Actually it's...
обзор почтовых материалов	a mail survey
обзор, выпускаемый рядом фирм	a syndicated survey
ежегодный обзор	an annual survey
квартальный обзор	a quarterly survey
обзор рынка	a market survey
обзор исследований	a research survey
обзор мнений покупателей	an attitudinal survey
обзор исследований поведения покупателя	behavioural survey

Что вы можете сказать о... обслуживании фирмы?	What can you say about the... service of the firm?
техническом	technical
предпродажном	pre-sale service
послепродажном	after-sale service
Оно отвечает всем нуждам потребителя: быстрое, недорогое и эффективное	It meets all the needs of the customer: quick, inexpensive and effective
А как определяются потребности заказчика?	How can you identify the customer requirements?
Они определяются путем опроса, интервью или анкетирования	You can identify them through polls, interviewing or questionnaire collecting
Групповые опросы сейчас тоже популярны	Group discussions are also popular now
Вы... данные опроса?	Have you... the questionnaire data?
изучили	studied
ввели в машину	entered
выверили	verified
обработали	processed
представили	presented (provided)
получили	obtained
собрали	collected
Да, они...	Yes, they are...
полные	complete
безошибочные	error-free
весьма интересные	pretty interesting
пока неполные	incomplete yet
рабочие	actionable
точные	exact
Фирма провела... изучение экспортного рынка, не правда ли?	The company has conducted a... research of the export market, hasn't it?
фундаментальное	fundamental
комплексное	complex
эффективное	effective
кабинетное	desk
полевое	field
Да, и... тоже	Yes, and of... too
потребностей потребителя	consumer needs
плана организации контактов (*с потребителями*)	communications plan
системы организации контактов в масштабе всей страны	nation-wide communications
общей системы маркетинговых мероприятий	the marketing mix

Да, выводы весьма интересны	The findings are very interesting.
Какие социальные факторы были учтены при создании этого рынка?	What social factors were considered when you created the market?

ДИАЛОГИ

И. п. Насколько я понимаю, понятие «маркетинг» в настоящее время не является однозначным.	F. r. As far as I understand the "Marketing" definition is not a simple one at the present time.
С. п. Пожалуй, вы правы. Сейчас можно было бы говорить о двух значениях его: традиционном — как функция сбыта и современном как «философия бизнеса».	S. r. I think you are right. We could speak of two meanings of marketing now: a traditional one as a sales function, and a more contemporary one as "philosophy of business".
И. п. Это верно. Более того, концепция «философии бизнеса» тоже развивается.	F. r. That is true. Moreover, the "philosophy of business" concept is developing too.
С. п. Что вы имеете в виду?	S. r. What do you mean?
И. п. Раньше она означала в основном увеличение производства товара и сбыт его.	F. r. It used to mean mainly production increase and sales.
С. п. А теперь? Ведь сбыт остается проблемой, не так ли?	S. r. And now? Sales remain a problem, don't they?
И. п. Несомненно. Только теперь отмечается иной подход к проблеме сбыта.	F. r. Of course. But now you can see a different approach to the sales problem.
С. п. Да, верно, более широкий. Сбыт — это не только продажа товара. Нужен комплексный подход, изучение рынка, спроса, интересов потребителя...	S. r. Yes, right, and a wider one. It does not mean sales alone. You need to have an integrated approach, market and demand study, consumer study...
И. п. И многое другое. Ведь нужно уметь прогнозировать, выявлять неудовлетворенный спрос покупателя, стремиться к созданию новых видов продукции и рынков сбыта, а это предполагает современную технологию, рекламу, техническое обслуживание после продажи.	F. r. And a lot of other things. You've got to be able to make a forecast, to identify the unsatisfied demand and to seek to develop new products and markets. All that implies sophisticated technology, advertising and post-sale service.
С. п. Да, маркетинг — это целая система мероприятий	S. r. Yes, marketing is really an integrated effort.

* * *

С. п. Что вы можете сказать о роли рекламы в системе маркетинговых мероприятий?	S. r. What can you say about the role of advertising in the marketing mix?

И. п. О, это сильнейшее орудие. Оно формирует спрос, стимулирует сбыт, способствует созданию рынка.

F. r. Oh, it's a most powerful tool. It formulates demand, promotes sales and helps create a market.

С. п. Можно ли говорить о конкретных задачах рекламы?

S. r. Can we speak of specific advertising objectives?

И. п. Да, конечно. И престижная реклама и товарная реклама прежде всего информирует покупателя о товарах и услугах фирмы, создает ее престиж.

F. r. Of course we can. Both image advertising and product advertising first of all inform the buyer of the company's products and services. They create the company's image.

С. п. Но теперь этого недостаточно. Ведь в условиях конкуренции нужно не только показать товар на выставке, в магазине или даже на конференции.

S. r. But now that is not enough. In the competition nowadays it's not enough to show the product at an exhibition, in a shop or at a convention, is it?

И. п. Нет. Нужны активные меры содействия продажам, различные услуги до и после продаж товара.

F. r. No. You've got to have active sales promotion efforts and to provide pre- and post-sale service.

С. п. Да, реклама — часть стратегии маркетинга. Собственно говоря, это комплекс мероприятий.

S. r. Yes. Advertising is part of the marketing strategy. In fact it's a complex of activities.

И. п. И очень обширный. А бюджет на рекламу теперь достигает очень больших размеров.

F. r. And a comprehensive one. An advertising budget now comes to a very high figure.

МЕЖДУНАРОДНЫЕ РАСЧЕТЫ И ВАЛЮТНО-КРЕДИТНЫЕ ОТНОШЕНИЯ

INTERNATIONAL PAYMENTS AND CREDITS

МЕЖДУНАРОДНЫЕ РАСЧЕТЫ И ВАЛЮТНО-КРЕДИТНЫЕ ОТНОШЕНИЯ

INTERNATIONAL PAYMENTS AND CREDITS

СЛОВА

● **банк**	**bank**
государственный банк	state bank, national bank
инвестиционный банк	investment bank
клиринговый банк	clearing bank
коммерческий банк	commercial bank, trading bank, business bank
международный банк	international bank
национальный банк	national bank
первоклассный банк	first-class bank
резервный банк	reserve bank
центральный банк	central bank
эмиссионный банк	bank of issue, bank of circulation
банк импортера	importer's bank
банк третьей страны	third country bank
банк финансирования развития	development financing bank
банк экспортера	exporter's bank
банк, основанный в... году	the bank established in..., the bank founded in..., the bank set up in...
отделение банка	bank branch
назначать банк	nominate a bank
пользоваться услугами банка, вести дела с банком	bank with a bank
поручать банку, давать поручение банку	instruct a bank
банк-акцептант	**acceptance bank**
банк-корреспондент	**correspondent bank**
банковская кредитная карточка	**bank credit card**
банковская система	**banking system**
банковские операции	**banking business, banking operations**
банкрот	**bankrupt**

валюта	**currency, exchange**
векселедатель, трассант	**drawer [of a bill]**
векселедержатель, ремитент	**payee, drawee**
вексель	**bill, bill of exchange, draft**
взнос(-ы), часть	**installment(-s), contribution**
денежный взнос	financial contribution
ежегодный взнос	annual installment
ежемесячный взнос	monthly installment
очередной взнос	[next] installment
первоначальный взнос	initial installment
полугодовой взнос	semi-annual installment
равные взносы	equal installments
выплачивать взносами	pay by installments
погашать кредит взносами	reimburse the credit by installments
взнос в размере...%	installment of...%
вклад, депозит	**deposit**
банковский депозит	bank deposit
бессрочный вклад	demand deposit, sight deposit
краткосрочный вклад	short deposit
срочный вклад	fixed deposit, time deposit
вносить деньги на депозит	place money on deposit
выплачивать деньги по депозиту	pay a deposit
вкладчик	**depositor**
возмещение	**reimbursement**
гарантийное письмо	**letter of guarantee**
гарантия, поручительство	**guarantee**
кредитное поручительство	credit guarantee
грационный период, льготный период (*для погашения кредита*)	**grace period, period of grace**
дата	**date**
дата зачисления денег на банковский счет	value date
дата погашения (*ценных бумаг*)	maturity date
дебитор *см.* **должник**	
девальвация	**devaluation**
депозит *см.* **вклад**	
доверитель	**trustee**
долг(-и)	**debt(-s)**

внешний долг	external debt, foreign debt
долгосрочный долг	long-term debt
краткосрочный долг	short-term debt
непогашенный долг	active debt, outstanding debt
взыскание долгов	collection of debts
аннулировать долги	cancel debts
взыскивать долг	recover a debt
покрывать долг	meet a debt, settle a debt
должник, дебитор	**debtor**
несостоятельный должник	poor debtor, insolvent
должник по векселю	bill debtor
еврооблигация	**eurobond**
евровалюта	**eurocurrency**
евродоллар	**eurodollar**
евроклиринг	**euroclear**
еврокредит	**eurocredit**
еврорынок	**euromarket**
еврочек	**eurocheque**
система еврочеков	eurocheque system
задолженность	**debt, indebtedness, arrears**
внешняя задолженность	external indebtedness, external debt
бремя внешней задолженности	burden of external debt
дебиторская задолженность	debt receivable
общая задолженность	total debt, cumulative arrears
текущая задолженность	current debt, floating debt
чистая задолженность	net indebtedness, net debt
чрезмерная задолженность	excessive indebtedness, heavy indebtedness
виды задолженности	forms of indebtedness
задолженность банку	bank indebtedness, bank debt
задолженность по векселю	debt on a bill
задолженность по клирингу	clearing debts
погашение задолженности	redemption of a debt, debt service payments
иметь задолженность	be in arrears
заем, займ(-ы)	**loan(-s)**
несвязанные займы, необусловленные займы	untied loans
погашение займов	payment of loans
срок погашения займов	maturity of loans
гарантировать заем	guarantee a loan
заключать соглашение о займе	negotiate a loan

получать заем, заключать сделку о займе	take up a loan
сделать заем	raise a loan
заемщик (*получатель ссуды*)	**borrower**
займ(-ы) *см.* **заем**	
инвестиции *см.* **капиталовложения**	
капитал	**capital**
авансированный капитал	advanced capital
акционерный капитал	capital of a company, stock capital
банковский капитал	banking capital
долгосрочный капитал	long-term capital
замороженный капитал	frozen capital
инвестированный капитал	invested capital
иностранный капитал	foreign capital
краткосрочный капитал	short-term capital
начальный капитал	seed capital
неиспользуемый капитал, «мертвый капитал»	idle capital, dead capital
оборотный капитал	circulating capital, floating capital, current capital, working capital
основной капитал	fixed capital
валовые капиталовложения в основной капитал	gross fixed capital formation
постоянный капитал	constant capital
ссудный капитал	loan capital
частный капитал	private capital
обращение капитала	circulation of capital
вкладывать капитал, инвестировать капитал	invest capital
привлекать капитал	attract capital
капиталовложения, инвестиции	**investment, capital investment**
эффективность капиталовложений	efficiency of investment
производить капиталовложения	invest
клиент	**client**
клиринг	**clearing**
платежи по клирингу	clearing payments
клиринговые операции	**clearing transactions**
клиринговый счет *см.* **счет**	
комиссия	**commission**
банковская комиссия	banker's commission

ставки комиссии	commission rates
взимать комиссию	charge commission
корреспондентские отношения	**correspondent relations**
устанавливать корреспондентские отношения	establish correspondent relations
кредит(-ы)	**credit**
акцептно-рамбурсный кредит	reimbursement credit
акцептный кредит	acceptance credit
банковский кредит	bank credit
бланковый кредит	blank credit
вексельный кредит	paper credit
государственный кредит	public credit, state credit
дешевый кредит	low-interest credit
долгосрочный кредит	long[-term] credit
использованный кредит	used credit
исчерпанный кредит	exhausted credit
коммерческий кредит	commercial credit, trade credit
контокоррентный кредит	current account credit
краткосрочный кредит	short[-term] credit
неиспользованный кредит	unused credit, unutilized credit
подтоварный кредит	commercial credit
правительственный кредит	governmental credit
предоставленный кредит	the credit given, the credit granted, the credit extended
револьверный кредит (*автоматически возобновляемый кредит*)	revolving credit
резервный кредит	standby credit
связанный кредит	tied credit
среднесрочный кредит	intermediate term credit
экспортный кредит	export credit
в кредит	on credit
покупка в кредит	purchase on credit
продажа в кредит	credit sale
поставлять в кредит	deliver on credit, supply on credit
в счет кредита	on account of credit
за счет кредита	out of the proceeds of credit
финансировать за счет кредита	finance out of the proceeds of the credit
использование [части] кредита	utilization of [part of] credit
дата использования [части] кредита	date of utilization of [part of] credit
датой использования [части] кредита считается...	date of utilization of [part of] credit is considered...

кредит в сумме...	credit to the amount of..., credit amounting to...
кредит на [экономическое] развитие	development credit
кредит с погашением в рассрочку	installment credit
ликвидность кредита	credit liquidity
назначение кредита	purposes of credit
недостаток кредитов	tight credit
нестабильность кредитов	instability of credit
неуплата задолженности по кредиту	credit default
обеспечение кредита	security for credit
погашение кредита	credit repayment, repayment of credit
досрочное погашение кредита	advanced repayment of credit, pre-schedule repayment of credit
гарантия погашения кредита	guarantee of credit repayment
пользование кредитом	use of credit
процент за пользование кредитом	interest on credit
предоставление кредита	credit arrangement
условия предоставления кредита	credit terms
продолжительность кредита	duration of credit
риск неплатежа по кредиту	credit risk
срок кредита	credit period
сумма кредита	amount of credit, credit amount
неоплаченная сумма кредита	outstanding amount of credit
сумма кредита, на которую начисляется процент	principal amount of credit
превышать сумму кредита	exceed the amount of credit
условия кредита	credit terms
часть кредита	part of credit
неиспользованная часть кредита	unused part of credit
[фактически] использованная часть кредита	[actually] utilized part of credit, [actually] used part of credit
кредит, предоставленный по межправительственному соглашению	credit extended under the intergovernmental agreement
гарантировать кредит	guarantee credit

использовать кредит	utilize credit, use credit
кредит покрывает	credit covers
погашать кредит...	repay a credit...
в течение...	within...
ежегодными долями	by annual installments
равными долями	by equal installments
получать кредит	obtain credit
превышать кредит	exceed credit
предоставлять кредит	extend credit, give credit, grant credit
пролонгировать кредит	prolong credit
кредитная политика	**credit policy**
кредитная сделка	**credit deal, business deal**
кредитное регулирование *см.* **кредитный контроль**	
кредитные ограничения	**credit restrictions**
кредитные операции	**credit operations**
кредитные отношения	**credit relations**
кредитные средства	**proceeds of credit**
кредитные учреждения	**credit institutions, lending institutions, credit agencies**
кредитный контроль, кредитное регулирование	**credit control**
кредитный рынок	**credit market**
кредитование	**crediting**
источники кредитования	credit facilities
кредитование внешней торговли	foreign trade crediting
кредитор	**creditor, lender**
кредитоспособность	**credit standing, credit worthiness**
стандарты кредитоспособности	credit standards
кросс-курс	**cross-rate**
курс	**rate**
вексельный курс	rate of exchange
взаимный курс	reciprocal rate
выгодный курс	favourable rate
заключительный курс	closing rate
курс дня	current rate, rate of the day
курс покупателей	bid quotation, buyer's rate, buying rate
курс покупки чеков	cheque rate

курс продавцов	sellers' rate, selling rate
курс почтовых переводов	rate for mail transfers
курс свободного рынка	money market exchange rate
курс срочной тратты	sight rate
курс телеграфных переводов	cable rate, rate for telegraphic transfers
по курсу	at the rate
курс, принятый на...	rate adopted as of...
зафиксировать курс	fix the rate
льготные дни (*для уплаты по векселям*)	**days of grace**
льготный период *см.* **грационный период**	
льготный срок	**grace period**
маржа (*разница, остаток*)	**margin**
наличные (*деньги*)	**cash**
за наличные	for cash
продажа за наличные	cash sale
продавать за наличные	sell for cash
наличными	by cash, in cash
наличными без скидки	net cash
платить наличными	pay cash
неплатежеспособность, несостоятельность	**bankruptcy, insolvency**
несостоятельность *см.* **неплатежеспособность**	
обязательство(-а)	**liability(-ies)**
долгосрочные обязательства	fixed liabilities
краткосрочные обязательства	current liabilities
срок погашения кредитного обязательства	due date, maturity date
потенциальные обязательства	contingent liability
овердрафт (*превышение кредита в банке, задолженность банку*)	**overdraft**
допускать овердрафт	overdraw an account
иметь право произвести овердрафт	have an overdraft
отсрочка (*для выполнения обязательств*)	**deferment, postponement**
отсрочка платежа	delay in payment, postponement of payment, deferred payment
предоставлять отсрочку платежа	grant a delay in payment
платеж	**payment**

плательщик	**payer**
покрытие (*обеспечение*)	**cover**
помощь	**aid, assistance**
иностранная помощь	foreign aid
кредитная помощь	credit aid
финансовая помощь	financial aid
помощь в виде субсидий	assistance in grant form
помощь в целях развития	development aid
использовать помощь	utilize aid
поручительство *см.* **гарантия**	
прибыль	**profit, return**
норма прибыли	rate of return
прибыль на инвестированный капитал	return on capital, return on investment
процент(-ы)	**interest, per cent, percentage**
высокий процент	high interest
годовой процент	annual interest
льготный процент	concessionary interest rate
наросшие проценты, начисленные проценты	accrued interest, accrued charges
уплата начисленных процентов	payment of accrued interest
низкий процент	low interest
отсроченный процент	deferred interest
ссудный процент	loan interest
условленные проценты	agreed interest
учетный процент	rate of discount, discount rate
чрезмерный процент	excessive interest
капитал и проценты	capital and interest
норма процента	rate of interest, interest rate
обычная норма процента	conventional rate of interest
предельная норма процента	ceiling rate
рыночная норма процента	market rate of interest
процент годовых	annual interest rate
из расчета...% годовых	at...% per annum
процент по кредиту	interest on credit
проценты за пользование кредитом	interest on credit
размер процента	interest rate
ставка процента	interest rate
установленная законом ставка процента	legal interest rate, legal rate of interest
уплата процентов	interest payment
срок уплаты процентов	interest [payment] date

условия начисления процентов	terms of interest
взимать процент	collect interest
выплачивать процент	pay interest
процентная ставка *см.* **ставка**	
расписка	**receipt**
временная расписка	interim receipt
сохранная расписка	trust receipt
рассрочка	**installment plan, deferred payment plan**
в рассрочку	on an installment plan, on a deferred payment plan
продажа в рассрочку	installment sale
рассрочка платежей	payments by installments
предоставлять рассрочку платежей	give the right to pay by installments
расчет(-ы)	**payment(-s), settlement(-s)**
клиринговые расчеты	clearing payments
международные расчеты	international payments
многосторонние расчеты	multilateral payments
система многосторонних расчетов	multilateral payments system
наличный расчет	cash [payment]
за наличный расчет	by cash, in cash
покупка за наличный расчет	purchase for cash
продажа за наличный расчет	cash sale
сделка за наличный расчет *см.* **сделка(-и)**	
окончательный расчет	final settlement
порядок расчетов	procedure of (for) payments
расчет наличными	cash settlement
условия расчетов	terms of payment
расчетная палата	**clearing house**
ревальвация	**revaluation**
реинвестирование средств, высвобождающихся по мере истечения срока прежних эмиссий, в новые обязательства	**rollover**
ремитент *см.* **векселедержатель**	
ресурсы *см.* **средства**	
рынок	**market**
рынок капитала	capital market
рынок кредита	credit market

сделка(-и)	**deal, transaction, business, bargain**
банковская сделка	banking transaction
внешнеторговая сделка	foreign trade transaction
кредитная сделка	credit transaction
межбанковская сделка	interbank transaction
сделка за наличный расчет	spot business
заключать сделку	make a deal, transact
соглашение	**agreement, arrangement**
валютное соглашение	monetary agreement
действующее соглашение	agreement in force
кредитное соглашение	credit agreement
межбанковское соглашение	[inter]bank agreement
платежное соглашение	payments agreement
резервное соглашение	standby arrangement
торговое соглашение	trade agreement
финансовое соглашение	financial agreement
соглашение о клиринговых расчетах	clearing agreement, clearing arrangement
соглашение о кредите	credit agreement
соглашение о торговле и платежах	trade-and-payments agreement
подписывать соглашение	sign an agreement
прекращать действие соглашения	terminate an agreement
соглашение предусматривает	the agreement provides *for*
средства, ресурсы	**funds, resources**
бюджетные средства	budgetary funds
государственные средства	public funds
денежные средства	monetary resources
денежные средства, имеющиеся в наличии	available funds
наличные средства	cash
дефицит наличных средств	cash deficit
финансовые средства	financial resources, financial instruments
мобилизация средств (*денег*)	money mobilization
объединение ресурсов	pooling of resources
мобилизовать средства (*деньги*)	raise money
ссуда	**loan**
банковская ссуда	bank loan
беспроцентная ссуда	loan without interest
долгосрочная ссуда	long-term loan
краткосрочная ссуда	short-term loan
нецелевая ссуда	no-purpose loan

онкольная ссуда	call loan
«связанная» ссуда	tied loan
среднесрочная ссуда	intermediate loan
срочная ссуда (*ссуда, предоставленная на определенный срок*)	time loan
погашение ссуды	redemption of a loan
погашать ссуду	redeem a loan, meet a loan, pay off a loan
получать ссуду	contract a loan, raise a loan
предоставлять ссуду	allow a loan
ставка	**rate**
минимальная ставка	minimum rate
общераспространенная (*существующая*) ставка	prevailing rate
процентная ставка	interest rate, rate of interest
долгосрочная процентная ставка	long-term rate of interest
краткосрочная процентная ставка	short-term rate of interest
процентная ставка по ссуде	loan rate
умеренная процентная ставка	moderate interest rate
потолок процентной ставки	interest rate ceiling
размер процентной ставки	interest rate, rate of interest, rate per cent
учетная ставка	discount rate
официальная учетная ставка центрального банка	official rate of discount
учетная ставка банка	bank rate
ставка банковского учета	discount rate
ставка процента	rate of interest
номинальная ставка процента	nominal rate of interest
реальная ставка процента	real interest rate
ставка процента по долгосрочным кредитным обязательствам	long rate
страна(-ы)	**country(-ies)**
страны, получающие помощь	recipient countries
страны, предоставляющие помощь	aid-giving countries
страна-должник	**debtor country**
страна-донор	**donor country**
страна-заемщик	**borrower**

страна-кредитор	**creditor country, lending country**
страна-получатель кредита	**borrower, recipient [country]**
страны-получатели (*помощи, платежей, кредитов*)	**recipient countries**
страны-экспортеры капитала	**capital-exporting countries**
субсидия	**grant**
счет(-а)	**account(-s), invoice**
блокированный счет	blocked account
клиринговый счет	clearing account
кредитный счет	credit account
ведение кредитного счета	keeping of a credit account
порядок ведения кредитного счета	procedure of keeping a credit account
устанавливать порядок ведения кредитного счета	set up the procedure of keeping a credit account
остаток на кредитном счете	balance of a credit account
номер счета	account number
счет «востро»	vostro account
счет «лоро»	loro account, vostro account
счет «ностро»	nostro account, due from banks
выписка со счета	statement of account
поправка (*исправление*) записи по [банковскому] счету	adjustment
вести счет(-а)	operate an account, keep accounts, maintain accounts
закрывать счет	close an account
открывать счет	open an account, set up an account
телеграфный адрес	**cable address**
трассант *см.* **векселедатель**	
трассат	**drawee**
тратта	**draft**
условия (*кредитов*)	**terms**
льготные условия	concessionary terms, easy terms, favourable terms, soft terms
приемлемые условия	acceptable terms
учет	**discount[ing]**
учет векселей	discount of bills of exchange
финансирование	**financing**
внешнее финансирование	external financing, outside financing
внутреннее финансирование	internal financing
дополнительное финансирование	additional financing

компенсационное финансирование	compensatory financing
источники финансирования	sources of financing
разрешение на финансирование	financial authorization
финансирование развития	development financing
финансирование торговли	trade financing
финансировать	**finance**
фонд(-ы)	**fund(-s), capital**
амортизационный фонд	amortization fund, depreciation fund
банковские фонды	funds of bank
замороженные фонды	frozen capital
иностранные фонды	foreign funds
кредитные фонды	credit resources
правительственные фонды	government funds
резервные фонды	emergency funds, reserve funds
фонд капиталовложений	investment fund
фонд основного капитала	capital fund
фонд погашения задолженности	redemption fund
фонд потребления	consumption fund
фонд стабилизации валюты	[exchange] stabilization fund, equalization fund
фонды предприятия	works funds
фонды развития	development funds
инвестировать фонды	invest funds
фондоотдача	**yield of capital investments**
часть *см.* **взнос**	
чек	**cheque**
дорожный чек	traveller's cheque
удостоверенный чек	certified cheque
чек кассира	cashier's cheque

ФРАЗЫ ◄

На каких условиях... предоставляет кредиты?	On what terms does the... grant credits?
банк экспортера	exporter's bank
Внешэкономбанк СССР	Vneshekonombank of the USSR
государственный банк	state bank
коммерческий банк	commercial bank
Международный инвестиционный банк	International Investment Bank
национальный банк	national bank

Кредиты предоставляются на приемлемых условиях	Credits are granted on acceptable terms
Мы настаиваем на гарантиях первоклассного банка на полную стоимость контракта	We insist on a first-class bank guarantee for the full value of the contract
Какой банк является...?	What bank is...?
банком-акцептантом	an acceptance-bank
банком-корреспондентом	a correspondent bank
Мы хотели бы получить... кредит	We'd like to get a... credit
банковский	bank
государственный	state, official
долгосрочный	long-term
коммерческий	commercial
краткосрочный	short-term
Каков порядок погашения кредита?	How shall the credit be repaid?
Кредит должен быть выплачен в течение 10-ти (15-ти, 20-ти) лет...	The credit shall be repaid within 10 (15, 20) years by...
годовыми взносами	annual installments
полугодовыми взносами	semi-annual installments
равными взносами	equal installments
Первый платеж будет осуществлен в течение 12 месяцев с даты завершения поставок	The initial payment shall be made within 12 months of the date of completion of deliveries
Нас не устраивает льготный период	The grace period doesn't suit us
Мы согласны продлить его до двух лет	We are ready to prolong it to two years
Для строительства объекта будут привлечены иностранные фирмы	Foreign firms will be invited to invest in the construction of the project
Оплата поставок оборудования будет осуществляться с...	Payment for the deliveries of equipment shall be made from...
клиринговых счетов	clearing accounts
кредитных счетов	credit accounts
Оказание технического содействия будет осуществляться...	Technical assistance will be financed...
за счет кредита	out of the proceeds of the credit
по клирингу	under the clearing arrangement
Как будет осуществляться оплата поставок оборудования?	How will payments for the deliveries of equipment be made?
Оплата поставок оборудования будет производиться в счет неиспользованной части кредита	Payments for the deliveries of equipment will be made on account of the unused part of the credit
Какие виды услуг будут покрываться за счет кредита?	What services will be financed out of the proceeds of the credit?

За счет кредита предусматривается...	The credit will cover...
командирование специалистов	the sending of Soviet specialists
поставка оборудования	delivery of equipment
проектно-изыскательские работы	design and survey work[s]
пуско-наладочные работы	starting-up and adjustment work[s]
Каков размер процентной ставки?	What is the interest rate?
Условия предоставления кредита предусматривают...% годовых	The credit terms provide for a...% interest rate
Процентная ставка несколько завышена (занижена)	The interest rate is somewhat overestimated (underestimated)
Погашение кредита будет осуществляться	Credit repayment shall be made...
в твердой валюте	in hard currency
поставками традиционных экспортных товаров	by deliveries of traditional export goods
Мы можем предоставить вам рассрочку платежей	We can grant you the right to pay by installments
Какова...?	What is the...?
процентная ставка	interest rate
учетная ставка банка	bank rate
ставка процента по долгосрочным кредитным операциям	long-term rate of interest
Реализация объекта будет осуществляться за счет...	... will be used for the implementation of the project
внешнего финансирования	External financing
внутреннего финансирования	Internal financing

З. Г-н..., вы рассмотрели нашу просьбу о предоставлении нам кредита для строительства гидроэлектростанции в нашей стране?	C. Mr..., have you considered our request to grant us credit for the construction of the hydroelectric station in our country?
Пд. Да, г-н... Мы знаем, что ваша страна осуществляет широкую программу национального развития, и готовы предоставить вам кредит для строительства этого объекта.	Cnt. Yes, Mr..., we have. We know that you are implementing a wide programme of national development and are ready to extend credit for the construction of the project.
З. Рад это слышать. И на каких условиях?	C. I'm glad to hear that. And on what terms?
Пд. Кредит может быть предоставлен на 5 (10, 15) лет из расчета...% годовых.	Cnt. The credit can be granted for 5 (10, 15) years at...% per annum.

З. Нам кажется, г-н..., что процентная ставка несколько завышена. Не могли бы вы снизить ее?

C. The interest rate seems to us somewhat overestimated, Mr... Could you reduce it?

Пд. Мы не можем пойти вам навстречу в этом вопросе. Мы считаем, что процентная ставка в...% вполне разумна.

Cnt. We can't make you such a concession. We believe that the...% interest rate is quite reasonable.

З. Понимаю, г-н..., мы обдумаем ваше предложение. Мы просим вас рассмотреть возможность погашения кредита поставками традиционных экспортных товаров.

C. I see, Mr..., we'll have to think over your proposal. Will you consider the possibility of our repaying the credit in our traditional export goods, please?

Пд. Хорошо, мы рассмотрим вашу просьбу. Мы полагаем, что было бы разумно в этом случае предусмотреть погашение кредита в твердой валюте, в случае невозможности его погашения товарами традиционного экспорта.

Cnt. Yes, we shall. But we believe it reasonable to provide for the repayment of the credit in hard currency as well, if the traditional export goods are not available.

З. Не возражаем, г-н...

C. No objections, Mr...

БУХГАЛТЕРСКИЙ УЧЕТ / ACCOUNTING

БУХГАЛТЕРСКИЙ УЧЕТ / ACCOUNTING

аванс(-ы)	**advance(-s)**
авансы, полученные от заказчиков	advances, prepayments
акт	**report**
акт оценки [основного капитала]	appraisal report [of fixed investment]
актив(-ы)	**asset(-s)**
денежные активы	cash assets
истощающиеся активы	wasting assets
ликвидные активы	liquid assets
материальные активы	tangible assets
нематериальные активы	intangible assets
свободные активы	available assets
текущие активы	net current assets, working capital, circulating assets, current assets
активы будущих лет	deferred assets
стоимость реальных активов	tangible value
сумма активов предприятия за вычетом его обязательств	net assets
активы, быстро превращаемые в наличные денежные активы	quick assets, liquid assets, readily available cash
акцепт	**acceptance**
срочная картотека акцептов	tickler
акционер	**stock holder**
акция(-и)	**share(-s), stock**
невыпущенные акции	unissued capital stock
обыкновенная акция	equity, common stock, ordinary share
привилегированные акции	preference shares
кумулятивные привилегированные акции	cumulative preferred capital stock
привилегированные акции, дающие право на выплату дополнительных дивидендов	participating preference capital stock
«разводненные» акции	watered stock
собственные акции предприятия в портфеле	capital stock held in treasury

акции без номинала	no-par-value capital stock
акции в портфеле	treasury stocks
выпущенные в обращение акции	outstanding [capital] stock
полностью оплаченные акции	full-paid capital stock
акции, выпущенные и затем вновь купленные корпорацией-эмитентом	treasury stock
акции, имеющие номинал	par-value stock
акция, по которой нельзя потребовать дополнительного платежа (*в случае банкротства*)	nonassessable capital stock
акции, срок действия которых истекает в один и тот же день	term bonds
подписка на акции	subscription for shares
амортизационный регламент	**lapsing schedule, depreciation schedule**
амортизация	**amortization, depreciation**
ускоренная амортизация	accelerated amortization
анализ	**analysis**
анализ хозяйственной деятельности	audit
годичный анализ хозяйственной деятельности	annual audit
аннуитет	**annuity**
пожизненный аннуитет	life annuity
аудитор	**auditor**
заключение аудитора по финансовому отчету	audit report, audit certificate, statement of assets and liabilities
аудитор, имеющий право ревизии балансов	certified public accountant
баланс	**balance, balance sheet, financial statement**
годовой баланс	annual financial statement
предварительный баланс	articulation statement
пробный бухгалтерский баланс	trial balance
второй вариант пробного бухгалтерского баланса	post-closing trial balance
проверочный баланс	trial balance
ревизорский бухгалтерский баланс	statement of affairs
сводный баланс	consolidated financial statement, consolidated income statement, consolidated balance sheet

сжатый (*сокращенный*) баланс с укрупненными статьями	condensed balance sheet
актив баланса	assets
баланс по системе двойных счетов	double-account-form balance sheet
баланс предприятия	balance sheet
сравнительная таблица балансов	comparative balance sheets
банкротство	**bankruptcy**
бухгалтер	**bookkeeper, accountant**
главный бухгалтер	general accountant
главный бухгалтер по учету издержек производства	cost accountant
дипломированный бухгалтер высшей квалификации	certified public accountant, professional accountant
младший бухгалтер	junior accountant
«независимый» бухгалтер	independent accountant, public accountant
бухгалтер, действующий в пределах одной фирмы	private accountant
бухгалтер-ревизор	**auditor**
бухгалтерия	**accounting, accountancy, bookkeeping**
внешнеторговая бухгалтерия	position bookkeeping
двойная бухгалтерия	double-entry bookkeeping
производственная бухгалтерия	cost accounting
простая бухгалтерия	single-entry bookkeeping
бухгалтерия самостоятельного организационного подразделения	entity accounting
бухгалтерия фирмы	enterprise accounting
бухгалтерская сбалансированность	**accounting identity, accounting equation**
бюджет	**budget**
ведомость	**roll, sheet**
платежная ведомость	payroll
шахматная ведомость	articulation statement, spread sheet
ведомость заработной платы	salary roll
ведомость издержек	cost sheet
вексель(-я)	**bill(-s)**
акцептованный вексель	acceptance
переводной вексель	bill of exchange, draft
простой вексель	promissory note

вексель к оплате	bill payable, note payable
вексель к получению	note receivable, trade note receivable, bill receivable, acceptances receivable
владелец акций	**stockholder**
внутрифирменное исключение взаиморасчетов	**intercompany elimination**
возвраты и скидки	**returns and allowances**
возмещение	**indemnity**
время	**time**
время реализации заказа	lead time
выбытие (*ликвидация оборудования*)	**retirement, death of equipment**
выкуп	**redemption**
выкуп акций	redemption of stock
выкуп закладной	redemption of mortgage
выкуп предприятия	redemption of enterprise
выручка	**income**
валовая выручка от операций	gross operating income
чистая выручка	net proceeds, net avails
выручка от учтенного векселя	net avails
вычет(-ы)	**deduction(-s)**
вычеты из дохода	income deduction
вычеты из прибыли	profit deduction
год	**year**
«естественный» год деловой активности	natural business year
бюджетный год	fiscal year
конец года	end of year
начало года	beginning of year
дата	**date**
дата приобретения	date of acquisition
дебет	**debit**
дебитор	**debitor**
денежная наличность	**cash**
денежный оправдательный документ	**voucher**
денежный эквивалент	**money equivalent, money worth**
деньги	**money**
наличные деньги	cash
деньги в кассе	cash on hand

депозит(-ы)	**deposit(-s)**
долгосрочные депозиты [в банках]	fixed deposits [in banks]
срочный депозит	time deposit
депозиты для особых нужд	special deposits
дивиденд	**dividend**
гарантированный дивиденд	guaranteed dividend
дополнительный дивиденд	extra dividend
кумулятивный дивиденд	cumulative dividend
невостребованный дивиденд	unclaimed dividend
невыплаченный дивиденд	unpaid dividend
некумулятивный дивиденд	noncumulative dividend
объявленный дивиденд	declared dividend
полученный дивиденд	dividend received
промежуточный дивиденд	interim dividend
дивиденд к оплате	dividends payable
дивиденд по привилегированным акциям	preferred dividend
с включением дивиденда	cum dividend
дивиденд, выплачиваемый в натурально-вещественной форме	dividend in kind
дивиденд, выплачиваемый компанией в конце ее финансового года	final dividend
дивиденд, выплаченный наличными	cash dividend
дивиденд, выплачиваемый пропорционально покупкам	dividend on purchases
дивиденд, объявленный к оплате	accrued dividend
дивиденд, выплаченный акциями предприятия	stock dividend
дивиденд, уплачиваемый в форме краткосрочного векселя или расписки	scrip dividend
дивиденд, уплачиваемый по желанию акционера деньгами или в форме акций	optional dividend
дирекция (*правление*) **корпорации**	**board of directors**
договоренность о предоставлении займа на оговоренную сумму	**credit line**
дисконт	**discount**
доказательство	**evidence**
долг(-и)	**debt(-s)**
безнадежные долги	bad debts

консолидированный долг	funded debt
неконсолидированный долг	floating debt
нефундированный долг	floating debt
сомнительный долг	doubtful debt
резерв сомнительных долгов	bad debt reserve
обслуживание долга	debt service
коэффициент обслуживания долга	debt service ratio
доплаты (*к заработной плате*), **оговоренные в коллективных договорах**	**fringe benifits**
доход(-ы)	**revenue, income, earnings**
валовый доход	gross income, gross revenue, gross profit
маржинальный доход	marginal income
накопленный доход	accumulated income, accrued income, accrued revenue
налогооблагаемый доход	taxable income
непроизводственный доход	unearned income
нераспределенный доход	retained income
оперативный доход	net operating income
производственный доход	earned income
располагаемый доход	disposable income
текущий доход	current income
чистый доход	net income
использование чистого дохода	disposition of net income, disposition of net profit, disposition of net earnings
эмиссионный доход	additional paid-in capital, capital surplus
вычет из облагаемого дохода	income deduction
доход будущих лет	deferred revenue, prepaid income, deferred income, deferred credits
доход от запродаж	sales revenue
доход от операций	operating profit
доход от основной деятельности	operating revenue, operating income
доход от предпринимательства	business income
способность приносить доход	earning power
доход, полученный авансом	unearned revenue
доходы прошлого года, выявленные в отчетном году	prior year adjustment

единица	**unit, entity**
хозяйственная единица	economic unit
экономическая единица	entity
единица амортизации	depreciation unit
единица выбытия (*основного капитала*)	retirement unit
единица начисления износа	depreciation unit
журнал	**journal**
журнал векселей	note register
журнал издержек	cost ledger
журнал текущего учета	posting medium
журнал учета закупок	purchase journal
задолженность	**debt, accrued expense**
дебиторская задолженность	accounts receivable
кредиторская задолженность	accounts payable
ликвидная задолженность	liquid debt
общая задолженность	total debt
текущая задолженность	floating debt
чистая задолженность	net debt
задолженность дочерних обществ	due from subsidiaries
задолженность по обязательствам	indebtedness
задолженность рабочим и служащим по зарплате	wages payable
предел задолженности	debt limit
заем(-ы)	**loan(-s)**
облигационные займы	bonded debt
займы другим компаниям	loans to other companies
закладная	**mortgage**
запас(-ы)	**stock(-s), supplies**
наличный запас	stock in hand
товарные запасы	inventories, stock in trade
стоимость товарных запасов	inventory cost
запас в форме ценных бумаг	funded reserve
запись (*в бухгалтерской книге*)	**entry**
заключительная запись	closing entry
корректирующая запись	adjusting entry
красная запись	red-ink entry
обратная запись	reversing entry
«слепая» запись	blind entry
метод двойной бухгалтерской записи	double entry method

затраты	**cost[s], expenses**
аккумулированные непогашенные затраты	accrued expense
капитальные затраты	capitalized expense, capital expenditures
постоянные затраты	fixed cost[s]
прямые затраты	direct expense, prime cost[s], direct cost[s]
затраты по записи в бухгалтерской книге	accounting valuation
зачет	**offset**
издержки	**cost[s]**
истекшие издержки	expired cost
косвенные издержки	indirect expense, indirect cost
начисленные издержки к оплате	accrued expense
общезаводские издержки при многономенклатурном производстве	common cost[s], joint cost[s]
переменные издержки любого вида	variable cost
полные издержки (*включая все расходы фирмы*)	commercial cost[s]
постоянные издержки	fixed expense, fixed cost[s]
предельные (*маржинальные*) издержки	marginal cost
торговые издержки	selling expense
фактические издержки в истекшем операционном периоде	historical cost
издержки замещения выбытия	replacement cost
издержки отчетного периода	period cost
издержки производства	cost[s] of production
издержки подготовки производства	starting-load cost[s]
издержки производства в натуральном исчислении	real cost
издержки производства при полном использовании производственных возможностей	capacity cost
издержки сбыта продукции	distribution cost
излишек	**excess**
консолидационный излишек	consolidation excess
износ	**wear and tear**
моральный износ оборудования	obsolescence
обычный износ	usual wear and tear

имущество	**property, stock**
арендованное имущество (*собственность*)	leaseholds, leased property
имущество в денежной форме	cash assets
прочее имущество	miscellaneous assets
имущество с ограниченным сроком службы	limited-life assets
инвестиции	**investment(-s)**
долгосрочные инвестиции	long-term investment
краткосрочные инвестиции	temporary investments, short-term investment
инвестиции в форме котируемых на бирже ценных бумаг	quoted investments
капитал	**capital**
акционерный капитал	stockholders' equity, capital stock
акционерный капитал, объявленный к выпуску	authorized capital stock
выпущенный акционерный капитал	issued capital
оплаченная часть акционерного капитала	paid-in capital
«разводненный» акционерный капитал	watered capital, watered stock
разрешенный к выпуску акционерный капитал (*по номинальной стоимости*)	nominal capital
заемный капитал	borrowed capital, debenture capital
преимущественное использование заемного капитала	trading on the equity
инвестированный капитал	invested capital
оборотный капитал	floating capital, working capital, circulating assets, current assets
чистый оборотный капитал	net working capital
отношение оборотного капитала к краткосрочным обязательствам	working-capital ratio, current ratio
объявленный капитал	declared capital, stated capital
объявленный к выпуску капитал	registered capital
основной капитал	fixed capital, capital assets, fixed assets, permanent assets, physical assets
первоначальный капитал	original capital
собственный капитал	stockholders' equity
собственный капитал предприятия	net worth

ссудный капитал	loan capital
чистый капитал	net book value
доля акционера в капитале предприятия	equity
капитал в ликвидной форме	liquid capital
капитал обращения	circulating capital
оборот капитала	turnover of capital
капитал, вложенный в активы длительной иммобилизации	fixed capital
капитализация	**capitalization**
капиталовложения	**capital expenditure**
«кассовая» база	**cash basis**
книга	**book**
бухгалтерская книга	account book, ledger
заводская бухгалтерская книга	factory ledger, plant ledger
трансфертная книга	transfer book
закрытие книги	closing the book
дата закрытия книги	book closing date
книга записи	journal
книга записи акций	stock register
книга регистрации владельцев акций	stock book
книга регистрации владельцев акций и перевода права собственности на акции	stock-transfer book
компания	**company**
акционерная компания	joint-stock company
действующая (*производящая*) компания	operating company
дочерняя компания	allied company, affiliated company, subsidiary company, constituent company
дочерняя компания, владеющая привилегиями, которые не могут быть переданы материнской фирме	underlying company
инвестиционная компания	investment company
инвестиционная компания открытого типа	open-end investment company
материнская компания	parent company, controlling company
компания с ограниченной ответственностью	limited company
акционировать компанию	float a company

компания-держатель (*владеющая контрольным пакетом акций других компаний*)	**controlling company**
компания-предшественник	**predecessor company**
консолидация	**consolidation**
контр-запись	**contra entry**
контролер	**controller**
контроль	**verification, control**
бухгалтерский контроль	accounting control
внутренний контроль	internal control, internal check
счетный контроль	accounting control
контроль издержек	expense control
контроль правильности хозяйственной операции (*с помощью ваучеров*)	voucher audit
контрольный пакет акций [компании]	**controlling interest [in a company]**
иметь контрольный пакет акций	to have a controlling interest
конфиденциальность	**confidentiality**
поддерживать конфиденциальность деловой информации	maintain business confidentiality
конфискация	**forfeit**
кооператив	**cooperative**
кооперация	**cooperation**
государственная кооперация	public cooperation
иностранная кооперация	foreign cooperation
отечественная кооперация	domestic cooperation
частная кооперация	private cooperation
коэффициент(-ы)	**coefficient, factor, ratio(-s)**
оперативные и финансовые коэффициенты	operating and financial ratios
коэффициент доходности	earning ratio
коэффициент использования производственных мощностей	capacity ratio
коэффициент ликвидности	acid test ratio, liquidity ratio gross
коэффициент «рентабельность оборота»	profit ratio
кредит	**credit**
кредитор(-ы)	**creditor(-s)**
прочие кредиторы	sundry creditors
лаг	**lag**
лаг между заказом и поставкой	lead time

ликвидация	**liquidation**
ликвидация компании	liquidation of a company
ликвидация товарно-материальных запасов	inventory liquidation
материал(-ы)	**materials**
вспомогательные производственные материалы	indirect materials
основные производственные материалы	direct materials
материально-техническое обеспечение	**maintenance**
месяц	**month**
конец месяца	end of month, EOM
начало месяца	beginning of month, BOM
метод	**method**
метод периодической бухгалтерской отчетности	accrual method, accrual basis
наградные персоналу (*тантьемы*)	**bonus, imployees' bonus**
надежность	**reliability**
надежность информации	reliability of information
налог(-и)	**tax(-es)**
государственные налоги	state taxes
местные налоги	local taxes
неоплаченные налоги	tax claims, unpaid taxes
подоходный налог	income tax
налог на денежные переводы за границу	transfer tax
налог на сверхприбыль	excess profit tax, surtax
налоговое обложение	**taxation**
налоговые сертификаты	**tax reserve certificates**
недвижимость	**property, real estate**
нетто-активы	**net assets**
нетто-капитал	**book value**
облигация(-и)	**bond(-s)**
именная облигация	registered bond
конвертируемые облигации	convertible bond
облигации в портфеле	treasury bonds
облигация, выпускаемая для рефинансирования	refunding bond
облигация, выпущенная одной компанией и гарантированная другой	guaranteed bond, assumed bond

облигации, вышедшие в тираж	current maturities on long-term debt
облигация, проценты по которой выплачиваются только при наличии прибыли у компании	income bond
обман	**fraud**
обязательство(-а)	**obligation, liability(-ies)**
безусловные обязательства	direct liability
вексельные обязательства	promissory notes, debentures
долгосрочные обязательства	fixed liability, long-term liability
косвенные обязательства	secondary liability
краткосрочные обязательства	short-term liability, current liability
необеспеченное обязательство	unsecured liability
обеспеченное обязательство	secured liability
отсроченное обязательство	deferred liability
первичное обязательство	primary liability
потенциальное обязательство	contingent liability
прочие обязательства	other liabilities
совокупные обязательства	joint liability
совокупное и раздельное обязательство	joint-and-several liability
срочные обязательства	accrued liabilities, accruels
удвоенное обязательство	double liability
обязательство, по которому наступил срок платежа	matured liability
обязательство, по которому приближается срок платежа	maturing liability
взять на себя обязательство	undertake an obligation
операция	**transaction**
бухгалтерская операция	internal transaction, accounting transaction
график бухгалтерских операций	bookkeeping schedule
внешняя операция	external transaction
внутренняя хозяйственная операция	internal transaction
оплата	**payment**
остаток	**balance**
выведение остатка	closing entry
остаток на счете	balance of account
ответственность	**liability**
неограниченная ответственность	unlimited liability

ограниченная ответственность	limited liability
полная ответственность	full liability
ответственность за индоссамент	liability for endorsement
отчет	**report**
балансовый отчет	balance sheet
предварительный балансовый отчет	preliminary balance sheet, tentative balance sheet
бухгалтерский отчет	accounting report
пообъектный бухгалтерский отчет	objective statement
функциональный бухгалтерский отчет	functional statement
годовой отчет	annual report
кассовый отчет	cash statement
ликвидационный отчет	liquidation statement
промежуточный отчет	interim report, interim statement
ревизионный отчет	long-form report
финансовый отчет	[all-purpose] financial statement
годовой финансовый отчет	annual financial statement
сводный финансовый отчет	consolidated financial statement
промежуточный сводный финансовый отчет	consolidating financial statement
специальный финансовый отчет	special-purpose financial statement
анализ финансового отчета	statement analysis
правильность финансового отчета	fairness of financial statement
финансовый отчет, проведенный аудитором	certified financial statement
анализ отчета	analysis of statement
отчет дирекции предприятия	directors' report
отчет об использовании средств (*фондов*)	statement of application of funds
отчет об источниках и использовании средств	funds flow statement
отчет об убытках и прибылях	statement of loss and gain
отчет о доходах и расходах	statement of revenues and expenditures
отчет о прибылях и убытках	income sheet, income statement, operating statement
сводный отчет о прибылях и убытках	consolidated income statement
отчет о реализации и ликвидации	statement of realization and liquidation

отчет о результатах хозяйственной деятельности	operating statement, income statement
сводный отчет о результатах хозяйственной деятельности	consolidated income statement
отчет по итогам ревизии	statement of affairs
форма отчета	statement form
отчетность	**reporting**
отчетный период	**accounting period, reporting period**
отчисления	**deductions**
амортизационные отчисления	depreciation expense
аккумулированные амортизационные отчисления	accrued depreciation
отчисления в резерв из прибыли	revenue reserves
отчисления на уплату налогов	provision for taxation
оценка	**valuation, judgment, assessment**
ликвидационная оценка	liquidation value
оценка стоимости по записи в бухгалтерской книге	accounting valuation
ошибка	**error**
пассив	**liabilities**
патенты и особые права	**patents and rights**
переоценка	**revaluation**
погашение	**liquidation, redemption**
погашение долга	redemption of debt
погашение расходов по выпуску облигационных займов	amortization on debt discount and expenses
погашение ссуды	redemption of loan
подделка	**forgery**
подразделение	**entity, unit, department**
самостоятельное хозяйственное подразделение	entity, independent economic unit
структурное подразделение	department
учетное подразделение, находящееся на самостоятельном балансе	accounting entity, accounting unit
покупка	**purchase**
покупка с оплатой по соглашению	lump-sum purchase
поступления	**earnings**
чистые поступления	net earnings
потребление	**consumption**

предприятие	**enterprise**
предприятие, находящееся в эксплуатации	going concern
прибыль(-и)	**profit(-s), gain**
бухгалтерская прибыль	book profit
валовая прибыль	gross profit
внутрифирменная прибыль	intercompany profit
накопленная прибыль	accumulated profit
накопленная (*нераспределенная*) прибыль на конец периода	unappropriated earned surplus
нераспределенная прибыль	undistributed profit, undivided profit, earned surplus
нереализованная прибыль	paper profit
ожидаемая прибыль	anticipated profit
торговая прибыль	trading profit
торговая чистая прибыль	net profit on sales
чистая прибыль	net profit
чистая прибыль от производственной деятельности	net operating profit
чистая прибыль, удержанная для нужд предприятия	net earnings retained for use in the business
удержанная часть чистой прибыли	appropriated surplus, reserved surplus
доля прибыли	margin of profit
ненадлежащее накапливание прибылей (*невыплата акционерам дивидендов*)	unreasonable withholding of profits
прибыль до консолидации	profit prior to consolidation
прибыль от производственной деятельности	operating profit
прибыль, подлежащая обложению налогом	taxable profit
извлекать прибыль	derive a profit
обеспечивать прибыль	ensure a profit
получать прибыль	get a profit, secure a profit
приносить прибыль	produce a profit
распределять прибыль	distribute a profit
участвовать в прибылях	share in profit
признание	**recognition**
признание доходов	recognition of revenue
признание расходов	recognition of expenses
принцип	**principle**
принцип меньших затрат	lower-of-cost-or-market principle

проверка	**audit**
непрерывная проверка	continual review
окончательная проверка	final review
периодическая проверка	periodic review
предварительная проверка	preaudit
проводка (*перенос в бухгалтерскую книгу*)	**posting, accounting transaction**
дебитовая проводка	debit posting
кредитовая проводка	credit posting
делать проводку	post
продажа	**sale**
продажа в рассрочку	installment sale, hire-purchase
продажа ценных бумаг	liquidation
вынужденная продажа ценных бумаг	forced liquidation
продукция	**production**
реализованная продукция	products sold
производство	**production**
незавершенное производство	work-in-progress
процент(-ы) (*ссудный*)	**interest**
вмененный процент (*не отражаемый в бухгалтерском учете*)	imputed interest
сложные проценты	compound interest
проценты по облигационным займам	interest on bond
разглашение	**disclosure**
распределение	**distribution**
растрата	**embezzlement, defalcation**
расходы	**expense(-s), cost[s]**
капитализируемые расходы	capitalized expense
накладные расходы	indirect expense, overhead costs, overheads
административные накладные расходы	administration overheads
общезаводские накладные расходы	factory costs, manufacturing costs
производственные накладные расходы	manufacturing overheads
цеховые накладные расходы	departmental overheads
неэксплуатационные расходы	nonoperating expenses
общие расходы	general expenses
общие накладные расходы	general overheads
общефирменные расходы	general overhead, operating expense, general operating expense

оперативные расходы	operating expenses
постоянные расходы	fixed expense
текущие расходы	current expense
управленческие расходы	general expense, administrative expense
эксплуатационные расходы	maintenance costs
расходы будущих лет	deferred charges, deferred expenses
расходы по организации предприятия	organization cost, organization expenses
расходы по стимулированию сбыта	[sales] promotion expense
ревизия	**audit, examination**
внешняя ревизия	external audit, independent audit
внутренняя ревизия	internal audit[ing]
общая ревизия	general audit
ограниченная ревизия	limited audit
периодическая ревизия	periodic audit
предварительная ревизия	preliminary audit
специальная ревизия	special audit
проведение ревизии	auditing
период проведения ревизии	audit period
программа ревизии	audit programme
процедура ревизии	auditing procedure
ревизия баланса	balance-sheet audit
ревизия за неполный отчетный период	interim audit
ревизия кассовых остатков	cash audit
ревизия счетов	examination of accounts
полная ревизия счетов, книг, журналов и записей	detailed audit
проводить ревизию	make an audit
проводить ревизию счетов	audit the accounts
ревизор	**auditor**
внешний ревизор	external auditor, independent auditor
внутренний ревизор	internal auditor
выездной ревизор	travelling auditor, field auditor
заключение ревизора	auditor's opinion
заключение публичного (*внешнего*) ревизора (*о состоянии учета и отчетности*)	audit certificate
резерв(-ы)	**reserve(-s), provision**
амортизационный резерв	reserve for amortization
«выравнивающий» резерв	reserve for renewals and replacements, equalization reserve

капитальные резервы	capital reserves
прочие капитальные резервы	other capital reserves
общий резерв	general reserve
скрытый резерв	secret reserve, hidden reserve
страховой резерв	insurance reserve
резерв для непредвиденных расходов	contingent fund
резерв для ремонта	reserve for repairs
резерв на износ основного капитала	depreciation reserve
резерв на модернизацию и замену	renewal fund, replacement fund
резерв на накладные расходы	reserve for overheads
резерв на покрытие чрезвычайных потерь	reserve for contingencies
резерв на снижение цен	contingency reserve
резерв на списание невзысканной дебиторской задолжности	provision for uncollectible accounts receivables
резерв на финансирование эксплуатационных расходов	inventory reserve, operating reserve
резерв расширения предприятия	development reserve
резерв [для] дальнейшего развития предприятия	reserve for extensions
резервы против обязательств	liability reserves
сальдо	**balance**
дебитовое сальдо расчетов с покупателями	trade account receivable
кредитовое сальдо расчетов с поставщиками	trade account payable
маржинальное сальдо	marginal balance
начальное сальдо	opening balance
сверхприбыль	**excess profit**
сделка	**transaction**
исполненная сделка	completed transaction
себестоимость	**cost, cost value**
калькуляция себестоимости	product costing
себестоимость реализованной продукции	cost of sales
система	**system**
система бухгалтерского учета *см.* **учет**	
система двойных счетов	double-account system
система сметных оценок	estimating-cost system
система учета издержек	cost system

служащий	**employee**
служащий, получающий заработную плату	salaried employee
смета	**budget, estimate of expenditure**
оперативная смета	operating budget
финансовая смета	budget
общая финансовая смета	master budget, complete budget
смета текущих затрат	operating budget
собственность	**property**
арендованная собственность	leased property
списание	**write of...**
амортизационное списание	amortization
списание материалов в производство или их оценка в балансе по фактическим ценам приобретения	first in first out, FIFO
списание материалов в производство или их оценка в балансе по ценам последних во времени закупок	last in first out, LIFO
средства	**assets**
авансированные средства	prepaid assets, prepaid expenses
денежные средства в банках и кассе	bank balances and cash
денежные средства предприятий	cash in banks and on hand
межфондовый перевод денежных средств	interfund transfer
оборотные средства	floating assets, current assets
основные средства	fixed assets
прирост основных средств	additions to fixed assets
собственные средства предприятия	equity
средства длительного пользования	capital assets
срок службы	**service life**
предполагаемый срок службы	expected life
средний срок службы	average service life
экономический срок службы	economic life
ссуда	**loan**
срочная ссуда	term loan
ставка	**rate**
основная ставка заработной платы	standard labour rate

фактическая ставка налогового обложения	effective rate
статья (*в балансе*)	**item**
стоимость	**cost**
амортизированная стоимость	amortized cost
амортизируемая стоимость	depreciable cost
балансовая стоимость	book value
обесценение (*уменьшение*) балансовой стоимости основного капитала фирмы за время его использования	depreciation
дисконтированная стоимость	capitalized value
ликвидационная стоимость	liquidation value
объявленная стоимость	stated value
ориентировочная стоимость	estimated cost
остаточная стоимость	depreciated cost
остаточная реализуемая стоимость	recoverable cost, recoverable expenditure
первоначальная стоимость	historical cost
приведенная стоимость	present value
полная стоимость	gross book value
стоимость возмещения оборудования	replacement cost of equipment
стоимость [выраженная] в деньгах	money equivalent
стоимость материально-производственных запасов по бухгалтерской книге	book inventory
стоимость основного капитала	depreciable cost
стоимость приобретения	historical cost
сумма	**amount**
капитальная сумма	principal amount
номинальная сумма	face amount
общая сумма выплаченной заработной платы	payroll
остаточная сумма основного капитала	net fixed assets
сумма продаж	net sales
сумма продаж до вычета скидок	gross sales
суммы к оплате	payables
суммы к получению	receivables
счет(-а)	**account(-s)**
активно-пассивный счет	nominal account
активный счет	active account

банковский счет	bank account
выписка с банковского лицевого счета клиента	statement of account
бухгалтерские счета	accounting records
вспомогательный счет	subsidiary account
забалансовый счет	memorandum account, off-balance sheet
контрольный счет	control account, controlling account
номинальный счет	nominal account
общий счет	joint account
основной производственный счет	basic production cost
пассивный счет	nominal account
«поглощающий» счет	adjunct account, absorption account
расчетный счет	settlement account
ведение счетов	operation of accounts
закрытие счетов	closing
промежуточное закрытие счетов	interim closing
перечень счетов	classification of accounts
план счетов	chart of accounts
построение счета результатов, начиная с суммы продажи с последующим вычитанием из нее всех затрат и отчислений	running form
система счетов	set of accounts
счет готовой продукции	finished products account
счета и векселя к оплате	accounts and notes payable
счета и векселя к получению	accounts and notes receivable
счет основного капитала	fixed assets account
счет прибылей и убытков	profit-and-loss statement, income statement
счет расчетов с покупателями	trade account receivable
счет расчетов с поставщиками	trade account payable
вести счет	to keep an account, to maintain an account
открывать счет	to set up an account
таблица	**table**
сравнительная таблица двух или более балансов	comparative balance sheet
сравнительная таблица финансовых отчетов (*компании*) за ряд лет	comparative statement
таблица начисления износа	lapsing schedule, depreciation schedule

товарищество	**partnership**
коммандитное товарищество (*с ограниченной ответственностью*)	limited partnership
товарная наличность	**stock in trade**
товарно-материальные ценности	**inventories**
труд	**labour**
живой труд	direct labour
овеществленный труд	indirect labour
убыток	**loss, deficit**
чистый убыток	net loss
уровень выбытия (*объектов основного капитала*)	**mortality**
учет	**accounting, bookkeeping**
бухгалтерский учет	accounting, accountancy, bookkeeping
функциональный бухгалтерский учет	activity accounting
бухгалтерский учет и анализ хозяйственной деятельности в рамках фирмы	enterprise accounting
бухгалтерский учет по методу двойной записи	double-entry bookkeeping
бухгалтерский учет по системе одинарных записей	single-entry bookkeeping
методы бухгалтерского учета	accounting practices
амортизационный метод бухгалтерского учета	depreciation accounting
метод бухгалтерского учета дочерней компании	subsidiary company accounting
подразделение бухгалтерского учета по цехам	departmentalization
система бухгалтерского учета	accounting system
унифицированная система бухгалтерского учета	uniform accounting system
внешнеторговый учет	position bookkeeping
инвентарный учет товарно-материальных запасов	book inventory
оперативный учет, связанный с нуждами управления	administrating accounting, administrative accounting
производственный учет	cost accounting
система учета на основе ваучеров	voucher system
учет закупок	purchase records
учет на основе самостоятельного баланса	entity accounting

учет по видам хозяйственной деятельности	functional accounting
учетная политика	**accounting policy**
финансист-контролер	**controller**
финансовое положение	**financial position, financial condition**
финансовое счетоводство	**financial accounting**
фонд(-ы)	**fund(-s)**
амортизационный фонд	depreciation fund
возобновляемый фонд	revolving fund
выкупной фонд	sinking-fund reserve
общий фонд основного капитала	general fixed-assets fund
пенсионный фонд	pension fund
резервный фонд	reserve fund
страховой фонд	insurance fund
эмиссионный фонд	share premium account
фонд для текущего ремонта	renewal fund, replacement fund
фонд заработной платы	payroll
распределение фонда заработной платы	payroll distribution
фонд погашения (*задолженности*)	sinking fund, redemption fund
функциональный отдел	**department**
холдинг-компания	**holding company**
цена	**price**
номинальная цена акций	nominal share price
цена фирмы (*условная стоимость деловых связей фирмы*)	goodwill
ценные бумаги	**securities**
ценные бумаги, котируемые на бирже	marketable securities
чек	**check**

КОНТРАКТ — CONTRACT

КОНТРАКТ. ВИДЫ КОНТРАКТОВ — CONTRACT. TYPES OF CONTRACTS

виды контрактов	**types of contracts**
контракт на выполнение проектно-изыскательских работ	contract for carrying out design and survey work[s]
контракт на выполнение технико-экономического обоснования	contract for the preparation of a feasibility report
контракт на выполнение технического проекта объекта	contract for the preparation of a detailed project report
контракт на командирование советских специалистов	contract for the sending of Soviet specialists
контракт на компенсационных условиях	production sharing contract
контракт на обучение местного эксплуатационного персонала	contract for training local operating personnel
контракт на оказание технического содействия в строительстве объекта, техсодействие	contract for rendering technical assistance in the construction of a project
контракт на оказание технического содействия в эксплуатации объекта	contract for rendering technical assistance in project operation
контракт на поставку комплектного оборудования	contract for the supply of complete equipment
контракт на проведение научных исследований и разработок	research and development contract
контракт на проведение научных исследований, разработок, испытаний и оценок	research-development-test-and-evaluation contract
контракт на продажу лицензий и ноу-хау	contract for the sale of know-how and license
контракт на разработку	developmental contract
контракт на строительство объекта на условиях «под ключ»	“turn-key” contract
контракт на условиях риска	risk contract
контракт с заранее установленной ценой	flat fee contract
контракт с корректировкой фиксированной цены по скользящей шкале цен	fixed-price contract with escalation
контракт с оплатой издержек плюс твердая прибыль	cost-plus-fixed-fee contract

время вступления контракта в силу	**effective date of contract**
выполнение контракта	**fulfilment of contract, performance of contract, execution of contract, implementation of contract**
надлежащее выполнение контракта	proper performance of a contract
точное и своевременное выполнение контракта	due and faithful performance of a contract
во время выполнения контракта	during the performance of a contract
ход выполнения контракта	course of the implementation of a contract
возникать в ходе выполнения контракта	arise in the course of the implementation of a contract
проверять выполнение контракта	check the performance of a contract
документ(-ы) [контракта]	**[contract] document(-s)**
следующие документы [контракта]	the following documents [of a contract]
условия и оговорки документа	terms and provisions, reservations of a document
как указано (оговорено) в документе	as stated (specified) in a document
размножать документ	copy a document, duplicate a document
составлять документ	draw up a document, make up a document
толковать документ	interprete a document, construe a document
дополнение к контракту	**supplement to contract, addendum to contract**
в соответствии с дополнением ... к контракту...	as per supplement... to contract..., in accordance with supplement... to contract...
закон контракта	**contract law**
выбирать закон контракта	select the law for a contract
запрос	**enquiry, inquiry**
посылать запрос	send an enquiry *for*
исполнение контракта	**performance of contract**
во исполнение контракта	in the performance of contract
контракт	**contract**
долгосрочный контракт	long-term contract, period contract
настоящий контракт	present contract
по настоящему контракту	under the present contract
недействительный контракт	void contract

основной контракт	prime contract
полученный контракт (*контракт, подписанный в результате выигрыша торгов*)	contract awarded, contract gained
срочный контракт	terminal contract, fixed-term contract
замечания по контракту	remarks on a contract
изменения и поправки к контракту	alterations and amendments to a contract
аннулировать контракт	annul a contract, cancel a contract
выполнять контракт	execute a contract, perform a contract
иметь контракт, действовать по контракту	hold a contract
заключать контракт	make a contract, conclude a contract
направлять контракт	forward a contract
нарушать контракт	infringe a contract, break a contract
обсуждать контракт	negotiate a contract
парафировать контракт	initial a contract
передавать контракт	hand over a contract
пересматривать контракт	revise a contract
подписывать контракт	sign a contract
принимать контракт	accept a contract
рассматривать контракт	consider a contract
расторгать контракт	terminate a contract
нарушение контракта	**infringement of contract, breach of contract**
номер контракта	**contract number**
соответствующий номер контракта	relevant contract number
обязательства (*сторон*) **по контракту**	**obligations** (*of the parties*) **under contract, commitment** (*of the parties*) **under contract, liabilities** (*of the parties*) **under contract**
контрактные обязательства	contractual obligations
выполнение контрактных обязательств	fulfilment of contractual obligations
задержка в выполнении контрактных обязательств	delay in the fulfilment of contractual obligations
нести ответственность за задержку в выполнении контрактных обязательств	bear responsibility for delay in the fulfilment of contractual obligations, be responsible for delay

	in the fulfilment of contractual obligations
несвоевременное выполнение контрактных обязательств	non-fulfilment of contractual obligations on (in) time
своевременное выполнение контрактных обязательств	fulfilment of contractual obligations on (in) time
выполнять контрактные обязательства	meet contractual obligations
освободить от выполнения контрактных обязательств	free from obligations under the contract, release from obligations under the contract, relieve from obligations under the contract
прекращать выполнение контрактных обязательств	cease to be under any obligations
приостанавливать выполнение контрактных обязательств	suspend the fulfilment of contractual obligations
уклоняться от выполнения контрактных обязательств	evade the fulfilment of contractual obligations
невыполнение контрактных обязательств	non-fulfilment of contractual obligations
санкции за невыполнение контрактных обязательств	sanctions for the non-fulfilment of contractual obligations
нести ответственность за невыполнение контрактных обязательств	bear responsibility for the non-fulfilment of contractual obligations
вне объема контрактных обязательств	outside the extent of the contract
в объеме контрактных обязательств	within the extent of the contract
в рамках контрактных обязательств	within the limits of the contract
брать на себя обязательства	undertake
выполнять обязательства по контракту	meet *one's* obligations under the contract
нарушать обязательства по контракту	break *one's* obligations under the contract
серьезно нарушать обязательства по контракту	commit a gross breach of obligations under the contract
не выполнять обязательства по контракту	default [on] *one's* obligations
освобождать от дальнейших обязательств по контракту	relieve from further obligations, exonerate from further obligations

определять права и обязательства по контракту	determine *one's* rights and obligations under the contract
передавать права и обязательства третьей стороне	transfer *one's* rights and obligations to a third party
принимать на себя обязательства по контракту	assume obligations under the contract, assume responsibilities under the contract, contract liabilities
переговоры по контракту	**negotiations under contract, talks under contract**
многосторонние [торговые] переговоры	multilateral [trade] negotiations
предварительные переговоры	preliminary talks
в ходе переговоров	in the course of negotiations
переговоры на высоком уровне	high-level talks
переговоры на высшем уровне	summit talks
путем переговоров	by [means of] negotiations
срыв переговоров	disruption of talks
вести переговоры	conduct talks, hold talks, carry on negotiations, negotiate
вступать в переговоры	enter into negotiations
срывать переговоры	disrupt talks, disrupt negotiations
терпеть неудачу в переговорах	fail in *one's* negotiations
переписка по контракту	**contract correspondence**
вести переписку по контракту	conduct correspondence, hold correspondence
вступать в переписку	enter into correspondence
подписание контракта	**signing a contract**
дата подписания контракта	the date of signing a contract
в течение... с даты подписания контракта	within... days of signing a contract
контракт, должным образом подписанный уполномоченными лицами	contract, duly signed by authorized representatives
подрядчик	**contractor**
генеральный подрядчик	general contractor
покупатель	**buyer**
положение(-я) контракта	**provision(-s)**
согласно положениям контракта	under the provisions of the contract
получение контракта	**receipt of contract**
дата получения контракта	date of receipt of contract
поставщик	**supplier**
генпоставщик	general supplier

предложение	**offer**
коммерческое предложение	commercial offer
твердое предложение	firm offer
техническое предложение	technical offer
рассмотрение предложения	consideration of an offer
аннулировать предложение	annul an offer, cancel an offer
делать предложение	make an offer
отзывать предложение	revoke an offer, withdraw an offer
отклонять предложение	decline an offer, cancel an offer
передавать предложение	hand an offer *to*
представлять [заказчику] предложение	submit an offer [to the customer]
принимать предложение	accept an offer
рассматривать предложение	consider an offer
детально рассматривать предложение	consider an offer in detail
приложение к контракту	**appendix to contract**
перечисленный в приложении	listed in appendix
приложенный к контракту	attached to contract, annexed to contract, enclosed with contract
упомянутый в приложении	mentioned in appendix
как указано в приложении к контракту	as per appendix to contract
проект контракта	**draft contract**
проформа контракта	**contract form**
расторжение контракта	**cancellation of contract**
в случае расторжения контракта	should the contract be cancelled
дата расторжения контракта	date of cancellation of a contract
срок действия контракта	**term of contract**
истечение срока действия контракта	expiry of a contract term, expiration of a contract term
согласно сроку действия контракта	in compliance with a contract term
продлить срок действия контракта	prolong a contract term
статья(-и) контракта	**contract clause(-s), contract article(-s)**
дополнительные статьи контракта	additional contract clauses
основные статьи контракта	main contract clauses
включать в контракт статью	include a clause into a contract
дополнять статью контракта	supplement a contract clause
исключать статью контракта	exclude a contract clause

пересматривать статью контракта	revise a contract clause
предусматривать статью контракта	provide for a contract clause
сторона контракта	**contract party**
вторая сторона	second party
договаривающаяся сторона	contracting party
первая сторона	first party
юридические адреса сторон	legal addresses of the parties, juridical addresses of the parties
толкование контракта	**interpretation of contract**
условия контракта	**conditions of contract, terms [and conditions] of contract, provisions of contract**
надлежащие условия контракта	proper conditions of a contract
общие условия контракта	general conditions of a contract
ссылка на общие условия контракта	reference to the general conditions of a contract
специальные условия контракта	special conditions of a contract
на следующих условиях контракта	on the following terms and conditions of a contract
согласование условий контракта	contract negotiation
быть ограниченным условиями контракта	be bound by terms and conditions of a contract
нарушать условия контракта	infringe terms and conditions of a contract
пересматривать условия контракта	revise terms and conditions of a contract
окончательно согласовать условия контракта	finalize terms and conditions of a contract
формулировать условия контракта	word terms and conditions of a contract
формулировка контракта	**wording of contract**
новая формулировка	fresh wording
окончательная формулировка	final wording
точная формулировка	exact wording
части контракта	**contract parts**
коммерческая часть контракта	commercial part of a contract
техническая часть контракта	technical part of a contract
быть неотъемлемой частью контракта	be an integral part of a contract
язык контракта	**contract language**

ФРАЗЫ

Вы получили наш запрос на поставку...?	Have you received our enquiry for the delivery of...?
станков (моторов)	machine-tools (motors)
котлов	boilers
Мы внимательно его изучили и можем предложить новейшую модель...	We have considered it carefully and can offer you our latest model...
Надеемся, что она отвечает вашим требованиям	We hope it meets your requirements
Мы тщательно изучили ваше предложение	We have carefully studied your offer
Давайте обсудим сейчас некоторые вопросы вашего (нашего) предложения	Let's discuss some points of your (our) offer now
Это как раз то, что я бы хотел выяснить	That's just what we would like to clear up
Что вы думаете о нашем предложении?	What do you think of our offer?
В целом, оно приемлемо, но мы не согласны с...	On the whole it's acceptable but we can't agree to your...
вашей ценой	price
условиями платежа	terms of payment
периодом поставки	delivery period
условиями поставки	terms of delivery
Мы согласны с условиями вашего проекта контракта	We agree to the terms of your draft contract
У нас есть ряд замечаний по...	We have a few remarks to make on...
некоторым статьям общих условий контракта	some clauses of the General Conditions of the contract
сроку действия контракта	the term of the contract
обязательствам сторон по контракту	the contractual obligations of both parties
Прошу вас...	We ask you...
изложить ваши замечания	to make your comments
еще раз изучить нашу просьбу	to consider our request once again
Я (не) согласен(-на) с вашим предложением	I (do not) agree to your offer
Мы хотели бы выяснить несколько вопросов, связанных с...	We'd like to clear up some points connected with the...
технической частью контракта	technical part of the contract
коммерческой частью контракта	commercial part of the contract
Все вопросы при обсуждении... были согласованы	All the points were agreed upon during the discussion of the...

технического предложения	technical offer
коммерческого предложения	commercial offer
Мы успешно провели переговоры по согласованию...	We have successfully conducted our negotiations on the coordination of the...
прав и обязательств сторон по контракту	rights and obligations of the parties under the contract
статей контракта	clauses of the contract
Надеемся, что настоящие переговоры успешно завершатся в ближайшее время подписанием контракта на...	We hope that the present negotiations will be successfully completed in the near future with the signing of a contract for the...
поставку комплектного оборудования	delivery of complete equipment
строительство объекта на условиях «под ключ»	construction of a project on a "turn-key" basis
продажу лицензий ноу-хау	sale of know-how
Мы в принципе согласны с...	In principle we agree with...
большинством статей, касающихся общих условий	most of the clauses referring to the General Conditions
изменениями и поправками к контракту	the alterations and amendments to the contract
объемом обязательств Подрядчика по контракту	the extent of the Contractor's obligations under the contract
Мы готовы принять предложенные... стороной формулировки	We are ready to accept the wording suggested by the... side
советской	Soviet
ливийской	Libyan

ДИАЛОГИ

П. Г-н..., есть ли у вас какие-либо вопросы по контракту?	S. Mr..., have you any questions as regards the contract?
З. Нет, я считаю, что мы с вами разрешили все спорные вопросы.	C. No, I think we have settled all the points under dispute.
П. Хорошо. Если в процессе работы возникнут вопросы, мы будем их решать оперативно в рабочем порядке.	S. Good. If some problems arise in the process of work we shall deal with them there and then.
Принципиальные вопросы по взаимной договоренности могут быть включены в дополнение к контракту.	Some principal points can be included into a supplement to the contract upon mutual agreement.
З. Согласен.	C. Agreed.
П. В таком случае мы поручим нашим экспертам и юристам подготовить контракт к подписанию.	S. Fine. In that case we'll tell our experts and lawyers to prepare the contract for signing.

Я думаю, что эта чисто техническая работа не займет много времени, и мы можем назначить подписание на... вечера (утра).

I don't think, this purely technical work will take much time and we can sign the contract at... o'clock in the evening (morning).

З. Думаю, что это удобное время для подписания контракта. Г-н..., мы с вами хорошо и плодотворно поработали и, думаю, заслужили хороший отдых. Я приглашаю вас пообедать в ресторане и совершить небольшую поездку по городу.

C. I believe that time will be convenient for signing the contract. Mr..., we've worked hard and fruitfully, so I think we deserve a good rest. I'd like to invite you to have dinner in a restaurant and make a tour of our city.

П. Я с благодарностью принимаю ваше предложение, г-н... Позвольте еще раз поблагодарить вас за конструктивный деловой подход к решению вопросов, которые сдерживали подписание контракта.

S. I'm very happy to accept your invitation, Mr... Let me once more thank you for the constructive way you helped to settle all the problems that were in the way of signing the contract.

ОСНОВНЫЕ СТАТЬИ КОНТРАКТА / MAIN CLAUSES OF CONTRACT

ЦЕНА КОНТРАКТА / PRICE OF CONTRACT

СЛОВА

валюта — **currency, exchange**

в... выражении — **in... terms, in terms of...**
- в денежном выражении — in terms of money, in money terms
- в объемном выражении — in terms of volume

в... исчислении — **in... terms, in terms of...**
- в процентном исчислении — in percentage terms
- в реальном исчислении — in real terms
- в стоимостном исчислении — in value terms, in terms of value

выработка (*производительность труда*) — **productivity**
- выработка рабочих в физических объемах — productivity of workers in actual volumes
- норма выработки — standard productivity

затраты — **charges, cost[s], expenses**
- аварийные затраты — accident cost[s]
- возмещаемые затраты — reimbursable expenses
- годовые затраты — annual cost[s]
- единовременные затраты — lump-sum cost[s]
- капитальные затраты — capital cost[s]
- нормативные затраты — cost standards, standard cost[s]

общие затраты	total cost[s]
первоначальные затраты	initial cost
плановые затраты	planned cost[s]
постоянные затраты	fixed cost[s]
суточные затраты	cost[s] per day
текущие затраты	carrying cost[s]
фактические затраты	actual cost[s]
эксплуатационные затраты	working cost[s]
затраты в конвертируемой валюте	expenses in convertible currency
затраты в местной валюте	expenses in local currency
затраты в расчете на...	cost[s] per...
затраты в твердой валюте	hard currency expenses
затраты на материально-техническое снабжение	procurement cost[s]
затраты на монтажные работы	cost of installation, erection cost[s]
затраты на приобретение материалов	inventory acquisition cost[s]
затраты на сверхурочные работы	overtime cost[s]
затраты на содержание неиспользуемой (*резервной*) мощности	standby charges
затраты на строительные работы	cost of construction
затраты на транспортировку	shipping cost[s], transportation cost[s]
сумма затрат *см.* **сумма**	
затраты, связанные с наймом рабочей силы	hiring cost[s]
покрывать затраты	cover expenses
издержки	**cost[s]**
допустимые издержки	allowable cost[s]
капитальные издержки	capital cost[s]
косвенные издержки	indirect cost[s], oncost
непроизводственные издержки	nonmanufacturing cost[s]
нерегулируемые издержки	noncontrollable cost[s]
общезаводские издержки	joint cost[s]
первоначальные издержки	original cost[s]
плановые издержки	planned cost[s]
понесенные издержки	incurred charges
постоянные издержки	fixed cost[s]
сметные издержки	budgeted cost[s]
снижающиеся издержки	decreasing cost[s]

совокупные издержки	aggregate cost[s], combined cumulative cost[s]
текущие издержки	carrying cost[s], current cost[s], current-outlay cost[s]
удельные издержки	unit costs
фактические издержки	actual cost[s]
за вычетом издержек	less costs, minus costs
издержки на единицу продукции	unit costs
издержки на материалы	material cost[s]
издержки на оплату рабочей силы	labour costs
издержки на текущий ремонт	maintenance cost[s]
издержки на техническое обслуживание и текущий ремонт	maintenance cost[s]
издержки освоения нового производства	start-up cost[s]
издержки по доставке	delivery cost[s]
издержки производства	operating cost[s], operation[al] cost[s], production cost[s]
калькуляция издержек	costing
ценой больших издержек	at heavy cost
издержки, связанные с охраной окружающей среды	environmental cost[s]
взыскивать издержки	recover cost[s]
возмещать издержки	recoup cost[s]
нести издержки	incur cost[s]
сокращать издержки	reduce cost[s]
индекс	**index**
общий (*групповой*) индекс	general index
средневзвешенный индекс	average weighted index
индекс реальной заработной платы	index of real wages
индекс стоимости	value index
индекс цен	price index
калькуляция (*вычисление*)	**calculation**
сметная калькуляция	estimate calculation
калькуляция курса валюты	calculation of exchange rate
калькуляция себестоимости	costing, cost calculation
калькуляция *см.* **смета**	
каталог	**catalogue**
конкурент(-ы)	**competitor(-s)**
потенциальные конкуренты	potential competitors, would-be competitors
предложения конкурентов	competitors' offers

конкурентные материалы	**competitive materials**
имеющиеся в наличии конкурентные материалы	available competitive materials
последние конкурентные материалы	latest competitive materials
устаревшие конкурентные материалы	dated competitive materials, out-of-date competitive materials, outdated competitive materials
передавать конкурентные материалы	hand in competitive materials, hand over competitive materials
представлять конкурентные материалы	submit competitive materials
сравнивать конкурентные материалы	compare competitive materials
конкурентоспособность	**competitiveness**
показатель конкурентоспособности	index of competitiveness
конкуренция	**competition**
жестокая конкуренция	severe competition
недобросовестная конкуренция	unfair competition
оживленная конкуренция	active competition
острая конкуренция	keen competition
свободная конкуренция	free competition
честная конкуренция	fair competition
выдерживать конкуренцию	sustain competition
сталкиваться с конкуренцией	meet with competition
конкурировать	**compete**
конъюнктура	**current situation, market situation, conjuncture**
конъюнктура рынка	market condition
котировка(-и)	**quotation(-s)**
ежемесячные котировки	monthly quotations
косвенная котировка	indirect quotation
начальная котировка	first quotation
окончательная котировка	final quotation
прямая котировка	direct quotation
самая последняя котировка	latest quotation
представлять котировки	submit quotations
налоги	**taxes**
начисление(-я)	**[extra] charge(-s)**
начисления на заработную плату	charges on payroll
наценка	**addition, increase of price, mark up**

отчисления	**deductions**
амортизационные отчисления	depreciation charges
предложение(-я) (*фирмы*)	**offer(-s)**
встречное предложение	counter offer
твердое предложение	firm offer
аннулировать предложение	cancel an offer
делать предложение	make an offer
изучать предложение	consider an offer
отклонять предложение	decline an offer, reject an offer
представлять предложение	submit an offer
принимать предложение	accept an offer
сравнивать предложения	compare offers
прейскурант	**[price] current, price-list**
прибыль(-и)	**profit(-s)**
валовая прибыль	gross profit
добавочная прибыль	extra profit
непредвиденная прибыль	unforeseen profit, incidental profit
нереализованная прибыль	paper profit
ожидаемая прибыль	anticipated profit, expected profit
относительная прибыль	relative profit
плановая прибыль	planned profit, target profit
средняя прибыль	average profit
устойчивая прибыль	sustained profit
чистая прибыль	net profit, pure profit
норма прибыли	rate of profit
прибыль до уплаты налога	before-tax profit
прибыль за вычетом налогов	after-tax profit
прибыль на единицу продукции	unit profit
прибыль, подлежащая обложению налогом	taxable profit
извлекать прибыль	derive a profit
обеспечить прибыль	ensure a profit
получать прибыль	get a profit, make a profit, secure a profit
приносить прибыль	produce a profit, yield a profit
распределять прибыль	distribute a profit, allot a profit
участвовать в прибылях	share in profits
процент(-ы)	**interest, per cent, percentage**
выражать в процентах	express as a percentage, express in per cent, express in percentage terms

расход(-ы)	**charges, cost[s], expenses, expenditure**
административные расходы	administrative cost[s], administrative expenses, cost of administration, organizational cost[s]
амортизационные расходы	amortization cost[s], depreciation charges, depreciation cost[s]
дополнительные расходы	extra expenses
командировочные расходы	travelling expenses
мобилизационные расходы	mobilization expenses
накладные расходы	burden cost[s], overhead charges, overhead cost[s], overhead expenses, oncost
непредвиденные расходы	contingencies, incidental expenses
резерв на непредвиденные расходы	contingency reserve
нормативный расход (*предусмотренный сметой*)	standard expense allowance
общезаводские накладные расходы	manufacturing costs
прочие расходы	miscellaneous cost[s]
регулируемые расходы	controllable expenses
ремонтные расходы	repair expenses
сметные расходы	budgeted expenses
социально-культурные расходы	welfare costs
текущие расходы	carrying expenses, current expenses
транспортные расходы	transportation charges
фактические расходы	actual expenses
эксплуатационные расходы	operation[al] cost[s], operating expenses, overall operating expenses, running expenses
возмещение расходов	reimbursement of expenses
за вычетом расходов	less expenses, minus expenses
оплата расходов	payment of expenses
размер расходов	amount of expenses
расходы в местной валюте	expenses in local currency
расходы в рублях	expenses in roubles
расходы в твердой валюте	expenses in hard currency
расходы на жилье	expenses for accommodation
расходы на коммунальные услуги	expenses for services
расходы на комплектацию	expenses on making up complete sets
расходы на техническое обслуживание и текущий ремонт	maintenance expenses

расходы по выплате подъемного пособия	expenses on transfer allowance
расходы по замене специалистов	expenses on the replacement of specialists
расходы по изыскательским работам	expenses on survey work[s]
расходы по командированию специалистов	expenses on sending specialists
расходы по монтажу оборудования	expenses on erection
расходы по отзыву специалистов	expenses on the recall of specialists
расходы по провозу багажа	luggage transportation expenses
расходы по проезду	travelling expenses
расходы по проектным работам	expenses on design work[s]
расходы по устранению дефектов	expenses on the elimination of defects
смета расходов	estimate of expenses
статьи расходов	items of expenses
сумма расходов	sum of expenses
расходы, относящиеся к...	expenses pertaining to...
расходы, понесенные из-за...	expenses incurred because of...
расходы, связанные с обучением специалистов	expenses, connected with the training of specialists
расходы, связанные с пребыванием специалистов в стране заказчика	expenses, connected with the stay of specialists in the customer's country
нести расходы	bear expenses
оплачивать расходы	cover expenses, pay expenses
расценки	**prices, rates**
единичные расценки	unit prices
существующие расценки	current prices, current rates
расценки на работы	unit prices for work[s], rates of executing work[s)
рентабельность	**profitability, profitableness**
долгосрочная рентабельность	long-term profitability
рентабельный	**profitable**
быть рентабельным	pay *one's* way, be profitable
рынок(-и)	**market(-s)**
внешний рынок	external market, foreign market
внутренний рынок	domestic market, home market, internal market
денежный рынок	money market
стесненный денежный рынок	tight money market

местный рынок	local market
мировой рынок	world market
национальный рынок	national market
неустойчивый рынок	uncertain market, unsettled market, unsteady market
свободный рынок	free market
устойчивый рынок	steady market
финансовый рынок	financial market
конъюнктура рынка	market condition, market situation
конъюнктура рынка, выгодная для покупателей	buyers' market
конъюнктура рынка, выгодная для продавцов	sellers' market
потребности рынка	requirements of the market
рынок оборудования	equipment market
рынок сырья	raw materials market
состояние рынка	market condition
расширять рынки	expand markets
сбор	**levy**
налоговый сбор	tax levy
себестоимость	**cost, cost price, prime cost, self-cost**
калькуляция себестоимости	costing
ниже себестоимости	below cost
по себестоимости	at cost, at par
почти по себестоимости	next to cost
себестоимость единицы продукции	unit cost
себестоимость реализованной продукции	cost of sales
снижение себестоимости	cost reduction
скидка	**allowance, discount, rebate, reduction**
дополнительная скидка	bonus
разумная скидка	reasonable discount
скидка в размере...%	discount of...%, ...% discount
скидка с цены	price rebate, reduction in the price, discount (off) from the price
со скидкой	at a discount
со скидкой в...%	less discount of...%
продавать со скидкой	sell at a discount
предоставлять скидку	allow a discount, grant a discount, give a discount, grant a rebate
смета, калькуляция	**budget, calculation, estimate, schedule of expenses, cost estimate**

смета расходов	budget of expenditure, calculation of costs, estimate of costs, expense budget
смета текущих затрат	operation budget
составление смет	fixing of budgets
превышать смету	exceed the budget
составлять смету	build up budget, estimate
срок окупаемости	**payback time**
ставка(-и)	**rate(-s)**
действующие ставки	current rates
единые ставки	uniform rates
минимальная ставка	minimum rate
налоговая ставка	tax rate
сдельная ставка	piece rate
существующая ставка, общераспространенная ставка	prevailing rate
ставки арендной платы	rent rates
ставки арендной платы за пользование строительными машинами, оборудованием, механизмами и транспортными средствами	rent rates for building machines, equipment, mechanisms and transport facilities
ставки арендной платы за служебные и жилые помещения	rent rates for offices and residential premises
ставки заработной платы	labour rates, wage rates
ставки накладных расходов	overhead rates
ставки сборов за страхование, страховые ставки	insurance rates
ставки сборов за хранение	rates of charges for storage, rates of storage charges
статья	**item**
статья расходов	item of expenses
стоимость	**cost, value**
возможная стоимость	probable cost
соображения о возможной стоимости строительства	statement of probable construction cost
конечная стоимость	final cost
контрактная стоимость	contract cost, contract value
нормативная стоимость	standard cost
общая стоимость	total cost, total value
ориентировочная стоимость	estimated cost, tentative cost
относительная стоимость	relative cost
сметная стоимость	estimate of cost
совокупная стоимость	aggregate cost
средняя стоимость	average cost

условная стоимость	conditional cost
установленная стоимость	fixed limit of cost
калькуляция стоимости	calculation of cost
оценка стоимости	estimation of cost
предварительная оценка стоимости	tentative estimation of cost
показатель стоимости	cost index
укрупненные показатели стоимости	global prices
стоимость в постоянных ценах	constant cost
стоимость в текущих ценах	current cost
стоимость вывоза со строительной площадки строительного оборудования	cost of removing constructional equipment from the construction site
стоимость выполнения монтажных работ	cost of erection work[s]
стоимость выполнения пусконаладочных работ	cost of starting-up and adjustment work[s]
стоимость выполнения строительных работ	cost of civil engineering work[s]
стоимость доставки	cost of delivery
стоимость изготовления	cost of manufacturing, cost of manufacture
стоимость капитального ремонта	cost of overhaul
стоимость материалов	cost of materials
стоимость монтажа	cost of assembling, cost of erection, cost of mounting
стоимость оборудования	cost of equipment, equipment cost
стоимость объекта	project cost
стоимость перевозки	cost of transportation
стоимость провоза багажа	cost of luggage transportation
стоимость проезда	cost of travel
стоимость работ	cost of work[s]
стоимость рабочей силы	cost of labour
стоимость строительства	construction cost
гарантированная максимальная стоимость строительства	guaranteed maximum cost
сметная стоимость строительства	detailed estimate of construction cost
установленная стоимость строительства	fixed limit of construction cost
стоимость услуг	cost of services
стоимость энергоресурсов (*различных видов энергии, подводимых к рабочему месту*)	cost utilities

сумма(-ы)	**amount, sum(-s)**
общая сумма, полная сумма	total sum, sum total, full sum
причитающаяся сумма	sum due, sum owing
согласованная сумма	agreed sum
сумма, имеющаяся в наличии	available amount
выделять суммы	allocate sums
тариф	**tariff**
тенденция	**tendency, trend**
долговременная тенденция	long-run trend, long-term trend
кратковременная тенденция	short-term trend
общая тенденция	general trend
преобладающая тенденция	prevailing trend
современная тенденция	current trend
тенденция к повышению	rising trend, upward tendency
тенденция к понижению	falling trend, downward tendency
уступка(-и)	**concession(-s)**
взаимные уступки	reciprocal concessions
уступка в цене	price concession
делать уступки в цене	grant price concessions
идти на уступки	make concessions
цена(-ы)	**price(-s)**
абсолютная цена	absolute price
базисная цена	base price, basis price
вздутые цены	inflated prices
выгодная цена	remunerative price
высокие цены	heavy prices, high prices
чрезмерно высокие цены	excessive prices
высшая цена	top price
гарантированная цена	guaranteed price
гибкая цена	flexible price, sensitive price
глобальная цена	global price
групповая цена	group price
действительная цена	real price
действующие цены	established prices
договорная цена	contract price
единая цена	common price
единые цены	uniform prices
завышенная цена	overestimated price
закупочная цена	procurement price, purchasing price
заниженная цена	underestimated price
запрашиваемая цена	asked price, offered price
изменяющиеся цены	variable prices

конкурентоспособная цена	competitive price
контрактная цена	contract price
крайняя (*максимальная*) цена	outside price
крайняя (*низшая*) цена	bedrock price, rock-bottom price
максимальная цена	ceiling price, maximum price, peak price, price ceiling, highest price
международные цены	international prices
единые международные цены	uniform international prices
местные цены	local prices
минимальная цена	floor price, minimum price, lowest price
мировая цена	world price
на базе мировых цен	on the basis of world prices
монопольная цена	monopoly price
назначенная цена	quoted price
нарицательная цена, номинальная цена	nominal price
продавать выше номинальной цены	sell at a premium
продавать ниже номинальной цены	sell at a discout
начальная цена	initial price, starting price, trigger price
негибкая цена	nonflexible price
неконтролируемые цены	uncontrollable prices
низкая цена	low price
нормальная цена	normal price
обоснованная цена	reasonable price
общая цена	total price
распределение общей цены	distribution of total price
объявленная цена	posted price, published price
окончательная цена	final price, net price
определенная цена	determined price
оптовая цена	wholesale price
ориентировочная цена	guiding price
основная цена	basic price
относительная цена	relative price
паушальная цена	lump-sum price
первоначальная цена	initial price
повышенная цена	advanced price
позиционная цена	item price, itemized price, itemwise price
покупная цена	buying price, purchase price
пониженная цена	reduced price

постоянная цена, неизменная цена	constant price
поштучная цена, штучная цена	piece price
предельная цена	price limit
предлагаемая цена, предложенная цена	suggested price
прейскурантная цена	list price
преобладающая цена	prevailing price, ruling price
приведенные цены	adjusted prices
приемлемая цена	acceptable price, fair price
продажная цена	selling price
растущие цены	escalating prices
расчетная цена	accounting price, settlement price
регулируемые цены	controlled prices
розничная цена	retail price
рыночная цена	market price
сезонная цена	seasonal price
скользящая цена	sliding price, sliding-scale price
оговорка о скользящих ценах	escalation clause, escalator clause
скорректированная цена	adjusted price
сметные цены	estimate prices
смешанные цены	mixed prices
снижающиеся цены	dropping prices, falling prices, receding prices
сниженная цена	reduced price
согласованная цена	agreed price
сопоставимые цены	comparable prices
справедливая цена	fair price
средневесовая цена	average weight price
средняя цена	average price, mean price, medium price
стабильные цены	stable prices, steady prices
стандартные цены	standard prices
стоп-цена	stop-price
существующая цена	current price, present price
твердая цена	firm price, set price
торговая цена	trade price
умеренная цена	moderate price, reasonable price
управляемая цена	administered price
условная цена	notional price
установленная цена	established price
фактическая цена	actual price
фактурная цена	invoiced price
фиксированная цена	fixed price

экспортная цена	export price
валюта цены	currency of price
вычет из цены	deduction from price
в ценах	in prices
динамика цен	price behaviour, price movements
изменение в цене	alteration in price
индекс цен	price index
калькуляция цены	calculation of price
колебание цен	price fluctuation, price variation
пределы колебания цены	margins of price fluctuation
контроль над ценами	price control
корректировка цены	adjustment of price, price adjustment
производить корректировку цен	effect price adjustment, perform price adjustment, adjust prices
масштаб цен	standard of price
устанавливать масштаб цен	establish the standard of price
накидка на цену	addition to price, mark-up
несоответствие в ценах	maladjustment of prices
ножницы цен	price scissors
нормативы цен	price normals
определение цены	determination of price
оценка цены	price evaluation
пересмотр цены	price revision
формула пересмотра цен	price revision formula
повышение цены (*после падения*)	recovery of price
повышение цены	price rise, rise in price
10% (20%) повышение цены	a 10% (20%) price rise
вызывать повышение цены	produce a rise in price
понижение цены	reduction in (of) price
10% (20%) понижение цены	a 10% (20%) reduction in (of) price
по цене...	at the price of...
покупать по цене...	buy at the price of...
предлагать по цене...	offer at the price of...
проблема цены	price problem
урегулировать проблему цены	settle the price problem
разбивка цены	breakdown of price
детальная разбивка цены	detailed breakdown of price
предварительная разбивка цены	preliminary breakdown of price

разбивка цены в процентах	percentage breakdown of price
разница в ценах	variation in (of) prices
расчет цен	calculation of prices, computation of prices
регулирование цен	price control
выборочное регулирование цен	selective price control
рост цен	rise in prices
годовой рост цен	annual rise in prices
средний годовой рост цен	average annual rise in prices
принятый рост цен	accepted rise in prices
система цен	price system
скольжение цены	price escalation
формула скольжения цены	price escalation formula
соотношение цен	parity of prices
составляющая цены	component of price
стабилизация цен	price stabilization
тенденция цены	price tendency
увеличение цены	increase in price, price increase
расчет увеличения цены	calculation of the increase in price
удержание из цены	deduction from price
уровень цен	price level
установление цены, назначение цены	price-fixing, price-making, pricing, setting of price
фиксация цены	price fixing
способ фиксации цены	method of price fixing
фиксированность цены	fixity of price
цена базового года	base-year price
цена внутреннего рынка	domestic price, home market price, internal price
цена года поставки	price of the year of delivery
цена за 1 кВт-ч [мощности]	price per 1 kw
цена за 1 кг [веса]	price per 1 kg
цена за штуку	price per piece
цена контракта	contract price, price of contract
цена местного рынка	local market price
цена мирового рынка	world market price
цена на...	price of...
цена поставки	supply price
цена по укрупненным показателям	global price
цена при продаже с торгов	tender price
цена производителей	producer's price
цена производства	cost price

цена с баржи	price ex lighter
цена свободного рынка	free-market price
цена с выгрузкой на берег	landed price
цена с надбавкой	premium price
цена со скидкой	discount price
цена со склада	price ex warehouse
цена с палубы	price ex ship
цена с пристани	price ex quay
цена спроса	demand price
цена «средние издержки плюс прибыль», цена с приплатой	cost plus price
цена «стоимость и фрахт»	cost and freight price, price c. and f.
цена «стоимость, страхование, фрахт», цена СИФ	cost, insurance, freight price, price c.i.f.
цена франко-автотранспорт	free on truck price, f.o.t. price
цена франко-борт, цена ФОБ	free on board price, f.o.b. price
цена франко-вагон, цена ФОР, франко-рельсы	free on rail price, f.o.r. price
цена франко вдоль борта судна, цена ФАС	free alongside ship price, f.a.s. price
цена франко-граница	free at border price, free-frontier price
цена франко-завод	price ex works
цена франко-склад	price ex warehouse
часть цены [контракта]	component of [contract] price, part of [contract] price
кредитная часть цены	credit part of contract price
рублевая часть цены	rouble part of contract price
часть цены [контракта] в местной валюте	part of [contract] price in local currency
часть цены [контракта] в твердой валюте	hard currency component of [contract] price
эскалация цен *см.* **эскалация**	
цена, выгодная для покупателей	buyers' price
цена, выгодная для продавцов	sellers' price
цена, предусмотренная в...	the price provided for..., the price stipulated in (by)...
цена, содержащаяся в...	the price contained in...
цена, указанная в...	the price stated in...
выражать в процентах от цены	express as a percentage of the price
вычитать из цены	deduct from the price
договариваться о цене	negotiate a price
договориться о цене	agree on the price, settle the price

завышать цену [на...%]	overestimate the price [by...%]
занижать цену [на...%]	underestimate the price [by...%]
корректировать цены	adjust prices
менять цены	alter prices
назначать цену	charge a price, fix a price, price, quote a price, set a price
обсуждать цену	negotiate the price
оказывать воздействие на цену	affect the price
определять цену	determine the price
основывать цену на...	base the price on...
пересматривать цену	reconsider the price, renegotiate the price
поддерживать цены	shore up prices
подтверждать цену	confirm the price
покупать по цене	buy at a price of...
превышать цену	exceed the price
предлагать цену	offer a price
принимать цену	agree to the price
продавать по [более высокой (более низкой)] цене	sell at a [higher (lower)] price
рассчитывать цену	calculate the price
сбивать цены	force down prices, send down prices, beat down prices
снижать цены	bring down prices, depress prices, scale down prices, squeeze down prices, reduce prices
согласовать цену	agree upon the price
сравнивать цены	compare prices
увеличивать цену, добавлять к цене	add to the price
удерживать из цены	deduct from the price
удерживать цену (*на прежнем уровне*)	sustain the price
указывать цены	quote prices, state prices
упорядочить цены	rationalize prices
устанавливать цену	ascertain a price, establish a price
уточнять цену	specify the price
цена включает	the price includes
цена выше	the price is higher
цена ниже	the price is lower
цена контракта не подлежит корректировке	contract price is not subject to adjustment
цена контракта не подлежит увеличению	contract price is not subject to escalation

цена контракта подлежит корректировке	contract price is subject to adjustment
цена контракта подлежит увеличению	contract price is subject to escalation
цена отличается от...	the price differs from...
цена покрывает	the price covers
цена составляет	the price amounts to, the price makes up, the price is
ценообразование	**pricing, price formation**
конкурентное ценообразование	competitive pricing
политика в области ценообразования	pricing policy
эскалация [цен]	**[price] escalation**
формула эскалации [цен]	[price] escalation formula
подлежать эскалации	be subject to escalation

ФРАЗЫ ◄

Просим вас пересмотреть планируемые...	We ask you to reconsider the planned...
капитальные затраты	capital costs
нормативные затраты	standard costs
эксплуатационные затраты	operational costs
затраты в конвертируемой валюте	expenses in convertible currency
затраты на строительно-монтажные работы	expenses for civil and erection work[s]
Вряд ли это возможно	It's hardly possible
Мы постараемся это сделать	We'll try and do it
Для достижения рентабельности предприятия необходимо снизить...	To make the project profitable it's necessary to reduce...
общезаводские издержки	joint cost[s]
текущие издержки	current-outlay cost[s]
издержки на единицу продукции	unit costs
издержки освоения нового производства	start-up costs
Вы получили наши...?	Have you got our...?
конкурентные материалы	competitive materials
прейскуранты	price-lists
каталоги на оборудование	catalogues of equipment
Да, мы должны их тщательно изучить	Yes, we have, we must study them carefully
Мы можем представить вам конкурентные материалы и предложения фирм в доказательство нашей цены	We can give you our competitive materials and offers of different firms to justify our prices

Эти конкурентные материалы устарели, а предложения этих фирм не могут быть базой наших переговоров по ценам	These competitive materials are outdated and the offers of these firms can't be a basis for our talks on prices
Какова... прибыль этого предприятия?	What is the... profit of this enterprise?
валовая	gross
ожидаемая	expected
средняя	average
чистая	net
Расходы в... вами завышены	You have overestimated the expenses in...
местной валюте	local currency
рублях	roubles
твердой валюте	hard currency
Расчет расходов произведен на основе представленных вами исходных данных с учетом эскалации цен	The calculation of expenses is made on the basis of initial data submitted by you, taking into account the escalation of prices
Просим вас взять на себя расходы по...	We ask you to cover the expenses on the...
замене специалистов	replacement of specialists
отзыву специалистов	recall of specialists
устранению дефектов	elimination of defects
Не возражаем. Это соответствует международной практике	No objections. That's international practice
Просим вас представить нам расценки на выполнение всех видов работ	We ask you to submit to us the costs of the execution of all kinds of work
Мы готовы пойти навстречу и предоставить вам разумную скидку	We are prepared to make you a concession and grant you a reasonable discount
Давайте обсудим...	Let's discuss the...
существующие ставки арендной платы за пользование строительными механизмами и оборудованием	current rent for using building mechanisms and equipment
существующие ставки арендной платы за служебные и жилые помещения для советских специалистов	current rent for offices and residential premises for Soviet specialists
ставки заработной платы	wage rates
ставки налогов	tax rates
... значительно превышает наши расчеты	The... considerably exceeds our calculations
Контрактная стоимость	contract value
Сметная стоимость	estimate of cost
Стоимость выполнения работ	cost of the execution of works

Стоимость доставки оборудования	cost of the delivery of equipment
Стоимость оборудования	cost of equipment
Стоимость объекта	project cost
Что вы думаете о наших ценах?	What do you think of our prices?
Они завышены	They are overestimated
Они нас устраивают	They suit us
Какова ваша... цена?	What's your... price
глобальная	global
групповая	group
позиционная	item
поштучная	piece
средневесовая	average weight
Ваши цены находятся на уровне мировых цен	Your prices are at the level of world prices
Рад(-ы), что наши точки зрения по ценам совпадают	I'm (We are) glad that our opinions on the prices coincide
Рад(-ы), что вы считаете наши цены...	I'm (We are) glad that you find our prices...
конкурентоспособными	competitive
обоснованными	justified
приемлемыми	acceptable
справедливыми	fair
умеренными	moderate
Ваши цены превышают мировые цены на 5%	Your prices exceed world prices by 5%
Вы знакомы с индексами цен?	Do you know the price indexes?
Да, цены выросли в последнее время	Yes, prices have gone up recently
Мы готовы... цен	We are ready... of prices
вернуться к обсуждению	to return to the discussion
возобновить обсуждение	to resume the discussion
начать обсуждение	to start the discussion
перейти к обсуждению	to pass on to the discussion
Мы поднимаем вопрос о пересмотре цен	We are bringing up the question of reconsidering the prices
Повышение цен (Рост цен) составляет...% (распространяется на все виды оборудования)	The rise in prices is...% (covers all kinds of equipment)
Эти конкурентные материалы подтверждают правильность наших цен	These competitive materials prove our prices
Мы рады, что смогли урегулировать проблему цен	We are glad, that we've settled the price problem
Мы подготовили разбивку цены контракта	We've prepared a breakdown of the contract price
Ваша разбивка не содержит по-	Your breakdown doesn't contain

зиционные цены. Кроме того, расценки выполнения отдельных видов строительных работ значительно превышают расценки, существующие в нашей стране	item prices. Moreover, the costs of the execution of different kinds of civil work[s] considerably exceed the current costs in our country
Благодарим вас за детальную разбивку цены, представленную нам	Thank you for the detailed breakdown of the contract price that you submitted
Теперь мы сможем начать переговоры по ценам	Now we can start our talks on prices
Разница в ценах значительная (незначительная)	The difference in prices is considerable (insignificant)
Расчет цен произведен на базе мировых цен	The calculation of prices is made on the basis of world prices
Предложенная вами цена находится на уровне мировых цен	The price offered by you corresponds to world prices
Цена... составляет...	The price... is...
за 1 кВт-ч [мощности]	per 1 kw
за 1 кг веса	per 1 kg of weight
за штуку	per piece
Вы завысили (занизили) цены	You have overestimated (underestimated) the prices
Мы согласны пересмотреть наши цены	We are prepared to reconsider our prices
Мы... оборудование по более низким ценам	We... equipment at lower prices
поставляем	deliver
предлагаем	offer
продаем	sell
Ваши цены превышают цены на этот вид оборудования на мировом рынке	Your prices exceed the prices of this kind of equipment on the world market
Хорошо, мы скорректируем цены с учетом ваших замечаний	Good, we'll adjust our prices taking into account your remarks
Мы не можем согласиться с вашей просьбой снизить цены (общую стоимость контракта) еще на...%	We can't agree to your request to reduce the prices (total contract value) by another...%
Давайте сравним наши цены с ценами наших конкурентов	Let's compare our prices with the prices of our competitors
Цена включает страхование и стоимость перевозки	The price includes insurance and cost of transportation
Ваши цены выше (ниже) на...%	Your prices are...% higher (lower)
Цена покрывает расходы по упаковке	The price covers packing expenses

З. Г-н..., вы обещали пересмотреть общую цену контракта	C. Mr..., you promised to reconsider the total contract price

с учетом нашей просьбы увеличить долю местного оборудования в объеме поставок оборудования для нашего объекта.	taking into account our request to increase the share of locally produced equipment in the volume of deliveries to the project.
П. Да, мы приняли во внимание вашу просьбу. Наша новая цена...	S. Yes, we've taken it into account. Our new price is...
З. О, нам кажется, что это слишком высокая цена.	C. Oh, it seems too high to us.
П. А что предлагаете вы?	S. And what do you suggest?
З. Половину вашей суммы.	C. Half the sum.
П. Извините, г-н..., но вы не принимаете во внимание последние международные котировки. Цены на химическое оборудование выросли в последнее время. Мы можем подтвердить наши цены конкурентными материалами, а вы?	S. Sorry, Mr..., but you ignore the latest international quotations. The prices of chemical equipment have gone up lately. We have competitive materials substantiating our prices, and you?
З. Да, вот контракт, подписанный с венгерской фирмой.	C. So do we. Here is a contract, signed with a Hungarian firm.
П. Мы знаем этот контракт, но он не может служить доказательством правильности ваших цен, г-н... Он был подписан 5 лет тому назад.	S. We khow the contract, but it can't justify your prices, Mr... It was signed five years ago.
З. Да, г-н..., вы правы, но этот контракт может служить нам базой для переговоров. Однако, может быть, мы отложим рассмотрение общей цены контракта и обсудим сначала групповые и позиционные цены?	C. You are right, Mr..., but this contract can be a basis for our discussions. We may put aside if you like the discussion of the total contract price for now and take up group and item prices.
П. В принципе, не возражаем, но мы не успели подготовить полную разбивку цены контракта. Мы готовы обсуждать сегодня групповые цены.	S. In principle we do not object, but we haven't prepared a detailed breakdown of the contract price yet. Today we are ready to discuss group prices.
З. Не возражаем. Разрешите посмотреть ваши расчеты групповых цен, мы хотим сравнить их с нашими.	C. All right. May we have your calculations of group prices to compare them with ours, please.
П. Пожалуйста.	S. Here you are.
З. Да, ваши групповые цены отличаются от наших. Мы хотим сравнить их более тщате-	C. Well, your group prices differ from ours. We'll have to compare them more carefully.

льно. Вы можете передать нам ваши материалы?	Could we keep your materials?
П. Да, пожалуйста.	S. Yes, certainly.
З. Давайте возобновим наши переговоры через 3—4 дня.	C. Let's resume our talks in 3—4 days.
З. Мы получили ваше предложение на поставку оборудования и материалов для строительства линии электропередач и тщательно его изучили.	C. We've got your offer for the delivery of equipment and materials for the construction of the transmission line and have carefully studied it.
П. Каково ваше мнение?	S. What do you think of it?
З. Мы сравнили ваше предложение с нашим контрактом, подписанным в прошлом году с итальянской фирмой, и пришли к выводу, что ваша цена завышена приблизительно на 20%.	C. We've compared your offer with the contract we signed with an Italian company last year and are of the opinion that your price is overestimated by about 20%.
П. Весьма удивлены. Дело в том, что мы в наших расчетах пользовались этим контрактом.	S. Do you think so? The thing is that our calculations are based on that same contract.
З. Мы знаем это, но, по нашему мнению, вы были неправы, производя расчет цен по удельной средневесовой стоимости оборудования.	C. Yes, we know that, but we believe you were not right making calculations on the basis of specific average weight prices of the equipment.
П. Почему вы так считаете?	S. What makes you think so?
З. Вес оборудования и материалов для 1 км линии по вашему предложению на 20% превосходит аналогичный показатель итальянской фирмы.	C. Under your offer, the weight of equipment and materials per 1 km of the line exceeds that of the Italian offer by 20%.
П. Да, но у нас зато большой запас прочности опор и проводов.	S. That's true, but the safety factor of the supports and cables is higher under our offer.
З. Видите ли, по техническому заданию это не требуется. Просим Вас учесть наши замечания и соответственно скорректировать цены вашего предложения.	C. That may be so but the memorandum of instructions doesn't require that. So we ask you to consider our comments and to adjust the prices in your offer accordingly.
П. Мы рассмотрим ваши замечания. Однако вы тоже должны принять во внимание тот факт, что мы предлагаем вам более выгодные условия платежа и погашения кредита.	S. We'll certainly do that, but you should also take into account that we offer more favourable terms of payment and credit terms.

УСЛОВИЯ ПЛАТЕЖА — TERMS OF PAYMENT

ФОРМЫ РАСЧЕТОВ, УСЛОВИЯ ПЛАТЕЖА — METHODS OF PAYMENT, TERMS OF PAYMENT

аваль	**guarantee, security**
аванс, авансовый платеж	**advance, advance payment**
достаточный аванс	sufficient advance, sufficient advance payment
недостаточный аванс	insufficient advance, insufficient advance payment
аванс, равный...	the advance equal to...
аванс покрывает...	the advance covers...
аванс превышает...	the advance exceeds...
переводить аванс	remit an advance, transfer an advance
платить аванс	pay in advance, advance
предусматривать аванс	provide for an advance, stipulate an advance
авансировать	**advance**
авансовый платеж *см.* **аванс**	
авизо	**advice**
дебитовое авизо	debit advice
кредитовое авизо	credit advice
авизовать	**advise**
аккредитив	**credit, letter of credit**
безотзывной аккредитив	irrevocable letter of credit
делимый аккредитив	divisible letter of credit
неподтвержденный аккредитив	non-confirmed letter of credit, unconfirmed letter of credit
отзывной аккредитив	revocable letter of credit
переводимый аккредитив	transferable letter of credit
подтвержденный аккредитив	confirmed letter of credit
револьверный аккредитив	revolving letter of credit
товарный аккредитив (*возникший на основе торговой сделки*)	commercial letter of credit
товарный аккредитив (*оплачиваемый без предъявления отгрузочных документов*)	clean letter of credit, open letter of credit
товарный аккредитив (*оплачиваемый при предъявлении отгрузочных документов*)	documentary letter of credit
циркулярный аккредитив	circular letter of credit
аккредитив в пользу...	letter of credit in favour of...

аккредитив на имя...	letter of credit in the name of...
аккредитив на сумму...	letter of credit for..., letter of credit to the amount of..., letter of credit to the sum of...
аккредитив с внесенным покрытием	paid letter of credit
аккредитив с гарантией оплаты	guaranteed letter of credit
аккредитив с оплатой тратт на предъявителя	sight letter of credit
аккредитив с предъявлением срочной тратты	time letter of credit
платеж с аккредитива	payment by a letter of credit, payment out of a letter of credit
покрытие по аккредитиву	cover of a letter of credit
срок действия аккредитива	validity of a letter of credit
истечение срока действия аккредитива	expiry of the validity of a letter of credit
продлевать срок действия аккредитива	prolong the validity of a letter of credit, extend the validity of a letter of credit
сумма аккредитива	ammount of a letter of credit, sum of a letter of credit
первоначальная сумма аккредитива	initial amount of a letter of credit, initial sum of a letter of credit
условия аккредитива	conditions of a letter of credit
аннулировать аккредитив	annul a letter of credit, cancel a letter of credit
вносить поправки в аккредитив	introduce alterations into a letter of credit, make amendments in (under) a letter of credit
отзывать аккредитив	revoke a letter of credit
открывать аккредитив	establish a letter of credit, issue a letter of credit, open a letter of credit
платить с аккредитива	pay out a letter of credit, pay by a letter of credit
подтверждать аккредитив	confirm a letter of credit
получать деньги по аккредитиву	get money from (off) a letter of credit
пополнять аккредитив	refill a letter of credit, replenish the amount of a letter of credit
пролонгировать аккредитив	extend a letter of credit
увеличивать аккредитив	increase a letter of credit
акцепт	**acceptance**
банковский акцепт	banker's acceptance
безусловный акцепт	clean acceptance, general acceptance, unconditional acceptance

неполный акцепт	partial acceptance
условный акцепт	conditional acceptance, qualified acceptance, special acceptance
акцепт векселя	acceptance of a bill of exchange
акцепт с оговорками	qualified acceptance
акцепт счета	acceptance of a bill
акцепт тратты	acceptance of a draft
отказ от акцепта	non-acceptance
получать акцепт	obtain acceptance
представлять к акцепту	present for acceptance
акцептант	**acceptor**
акцептование	**acceptance**
в случае отказа от акцептования	in default of acceptance
по акцептовании	upon acceptance
через... дней после акцептования	... days after acceptance
банк	**bank**
уполномочить банк	instruct a bank
банк-корреспондент	**correspondent bank**
бенефициар	**beneficiary**
наименование бенефициара	name of beneficiary
вексель	**bill, bill of exchange, draft, promissory note**
акцептованный вексель	acceptance bill
неоплаченный вексель	bill outstanding
опротестованный вексель	protested bill [of exchange]
первоклассный банковский вексель	fine bank bill, prime bill
переводной вексель	bill of exchange
предъявительский вексель	demand bill
просроченный вексель	overdue bill
простой вексель	promissory note
учтенный вексель	discounted bill
валюта векселя	currency of a bill
вексель к оплате	bill for payment, payment bill
вексель на инкассо	bill for collection
вексель на предъявителя	draft at sight, presentation draft, sight draft
вексель с платежом после предъявления	after sight bill
взыскание денег по векселю	collection of a bill
пролонгация векселя	prolongation of a bill
срок векселя	term of a bill

учет векселя	bill discounting
вексель, срочный по предъявлении	demand bill
вексель, срочный через 30 дней после предъявления	bill at thirty days' sight
акцептовать вексель	accept a bill, honour a bill
давать поручительство по векселю	guarantee a bill of exchange
индоссировать вексель	endorse a bill, indorse a bill
не акцептовать вексель	dishonour a bill
не оплатить вексель	dishonour a bill
оплатить вексель	honour a bill, meet a bill, pay a bill
опротестовать вексель	protest a bill
получать деньги по векселю	cash a bill
пролонгировать вексель	renew a bill
уплатить векселем	pay by means of a bill
учесть вексель	discount a bill, get a bill discounted
взнос	**installment**
платить взносами	pay by installments
выплата	**payment**
компенсационные выплаты	compensatory payments
выплата по контрактам	contract payments
гарант	**guarantor**
выступать гарантом	act as a guarantor
гарантийное письмо (*письмо-гарантия*)	**letter of guarantee, guarantee letter, letter of indemnity**
безотзывное гарантийное письмо	irrevocable letter of guarantee
выдавать гарантийное письмо	issue a letter of guarantee
гарантия	**guarantee**
банковская гарантия	bank guarantee, banker's guarantee
надежная гарантия	reliable guarantee
отзывная гарантия	revocable guarantee
гарантия платежа	guarantee of payment
подтверждение гарантии	guarantee confirmation, confirmation of guarantee
аннулировать гарантию	annul a guarantee
выдавать гарантию	issue a guarantee
подтверждать гарантию	confirm a guarantee
получать гарантию	obtain a guarantee
представлять гарантию	present a guarantee

график платежей	**schedule of payments**
согласовать график платежей	agree on the schedule of payments, finalize the schedule of payments, come to an agreement about the schedule of payments
согласовывать график платежей (*обсуждать*)	discuss the schedule of payments, consider the schedule of payments
утверждать график платежей	approve the schedule of payments
дата	**date**
дата вступления в силу	effective date
дата письма	date of a letter
дата почтового штемпеля	date of post-office stamp
после даты	after date
с даты...	from the date of...
датировать	**date**
дебет	**debit**
дебет счета	debit of account
записать в дебет счета	pass to the debit of account
день	**day**
календарный день	calendar day
рабочий день	active day, working day
день платежа	day of payment
на день платежа	on the maturity date
документ(-ы)	**document(-s)**
погрузочные документы	shipping documents
товарораспорядительный документ	document of title
документы за наличный расчет	documents against payment, D/P
документы против акцепта	documents against acceptance, D/A
комплект документов	set of documents
полный комплект документов	full set of documents
назначение документов	disposition of documents
неточности в документах (*расхождения*)	discrepancies in documents
передача документов	surrender of documents
против документов	against documents
наличными против документов	cash against documents
против представления документов	against delivery of documents, against surrender of documents

соответствие документов	conformance of documents, conformity of documents
проверять соответствие документов	check up the conformity of documents
документы, покрывающие товар	documents covering the goods
вносить в документы	enter into documents
выдавать документы	deliver documents, release documents
выдавать документы бесплатно	deliver documents free
выдавать документы против оплаты	deliver documents against payment
выдавать документы против расписки	deliver documents against receipt
вычеркивать из документа	delete from a document
направлять документы	forward documents, send documents
передавать документы	surrender documents
представлять документы	present documents, submit documents, furnish documents
проверять документы	scrutinize documents, verify documents, check documents
долг	**debt**
задолженность	**debt, indebtedness**
извещение, уведомление	**advice, notice, notification**
письменное извещение	notice in writing
извещение о платеже	advice of payment
с кратковременным уведомлением	at short notice
с месячным уведомлением	at a month's notice
индоссамент	**endorsement, indorsement**
бланковый индоссамент	blank endorsement
именной индоссамент	special endorsement
ограниченный индоссамент	restrictive endorsement
иметь индоссамент	bear an endorsement
поставить индоссамент	place in endorsement
индоссант	**endorser**
индоссировать	**endorse**
инкассо	**collection, collection of payments**
инкассо без приложения документов	clean collection
инкассо тратты	draft collection
платеж на инкассо	payment for collection
условия инкассо	terms of collection

платить на инкассо	pay for collection
посылать документы на инкассо	forward documents for collection, send documents for collection
предъявлять инкассо к платежу	present the collection for payment
принимать документы на инкассо	undertake the collection of documents
инкассовое поручение	**collection order, order for collection**
инкассодатель	**drawer**
искажать (*наименование, текст*)	**mutilate, distort**
исправление(-я)	**amendment(-s)**
вносить исправления	amend, insert amendments, make amendments
кредит	**credit**
кредит счета	credit of *one's* account
записать [сумму] в кредит счета, перевести сумму в кредит счета	pass to the credit of account
кредит-нота	**credit-note**
неплатеж *см.* **неуплата**	
неуплата, неплатеж	**non-payment, default of payment**
в случае неуплаты	in default of payment
неуплата процентов	default of (on) interest
при неплатеже	upon default in payment
обязательство(-а)	**liability(-ies), obligation(-s)**
бессрочные обязательства (*обязательства, подлежащие оплате по предъявлении*)	sight liabilities
внешние обязательства (*долг, задолженность*)	external obligations
краткосрочные обязательства	current liabilities
отсроченные обязательства	deferred liabilities
оплата	**payment**
оплата остатка (*сальдо*)	payment of balance
оплата чека	check payment
..., подлежащий оплате	... payable
оплачивать *см.* **платить**	
остаток (*сальдо счета*)	**amount of balance, balance**
неиспользованный остаток	unused balance, unutilized balance
аннулировать неиспользованный остаток	cancel the unused balance
возвращать неиспользованный остаток	refund the unused balance

остаток на счете	balance of account
остаток на счете по состоянию на...	balance of account as of...
остаток суммы	balance of amount, balance of sum
открытый счет (*форма расчета*)	**open account**
оплата по открытому счету	payment on an open account
платить по открытому счету	pay on an open account
ошибка	**error, mistake**
по ошибке	by error, by mistake
перевод	**remittance, transfer**
денежный перевод	cash remittance, money remittance, payment order, money order
почтовый перевод	remittance, mail transfer
телеграфный перевод	telegraphic transfer, cable transfer
отправитель перевода	remitter
получатель перевода	payee
осуществлять перевод	execute a money order
платить посредством перевода	pay by remittance, pay by transfer
платеж(-и)	**payment(-s)**
авансовый платеж	advance payment
сумма авансового платежа	amount of an advance payment
валютные платежи	exchange payments
графиковые платежи	schedule payments
дополнительный платеж	additional payment, extra payment
досрочный платеж	advance payment
ежемесячный платеж	monthly payment
квартальный платеж	quarter payment
наличный платеж	cash payment
наложенный платеж	payment forward
наложенным платежом	collection on delivery
невзысканный платеж	outstanding payment
немедленный платеж	immediate payment, prompt payment
нерегулярные платежи	irregular payments
окончательный платеж	final payment
отсроченный платеж	deferred payment, delayed payment
первоначальный платеж	down payment, initial payment
периодические платежи	periodical payments

постепенные платежи	progress payments
поступившие платежи	payments received
приостановленный платеж	stopped payment
просроченный платеж	back payment, late payment, overdue payment
своевременный платеж	prompt payment, timely payment
текущие платежи	current payments
частичный платеж	partial payment
валюта платежа	currency of payment
в счет платежей	on account of payments
гарантия платежа	security for payment
день платежа	day of payment
метод платежей	method of payments
на день платежа	on the day of payment
платеж в долларовом выражении	payment in dollar terms
платеж взносами	payment by (in) installments
платеж в рассрочку	payment by (in) installment
платежи в соответствии с заранее данной инструкцией	preauthorized payment
платеж в счет кредита	payment on account of credit
платеж за...	payment for...
платеж на инкассо *см.* **инкассо**	
платеж наличными	payment in (by) cash
платеж наличными без скидки	payment net cash
платеж по клирингу	clearing payment
платеж по международным сделкам	international payment
платеж по открытому счету	payment on an open account
платеж по предъявлении тратты	sight payment
платежи по урегулированию расчетов	settlement payments
платеж против банковской гарантии	payment against a bank guarantee
платеж против документов	payment against documents
платеж с аккредитива	payment by (from, through) a letter of credit
платеж траттами	payment by drafts
подтверждение платежа	confirmation of payment
получатель платежа	payee
указанный получатель платежа	designated payee
получение платежа	receipt of payment
порядок осуществления платежей	procedure (for) of payment

договориться о порядке осуществления платежей	agree on the procedure of payments
урегулировать порядок осуществления платежей	settle the procedure of payments
приостановка платежей	stoppage of payments, stopping of payments, suspension of payments
способ платежа	method of payment
средство платежа	medium of payment, means of payments, instrument of payment
срок платежа	term of payment
сумма платежей	amount of payments, sum of payments
требование платежа	demand for payment
взыскивать платеж	enforce payment
воздерживаться от платежа	withhold payment
возобновлять платежи	resume payments
гарантировать платеж	guarantee payment, secure payment
задерживать платеж	delay payment
извещать о произведенном платеже	advise of payment
обращаться за платежом	apply for payment
осуществлять платеж, производить платеж	effect payment, make payment, pay
откладывать платеж	defer payment
отсрочивать платеж	postpone payment
получать платеж	receive payment
приостанавливать платежи	stop payments, suspend payments
снимать условность с платежа	lift the reserve, release the reserve
ускорять платеж	accelerate payment, speed up payment
платежное поручение	**payment order**
платежное средство	**legal tender, medium of payment**
плательщик	**drawee, payer**
платить, оплачивать	**pay**
оплачивать в срок (*без задержки*)	pay promptly
оплачивать полностью	pay in full
оплачивать по предъявлении	pay on presentation
платить вперед	pay in advance
платить наличными по требованию	pay cash on demand

платить переводом на счет	pay into account
платить при доставке	pay on delivery
подпись	**signature**
подпись уполномоченного лица	authorized signature
право подписи	signing authority, authority to sign
получать право подписи	be granted the authority to sign
иметь подпись	bear a signature
покрытие	**cover**
золотое покрытие	gold cover
полное покрытие	full cover
предварительное покрытие	provisional cover
в качестве покрытия	as cover
покрытие платежей	cover of payments
покрытие по аккредитиву	cover of (under) a letter of credit
покрытие по тратте	cover for a draft
предоставлять покрытие	provide with cover
получатель (*платежей*)	**payee**
наименование получателя	name of payee
искажать наименование получателя	mutilate the name of a payee
получение	**receipt**
по получении	on (upon) receipt *of*
поручение	**order**
инкассовое поручение	collection order, order for collection
платежное поручение	payment order
неоплаченное платежное поручение	outstanding payment order
выставлять платежное поручение	issue a payment order
по поручению	by order
поручение о переводе	order for remittance
выполнять поручение	execute an order
направлять поручение	forward an order, send an order
приказ	**order**
приказ о регулярных платежах	standing order
«приказу» (*на оборотных документах*)	to "order"
нашему «приказу»	to our "order"
по «приказу»	by "order"
расписка	**voucher, receipt**
расписка в получении платежа	voucher for payment

расхождение(-я)	**discrepancy(-ies)**
многочисленные расхождения	numerous discrepancies
расчет(-ы)	**calculation, payment(-s), settlement(-s)**
валютные расчеты	exchange payments
внешние расчеты	external payments
международные расчеты	international payments
средства международных расчетов	means of international payments
наличный расчет	ready cash
окончательный расчет	final settlement
единица расчетов	unit of account
средства расчетов	means of payments
осуществлять расчеты, производить расчеты	make payments, pay
ремитент	**remitter**
сальдо	**balance**
активное сальдо	favourable balance, positive balance, active balance, surplus
дебетовое сальдо	balance due, debit balance
кредитовое сальдо	credit balance
пассивное сальдо	passive balance, unfavourable balance, negative balance, adverse balance
сальдо банковского счета	bank balance
сальдо клиринга	clearing balance
урегулировать сальдо (*по счету*)	settle a balance
соглашение	**agreement**
межбанковское соглашение	interbank agreement
платежное соглашение	payments agreement
соглашение о взаимном зачете платежей	agreement to offset payments
срок	**term, time**
долгий срок	long term
короткий срок	short term
средний срок	intermediate term
в срок	in time
в срок, указанный в контракте	in the time stipulated in the contract
на срок	for a term *of*
наступление срока (*платежа*)	maturity
по наступлении срока платежа	at maturity
срок акцепта	term of acceptance

срок векселя	term of a bill
срок действия	validity, term of validity
истечение срока действия	expiration of validity
срок платежа	term of payment
срок платежа по векселю	time of maturity
срок, установленный для платежа	time fixed for payment
продлевать срок	extend the term
срок истекает	term expires
срок превышает	term exceeds
устанавливать срок	set a term
стоимость	**cost, value**
сумма	**amount(-s), sum**
выплаченная сумма	amount paid
денежная сумма	sum of money
капитальная сумма	principal amount
накапливаемые суммы	accruing amounts
невостребованная сумма	uncalled sum
неоплаченная сумма, непогашенная сумма	outstanding amount
номинальная сумма	nominal amount
общая сумма	total amount
округленная сумма	round sum
оставшаяся сумма	remaining sum
полная сумма	full amount
причитающаяся сумма	amount due, monies due, sum owing
согласованная сумма	agreed sum
списанная сумма	amount written off
уплаченная сумма	sum paid in
фактическая сумма	actual amount
эквивалентная сумма	equivalent amount
в счет причитающейся суммы	on account
на сумму	to the amount *of*, to the sum *of*
остаток суммы	the rest of the sum
разбивка суммы	breakdown of a sum
списание суммы (*снятие*)	drawing
сумма денег	amount of money, sum of money
сумма долга, сумма задолженности	amount of indebtedness
сумма к получению	amount due
сумма наличными	amount in cash
сумма прописью	sum in words
сумма счета	amount of invoice, invoice[d] amount

удержание суммы	deduction of a sum
сумма, имеющаяся в наличии	available amount
сумма, подлежащая уплате	sum payable
сумма, равная...	sum equal to...
взыскивать сумму	recover an amount
возвращать сумму, возмещать сумму	return a sum, refund an amount
определять сумму	ascertain a sum
переводить сумму	remit a sum, transfer a sum
платить сумму	pay a sum
удерживать сумму	retain a sum, deduct a sum
счет(-а)	**account(-s)**
банковский счет	bank account
блокированный счет	blocked account, frozen account
депозитный счет	deposit account
закрытый счет	closed account
клиринговый счет	clearing account
общий счет, объединенный счет	joint account
расчетный счет	settlement account
сводный счет (*суммирующий*)	closing account
специальный счет	special account
валюта счета	currency of account
ведение счета	keeping of account
выписка счета	abstract of account, extract of account, statement of account
ведомость рекапитуляции выписки счета	reconciliation statement
проверять выписку счета	verify a statement of account
сделать выписку счета	make up a statement of account
счет государственного учреждения	public account
счет с дебетовым сальдо	debit account
счет с кредитным сальдо	credit account
брать деньги со счета	draw on an account
вести счет	operate an account
вести счета	keep an accounts, maintain an account
выверять счета	verify accounts
дебетовать счет	debit an account
закрывать счет	close an account, make up an account
записывать на счет	carry to account, pay into account

зачислять на счет	enter a sum to an account
иметь счет в банке	have an account with a bank, keep an account with a bank
кредитовать счет	credit an account
ликвидировать счет	settle an account
оплатить счет	settle an account
открывать счет	establish an account, open an account, set up an account
переносить на счет	carry forward to an account
расплатиться по счету	settle an account
снимать деньги со счета	draw money from an account, withdraw from an account
списать со счета	write off
уравнять счет	balance an account
урегулировать состояние счетов	agree accounts
счет (*фактура*)	**invoice**
неоплаченный счет	unpaid invoice
окончательный счет	final invoice
подписанный счет	countersigned invoice
предварительный счет	preliminary invoice, proforma invoice, provisional invoice
копия счета	copy of invoice, invoice copy
оригинал счета	original invoice
сумма счета	amount of invoice, sum of invoice
счет в 2-х (3-х) экземплярах	invoice in duplicate (triplicate)
счет на сумму...	invoice amounting to..., invoice to the amount of..., invoice to the sum of..., invoice totaling...
акцептовать счет	accept an invoice
выдавать счет	issue an invoice
выписывать счет, выставлять счет	invoice, make out an invoice, draw an invoice
оплачивать счет	pay an invoice
представлять счет	present an invoice, submit an invoice
прикладывать к счету	enclose *smth.* with an invoice, attach *smth.* to an invoice
тариф	**tariff**
трассант	**drawer**
трассат	**drawee**
тратта(-ы)	**draft(-s)**
акцептованная тратта	accepted draft
банковская тратта	banker's draft, bankers' draft, bank draft

предъявительская тратта	cash order
срочная тратта	time draft
акцепт тратты	draft acceptance
платеж траттой	payment by draft
срок платежа по тратте	maturity of a draft
срок платежа по тратте наступает...	the maturity of the draft is..., the draft matures on...
сумма тратты	amount of a draft
чистая сумма тратты (*без процентов*)	face value of a draft
тратта с платежом в долларах	dollar draft
тратта сроком на... дней	draft at... days
тратта, срочная по предъявлении	sight bill, sight draft
акцептовать тратту	accept a draft, honour a draft
выставлять тратту	draw a bill, issue a draft, make out a draft
выставлять тратту на какое-либо лицо на... долларов сроком на... дней (месяцев)	draw on a person for... dollars at... days (months)
выставлять тратту, срочную по предъявлении	draw at sight, draw on demand
извещать о выставлении тратты	advise of a draft
оплачивать тратту	honour a draft, pay a draft
платить траттой	pay by draft
хранить тратты (*в банке*)	hold drafts in custody
уведомление *см.* **извещение**	
удержание	**deduction**
уплата	**payment**
полная уплата	payment in full
частичная уплата	part payment, partial payment, payment in part
в случае своевременной уплаты	if duly paid
в уплату за *что-либо*	in payment for *smth.*
уплата в счет причитающейся суммы	payment on account
уплата золотом	payment in gold
уплата наличными	cash payment
уплата натурой	payment in kind
уплата процентов	interest payment
условия платежа	**terms of payment**
благоприятные условия платежа	favourable terms of payment
выгодные условия платежа	advantageous terms of payment

приемлемые условия платежа	acceptable terms of payment
нарушение условий платежа	infringement of the terms of payment
нарушать условия платежа	infringe the terms of payment
пересматривать условия платежей	reconsider the terms of payment
соблюдать условия платежа	observe the terms of payment
уточнять условия платежей	specify the terms of payment
форма расчетов	**method of payment**
аккредитивная форма расчетов	payment by a letter of credit
инкассовая форма расчетов	payment for collection
практиковать форму расчетов	practise a method of payment
чек	**cheque, check**
кроссированный чек	crossed cheque
оплаченный чек	paid cheque
ордерный чек	order cheque
погашенный чек	cancelled check
расчетный чек	clearing house check
удостоверенный чек	certified check
кроссирование чека	crossing of a check
чек на предъявителя	bearer check, cheque to bearer
чек, не принятый к оплате банком	dishonoured check
чек, по которому приостановлены платежи	stopped check
выдавать чек	issue a cheque
выписать чек	draw a cheque
выставлять чек	draw a cheque
оплачивать чек	honour a cheque, pay a check
платить чеком	pay by cheque
представлять чек к оплате	present a cheque for payment
экземпляр	**copy**
в двух экземплярах	in two copies, in duplicate
в пяти экземплярах	in five copies, in quintuplicate
в трех экземплярах	in three copies, in triplicate
в четырех экземплярах	in four copies, in quadruplicate

Аванс... завышен	The advance payment in... is overestimated
в местной валюте	local currency
в твердой валюте	hard currency
Я не могу с вами согласиться	I can't agree with you here

Аванс покрывает мобилизационные расходы, а они по данному контракту значительные	The advance payment covers mobilization expenses and they are considerable under our contract
Мы согласны на аванс в 5% от цены контракта	We agree to an advance of 5% of the contract price
Аванс в 5% недостаточен. Мы просим вас увеличить его до 7% (на 2%)	The 5% advance is not sufficient. We ask you to increase it to 7% (by 2%)
Не возражаем	No objections
Рад, что мы договорились в отношении размера аванса	I'm glad that we've agreed about the amount of the advance
Считаем целесообразным предусмотреть в контракте перевод аванса в течение 30 дней с даты подписания контракта	We find it proper to provide in our contract that the advance should be paid within 30 days after signing the contract
Мы до сих пор не получили ваше кредит-авизо и хотели бы знать причины неоплаты	We haven't got your credit advice so far and would like to know the reason for the non-payment
Вы должны открыть... аккредитив на сумму... в пользу нашего объединения в Центральном банке вашей страны	You should open... letter of credit to the amount of... in favour of our objedinenije with your Central Bank
безотзывной	an irrevocable
делимый	a divisible
неделимый	an indivisible
переводной	a transferable
подтвержденный	a confirmed
Каков срок действия аккредитива?	What is the period of validity of the letter of credit?
Аккредитив будет действителен в течение 90 дней	The letter of credit will be valid for 90 days
Мы не согласны с неоплатой вами суммы в...	We can't agree to your non-payment of the sum of...
Эта сумма покрывает расходы, связанные с открытием и подтверждением вашего аккредитива	The sum covers expenses connected with the establishment and confirmation of your letter of credit
Несмотря на наши многочисленные напоминания вы до сих пор не открыли аккредитив	In spite of our numerous reminders, you haven't opened the letter of credit so far
Аккредитив должен быть открыт по получении извещения о готовности оборудования к отгрузке	The letter of credit should be opened on receipt of notification of the readiness of equipment for shipment
Мы внесли изменения в условия аккредитива	We have amended the letter of credit
Расходы за изменение аккредитива будут за счет вашего клиента	All the expenses for the amendment of the letter of credit will be charged to your client's account
Просим пролонгировать срок аккредитива до...	We ask you to extend the letter of credit till...

Мы возражаем против уменьшения суммы аккредитива, так как оборудование уже готово к отгрузке	We object to diminishing the sum of the letter of credit, since the equipment is ready for shipment
Условия открытого вами аккредитива отличаются от условий, предусмотренных в контракте, и мы не можем получить причитающейся нам суммы	The conditions of the letter of credit opened by you differ from the conditions of the contract, so we can't get the sum due to us
Понимаю, мы немедленно внесем в аккредитив необходимые поправки	I see, we'll make the required amendments without delay
Ввиду истечения срока действия аккредитив аннулирован	The letter of credit is cancelled due to the expiry of its validity
Мы не можем произвести платежа с аккредитива, так как в документах, направленных в банк, имеются многочисленные расхождения	We can't make payment out of the letter of credit, as there are numerous discrepancies in the documents forwarded to the bank
После акцепта просим направить тратты в банк	We ask you to send the drafts after their acceptance to the bank
Документы будут переданы против акцепта тратт	The documents will be released against acceptance of the drafts
Мы уведомим бенефициара об открытии в его пользу безотзывного подтвержденного аккредитива	We'll inform the beneficiary that an irrevocable, confirmed letter of credit is opened in his favour
Мы не нашли в своих записях получение вашего авизо на сумму...	We haven't traced in our records the receipt of your advice to the amount of...
Сумма гарантии будет автоматически сокращаться на сумму каждого платежа	The guarantee sum will be automatically diminished by the amount of each payment
Мы можем предоставить гарантию на...% от стоимости контракта (на полную стоимость контракта)	We can submit a guarantee for...% of the contract value (for the full value of the contract)
Гарантия будет иметь силу в течение... дней	The guarantee will be valid for... days
Вы уже рассмотрели график платежей?	Have you considered the schedule of payments?
Да, и мы в принципе с ним согласны. Однако предлагаем перенести его на 6 месяцев	Yes, we have, and we agree to it in principle. However we believe it should be postponed for 6 months
Мы не получили от вас полный комплект документов	We haven't got a full set of documents from you
Все требуемые по аккредитиву документы были своевременно направлены в банк	All the documents required under the letter of credit have been sent to the bank in due time
Какие документы будут приложены к счетам?	What documents should be attached to the invoices?

Обычно мы передаем Заказчикам вместе со счетами полный комплект погрузочных документов	We usually send our Customers invoices with a full set of shipping documents
Сумма вашего последнего счета завышена	The sum of your latest invoice is overestimated
Да, мы уже направили вам кредит-ноту	Yes, it is, we have already sent you a credit-note
На тратте нет вашего индоссамента	The draft doesn't bear your indorsement
Почему задержан платеж по нашему инкассо №...?	Why has the payment of our Collection No... been delayed?
Инкассо будет предъявлено к оплате, как только будет представлена импортная лицензия	The collection will be presented for payment as soon as the import licence has reached us
Мы возражаем против оплаты комиссии, так как по условиям аккредитива вся комиссия за счет бенефициара	We object to paying the commission, since under the conditions of the letter of credit the commission is for the account of the beneficiary
Сумма была переведена вам по ошибке	The sum was remitted to you by mistake
Ваш перевод оплачен (не оплачен)	Your transfer is paid (unpaid)
Документы, представленные к платежу, находятся в полном соответствии с условиями контракта	The documents presented for payment fully conform to the conditions of the contract
Давайте перейдем к обсуждению порядка осуществления платежей	Let's pass on to the procedure of making payments
Суммы платежей следует пересмотреть и привести в полное соответствие с планируемыми объемами работ	The sums of the payments should be reconsidered and fully adjusted to the planned volume of work[s]
Вы задержали платеж, что является серьезным нарушением контракта	You've delayed payment which is a serious infringement of the contract
Платежи приостановлены в связи с задержкой в выполнении работ	Payments are withheld because of the delay in the execution of work[s]
Платежи будут осуществляться...	Payments will be made...
по мере выполнения работ	according to the progress of work[s]
по мере отгрузки оборудования	following deliveries
против вручения полного комплекта погрузочных документов	against the presentation of a full set of shipping documents
против подписанного счета	against a countersigned invoice

Чеки, тратты и аккредитивы должны иметь две подписи официальных лиц	Cheques, drafts and letters of credit should bear two authorized signatures
В вашем переводе не указано наименование получателя	You didn't state the name of the payee in your money order
По получении вашего платежного поручения эта сумма будет кредитована счету получателя	On receipt of your payment order the sum will be credited to the account of the payee
Сумма будет выплачена против вашей расписки	The sum will be paid against your voucher
Мы открыли у себя счет на имя вашего банка	We've opened with us an account in the name of your bank
Этот счет будет использован для расчетов по аккредитивам, инкассо и переводам	The account will be used for payments under letters of credit, collection orders and remittances
Просим вас представлять нам выписки нашего счета на 1-е число каждого месяца	We ask you to send us statements of account as of the 1st of each month
Ваш счет будет своевременно дебетован	Your account will be duly debited
В связи с изменением срока платежа, тратта не акцептована	The draft has not been accepted due to the change in the term of payment
Мы выставили на вас пять тратт в пользу нашего объединения	We've drawn five drafts on you in favour of our objedinenije
Какие формы расчетов вы практикуете в подобных случаях?	What methods of payment do you practise in such cases?
Мы практикуем...	We practise...
аккредитивную форму расчетов	payments by a letter of credit
инкассовую форму расчетов	payments for collection
открытый счет	payments on an open account
перевод	transfers

З. Г-н..., аванс в местной валюте в размере 20% нам кажется очень большим.	C. Mr..., the advance of 20% in local currency seems to us too high.
Пд. Г-н..., наш контракт предусматривает выполнение работ на условиях «под ключ», и наши расходы в местной валюте будут весьма значительными в период организации строительства до начала фактического выполнения работ.	Cnt. Mr..., our contract provides for the execution of works on a "turn-key" basis and our expenses in the local currency will be rather considerable at the time of organizing the construction, before we actually start executing the work[s]
З. Да, г-н..., я вас понимаю. В таком случае нам хотелось получить от вас расчеты ваших мобилизационных расходов.	C. I see, Mr... Then we would like to have a calculation of your mobilization expenses.

Пд. Хорошо, а что вы думаете, г-н..., в отношении нашего предложения осуществлять текущие платежи в местной валюте в соответствии с графиком платежей?

Cnt. All right. And what do you think, Mr..., about our suggestion of making current payments in local currency against the schedule of payments?

З. Г-н..., мы никогда не применяли подобных расчетов. Мы считаем, что размеры ежемесячных платежей должны определяться объемами выполненных работ.

C. Mr..., we have never practised such payments. We believe that monthly payments should depend on the volume of the executed work[s]

Пд. Безусловно, график платежей будет составлен с учетом графика строительных и монтажных работ.

Cnt. That's true, the schedule of payments will be based on the schedule of civil and erection work[s]

З. Да, но график строительных и монтажных работ может нарушаться.

C. Well, but you may fall behind the schedule of civil and erection work[s].

Пд. Я вас понимаю, г-н... В подобных случаях мы приведем суммы платежей в соответствие с объемами выполненных работ.

Cnt. I see your point, Mr... In such cases the sums of payments will be adjusted to the volume of the executed work[s]

З. А форма расчетов? Вы настаиваете, г-н..., на форме расчетов, указанной в проекте контракта?

C. And what about the method of payment? Do you insist on the method of payment stated in the draft contract, Mr...?

Пд. Мы считаем, что перевод сумм, причитающихся нам, на специальный счет нашего объединения в Центральном банке вашей страны — это наиболее удобная форма расчетов в данном случае.

Cnt. We believe that the transfer of sums due to us to the special account of our objedinenije with your Central bank is the most convenient method of payment in our case.

З. Хорошо, мы обдумаем все поднятые сегодня вопросы и дадим вам ответ в ближайшее время.

C. Well, we'll think over all the questions raised today and give you our reply soon.

СЛОВА

ВАЛЮТА — **CURRENCY**

валюта	**currency, exchange**
блокированная валюта	blocked currency
двойная валюта	double currency
единая валюта	common currency
иностранная валюта	foreign currency, foreign exchange
интервенционная валюта	intervention currency
клиринговая валюта	agreement currency

ключевая валюта	key currency, vehicle currency
конвертируемая валюта	hard currency, convertible currency
местная валюта	domestic currency, home currency, local currency
национальная валюта	national currency, native currency
неконвертируемая валюта, необратимая валюта	inconvertible currency, nonconvertible currency, soft currency
неустойчивая валюта	unstable currency
обесцененная валюта	depreciated currency
обратимая валюта	convertible currency
расчетная валюта	accounting currency
регулируемая валюта	managed currency
резервная валюта	reserve currency
свободно конвертируемая валюта	free currency, freely convertible currency
свободно «плавающая» валюта	freely floating currency
твердая валюта	hard currency, sound currency
устойчивая валюта	stable currency
валюта векселя	currency of bill
валюта договора	currency of contract
валюта клиринга	currency of clearing
валюта контракта	currency of contract
валюта оговорки	currency of exchange clause
валюта платежа	currency of payment
валюта платежа совпадает с...	currency of payment coincides with...
валюта расчета	currency of payment, transactions currency
валюта страны-импортера	importer's currency
валюта страны-экспортера	exporter's currency
валюта счета	currency of account
валюта третьих стран	third-country currency
валюта цены	currency of price
девальвация валюты	devaluation of currency
колебание валюты	currency fluctuation
корзина (*набор*) валют	basket of currencies
неустойчивость валюты	instability of currency
обесценивание валюты	depreciation of currency
обмен валютами	currency swap
обмен валюты	exchange
косвенный обмен валюты	indirect exchange
прямой обмен валюты	direct exchange
обратимость валюты, конвертируемость валюты	currency convertibility, currency exchangeability

частичная обратимость валюты	partial convertibility of currency
перевод валюты	conversion of currency
переводимость валюты	convertibility of currency, transferability of currency
пересчет валюты	conversion of currency
покупательная сила валюты	purchasing power of currency
предложение валюты	supply of currency
спрос на валюту	demand for currency
цена валюты	price of currency
ценность валюты	value of currency
валюта, на которой базируется валютная оговорка	reference currency
валюта, подверженная обесцениванию	currency subjected to depreciation
валюта, привязанная к доллару	currency pegged to dollar
выражать в валюте	express in currency
конвертировать в валюту	convert into currency
обменивать валюту	exchange currency
переводить валюту	convert currency
«валютная змея» (*система совместного плавания валют*)	**currency “snake”**
валютное разрешение	**exchange permit**
получать валютное разрешение	obtain an exchange permit
валютные ограничения	**exchange restrictions**
вводить валютные ограничения	impose exchange restrictions
снимать валютные ограничения	lift exchange restrictions
валютные операции	**exchange business, exchange transactions, transactions in foreign exchange**
валютные потери	**exchange losses**
валютные расчеты	**exchange payments**
валютный контроль	**currency control, exchange control**
выручка	**earnings, receipts**
валютная выручка	foreign exchange earnings, foreign exchange receipts
девальвация	**devaluation**
деньги	**money**
бумажные деньги	paper money, soft money
мировые деньги	universal money, world money
наличные деньги	ready money

покупательная сила денег	purchasing power of money
евровалюта	**euro-currency**
евродоллар	**eurodollar**
единица	**unit**
валютная единица	unit of currency
европейская валютная единица	European currency unit, ECU
денежная единица	monetary unit
международная денежная единица	international unit of currency
расчетная единица	unit of account
расчетная единица Европейского платежного союза	European payment unit
условная единица	conventional unit, standard unit
заявка на получение твердой валюты	**application for hard currency**
золото	**gold**
бумажное золото	paper gold
монетарное золото	monetary gold
чистое золото	fine gold
отлив золота	outflow of gold
прилив золота	inflow of gold, influx of gold
утечка золота	flight of gold
золотое содержание	**gold content**
золотая точка	**gold point**
зона	**area, zone**
валютная зона	currency area, monetary area
долларовая зона	dollar area, dollar zone
стерлинговая зона	sterling area
инфляция	**inflation**
конверсия	**conversion**
котировка	**quotation**
биржевая котировка	exchange quotation
косвенная котировка	indirect quotation
прямая котировка	direct quotation
сегодняшняя котировка	today's quotation
котировка валюты	quotation for a foreign currency
кризис	**crisis**
валютный кризис	exchange crisis, foreign-exchange crisis
денежный кризис	monetary crisis
кредитный кризис	credit crisis
финансовый кризис	financial crisis

циклический кризис	cyclical crisis
экономический кризис	economic crisis
курс(-ы)	**quotation, rate(-s)**
валютный курс	rate of exchange
благоприятный валютный курс	fair rate of exchange, favourable exchange rate
гибкий валютный курс	flexible exchange rate
двойной валютный курс	double exchange rate
искусственно поддерживаемый курс	pegged exchange rate
множественные валютные курсы	multiple exchange rates
плавающий валютный курс	floating exchange rate, fluctuating exchange rate, free exchange rate
принудительный валютный курс	forced rate of exchange
фиксированный валютный курс	fixed exchange rate
выравнивание валютных курсов	currency realignment, exchange rate adjustments
неустойчивость валютных курсов	currency instability
обменный курс	exchange rate
официальный курс	official quotation
центральный курс	central rate
курс валюты	exchange rate
косвенный курс валюты	indirect exchange [rate]
прямой курс валюты	direct exchange [rate]
вычисление курса валюты	calculation of exchange rate
колебания курса валюты	exchange rate fluctuations, fluctuations of exchange rate
верхний предел колебания курса валюты	upper limit of exchange rate fluctuation
нижний предел колебания курса валюты	lower limit of exchange rate fluctuation
пределы колебания курса валюты	margins of exchange rate fluctuation
курс дня	daily quotation, exchange of day, current rate
курс доллара	dollar rate
курс пересчета	conversion rate
по курсу	at the rate
обменивать по курсу	exchange at the rate
переводить по курсу	convert at the rate
курсовые потери	**losses in prices, exchange losses**

лимит	**limit**
превышать лимит	go beyond the limit, exceed the limit
оговорка	**clause**
валютная оговорка	currency clause, exchange clause
взаимная оговорка	reciprocal clause
золотая оговорка	gold clause
золотовалютная оговорка	gold-value clause
мультивалютная оговорка	multiple currency clause
оговорка о наибольшем благоприятствовании	most favoured nation clause
предусматривать оговорку (*в контракте*)	provide for a clause
применять оговорку	apply a clause
паритет	**par, parity**
валютный паритет	par of exchange
перестройка валютных паритетов	par value adjustment
золотой паритет	gold parity
интервалютный паритет	par of exchange
искусственно поддерживаемый паритет	pegged parity
монетный паритет	mint parity, mint par of exchange
официальный паритет	official parity
скользящий паритет	sliding parity
установленный паритет (*паритет, закрепленный юридически*)	legal parity
выше паритета	above par
ниже паритета	below par
по паритету	at par
обмен по паритету	exchange at par
перевод по паритету	conversion at par
перевод *см.* **валюта**	
переводной рубль	**transfer rouble, T. R.**
пересчет *см.* **валюта**	
пул	**pool**
золотой пул	gold pool
ревальвация	**revaluation**
резерв(-ы)	**reserve(-s)**
валютные резервы	currency reserves, external reserves
поддержание реальной стоимости валютных резервов	maintenance of real value of currency reserves

золотой резерв	gold reserve
резерв банка	bank reserve
резервы золота и иностранной валюты	gold and foreign exchange reserves
риск	**risk**
валютный риск	exchange risk
курсовой риск	price risk
риск валютных потерь	risk of exchange losses
нести риск валютных потерь	run the risk of exchange losses
риск обесценения валюты	risk of currency depreciation
рынок	**market**
валютный рынок	exchange market, money market
международный валютный рынок	international exchange market
специальные права заимствования, СДР, СПЗ (*новые расчетные единицы в рамках Международного валютного фонда*)	**special drawing rights, SDR**
стандарт	**standard**
бумажно-денежный стандарт	fiduciary standard
бумажный стандарт	paper standard
денежный стандарт	monetary standard
золотовалютный стандарт	gold-exchange standard
золотомонетный стандарт	gold coin standard
золотослитковый стандарт	gold-bullion standard
золотой стандарт	gold standard
отказаться от золотого стандарта	come off the gold standard, abandon the gold standard
фактически ввести золотой стандарт	be de facto on a gold standard
тенденция	**tendency, trend**
фонд	**fund**
фонд валютного регулирования	equalization fund

ФРАЗЫ

В какой валюте будут осуществляться платежи?	In what currency will payments be made?
Мы предусмотрим в контракте платежи в...	We'll provide for payments in... in our contract
местной валюте	the local currency
конвертируемой валюте	convertible currency
твердой валюте	hard currency
валюте клиринга	the currency of clearing

Позволяет ли местное законодательство перевод валюты?
Is currency conversion allowed under your local legislation?

Да (Нет)
Yes, it is. (No, it isn't)

Как вы будете учитывать колебания валюты?
How will currency fluctuations be taken into account?

Для предотвращения валютных потерь мы предусматриваем в контракте... оговорку
To avoid currency losses we shall provide for a... clause in our contract

- валютную — currency exchange
- золотовалютную — gold-value
- золотую — gold
- мультивалютную — multiple currency

Как будет осуществляться обмен валюты?
How will the currency be exchanged?

По курсу дня
At the rate of the day

Имеются ли какие-либо ограничения в отношении валютных операций в вашей стране?
Are there any currency restrictions in your country?

Каково золотое содержание принятой вами валюты платежа?
What is the gold content of the currency of payment accepted by you?

Просим высылать нам бюллетени котировки иностранной валюты
We ask you to send us your quotation bulletins

Мы будем ежемесячно рассылать наш курсовой бюллетень всем нашим корреспондентам
We shall send our quotation bulletins to all our clients every month

П. Для предотвращения валютных потерь предлагаем предусмотреть в контракте валютную оговорку, привязывающую валюту платежа к стоимости СДР в долларах США.
S. To avoid currency losses we suggest including into the contract a currency clause pegging the currency of payments to SDRs in US dollars.

З. Не возражаем. А в каких случаях будут корректироваться платежи?
C. No objections. And in what cases will payments be adjusted?

Р. Платежи будут корректироваться, если изменится стоимость одной СДР.
S. Payments will be adjusted if the cost of one SDR changes.

З. Мы полагаем, что будут использоваться котировки Международного валютного фонда.
C. We believe that you will use the adjustments of the International Monetary Fund.

П. Безусловно. Просим вас также учесть, что если сумма аккредитива окажется недостаточной, то Заказчик соответственно увеличит аккредитив.
S. Yes, certainly. Please note that if the amount of the letter of credit is not sufficient the Customer will have to increase the letter of credit accordingly.

СЛОВА

ГАРАНТИИ, УСТРАНЕНИЕ ДЕФЕКТОВ / GUARANTEES, ELIMINATION OF DEFECTS

авария	**accident, breakdown, failure**
акт	**report, certificate**
акт дефектации	fault detection report
акт приемки	acceptance certificate
акт технического испытания	test report
акт технического осмотра	inspection certificate, inspection report
акт технического состояния	report on mechanical condition
акт экспертизы	certificate of appraisal, certificate of examination, examiners' report
ведомость	**list, register, report, statement**
дефектировочная ведомость	inspection record, statement of rejects
ведомость осмотров и ремонтов	inspection and maintenance record
вина	**fault**
по вашей (его, их) вине	through your (his, their) fault
выход из строя	**breakdown, failure**
выходить из строя	**break down, fail, fail to operate**
гарантийный срок	**guarantee period, period of guarantee**
новый гарантийный срок	fresh guarantee period
в течение гарантийного срока	during the guarantee period
истечение гарантийного срока	expiration of a guarantee period, expiry of a guarantee period
продление гарантийного срока	prolongation of a guarantee period
гарантийный срок истекает...	the guarantee period expires...
продлевать гарантийный срок	extend a guarantee period, prolong a guarantee period
устанавливать гарантийный срок	establish a guarantee period
гарантировать	**guarantee**
гарантия (*техническая*)	**guarantee**
дефект(-ы)	**defect(-s), fault, flaw, imperfection**
внутренний дефект	internal defect
значительный дефект	major defect, serious defect
несущественный дефект	slight defect
обнаруженный дефект	discovered defect, detected defect
скрытый дефект	latent defect, hidden defect

дефект завода-изготовителя	defect of the manufacturer, defect of the manufacturing works, manufacturing defect
описание дефекта	description of a defect
период устранения дефектов	period of the elimination of defects
причина дефекта	reason for a defect
выявлять причину дефекта	ascertain the reason for a defect
характер дефекта	nature of a defect
быть ответственным за дефекты	be responsible for defects
исправлять дефекты, устранять дефекты	correct defects, eliminate defects, rectify defects, remedy defects
обнаруживать дефект	detect a defect
дефектация	**fault detection, flaw detection, supervision of defects, survey of defects**
завод-изготовитель	**manufacturer, manufacturing works, manufacturing plant**
замена (*материалов, оборудования*)	**replacement**
запасные части	**spare parts, spares**
быстроизнашивающиеся запасные части	quickwearing spare parts, rapidly wearing spare parts
перечень запасных частей	list of spare parts
[полный] комплект запасных частей	[full] set of spare parts
чертежи запасных частей	drawings of spare parts
запасные части, достаточные для эксплуатации в течение...	spare parts sufficient for... operation
изготовление	**fabrication, manufacture**
место изготовления	place of fabrication, place of manufacture
правильность изготовления	proper manufacture
гарантировать правильность изготовления	guarantee proper manufacture
износ	**wear and tear, tear and wear**
нормальный износ	fair tear and wear, normal wear and tear
эксплуатационный износ	service wear
за исключением нормальной убыли и износа	fair wear and tear excepted
износ оборудования	depreciation of equipment, wear and tear of equipment
инструктаж (*персонала*)	**instruction, instructing**
проводить инструктаж	instruct

инструкция(-и)	**instructions, manual**
рабочие инструкции	working instructions
технические инструкции	technical instructions
инструкции на двух языках	bilingual instructions
инструкции по монтажу	erection instructions
инструкции по пуску	start-up instructions
инструкции по ремонту	overhaul manual, repair manual
инструкции по сборке	assembly instructions
инструкции по уходу и ремонту	maintenance instructions
инструкции по эксплуатации	operation instructions
несоблюдение инструкций	non-observance of instructions
ошибки в инструкциях	mistakes in instructions
соблюдение инструкций	observance of instructions
нарушать инструкции	violate instructions, depart from instructions
соблюдать инструкции	follow instructions, observe instructions
испытание(-я)	**test(-s)**
подвергаться испытаниям	be subjected to tests
проводить испытания	carry out tests, conduct tests, make tests, perform tests
качество	**quality**
гарантированное качество	guaranteed quality
качество соответствует...	the quality conforms to...
гарантировать качество	guarantee the quality
комплектная единица	**complete unit**
конструкция	**design**
надежная конструкция	reliable design
ненадежная конструкция	unreliable design
неправильная конструкция	faulty design
правильность конструкции	proper design
гарантировать правильность конструкции	guarantee proper design
материал(-ы)	**material(-s)**
дефектный материал	defective material
качественный материал	proper material, material of high quality
некачественный материал	improper material, sub-standard material
материалы, несоответствующие контрактной документации	materials, which are not in accordance with contract documents
мощность	**capacity, output, power**
входная мощность	input power

выходная мощность	output power
гарантированная мощность	guaranteed capacity
максимальная мощность	maximum power
номинальная мощность	rated output, rated power
пиковая мощность	[on-]peak power
потребная мощность	required power
проектная мощность	design capacity, designed output
достигать проектную мощность	attain the design capacity, reach the design performance
расчетная мощность	rated power, design power
резервная мощность	reserve capacity, standby power
удельная мощность	specific capacity
фактическая мощность	actual power
эксплуатационная мощность	service power
небрежность	**carelessness, negligence**
по небрежности	due to negligence
недосмотр	**oversight**
по недосмотру	by an oversight
неисправность	**defect, fault, failure, trouble, malfunction**
отыскивать неисправность	find a fault, locate a fault
устранять неисправность	clear a fault, rectify a fault, correct a malfunction
неполадка	**breakdown, disrepair, disturbance, failure, trouble, shutdown**
оборудование	**equipment**
бездействующее оборудование	idle equipment
действующее оборудование	operative equipment, serviceable equipment
дефектное оборудование	defective equipment
возврат дефектного оборудования	return of defective equipment
замена дефектного оборудования	replacement of defective equipment
возвращать дефектное оборудование	return defective equipment
отказываться от дефектного оборудования	reject defective equipment
удерживать (*оставлять*) у себя дефектное оборудование	retain defective equipment
заменяемое (*дефектное*) оборудование	replaced equipment
заменяющее оборудование, оборудование замены	replacement equipment; equipment, sent as replacement; substituted equipment

работа оборудования	operation of equipment, performance of equipment
нормальная работа оборудования	normal operation of equipment
оборудование простаивает	the equipment stands idle
обслуживание	**maintenance**
гарантийное обслуживание	guarantee maintenance
небрежное обслуживание	negligent maintenance
неправильное обслуживание	improper maintenance
техническое обслуживание	technical maintenance, servicing
осуществлять обслуживание	maintain, service
осмотр	**check, examination, inspection**
проводить осмотр	check, examine, inspect
отделка	**finish, workmanship**
неудовлетворительная отделка	unsatisfactory finish, unsatisfactory workmanship
отличная отделка	excellent finish
удовлетворительная отделка	satisfactory finish, satisfactory workmanship
повреждение (*оборудования*)	**breakage, damage, defect, fault, impairment**
показатели (*работы оборудования*)	**performance, characteristics**
гарантированные показатели	guaranteed performance
достигнутые показатели	attained performance
проектные показатели	design performance
гарантировать проектные показатели	guarantee the design performance
технические показатели	technical characteristics
экономические показатели	economic performance
гарантировать показатели	guarantee performance
поломка (*оборудования*)	**breakdown, failure, fault**
проверка	**check[ing], inspection, test[ing]**
проводить проверку	check, inspect, test
отказаться от проверки	waive the inspection
продукция	**output, product[s], production**
готовая продукция	finished products
гарантировать объем выпускаемой продукции	guarantee the output
производительность	**output, productivity, capacity, efficiency**
высокая производительность	high efficiency
годовая производительность	annual production rate
низкая производительность	low efficiency

номинальная производительность	rated capacity
проектная производительность	design output
сменная производительность	output per shift
средняя производительность	average output, average productivity
суточная производительность	daily output, daily capacity
часовая производительность	output per hour, hourly output
гарантировать производительность	guarantee productivity
производственная единица	**production unit**
простаивать	**stand idle**
простой (*оборудования*)	**idle period, idle time**
работа(-ы)	**work[s], operation**
бесперебойная работа	smooth operation, trouble-free operation, uninterrupted operation
гарантировать бесперебойную работу	guarantee trouble-free operation, guarantee uninterrupted operation
дефектные работы	defective work[s]
исправлять дефектные работы	rectify defective work[s]
переделывать дефектные работы	re-do defective work[s], re-execute defective work[s]
надлежащая работа	proper work
гарантировать надлежащую работу	guarantee proper work
ремонтные работы	repair work[s]
работы, не соответствующие контракту	the work[s], which are not in accordance with the contract
выполнять работу	carry out work, do work, execute work
ремонт	**repair, maintenance, recondition [-ing]**
аварийный ремонт	emergency repair
внеплановый ремонт	off-schedule maintenance
графиковый ремонт	scheduled maintenance
капитальный ремонт	general maintenance, overhaul
планово-предупредительный ремонт	planned maintenance, preventive maintenance, routine maintenance
средний (мелкий) ремонт	medium (minor) repair
текущий ремонт	routine repairs, running repairs
в ремонте	under repair

ремонтировать	**maintain, overhaul, repair**
ремонтная мастерская	**repair shop**
сертификат качества	**quality certificate**
срок службы	**lifetime, service life, working time**
стандарты	**standards**
государственные стандарты	state standards
в соответствии с государственными стандартами	in accordance with the state standards
соответствовать стандартам	be in accordance with standards
убытки	**loss(-es)**
возмещать убытки	make good a loss, repair a loss
нести убытки, терпеть убытки	suffer losses, sustain losses
условия	**conditions**
аварийные условия	emergency conditions
благоприятные условия	favourable conditions
единые условия	uniform conditions
нормальные условия	normal conditions
рабочие условия	operating conditions, working conditions
технические условия	specifications
условия испытаний (*технические условия на испытания*)	test specifications
хранение	**storage**
небрежное хранение	negligent storage
неправильное хранение	improper storage
несоответствующее хранение	inadequate storage
соответствующее хранение	adequate storage, proper storage
часть(-и) (*оборудования*)	**part(-s)**
быстроизнашивающиеся части	quickwearing parts, rapidly wearing parts
дефектные части	defective parts
замененные части	replaced parts
экспертиза	**examination, commission of experts**
заключение экспертизы	opinion of a commission of experts, decision of a commission of experts
результат экспертизы	results of examination
производить экспертизу	make an examination
проходить экспертизу	undergo an examination by experts
эксплуатация	**maintenance, operation, running, service, working**
гарантийная эксплуатация	guarantee operation, guarantee maintenance

нормальная эксплуатация	normal operation
вводить в эксплуатацию	put into operation, put into service, put into commission
эксплуатировать	**maintain, operate, run, service, work**

Какова причина выхода оборудования из строя?	What has caused the breakdown of the equipment?
Оборудование вышло из строя по причине дефектов завода-изготовителя	The equipment broke down because of the manufacturing defects
Выход из строя оборудования должен быть зафиксирован в акте, подписанном Заказчиком и Поставщиком	The failure of the equipment shall be stated in the report to be signed by the Customer and the Supplier
Мы не можем удовлетворить вашу просьбу о продлении гарантийного срока. Оборудование вышло из строя по вине вашего персонала	We can't meet your request to prolong the guarantee period. Your personnel are responsible for the breakdown of the equipment
С какого момента начинается гарантийный срок?	When does the guarantee period begin?
После успешного завершения испытаний оборудования	After the equipment has satisfactorily passed tests
С даты поставки оборудования	From the date of delivery of the equipment
С даты пуска оборудования в эксплуатацию	From the date of putting the equipment into operation
Со дня подписания акта о завершении работ	From the date of signing the Certificate of completion
Подрядчик гарантирует... при строгом соблюдении персоналом Заказчика инструкций по эксплуатации и уходу за оборудованием	If the Customer's personnel strictly observe Operation and Maintenance instructions the Contractor shall guarantee...
бесперебойную работу оборудования	uninterrupted operation of the equipment
достижение проектных показателей	design performance
качество оборудования	quality of equipment
качество продукции	quality of output
качество работ	quality of work[s]
качество сооружений	quality of structures
объем выпускаемой продукции	output
производительность	productivity
Каков порядок замены дефектного оборудования?	What's the procedure of replacing defective equipment?

Это определяется условиями контракта	It is specified in the contract
Поставщик не несет ответственность за выход из строя оборудования в связи с ненадлежащей эксплуатацией оборудования местным персоналом и после истечения гарантийного срока	The Supplier does not bear responsibility for the breakdown of the equipment as a result of the improper maintenance by the local personnel and after the expiration of the guarantee period
Оборудование, поставленное на объект, в полном объеме соответствует государственным стандартам СССР	The equipment supplied to the project is in full accordance with the state standards of the USSR
Гарантийный срок на оборудование может быть продлен в случае обнаружения дефектов завода-изготовителя	The guarantee period for the equipment can be prolonged if manufacturing defects are detected
Вопрос о возврате дефектного оборудования будет решаться представителями Поставщика и Заказчика в каждом отдельном случае	The Supplier and the Customer shall settle the matter of returning defective equipment in each particular case
Срок гарантии не должен превышать 18 месяцев с даты отгрузки и 12 месяцев с даты пуска оборудования в эксплуатацию, в зависимости от того, какой срок наступит раньше	The guarantee period shall not exceed 18 months from the date of shipment and 12 months from the date of putting the equipment into operation, whichever is the shorter period
В течение гарантийного срока, при условии нормальной эксплуатации оборудования, Поставщик обязан устранить дефект, явившийся результатом...	During the guarantee period, if Operation and Maintenance instructions are observed, the Supplier shall eliminate any defect arising from...
дефектного материала	defective material
ненадлежащей конструкции	faulty design
неудовлетворительной отделки	unsatisfactory workmanship
Гарантия не распространяется на...	The guarantee does not cover...
быстроизнашивающиеся части	quickwearing parts
нормальный износ оборудования	fair wear and tear
повреждение оборудования, возникшее в результате неправильного и (или) небрежного хранения	damage to the equipment as a result of improper and (or) negligent storage

ДИАЛОГИ

Пд. Давайте продолжим наши вчерашние переговоры, г-н... Я полагаю, мы сможем сегодня решить вопрос о гарантиях.	Cnt. Let's continue our yesterday's talks, Mr... I hope we'll agree on guarantees today.

З. Конечно, мы сотрудничаем с вами уже давно и знаем, что вы гарантируете качество оборудования в течение не более 24-х месяцев со дня отгрузки и его нормальную работу в течение 12-ти месяцев со дня пуска в эксплуатацию.

C. Most certainly. We've been long cooperating with you and know that you guarantee the quality of your equipment within no more than 24 months from despatch and normal operation within 12 months of the date of putting the equipment into operation.

Пд. Г-н..., строительство данного объекта будет осуществляться на условиях «под ключ» и наши гарантии будут шире.

Cnt. Mr..., the construction of the project shall be carried out on a "turn-key" basis and our guarantees will be wider.

З. Объясните, пожалуйста, конкретнее.

C. Will you be more specific, please?

Пд. Мы гарантируем качество и нормальную работу всего оборудования, качество работ и сооружений.

Cnt. We shall guarantee the quality and normal operation of the equipment, the quality of the works and structures.

З. В течение какого срока?

C. And for how long?

Пд. Если ваш персонал будет строго соблюдать наши инструкции по эксплуатации и уходу, то мы в течение 12-ти месяцев будем ответственны за исправление дефектов, замену дефектного оборудования и устранение всех неполадок и недоделок.

Cnt. If your personnel strictly observe Operation and Maintenance instructions, we shall be responsible for the elimination of defects, replacement of defective equipment and rectification of all faults and imperfections within 12 months.

З. Да, но это очень короткий срок для гарантийной эксплуатации. Не могли бы вы продлить его до 18-ти месяцев?

C. Well, but the maintenance guarantee period is very short. Could you extend it to 18 months?

Пд. Г-н..., мы предлагаем срок, принятый в международной практике. Кроме того, до истечения гарантийного срока мы поставим на объект комплект быстроизнашивающихся частей, необходимых для нормальной работы объекта в течение года.

Cnt. Mr..., we offer the internationally accepted period. Besides, before the guarantee maintenance period expires we shall deliver to the project a set of quick-wearing parts, sufficient for normal operation of the project within a year.

З. Да, спасибо за разъяснение, г-н... Мы согласны на период гарантийной эксплуатации в 12 месяцев и полагаем, что он начнется, когда объект выйдет на проектную мощность.

C. Thank you for the clarification, Mr... We agree to the guarantee maintenance period of 12 months and believe that it'll start when the project reaches the design performance.

Пд. Мы не можем согласиться на это. На достижение предприятием проектной мощ-

Cnt. We can't agree to it. The project will take time to reach the design performance, meanwhile

ности требуется определенное время, а между тем, предприятие будет работать и выпускать готовую продукцию. — it'll operate turning out marketable products.

З. А что вы предлагаете, г-н...? — C. And what do you suggest, Mr...?

Пд. Мы считаем, что период гарантийной эксплуатации должен начаться после того, как объект или часть его успешно пройдет испытания и будет готова к пуску. — Cnt. We think that the maintenance guarantee period shall start when the project or part of it has successfully passed tests and is ready for commissioning.

З. Спасибо, мы обдумаем ваши предложения. — C. Thank you, we'll think over your proposals.

СЛОВА

СТРАХОВАНИЕ — INSURANCE

авария, несчастный случай	**average, accident**
малая авария	petty average
общая авария	general average
взносы по общей аварии	contributions allowed in general average
расходы по общей аварии	expenses allowed in general average
убытки по общей аварии	losses allowed in general average, general average loss
частная авария	particular average
авария без возмещения	noncompensable accident
авария с возмещением	compensable accident
возмещение аварии, как обычно	average as customary
оговорка об аварии	average clause
свободно от всякой аварии	free of all average, f.o.a.
потерпеть аварию	meet with an accident
аварийный комиссар	**average agent, average commissioner**
агент	**agent**
страховой агент	[social] insurance agent
агент по заключению новых договоров страхования	acquisition agent
агент по страхованию	insurance broker, insurance clerk
агентство	**agency**
страховое агентство	insurance agency
акт	**report**
официальный акт	official report
акт осмотра и экспертизы [груза]	[cargo] survey report

взнос	**premium, payment, contribution**
аварийный взнос	average payment
долевой взнос	contribution
долевой взнос по общей аварии	general average contribution
дополнительный взнос	additional premium
пропорциональный взнос	contribution
страховой взнос	insurance premium, insurance contribution
очередной страховой взнос	installment premium
первый страховой взнос	first premium, initial premium
средний страховой взнос	average premium
страховой взнос в постоянном размере	fixed premium
уплата страхового взноса	payment of [insurance] premium
выгодоприобретатель	**beneficiary**
гарантия	**guarantee**
страховая гарантия	insurance guarantee
предоставлять страховую гарантию	grant an insurance guarantee
груз	**cargo**
застрахованный груз	insured cargo
незастрахованный груз	not insured cargo, uninsured cargo
диспаша	**average statement**
составлять диспашу	adjust the average
диспашер	**average adjuster, average stater**
договор страхования	**insurance contract, insurance policy**
действующий договор страхования	current insurance, insurance in force
договор авиационного страхования	air insurance contract
договор морского страхования	marine insurance contract
договор сухопутного страхования	overland insurance contract
заключение договора страхования	issue of [insurance] policy
права по договору страхования	rights under the insurance contract
содержание договора страхования	contents of the insurance contract
договор страхования, требующий наивысшей добросовестности	contract uberrimae fidei

аннулировать договор страхования	cancel an insurance policy
заключать договор страхования	make an insurance policy
оформлять договор страхования	issue an insurance policy
расторгать договор страхования	cancel an insurance policy
документ	**document**
основной документ	basic document
содержание документа	contents of a document
составлять документ	draw up a document
имущество	**property**
застрахованное имущество	insured property
незастрахованное имущество	not insured property, uninsured property
полная гибель имущества	absolute total loss
имущество, потерявшее ценность (*пришедшее в негодность*)	write-off property
отказываться от имущества в пользу страховщика	abandon
ковернот	**cover note**
компенсация	**compensation**
получать компенсацию от страховой компании	get compensation from an insurance company
контракт о страховании	**contract of insurance**
налог(-и)	**tax(-es)**
налоги по страхованию	insurance taxes
несчастный случай *см.* **авария**	
обязательство(-а)	**liability(-ies), obligation(-s)**
договорные обязательства	contractual obligations
страховое обязательство	insurance liability
дополнительное страховое обязательство	additional insurance liability
выполнять обязательства	meet liabilities, discharge liabilities
принимать на себя обязательство	incur a liability
объект	**project**
застрахованный объект	insured project
незастрахованный объект	uninsured project
страховать объект	insure a project
объем страховой ответственности	**insurance cover**

оценка	**valuation**
согласованная оценка [страхуемого имущества]	agreed valuation [of insured property]
страховая оценка	insurance valuation
пеня	**fine**
брать пеню	exact a fine *from*
налагать пеню	impose a fine *on*
перестрахование	**reinsurance**
облигаторное перестрахование	obligatory reinsurance
факультативное перестрахование	facultative reinsurance, optional reinsurance
эксцедентное перестрахование	excess of loss reinsurance
перестраховать	**reinsure, effect reinsurance**
полис (*страховой, страхования*)	**policy, policy of assurance**
бланковый полис	blanket policy
генеральный полис (*особое соглашение*)	floating policy, running policy
невалютированный полис	open policy
открытый полис	open policy, open cover
разовый полис	named policy
рейсовый полис	voyage policy
смешанный полис	mixed policy
типовой полис (*выдаваемый агентом*)	ticket policy
фрахтовый полис	freight policy
держатель полиса	policy holder
полис, действие которого досрочно прекращено (*вследствие неуплаты страховых взносов*)	lapsed policy
полис комбинированного страхования	comprehensive policy
полис морского страхования	marine insurance policy
полис на срок	time policy
полис на условиях «свободно от частной аварии»	f.p.a. policy, "free from particular average" policy
полис о небрежности	negligence policy
полис перестрахования	policy of reinsurance
полис, по которому внесены все причитающиеся взносы	paid-up policy
полис, предусматривающий возможность изменения страховой ответственности	convertible policy
полис с ежемесячным уточнением страховой суммы	adjustable policy

полис страхования жизни	life policy, life insurance
полис страхования от всех рисков	"all risks" policy
полис страхования от любой утраты или любого повреждения	"all losses or damage" policy
полис страхования против транспортных рисков	policy against the risks of carriage
полис страхования расходов по сделкам на условиях СИФ	c.i.f. charges policy
полис страхования фрахта	freight policy
аннулировать полис	cancel a policy
выдавать полис	issue a policy
передавать полис другому лицу	transfer an insurance policy to another person
получать (*застраховать*) полис	take out a policy
представлять полис	submit a policy
составлять полис	draw up a policy
требовать полис	demand a policy
полисодержатель	**policy holder**
право	**right**
исключительное право	exclusive right
преимущественное право	right of priority, priority right
воспользоваться правом	avail oneself of a right
иметь право	have a right
нарушать право	infringe a right
осуществлять право	exercise a right
отказываться от права	abandon a right
пользоваться правом	enjoy a right
сохранять право	reserve the right
терять право	forfeit a right
уступать право	concede a right
практика	**practice**
страховая практика	insurance practice
условия, принятые в страховой практике	terms accepted in insurance practice
премия	**premium**
страховая премия	insurance premium
дополнительная страховая премия	additional [insurance] premium
паушальная страховая премия	lump-sum premium
страховая премия за риск	risk premium
ставка страховой премии	rate of premium
получать страховую премию	get a premium

уплатить страховую премию	pay a premium
регресс	**recourse, regress**
право регресса	right of recourse, right of regress
без права регресса	without the right of recourse
осуществление права регресса	release of the recourse
с правом регресса	with the right of recourse
осуществлять право регресса	release the recourse
отказываться от права регресса	renounce the right to recourse
риск(-и)	**risk(-s)**
допустимый риск	admissible risk, allowed risk, tolerated risk
морские риски и опасности	risks and perils of the sea
нестрахуемый риск	non-insured risk, uninsured risk
нормальный риск	standard risk
особый риск	special risk, extra risk
постоянный риск	constant risk
расчетный риск	calculated risk
совокупный риск	[integrated] overall risk
средний риск	average risk, mean risk
страховой риск	insurance risk
смешанные страховые риски	miscellaneous insurance risks
страховой авиационный риск	aviation insurance risk
чрезвычайный страховой риск	abnormal insurance risk
страхуемый риск	insurable risk
условный риск	conditional risk, conventional risk
установленный уровень риска	assigned insurance risk
фактический риск	actual risk
изменения в риске	modifications in the risk
существенные изменения в риске	essential modifications in the risk
оценка риска	valuation of risk, estimated risk
степень риска	degree of risk
риск, охватываемый страхованием	risk covered by insurance
подвергаться риску	run the risk
сбор	**fee[s]**
страховой сбор	insurance fee
сбор на страховую экспертизу	insurance survey fee[s]

свидетельство о страховании, страховой документ	**certificate of insurance, insurance document, insurance certificate**
содержание свидетельства о страховании	contents of an insurance certificate
выдавать свидетельство о страховании	issue a certificate of insurance
случай(-и)	**case, accident(-s), occurrence**
несчастный случай	accident
несчастный случай на производстве	industrial accident, occupational accident
страховать от несчастных случаев	insure against accidents
страховой случай	insured accident
происходящие страховые случаи	current insurances
наличие страхового случая	occurrence of an insured accident
причина страхового случая	cause of the insured accident
указывать причину страхового случая	state the cause of the insured accident
статистика	**statistics**
статистика страхования	actuarial statistics
стоимость	**cost**
страховая стоимость	insurance cost
выплачивать страховую стоимость	pay insurance cost
страхование	**insurance, cover**
авиационное страхование	aviation insurance
государственное страхование	state insurance, national insurance
добавочное страхование	additional insurance, supplementary insurance
добровольное страхование	voluntary insurance
долгосрочное страхование	long-term insurance
имущественное страхование	property insurance
индивидуальное страхование	personal insurance, private insurance
краткосрочное страхование	short-term insurance
личное страхование	personal insurance, private insurance
морское страхование	marine insurance
обязательное страхование	compulsory insurance, obligatory insurance
отсроченное страхование	deferred insurance
предварительное страхование	provisional insurance
прямое страхование	direct insurance

расширенное страхование	extended cover
социальное страхование	social insurance, national insurance
сухопутное страхование	overland insurance
транспортное страхование	transport insurance
правила транспортного страхования	transport insurance rules
закон о страховании	insurance law
заявка на страхование	order to insurance
объект страхования	object of insurance
правила страхования	rules of insurance, insurance rules
расходы по страхованию	insurance expenses
свидетельство о страховании	insurance certificate
временное свидетельство о страховании (*выдаваемое брокером страхователю*)	provisional insurance certificate, cover note
страхование багажа	luggage insurance
страхование без права регресса	insurance without the right of recourse
страхование в полную (неполную) стоимость	full (partial) value insurance
страхование жизни	life insurance
страхование кредитов	insurance of credits
страхование на случай болезни	sickness insurance
страхование на условиях «свободно от частной аварии»	insurance "free of particular average"
страхование от военных рисков	war risk insurance
страхование от всех рисков	all risks insurance
страхование от общих потерь	general loss insurance
страхование от обычных морских рисков	standard marine risks insurance
страхование от огня	insurance against fire
страхование от повреждений	insurance against damage
страхование от полной гибели	total loss insurance
страхование от поломки	insurance against breakage
страхование от производственных рисков и несчастных случаев	insurance against industrial risks and accidents
страхование от стихийных бедствий	insurance against natural hazard
страхование от убытков	insurance against losses
страхование от частичных потерь	partial loss insurance
страхование от частной аварии	particular average insurance

страхование пассажиров	passenger insurance
страхование с включением случаев частной аварии	insurance with particular average
страхование строений	insurance of structures, insurance of buildings
страхование третьей стороны	insurance of a third party
аннулировать страхование	cancel insurance
заключать страхование, производить страхование	contract insurance, cover insurance, effect insurance
принимать страхование	accept insurance
страхователь (*лицо, выплачивающее страховые взносы*)	**insurant, the insured**
ответственность страхователя	liability of the insurant
расширять ответственность страхователя	extend liability of the insurant
право страхователя	right of the insurant, right of the insured
страховать	**insure, cover**
страховать аванс фрахта	insure the advance of freight
страховать груз	insure cargo
страховать завод	insure the works
страховать инструмент	insure tools
страховать интерес	insure interest
страховать корпус судна	insure the hull of a ship
страховать материалы	insure materials
страховать на полную стоимость (сумму)	insure for the full cost (sum)
страховать оборудование	insure equipment
страховать ожидаемую прибыль	insure anticipated profit
страховать персонал	insure personnel
страховать приборы	insure instruments
страховать работы	insure work[s]
страховать рабочую силу	insure labour
страховать товар	insure goods
страховать фрахтовые выплаты	insure freight payments
страховое возмещение	**insurance compensation, insurance indemnity**
выплата страхового возмещения	payment of insurance compensation
возвращать полученное страховое возмещение	refund the indemnity received
требовать страховое возмещение	claim insurance indemnity
страховой документ *см.* **свидетельство о страховании**	

страховой интерес	**insurance interest**
полное признание страхового интереса	full recognition of insurance interest
страховщик (*страховая организация*)	**insurer, underwriter**
интересы страховщика	interest of the insurer
охранять интересы страховщика	protect insurer's interest
обязанности страховщика	insurer's obligations
права страховщика	insurer's rights
страховые услуги, услуги по страхованию	**actuarial services**
страхуемый интерес	**insurable interest**
сумма	**sum**
страховая сумма	insurance sum
определять страховую сумму	fix an insurance sum
третья сторона	**third party**
убыток(-и)	**loss (-es)**
случайный убыток	accidental loss
частичные убытки	partial loss
возмещение частичных убытков	compensation of partial loss
чистый убыток	dead loss
информация об убытках	information on the loss
размер убытка	extent of the loss
определять размер убытка	fix the extent of the loss, ascertain the extent of the loss
влечь за собой убыток	entail a loss
оценивать убыток	assess the loss, value the loss
условия страхования	**terms of insurance**
условие страхования о переуступке	assignment clause
франшиза (*убыток, не покрываемый страховщиком*)	**franchise**
франшиза без скидки	non-deductible franchise
франшиза со скидкой	deductible franchise

От каких аварий мы можем застраховать груз?	Against what accidents can we insure the cargo?
От...	Against...
малой аварии	petty average
общей аварии	general average
частной аварии	particular average

Куда мы должны обратиться по поводу страхования?	Where must we apply to concerning insurance?
В страховое агентство	To an insurance agency
В каком случае предоставляется страховая гарантия?	In what case is an insurance guarantee granted?
Если это предусмотрено Контрактом	If it is provided for by the Contract
Вчера мы подписали договор... страхования	Yesterday we signed a contract for... insurance
авиационного	aviation
морского	marine
сухопутного	overland
Какой взнос мы должны внести?	What premium are we to pay?
Очередной страховой взнос	An installment premium
Вы можете пользоваться правами по договору страхования	You can enjoy the rights on the insurance contract
Вы изучили содержание договора страхования?	Have you studied the contents of the insurance contract?
Каковы ваши обязательства по договору страхования?	What is your liability under the insurance contract?
Мы освобождаем себя от обязательств по договору страхования	We release ourselves from the liability under the insurance contract
Вы имеете право на застрахованное имущество	You have the right to the insured property
Мы отказываемся от права на застрахованное имущество	We abandon the right to the insured property
Когда вы подписали контракт о страховании?	When did you sign the insurance contract?
25-го февраля	On the 25th of February
Нас устраивают все условия контракта страхования	All the terms and conditions of the insurance contract suit us
Прежде всего вы должны уплатить налоги по страхованию	You are to pay insurance taxes first of all
Когда мы сможем получить компенсацию от страховой компании?	When shall we be able to get a compensation from the insurance company?
Как только будут выполнены все формальности	As soon as we are through with all the formalities
Мы получили... полис	We got a... policy
рейсовый	voyage
смешанный	mixed
фрахтовый	freight
У вас есть...?	Do you have...?
акт осмотра и экспертизы [груза]	a [cargo] survey report
свидетельство о страховании	an insurance certificate
страховой документ	an insurance document

Когда был выписан...?	When was... issued?
полис смешанного страхования	a comprehensive (mixed) policy
полис страхования против транспортных рисков	a policy against the risks of a carriage
полис страхования от любой утраты или любого повреждения	an "all losses or damage" policy
Вы ознакомились с содержанием...?	Have you studied the contents of the...?
договора страхования	insurance contract
генерального полиса	floating policy
бланкового полиса	blanket policy
Мы рассмотрели условия страхования полиса...	We have considered the terms of the insurance policy of...
о возмещении убытков	compensation of losses
по небрежности	negligence
Мы составили полис, предусматривающий возможность изменения страховой ответственности	We have drawn up a convertible policy
Мы представили вам...	We have submitted an... to you
заявку на страхование	order to insurance
страховой полис	insurance policy
сертификат страхования	insurance certificate
Что вы хотите застраховать?	What would you like to insure?
Вы знаете правила страхования?	Do you know the rules of insurance?
Вы хотите...?	Do you want to...?
аннулировать страхование	cancel insurance
застраховать имущество	insure property
получить компенсацию от страховой компании	receive compensation from the insurance company
Мы произвели страхование на полную (неполную) стоимость	We have insured for the full (not full) cost
Кто будет нести расходы по страхованию от...?	Who will bear insurance expenses against...?
всех рисков	all risks
морских рисков	marine risks
общих потерь	general loss
обычных рисков	standard risks
огня	fire
Страхование будет включать страхование...	Insurance will provide cover of...
строений	structures
третьей стороны	a third party
оборудования	equipment

Вы будете страховать... в Ингосстрахе?	Will you insure... with Ingosstrakh?
Мы застраховали...	We have insured the...
аванс фрахта	advance of freight
груз	cargo
завод	works
Вы изучили... страхователя?	Have you studied the... of the insurant?
обязательства	liabilities
права	rights
Вы знакомы с условиями, принятыми в страховой практике?	Do you know the terms and conditions accepted in insurance practice?
Вы имеете право на...	You have the right to...
дополнительную страховую премию	an additional premium
застрахованное имущество	the insured property
Мы рассмотрели вашу просьбу уплатить страховую премию	We have considered your request to pay an insurance premium
Когда будет выплачена страховая стоимость?	When will the insurance cost be paid?
Как будет осуществляться...?	How will the... be made?
выплата страхового возмещения	payment of insurance compensation
добавочное страхование	additional insurance
перестрахование	reinsurance
Вам выдали страховой документ?	Has the insurance document been issued to you?
Каков срок действия страхового полиса?	How long is the insurance policy valid?
Максимально 12 месяцев	Maximum twelve months
Мы должны учитывать возможность наступления страхового случая	We must take into account the possibility of insurance accident
Интересы страховщика должны охраняться	The insurer's interests must be protected
В страховой практике имеют место...	... may occur in insurance practice
нормальные риски	Standard risks
смешанные страховые риски	Miscellaneous insurance risks
особые риски	Special risks
Как будет возмещаться убыток?	How will the loss be compensated?
Контракт о страховании предусматривает возмещение частичных убытков	The insurance contract provides for the compensation of partial losses

З. Мы хотели бы обсудить с вами вопрос о страховании, г-н...	C. We would like to discuss the insurance problem with you, Mr...
П. Я готов ответить на ваши вопросы, г-н...	S. I'm [perfectly] prepared to answer your questions, Mr...
З. Как будет осуществляться страхование персонала на площадке?	C. How will the personnel on site be insured?
П. Мы обеспечим страхование специалистов от производственных рисков и несчастных случаев.	S. We shall insure the experts against industrial risks and accidents.
З. А как насчет объектов строительства? Вы их тоже будете страховать?	C. And what about the construction projects? Will you insure them too?
П. Обязательно. И не только объекты, но и материально-имущественные ценности строительства будут застрахованы от пожаров и стихийных бедствий.	S. By all means. We shall insure not only projects but the property as well against fire and natural hazard.
З. А кто оплатит расходы, если такая ситуация возникнет?	C. And who will pay expenses if a situation like this arises?
П. Расходы будут отнесены на стоимость объектов.	S. The expenses will be included in the cost of the projects.
З. И последнее, г-н... Мы знаем, что вы будете страховать оборудование, и хотели бы просить Вас застраховать его и от авиационных рисков.	C. And the last thing, Mr... We know that you will insure the equipment but we would like to ask you to insure it against air risks too.
П. Я хочу напомнить вам, г-н..., положение Правил транспортного страхования грузов. В нем говорится о том, что Поставщик будет страховать оборудование от морских рисков, но не от авиационных.	S. I would like to remind you, Mr..., about the article of the Regulations of transport insurance. It says that the Supplier shall insure equipment against marine risks but not against air risks.
З. Ну, что же, мы видим, что «Правилами...» действительно не предусмотрено страхование от авиационных рисков. У нас больше нет вопросов.	C. Well, we see that the "Regulations" really do not provide [for] insurance against air risks. We don't have any more questions.
П. Если у вас в дальнейшем возникнут вопросы, мы постараемся ответить на них.	S. If you have any questions in future we shall try to answer them.

ФОРС-МАЖОРНЫЕ ОБСТОЯТЕЛЬСТВА	**FORCE-MAJEURE [CIRCUMSTANCES]**
бедствие	**calamity, disaster, hazard**
стихийное бедствие	natural calamity, natural hazard

блокада	**blocade**
взрыв	**explosion**
волнение	**disturbance, riot**
восстание	**insurrection, revolt, uprising**
действие(-я)	**act, action, operation(-s)**
военные действия	military operations, hostilities
забастовка	**strike**
заносы (*снежные*)	**snow-drifts**
землетрясение	**earthquake**
мель	**shoal, bank**
сесть на мель	run aground, ground
наводнение	**flood**
обязательство(-а)	**liability(-ies)**
выполнение обязательств	fulfilment of liabilities
невозможность выполнения обязательств	impossibility to fulfil liabilities, impossibility to meet liabilities
невыполнение обязательств	nonfulfilment of liabilities, failure to meet liabilities, nonfeasance
выполнять обязательство	meet a liability, discharge a liability
пожар	**fire**
посадка на мель	**grounding**
случай	**case, incident, event, occurrence**
несчастный случай	accident
событие	**event**
непредвиденное событие	unforeseen event
столкновение	**collision**
сторона	**party**
пострадавшая сторона	damaged party
тайфун	**typhoon**
ураган	**hurricane**
условия	**conditions**
погодные условия	weather conditions
неблагоприятные погодные условия	adverse weather conditions
форс-мажорные обстоятельства (*форс-мажор, обстоятельства непреодолимой силы*)	**force-majeure [circumstances], unforeseen circumstances, Act of God**
действие форс-мажорных обстоятельств	effect of force-majeure circumstances

длительность форс-мажорных обстоятельств	duration of force-majeure circumstances
начало форс-мажорных обстоятельств	beginning of force-majeure circumstances
окончание форс-мажорных обстоятельств	completion of force-majeure [circumstances]
извещать о начале (об окончании) форс-мажорных обстоятельств	inform about the beginning (completion) of force-majeure [circumstances]
причина форс-мажорных обстоятельств	cause of force-majeure circumstances
заявлять о форс-мажорных обстоятельствах	declare force-majeure [circumstances]
ограждать себя от форс-мажорных обстоятельств	protect oneself against force-majeure, guard oneself from (against) force-majeure [circumstances]
предвидеть форс-мажорные обстоятельства	foresee force-majeure circumstances
предотвращать форс-мажорные обстоятельства	prevent force-majeure circumstances
принимать меры в связи с форс-мажорными обстоятельствами	take measures to cope with force-majeure [circumstances]
цунами	**tsunami**
шторм	**storm**
эмбарго	**embargo**
наложить эмбарго	impose embargo
снимать эмбарго	lift embargo

Что задержало выполнение контракта?	What delayed the execution of the contract?
Форс-мажорные обстоятельства	Force-majeure circumstances did
Вы известите нас о начале форс-мажорных обстоятельств?	Will you inform us about the beginning of force-majeure circumstances?
Да, мы сообщим Вам в письменном виде	Yes, we shall write to you
Предугадать форс-мажорные обстоятельства трудно	It is difficult to foresee force-majeure circumstances
Мы не можем оградить себя от форс-мажорных обстоятельств	We cannot protect ourselves against force-majeure circumstances
Какие меры вы примете в связи с форс-мажорными обстоятельствами?	What measures will you take with regard to force-majeure [circumstances]?

Мы задержим поставку оборудования	We shall suspend the delivery of the equipment
Мы не должны нести ответственность за..., не так ли?	We shall not bear responsibility for..., shall we?
неблагоприятные погодные условия	adverse weather conditions
непредвиденные обстоятельства	unforeseen circumstances
несчастные случаи	accidents
Если можно будет доказать, что это препятствовало выполнению обязательств по контракту	If you prove that this hindered the fulfilment of obligations under the contract
В каком случае учитывается невозможность исполнения обязательств по контракту?	In what case is the impossibility to carry out contractual obligations taken into account?
При наличии обстоятельств, освобождающих от обязательств	If there are circumstances that release you from obligations

ДИАЛОГИ

З. Мы хотим обратить ваше внимание на то, что вы нарушили условия контракта.	C. We would like to call your attention to the fact that you've infringed the terms of the contract.
П. Вы имеете в виду сроки поставки оборудования?	S. Do you mean the time of delivery of the equipment?
З. Да, вы задержали поставку на две недели.	C. Yes, you delayed the delivery for two weeks.
П. Это так, но мы не могли поставить оборудование в срок из-за форс-мажорных обстоятельств; наше судно село на мель и нам пришлось ставить его на ремонт. Вот справка (сертификат).	S. That is so but we failed to deliver the equipment in time because of force-majeure circumstances — our vessel had run aground and we had to put it under repairs. Here's the certificate.
З. Это меняет дело. Но вы должны были письменно уведомить нас о случившемся.	C. This alters the matter. But you were to have notified us about it in writing.
П. Мы сделали это и очень удивлены, что вы не получили наше уведомление.	S. We did it and we are very much surprised, that you didn't receive our notification.
З. Возможно ваше письмо затерялось. Мы просмотрим почту еще раз. А сейчас мы приносим свои извинения.	C. Perhaps your letter got lost. We'll go through the mail again. Meanwhile we offer our apologies.

РЕКЛАМАЦИЯ. АРБИТРАЖ — CLAIMS. ARBITRATION

СЛОВА

акт	**report, statement**
рекламационный акт, акт-рекламация	damage statement, damage claim
акционер	**stockholder**

акционер-бенефициар	**beneficial stockholder**
апеллянт	**appellant**
апелляция	**appeal**
апелляция об отмене решения арбитража	application to set aside award
заявление об апелляции	notice of appeal
истец по апелляции	appellant
ответчик по апелляции	appellee
решение по апелляции	judgement in error
отклонять апелляцию	dismiss an appeal
подавать апелляцию	give notice of appeal
удовлетворять апелляцию	satisfy an appeal, allow an appeal
арбитр	**arbitrator**
беспристрастный арбитр	impartial arbitrator, unbiased arbitrator
единоличный арбитр	one justice, single arbitrator, sole arbitrator
запасной арбитр	reserve arbitrator
арбитр «по справедливости»	amicable compounder
отвод арбитра	challenge to arbitrator
иметь право заявить об отводе арбитра	be entitled to challenge arbitrator
суперарбитр	umpire
решение суперарбитра	umpirage
избирать арбитра	elect an arbitrator
назначать арбитра	appoint an arbitrator
арбитраж	**arbitration**
валютный арбитраж	arbitrage of exchange
заседание арбитража	sitting of arbitration
издержки по арбитражу	expenses on arbitration
решение арбитража	decision of arbitration, arbitral award
состав арбитража по делу	tribunal
начинать арбитраж	start arbitration
передавать дело на рассмотрение в арбитраж	refer the matter to arbitration
явиться в арбитраж	appear before arbitration
арбитражный орган	**arbitration body**
постоянный арбитражный орган	permanent arbitration body
банкротство	**bancruptcy, insolvency**
бенефициар[ий], выгодоприобретатель	**beneficiary, cestui que trust** (*lat.*) **fide-commissary** (*lat.*)

векселедатель	**drawer, giver of a bill**
векселедержатель	**noteholder, billholder**
вексель	**bill, note**
бланковый вексель	blank bill
иностранный вексель	foreign bill
коммерческий вексель	commercial bill, ordinary bill
краткосрочный вексель	short-term note
просроченный вексель	overdue bill
простой вексель	note, note of hand
срочный вексель	demand bill
вексель, погашенный золотом	gold note
авизовать вексель	advise a bill
оплатить вексель	meet a bill
власть	**authority, power**
законные власти	lawful authorities
законодательная власть	legislative power, legislature
исполнительная власть	executive authority, executive power
превышение власти	excess of power
судебная власть	judicial authority, judicial power
вопрос	**issue, question, problem, matter**
рассматриваемый вопрос	case in point
спорный вопрос	the question at issue, the point at issue
разрешить вопрос	bring an issue to a close
решать вопрос в арбитражном порядке	arbitrate
выгодоприобретатель *см.* **бенефициар[ий]**	
действие(-я)	**act(-s)**
неправомерные действия	wrongful acts
оспоримое действие	voidable act
правомерное действие	lawful act
дело	**case, action, matter, proceeding(-s) cause, plea**
судебное дело	action, cause, case
дружеское судебное дело	amicable action
возобновление дела	revivor
изложение дела стороной по апелляции	case on appeal
исход дела	issue of a suit, outcome of proceedings
прекращение дела в соответствии с соглашением сторон	dismissal agreed

разрешение дела	disposal of a case
рассматривание дела	case in point
рассмотрение дела	disposal of legal proceeding
начинать рассмотрение дела	institute legal proceeding
приостанавливать рассмотрение дела	stay the action
расходы по делу	expenses in a case
сборы по делу	fees in a case
слушание дела	hearing of a case
предварительное слушание дела	preliminary hearing of a case
перерыв в слушании дела	adjournment in the hearing of a case
объявлять перерыв в слушании дела	adjourn the hearing of a case
факты, косвенно относящиеся к делу	collateral facts
вести дело	conduct a case, plead a case
возбуждать дело	bring an action *against*, enter an action *against*, lay an action *against*, put an action *against*
выиграть дело	win an action
заслушивать дело	hold a plea
защищать дело (*в суде*)	plead a cause
передавать дело на рассмотрение в арбитраж	refer the matter to arbitration
принимать дело к производству	enter in the reference
принимать решение по делу	make a reward
приобщать к делу	enter upon the record
проиграть дело	lose an action
разбирать дело	hold a plea
рассматривать дело	hold a plea
слушать дело	hear a case
улаживать дело миром	compromise an action
доверенность	**power of attorney, warrant**
легализованная доверенность	legalized letter, power of attorney, letter of attorney
доверитель	**trustee**
довод	**argument**
доказательство(-а)	**evidence, proof(-s)**
документальное доказательство	documentary evidence
дополнительное доказательство	additional evidence
неоспоримое доказательство	conclusive evidence

неубедительное доказательство	unconvincing evidence, inconclusive proof
письменные доказательства	written evidence
убедительное доказательство	convincing evidence
за отсутствием доказательств	in the absence of evidence
на основании доказательства	on the basis of evidence
оценка доказательств	evaluation of evidence
проверка доказательств	verification of evidence
исследовать доказательства	examine evidence
представлять доказательства	present evidence, give proofs
проверять доказательства	verify evidence
документ(-ы)	**document(-s)**
долговой документ	evidence of debt
правовой документ	legal document
судебный документ	writ
перечень документов	list of documents
вручать документы	deliver documents
направлять документы	forward documents
представлять документы в арбитраж	furnish documents to arbitration, submit documents to arbitration, file for arbitration (*US*)
составлять документ	draw up a document
долг	**debt**
процентный долг	active debt
должник	**debtor**
жалоба	**complaint**
основание для жалобы	cause for complaint
обращаться с жалобой	lodge a complaint, make a complaint
завизировать	**back, endorse, indorse**
задолженность	**indebtedness, arrear[s]**
задолженность по процентам	arrears of interest
заимодавец	**lender**
закон	**law**
в соответствии с законом	under the law, according to the law
норма закона	form the statute
по закону	in law
изменять закон	displace the law
обходить закон	evade the law
подчиняться закону	abide by the law
соблюдать закон	observe the law
законность	**legality, legitimateness, rule of law**

законодательный орган	**body of legislation, legislative body**
законодательство	**legislation**
заявление	**application**
исковое заявление	declaration, articles, statement of claim, [plaint] note
подача искового заявления	filing of the statement of a claim
содержание искового заявления	content of the statement of a claim
отправлять исковое заявление	deliver the statement of a claim
подавать исковое заявление	file the statement of a claim
устранять недостатки искового заявления	rectify the statement of a claim
подавать заявление	file an application
извещение	**notice**
письменное извещение	notice in writing
издержки	**costs, expenses, outlay**
дополнительные издержки	extra costs
понесенные издержки	cost outlay
судебные издержки	law expenses, legal costs, legal expenses
шкала судебных издержек	fee bill
юридические издержки	costs
издержки по арбитражу	expenses on arbitration
[общая] сумма издержек, присуждаемая проигравшей стороне	final costs
нести издержки	bear costs, bear expenses
индоссант	**endorser, indorser**
индоссат	**endorsee, indorsee**
индоссирование	**backing, endorsement, indorsement**
инженер	**engineer**
иностранная фирма	**foreign firm**
иск, исковое требование	**action, claim, lawsuit**
встречный иск	counter-action, counter-claim, claim in return, plea in reconvention
групповой иск	class action
патентный иск	patent action
первоначальный иск	principal claim
петиторный иск	droitural action
регрессный иск	action over
совместный иск	joint action

судебный иск	lawsuit, legal action
иск об убытках	action for damages, action on the case
иск о возобновлении дела производством	bill of revivor
иск о пересмотре решения суда	bill of review
иск о признании права	bill of peace
иск с требованием отчетности	account render
обеспечение иска	security for the claim
устанавливать размер обеспечения иска	determine the extent of security for the claim
устанавливать форму обеспечения иска	determine the form of security for the claim
объединение исков	consolidation of action
объяснение по иску	explanation of a defendant
основание для предъявления иска	cause of action, ground of action
право на иск	right of action
форма иска	form of action
цена иска	amount of a claim, amount in controversy
иск, основанный на праве справедливости	equitable action
иск, предъявленный по соглашению сторон	friendly suit
обосновать исковое требование	establish a claim
оспаривать иск	contest a claim
отказывать в иске	dismiss an action, disallow a claim
отказываться от искового требования	withdraw a claim
отклонять иск	dismiss an action
подавать иск	file an action
предъявлять иск	bring an action *against*, enter an action *against*, lay an action *against*, put an action *against*
признавать иск	plead no defence
исковое требование *см.* **иск**	
исполнение	**performance**
пределы исполнения	extent of performance
истец	**claimant, plaintiff, demandant, complainant, libelant**
вызов истца в суд	calling the plaintiff
истец по апелляции	plaintiff in error
требования истца	plaintiff's demands

кассация	**cassation**
кассация ответчика	cassation of a respondent
кассация покупателя	cassation of a purchaser
удовлетворять кассацию	meet a cassation, satisfy a cassation
комиссия	**commission**
арбитражная комиссия	arbitration commission
местонахождение арбитражной комиссии	seat of arbitration commission
коммерсант	**businessman**
компетенция	**competence**
в пределах компетенции	within competence
выходить за пределы компетенции	be beyond competence
превышение судом своей компетенции	excess of jurisdiction
входить в компетенцию	fall within competence
конвенция	**convention**
ратификация конвенции	ratification of a convention
денонсировать конвенцию	denounce a convention
подписывать конвенцию	sign a convention
ратифицировать конвенцию	ratify a convention
копия (*оригинала*)	**copy**
заверенная копия	certified copy, legalized copy, attested copy
официальная заверенная копия	exemplification
чистовая копия	fair copy
заверять копию	certify a copy, legalize a copy
кредитор	**creditor**
лжепоказание	**false statement**
лицо	**person**
доверительное лицо	fiduciary
должностное лицо	office holder, functionary
официальное лицо	official
третье лицо	a stranger
юридическое лицо	legal entity, corporate person, body corporate
права юридического лица	corporate franchise
материал(-ы)	**material(-s)**
доказательственный материал	evidentiary material
исковые материалы	materials on claim
менеджер	**manager**

меры	**measures**
законодательные меры	legislative measures
принимать меры	take measures
мировая сделка	**amicable settlement**
мировой посредник	**conciliator**
неплатежеспособность	**insolvency**
неустойка (*возмещение ущерба*)	**damages**
штрафная неустойка	penal sum
сумма неустойки	amount of damages
требовать уплаты неустойки в размере...	claim damages at the rate of...
неявка	**failure to appear**
норма(-ы)	**rule(-s), norm, law(-s)**
договорная норма	conventional rule
коллизионная норма	conflict rule
в соответствии с коллизионной нормой	in accordance with a conflict rule
общая норма	general rule
правовая норма	rule of law
совокупность правовых норм	body of laws
устанавливать правовые нормы	lay down laws
процессуальные нормы	rules of procedure
устанавливать нормы	lay down rules
обжалование	**appeal**
не подлежать обжалованию	be without (further) appeal
обстоятельства	**circumstances**
денежные обстоятельства	pecuniary circumstances
правовые обстоятельства	circumstances of law
фактические обстоятельства	circumstances of fact
излагать обстоятельства	indicate circumstances
незнание фактических обстоятельств	essential ignorance
обязательство	**obligation**
альтернативное обязательство	alternative obligation
делимое обязательство	devisible obligation
договорное обязательство	contractual obligation
оправдательный	**excusatory**
опровержение	**disproof, refutation**
ответчик	**respondent, defendant, appellee**
возражение ответчика	respondent's plea
заявление ответчика	respondent's plea

извещать ответчика	invite a respondent
уведомлять ответчика	notify a respondent
отвод	**challenge**
отвод арбитра	challenge to an arbitrator
заявлять отвод против...	challenge *smb*...
удовлетворять отвод	sustain a challenge
отношения	**relations**
гражданско-правовые отношения	civil-law relations
договорные отношения	contractual relations
ошибка	**error**
судебная ошибка	judicial error
повестка (*в суд*)	**summons, subpoena** (*lat.*), **writ**
судебная повестка	writ of summons
вручать повестку	serve a person with a writ, serve a writ upon a person
вызывать повесткой	serve with a summons
право(-а)	**law, remedy, right(-s), equity**
абсолютное право	chose in possession, right in rem
арендное право	leasehold interest
вещное преимущественное право	chose in possession, right in rem
воздушное право	law of the air
государственное право	constitutional law
гражданское право	civil law
действующее право	good law, law in force
договорное право	conventional law, contract law, law of contracts
международное договорное право	law of treaties
доказательственное право	law of evidence
естественное право	absolute law
залоговое право	charging lien
интертемпоральное право	intertemporal law
исключительное право	exclusive remedy, exclusive right
конституционное право	constitutional law
консульское право	consular law
континентально-европейское право	continental law
материальное право	substantive law
неотъемлемое право	inalienable right
общее право	common law
обычное право	consuetudinary law, customary law
обязательственное право	right in personam, law of obligations

основные права	basic rights, fundamental rights
относительное право	right in personam
преимущественное право	right of priority, underlying right
прецедентное право	case law, judicial legislation, judiciary law
применимое право	applicable law
процессуальное право	formal law, remedial law
публичное право	public law
субъективное право	legal right
торговое право	business law, commercial law, law merchant[s]
формальное право	formal law
в соответствии с правом	at law
истолкование права	gloss on law
лишающий права	divestive
норма права	rule of law
ошибка в праве	error of law
по праву	as of right, by right[s]
права человека	human rights
право в равных долях	joint interest
право на претензию	right of claim
право регресса	right in contribution, recourse, right of recourse
право собственности	law of property
право справедливости	law of equity, equity law
субъект права	legal subject
иметь законное право	be legally entitled to
иметь право	have the right, be entitled to
переуступать права	transfer the rights
терять право	forfeit the right
претензия, рекламация	**claim**
встречная претензия	counter-claim
законная претензия	lawful claim, legitimate claim
необоснованная претензия	unjustified claim
обоснованная претензия	justified claim
преимущественная претензия	claim of priority
законность претензии	legality of a claim
признавать законность претензии	acknowledge the legality of a claim
право на претензию	right of claim
возбудить претензию	raise a claim *against*
отзывать претензию	withdraw a claim
отклонять претензию	decline a claim, reject a claim
предъявлять претензию	make a claim *on (against, for)*
признавать претензию	admit a claim

удовлетворять претензию	meet a claim, comply with a claim, satisfy a claim, allow claim
частично удовлетворять претензию	partially meet a claim
производство (*дел*)	**proceedings, procedure**
арбитражное производство	arbitration proceedings
завершение производства	completion of proceedings [in a case]
правила производства дел	rules of procedure
прекращение производства по делу	termination of proceedings
приостановление производства	stay of proceedings, abatement of suit
срок производства по делу	time limits for proceedings in a case
возобновлять производство	resume proceedings
завершать производство	complete proceedings
осуществлять производство	carry out proceedings
прекращать производство	terminate proceedings
просьба	**request, claim**
по просьбе	at *smb's* request
характер просьбы	nature of a request
отклонять просьбу	decline a claim, decline a request
подавать просьбу	issue a claim
удовлетворять просьбу	meet a request
процедура	**procedure, formality**
арбитражная процедура	arbitration procedure
правила арбитражной процедуры	rules of arbitration procedure
специальная процедура	formality
чрезвычайная процедура	emergency procedure
правила процедуры	interim regulation
процесс	**cause, proceedings**
начинать процесс	take proceedings *against*
разбирательство	**proceeding[s] at law, action at law, arbitration; examination; proceeding[s]**
арбитражное разбирательство	arbitration [proceeding]
уведомление об арбитражном разбирательстве	notice of arbitration
участник арбитражного разбирательства	a party to arbitration
устное разбирательство	hearing of a case
возобновление разбирательства	re-opening of proceedings

отсрочка разбирательства	adjournment of hearing
основание для отсрочки разбирательства	reason for adjournment of hearing a case
возобновлять разбирательство	re-open proceedings
начинать разбирательство	commence arbitration
объявлять разбирательство дела законченным	declare the hearing of a case completed
осуществлять разбирательство	arbitrate
откладывать разбирательство	adjourn examination, postpone examination
прекращать разбирательство	terminate the proceedings
приостанавливать разбирательство	stay the proceedings
приступать к разбирательству	initiate arbitration
разногласие	**difference, discord**
урегулировать разногласие дружеским путем	settle the difference in an amicable way
расписка	**receipt**
под расписку	against receipt
расходы	**expenses, costs**
арбитражные расходы	arbitration expenses
непредвиденные расходы	extra expenses, incidental expenses
возмещение расходов	reimbursement of expenses
возмещать расходы	reimburse, compensate expenses
опротестовать расходы	challenge expenses, decline expenses
производить расходы	incur expenses
сокращать расходы	cut down expenses
расхождение	**discrepancy**
ревизия (*отчетности*)	**audit**
регламент (*судебный*)	**rules of court**
ссылка на регламент	reference to rules of court
соблюдать регламент	observe rules of court
резолюция	**resolution**
сводная резолюция по ряду вопросов	omnibus resolution
совместная резолюция	joint resolution
проект резолюции	draft resolution
выносить резолюцию	pass a resolution, carry a resolution, adopt a resolution
рекламация *см.* **претензия**	
решение	**award, decision, judgement**
арбитражное решение	arbitration award

дополнительное решение	supplementary award
заключительное решение	final judgement
неблагоприятное решение	adverse judgement
(не)мотивированное решение	(un)motivated award
окончательное решение	final decision
судебное решение	adjudication, decision of the Court, judgement
выносить судебное решение по вопросу (делу)	adjudicate on a matter (in a case), award judgement on a matter (in a case)
дополнение решения	addition to the award
исполнение решения	execution of the award
исправление решения	rectification of the award
обоснование решения	reasons for the decision
объявление решения	announcement of the award
решение суперарбитра	umpirage
содержание решения	content of the award
выносить решение	make an award, adjudge, adjudicate, award judgement
исполнять решение	execute an award
исправлять решение	rectify an award
объявлять решение	announce an award
полностью выполнить решение	abide and satisfy
приводить в исполнение решение	carry out the award, enforce the award
санкция(-и)	**sanction(-s)**
правовая санкция	deterrent of law, legal sanction
штрафная санкция	penalty
экономические санкции	economic sanctions
вводить санкции	impose sanctions
отменять санкции	lift sanctions
применять санкции	apply sanctions, use sanctions
сбор(ы)	**fee[s], duty**
акцизный сбор	excise duty
арбитражный сбор	arbitration fee
возврат арбитражного сбора	return of arbitration fee
распределение арбитражных сборов	allotment of arbitration fee
расходы по арбитражному сбору	expenses on arbitration fee
уплата арбитражного сбора	payment of arbitration fee
доказательство уплаты арбитражного сбора	proof of arbitration fee payment

вексельный сбор	bill stamp
гербовый сбор по векселям	stamp duty on bills of exchange
советник	**counsellor**
торговый советник	commercial counsellor
совещание	**conference**
закрытое совещание	private conference
проводить совещание	hold a conference
соглашение	**agreement, settlement**
арбитражное соглашение	arbitration agreement
мировое соглашение	amicable settlement
достигнуть мирового соглашения	reach an amicable settlement
письменное соглашение	written agreement
условия соглашения	terms of settlement
прийти к соглашению	come to an agreement, reach an agreement
спор	**dispute, difference, contest**
правовой спор	legal dispute
предмет спора	subject [matter] of the dispute, the point at issue
принимать к рассмотрению споры	entertain disputes
разрешать спор	dispose of the dispute
разрешать спор в арбитражном порядке	settle the dispute
разрешать спор по существу	solve the dispute on its merits
рассматривать спор	dispose of the dispute
улаживать спор	adjust a difference, settle the differences
спорный	**controversial, contentious**
сторона(-ы)	**party(-ies)**
заинтересованная сторона	the party concerned
спорящие стороны	contesting parties
издержки сторон	expenses of the parties
прения сторон	hearing of arguments, pleadings
расходы сторон	costs of the parties
сторона в споре, сторона в конфликте	contestant
сторона по делу, тяжущаяся сторона	litigant
сторона, проигравшая дело	defeated party, losing party
суд	**court, court of justice**
апелляционный суд	court of appelate jurisdiction, Court of Appeal (*GB*), Appellate Court (*US*)

арбитражный суд	arbitration court, arbitration tribunal
вышестоящий суд	court above
кассационный суд	court of cassation
морской суд	Admiralty Court
промышленный суд	industrial court
третейский суд	arbitration court
постоянно действующий третейский суд	standing arbitration court
вызов в суд	summons, subpoena (*lat.*)
повторный вызов в суд	resummons
не явиться по вызову суда	default
постановление суда	ruling
постановление суда, имеющее окончательную силу	rule absolute
суд в полном составе	full court
суд первой инстанции	court of original jurisdiction
явка в суд	appearance in court
поручительство за явку в суд	safe-pledge
вызывать в суд	summon, subpoena
не явиться в суд	default
обращаться в суд	have recourse to the law
судопроизводство	**proceeding[s], procedure**
правила судопроизводства	general orders, rules of procedure, rules of practice
приостановление судопроизводства	stay of proceeding[s]
приостанавливать судопроизводство	stay proceeding[s]
судья	**judge**
мировой судья	Justice of the Peace, JP
третейский судья	arbitrator
трассант (*векселедатель, чекодатель*)	**drawer, giver of a bill**
трассат	**drawee**
толкование	**construction**
неправильное толкование	misconstruction
толковать	**construct**
убыток(-и), ущерб	**damage(-s), loss(-es)**
большой убыток	great damage
длящийся ущерб	continuing damage
косвенные убытки	consequential damages
общие убытки	general damages
особые убытки	special damages

предельные убытки	marginal damages
прямые убытки	direct damages, sheer loss
реальные убытки	actual damages
согласованные и заранее оцененные убытки	agreed and liquidated damages
чистый убыток	dead loss
чрезмерные убытки	abnormal losses
возмещение убытков	reimbursement of damages, compensation of damages
ничтожное возмещение убытков	nominal damages
заявление о возмещении убытков	notification of claim
размер убытков	measure of damages
сумма убытков	amount of damages
уменьшение суммы присуждаемых убытков	abridgement of damages
чрезмерная сумма убытков	excessive damages
договариваться о сумме убытков	agree on the amount of damages
убытки, присуждаемые с проигравшей стороны	condemnation money
взыскивать убытки	recover liquidated damages
компенсировать убытки	pay damages
определять убытки	assess damages
[по]нести убытки, терпеть убытки	suffer losses (damages), sustain losses (damages), incur losses (damages)
причинять убыток	inflict a loss
считать ответственным за убыток	hold *smb.* responsible for the losses
уведомление	**notification, notice**
официальное уведомление	formal notice
письменное уведомление	notice in writing
ущерб *см.* **убыток(-и)**	
факт	**fact**
доказанный факт	fact in evidence
общеизвестный факт	fact of common knowledge
основной факт	fact in issue
установленный факт	fact finding, established fact, fixed fact
формальность(-и)	**formality(-ies)**
выполнять формальности	do the formalities, go through the formalities
штраф	**penalty**
обычный штраф	conventional penalty

право на получение штрафа	right of penalty
сумма штрафа	amount of penalty
максимальная сумма штрафа	maximum amount of penalty
минимальная сумма штрафа	minimum amount of penalty
накапливать сумму штрафа, увеличивать сумму штрафа	accrue penalty
удерживать часть суммы штрафа	withhold some amount of penalty
выставлять счет на оплату штрафа	invoice penalty *to (on)*
приводить к штрафу	give rise to penalty
уплатить штраф	pay penalty
штрафовать	**penalize**
эксперт	**expert**
назначать эксперта	appoint an expert
экспертиза	**expert examination, consultation, opinion**
заключение экспертизы	expert evidence, expert finding[s], expert opinion
показания экспертизы	expert evidence
проводить экспертизу	conduct expert examination
юридическая консультация	**legal consultation**
юрисдикция	**jurisdiction, commission**
гражданская юрисдикция	civil jurisdiction
дополнительная юрисдикция	incidental jurisdiction
иностранная юрисдикция	foreign jurisdiction
исключительная юрисдикция	exclusive jurisdiction
консульская юрисдикция	consular jurisdiction
консультативная юрисдикция	advisory jurisdiction
общая юрисдикция	general jurisdiction
параллельная юрисдикция	concurrent jurisdiction
возражение против юрисдикции суда	foreign plea
выходящий за пределы юрисдикции	extrajurisdictional
подчинение юрисдикции	submission to jurisdiction
добровольное подчинение юрисдикции	voluntary submission to jurisdiction
превышение юрисдикции	excess of jurisdiction
юрисдикция в рамках права справедливости	equity side
осуществлять юрисдикцию	exercise jurisdiction
подпадать под юрисдикцию	fall within jurisdiction

распространять юрисдикцию на *что-либо*	extend the jurisdiction over *smth.*
юрисконсульт	**legal adviser** (*GB*), **law adviser** (*US*), **expert on legal questions**
юрист	**lawyer**
консультация юриста	chamber practice

ФРАЗЫ ◄

Какое решение принято по...?	What is the award on the...?
апелляции	appeal
рекламационному акту	damage statement
делу	case
Арбитраж... апелляцию(-и)	Arbitration... the appeal
отклонил	dismissed
удовлетворил	satisfied
приостановил рассмотрение	stayed
Это(-а) (этот)... будет решаться в арбитражном порядке	This... will be arbitrated
вопрос	issue
дело	case
претензия	claim
Это дело будет рассматривать...	This case will be held by...
беспристрастный арбитр	an impartial arbitrator
единоличный арбитр	a single arbitrator
суперарбитр	an umpire
Кто будет нести издержки по арбитражу?	Who will bear the expenses on arbitration?
Издержки по арбитражу будет нести...	The expenses on arbitration shall be borne by the...
апеллянт	appellant
векселедержатель	noteholder
должник	debtor
истец	claimant
ответчик	respondent
Арбитраж... дело(-а)	Arbitration has...
начал рассмотрение	instituted a legal proceeding
начал слушание	begun hearing the case
принял к производству	entered in the reference
Какие доказательства у вас есть для обоснования претензии?	What evidence do you have to justify your claim?
Мы располагаем... доказательствами	We are in possession of... evidence
дополнительными	additional
письменными	written
убедительными	convincing

Вы должны доказать законность своего(-ей)	You must prove the legality of your...
заявления	application
иска	claim
рекламации	claim
Какие документы мы должны представить в арбитраж?	What documents must we furnish to arbitration?
Вы должны направить следующие документы:	You must forward the following documents:
легализованную доверенность	a legalized letter
акт-рекламацию	a damage statement
исковое заявление	a declaration
Вам придется оплатить... издержки	You'll have to pay...
дополнительные	extra costs
судебные	law expenses
юридические	costs
У вас есть право на иск и вы можете предъявить... иск	You have the right of action and you can bring a...
встречный	counter-action
групповой	class action
патентный	patent action
петиторный	droitural action
судебный	lawsuit
Суд принял решение...	The Court announced the award to...
удовлетворить кассацию	meet a cassation
отклонить иск	dismiss an action
отказать в иске	disallow a claim
присудить издержки стороне, проигравшей дело	levy the expenses on the defeated party
Как будет осуществляться производство по делу?	In what way will the proceeding[s] be carried out?
Производство по делу будет осуществляться в соответствии с...	The proceeding[s] will be carried out in compliance with the...
договорной нормой	conventional rule
коллизионной нормой	conflict rule
общей нормой	general rule
правовой нормой	rule of law
процессуальным правом	formal law
торговым правом	commercial law
публичным правом	public law
исключительным правом	exclusive right
По правилам арбитражной процедуры разбирательство (производство) должно быть...	Under the rules of arbitration procedure the proceedings are to be...
возобновлено	re-opened

отложено	adjourned
прекращено	terminated
приостановлено	stayed
Мы имеем право на...?	Do we have the right of...?
апелляцию	an appeal
иск	a claim
кассацию	a cassation
Да, закон обеспечивает сохранение всех прав	Yes, under the law you are entitled to all rights
Как применяется настоящая конвенция?	How is the present convention used?
К арбитражным соглашениям и процессам	In respect of arbitration agreements and proceedings
Вы ознакомились с... решением?	Have you studied the...?
арбитражным	arbitration award
дополнительным	supplementary award
заключительным	final judgement
судебным	adjudication
Мы вынуждены опротестовать общую сумму...	We have to challenge the total sum of the...
издержек	costs
расходов	expenses
убытка	damage
штрафа	penalty
Какие убытки взыскиваются с проигравшей стороны?	What damages are recovered from the defeated party?
Такие убытки как...	They are... damages
косвенные	consequential
общие	general
особые	special
прямые	direct
реальные	actual
согласованные и заранее оцененные	agreed and liquidated
Стороны, находящиеся в споре, подчиняются... юрисдикции	The contestants show submission to... jurisdiction
гражданской	civil
дополнительной	incidental
общей	general

ДИАЛОГИ

П. Вы предъявили нам ряд претензий, г-н..., и мы готовы обсудить их. Вы сообщили нам о том, что якобы один станок недопоставлен.	S. You've made a number of claims on us, Mr..., and we are ready to discuss them. You've informed us that one machine-tool was allegedly short-delivered.

З. Мы приносим свои извинения. Будем считать, что это недоразумение. Дело в том, что станок затерялся в порту по нашему недосмотру.

C. We offer our apologies. Let's consider it a misunderstanding. You see, the machine-tool got lost at the port through our oversight.

П. Мы рады, что станок нашелся. Но вы сообщали нам также о поврежденных станках.

S. We are glad that you've found the machine-tool. But you have also informed us about some damaged machine-tools.

З. Дело в том, что акт приемки, подписанный в присутствии ваших специалистов, указывает на то, что вы несете ответственность за поврежденные станки.

C. The thing is the Acceptance Report signed in the presence of your experts says that you bear responsibility for the damaged machine-tools.

П. Мы тоже попытались предварительно разобраться в этой ситуации. Видите ли, коносамент, по которому пришло оборудование, чистый.

S. We have also tried to check this matter. In fact the Bill of Lading under which the equipment has arrived is a clean one.

З. Да? Извините, но мы не заметили этого.

C. Is it? We are sorry but we overlooked that.

П. Это доказывает, что повреждение станков произошло при транспортировке. Вы должны обратиться с претензией в страховую компанию.

S. This proves that the damage to the machine-tools occurred in transit. You should make a claim on the insurance company.

З. Согласен, но сначала мы выясним все с Перевозчиком.

C. I agree with this but perhaps we should make a thorough check with the Carrier first.

П. Это вполне разумно. У вас больше нет к нам вопросов?

S. That sounds quite reasonable. Do you have any more questions to us?

З. Нет. Спасибо, мы все выяснили.

C. No. Thank you, we have cleared up everything.

ПРОВЕДЕНИЕ ПРОЕКТНО-ИЗЫСКАТЕЛЬСКИХ РАБОТ — CARRYING OUT DESIGN AND SURVEY WORK[S]

ПРОВЕДЕНИЕ ПРОЕКТНО-ИЗЫСКАТЕЛЬСКИХ РАБОТ — CARRYING OUT DESIGN AND SURVEY WORK[S]

СЛОВА

возможности, потенциал	**possibilities, potentialities, potential**
производственные возможности	production potentialities
технические возможности	technical potential
экономические возможности	economic[al] potential
исчерпывать возможности	exhaust the potential
определять возможности	determine the potential
открывать возможности	open up possibilities
предусматривать возможности	allow for possibilities, make provision for possibilities
гидроэнергия	**hydraulic power**
группа	**group**
проектная группа	design[ing] group
рабочая группа	working group
руководитель группы	chief of the group
данные	**data**
дополнительные данные	supplementary data
исходные данные	initial data
необходимые данные	necessary data
неполные данные	incomplete data
неправильные данные	incorrect data
окончательные данные	final data
основные данные	main data
оставшиеся данные	remaining data
первоначальные данные	primary data
полные данные	complete data
поправочные данные	correction data
правильные данные	correct data
предварительные данные	preliminary data
проектные данные	design data
протокольные данные	performance-test data
рабочие данные	working data
расчетные данные (*проектные*)	design data
систематизированные данные	regular data
технические данные	technical data

экономические данные	economic data
эксплуатационные данные	service data, operating data
данные приемно-сдаточных испытаний	acceptance-test data
сбор и обработка данных	data organisation, data collection and processing
представление данных	submission of data
задержка в представлении данных	delay in data submission
обязательства по представлению данных	obligations on data submission
включать данные	incorporate data
представлять данные	submit data
собирать (обрабатывать) данные	collect (process) data
документация	**documentation, collection of documents, file of documents**
проектная документация	design documentation, design plans and specifications
разработка проектной документации	elaboration of design documentation, working out of design documentation, construction documents phase
разрабатывать проектную документацию	elaborate design documentation, work out design documentation
сметная документация	estimate documentation
техническая документация (*производственная*)	production forms and records
техническая документация (*при эксплуатации*)	service forms and records
техническая документация (*наставления*)	instruction manual[s], technical manual[s]
задание на проектирование	**design assignment, Memorandum of Instructions**
задержка	**delay**
вре́менная задержка	temporary delay
временна́я задержка	time delay
вынужденная задержка	induced delay
без задержки	without delay
в случае задержки	in case of delay
задержка не по вине *кого-либо*	delay through no fault of *smb.*
задержка по вине *кого-либо*	delay through *smb's* fault
вызывать задержку	cause delay
замечания	**remarks, comments**
незначительные замечания	insignificant remarks, minor comments

серьезные замечания	serious remarks
много замечаний	a lot of remarks
нет замечаний	no remarks
вносить замечания	introduce remarks, make remarks
обосновывать замечания	substantiate one's remarks
разъяснять замечания	explain one's remarks
учитывать замечания	take into account one's remarks
зарплата (*рабочих, служащих*)	**wage[s]; pay, salary, wage[s] and salaries**
аккордная зарплата	accord [type] wage[s]
месячная зарплата	monthly wage[s], monthly salary
номинальная зарплата	nominal wage[s]
повременная зарплата	time[-work] wage[s]
поденная зарплата	day[-labour] wage[s], time wage[s]
понедельная зарплата	weekly wage[s]
почасовая зарплата	hourly wage[s]
реальная зарплата	real wage[s], actual wage[s]
сдельная зарплата	piece[-work] wage[s]
твердая зарплата	fixed wage[s]
размер зарплаты	rate of wage[s]
выплачивать зарплату	pay wage[s]
повышать зарплату	raise wage[s]
изменения, исправления	**changes, alterations, amendments**
незначительные изменения, незначительные исправления	slight changes, insignificant alterations, minor amendments
внесение изменений	introduction of changes
невозможность внесения изменений	impossibility of introducing changes
последствия внесения изменений	consequences of introducing changes
отсутствие изменений	absence of changes, absence of alterations
ряд изменений	a number of alterations
характер изменений	kind of changes, nature of changes
вносить изменения	introduce changes, make alterations, make amendments, insert amendments
изыскание(-я)	**survey[ing], exploration, research, investigation, study, prospect[ing]**
гидротехнические изыскания	hydraulic engineering research
детальные изыскания	detailed survey[ing]
дополнительные изыскания	additional survey[ing]
инженерные изыскания	engineering survey[ing] civil-engineering survey[ing]

общие изыскания	general survey[ing]
предварительные изыскания	preliminary survey[ing]
топографо-геодезические изыскания	land survey[ing]
трассовые изыскания	route survey[ing]
инженер по изысканиям	survey engineer
проводить изыскания	carry on an investigation, carry on prospect *for*
исправления *см.* **изменения**	
исследование (*разведка*)	**research, study, investigation, exploration**
геофизическое исследование	geophysical exploration
качественное исследование	qualitative investigation
количественное исследование	quantitative investigation
проблемное исследование	basic research, fundamental research
радиоавтографическое исследование	autoradiographic study
рентгеноструктурное исследование	X-ray diffraction study
фотометрическое исследование	photometric study
экспериментальное исследование	experimental investigation
исследовать	**research, investigate, study, explore**
исходные данные	**initial data, basic data, primary data**
новые исходные данные	fresh initial data
дополнение исходных данных	addition to the initial data
изменение исходных данных	initial data alteration
обоснование исходных данных	substantiation of the initial data
сбор исходных данных	initial data collection
уточнение исходных данных	clarification of the initial data
уточнять исходные данные	clarify the initial data
руководствоваться исходными данными	go by the initial data
собирать исходные данные	collect the initial data
исходные данные:	**initial data:**
количество рабочих дней в году	number of working days per year
местные и религиозные праздники	local and religious holidays
местонахождение строительства	area alloted for the construction
мощность местных строительных и монтажных организаций	capacity of local building and mounting organizations, capacity of local building and erection organizations

наличие местных транспортных компаний и их тарифы	availability of local transport agencies and their tariffs
намечаемые сроки строительства	scheduled dates for the construction
обеспечение строительства электроэнергией и водой	power and water supply of the construction
оптовые цены на материалы, которые не могут быть поставлены из СССР	wholesale prices for the materials that cannot be supplied from the USSR
оптовые цены на местные строительные материалы	wholesale prices for local building materials
оснащенность местных строительных и монтажных организаций строительными механизмами и транспортом	building and transport facilities of local building and mounting organizations, building and transport facilities of local building and erection organizations
основные источники снабжения сырьем, водой, топливом, газом, электроэнергией	main sources of supply with raw materials, water, fuel, gas, power energy
очередность ввода мощностей строительства	sequence of putting individual units into operation
подземные и подводные линии связи	underground and underwater communications
предполагаемое расширение предприятия	future extension of the project
предприятия, изготовляющие местный строительный материал	enterprises producing local building materials
производительность труда рабочих строительных и монтажных специальностей	labour productivity of building and mounting workers, labour productivity of building and erection workers
производственное и хозяйственное кооперирование	production and economic co-operation
разведанные и доказанные запасы полезных ископаемых	supply of prospected and estimated minerals
размер административных, эксплуатационных и прочих накладных расходов	rate of administrative, operating and other overhead expenses
размер амортизационных отчислений	rate of depreciation charges
размер государственных налогов	rate of national taxes
размер заработной платы и начислений на зарплату	rate of wages and salaries and charge on payroll
размер портовых сборов	rate of port dues, rate of port duties
размер процентов на капитал	rate of interest on capital under

по долгосрочному и краткосрочному кредитам	long and short term credits
размер страховых сборов	rate of insurance fees
размер таможенной пошлины	rate of custom[s] duty
размер транспортных расходов на импортные материалы и продукцию	rate of transportation charges for delivery of imported materials and products
район строительства	area of construction
режим работы предприятия	working conditions of an enterprise
сведения о местных строительных материалах	data on local building materials
сведения о предприятиях по изготовлению строительных материалов, конструкций и полуфабрикатов	data on the enterprises manufacturing building materials, structures and semi-products
сейсмичность [района]	seismicity [of the area]
складские запасы сырья	storage supplies of raw materials
соображения о намечаемом способе осуществления строительства	considerations with regard to the proposed method of carrying out the construction
стоимость откупа частных земельных участков	cost of farming private plots
стоимость откупа частных сооружений	cost of private buildings
технический уровень производства строительных и монтажных работ в стране Заказчика	technical level of the building and mounting work[s] in the Customer's country, building and erection work[s] in the Customer's country
топография и геология района	topographic[al] and geologic[al] survey of the area
транспортная сеть страны, включая район строительства	transport network of the country, including the area of construction

мастер — **foreman**

материал(-ы) — **material(-s)**

геологические материалы	geologic[al] materials
геофизические материалы	geophysic[al] materials
гидрогеологические материалы	hydro-geologic[al] materials
графический материал	graphic[al] materials
картографические материалы	cartographic[al] materials
текстовой материал	written material
топографический материал	topographic[al] material
материал аэрофотосъемки	aerial photographs
норма материалов, стандарт материалов	norm of material[s], standard of material[s]

размер материалов	size of materials
сорт материалов	grade of materials, kind of materials
характеристики материалов	characteristics of materials
материалы, полученные со спутников Земли	satellite photographs
надзор	**inspection, supervision**
авторский надзор	designer's supervision
горнотехнический надзор	mine technical inspection, mine supervision
строительный надзор	building inspection
технический надзор	technical supervision
осуществлять надзор	carry out supervision
оборудование	**equipment**
вспомогательное оборудование	auxiliary equipment
основное оборудование	main equipment
специальное оборудование	special-purpose equipment
технологическое оборудование	process equipment
уникальное оборудование	unique equipment
наименование оборудования	equipment designation
номенклатура оборудования	equipment nomenclature
спецификация на оборудование и материалы	equipment and materials specification
техническая характеристика оборудования	technical characteristics of equipment
организация	**organization**
проектная организация	design organization
головная проектная организация	parent design organization
финансировать проектную организацию	finance a design organization
соответствующая организация	design organization concerned, relevant design organization
строительная организация	building organization, construction organization
строительно-монтажная организация	construction and mounting organization, construction and erection organization
субподрядная организация	subcontractor
производственные возможности субподрядной организации	subcontractor's production potential
капитал субподрядной организации	subcontractor's finances, subcontractor's financial position

мощность субподрядной организации	subcontractor's capabilities
опыт субподрядной организации	subcontractor's experience
охрана окружающей среды	**environment[al] protection**
местное законодательство по вопросу охраны окружающей среды	local legislation on the problem of environment[al] protection
мероприятия по охране окружающей среды	measures on environment[al] protection
расходы по охране окружающей среды	environment[al] expenditures
очистные сооружения	**treatment facilities**
потенциал *см.* **возможности**	
предприятие(-я)	**enterprise(-s)**
аналогичное предприятие	similar enterprise
государственное предприятие	state enterprise, governmental enterprise
крупное предприятие	large-scale enterprise
средние и мелкие предприятия	medium and small [scale] enterprises
частное предприятие	private enterprise
мощность предприятия	enterprise capacity
максимальная мощность предприятия	maximum enterprise capacity
проектная мощность предприятия	enterprise design[ed] capacity
достичь проектной мощности предприятия	reach the design[ed] capacity of an enterprise
расширение мощности предприятия	extension of an enterprise
предполагаемое расширение мощности предприятия	future extension of an enterprise
различаться по мощности	differ in capacity
специализация предприятия	specialization of an enterprise
продукция	**production, product[s], produce**
аналогичная продукция	similar products
емкость рынка аналогичной продукции	market capacity for similar products
готовая продукция	final products in the country
ассортимент готовой продукции	catalogue of final products
сбыт готовой продукции	sale of final products
себестоимость готовой продукции	production cost[s], product cost

конкурентоспособная продукция	competitive product
многономенклатурная продукция	diversified product
реализованная продукция	products sold
товарная продукция	marketable products, salable produce
спрос на продукцию предприятия	end-product demand
проект	**design**
переработанный проект	revised design
рабочий проект	contractor design
технический проект *см.* **проектное задание**	
техно-рабочий проект	technical working design, single-stage design
типовой проект	standard design, type design
строить по типовому проекту	build from type design
экспериментальный проект	experimental design, prototype design
эскизный проект	conceptual design
утверждение проекта	design approval
части проекта	design aspects, design parts
строительная часть проекта	civil-engineering design, civil engineering aspect of a design
технологическая часть проекта	engineering design, engineering aspect of a design
утверждать проект	approve a design
проектирование	**design, designing, engineering**
автоматизированное проектирование	automated design, computer-aided design
инженерное проектирование	detailed engineering, design engineering
оптимальное проектирование	design optimization
основное проектирование	basic engineering
предварительное проектирование	predesign[ing]
рабочее проектирование	design engineering, detailed engineering
рациональное проектирование	untelligent design[ing]
типовое проектирование	use of type, standard designs
экспериментальное проектирование	experimental design[ing]
начало проектирования	beginning of design[ing]
план (*календарный*) работ при проектировании	design schedule

проектирование конструкций	structural design
проектирование подбором	cut-and-try design
проектирование системы	system design[ing]
срок проектирования	design period, period of design [ing]
стадия проектирования	stage of design[ing]
стоимость проектирования	cost of design[ing]
начинать проектирование	start design[ing]
останавливать проектирование	stop design[ing]
приостанавливать проектирование	suspend design[ing]
проектировать	**design**
проектировщик	**designer**
генеральный проектировщик	chief designer
проектная организация *см.* **организация**	
проектное задание	**basic engineering, detail design, technical design, detailed project report, DPR**
утвержденное проектное задание	approved DPR
одобрение проектного задания	design approval, approval of DPR
меморандум одобрения проектного задания	memorandum of approval
передача проектного задания	transfer of DPR
акт о передаче проектного задания	transfer deed
подготовка проектного задания	preparation of DPR
окончательная подготовка проектного задания	final preparation of DPR
приступать к подготовке проектного задания	start preparing DPR
представление проектного задания	submission of DPR
дата представления проектного задания	date of submission of DPR
задержка в представлении проектного задания	delay in submitting DPR
разработка проектного задания	elaboration of DPR
рассмотрение проектного задания	consideration of DPR
период рассмотрения проектного задания	period for consideration of DPR

готовить проектное задание	prepare DPR
одобрять проектное задание	approve DPR
отклонять проектное задание	reject DPR
рассматривать проектное задание	consider DPR
утверждать проектное задание	approve DPR
проектное предложение	**design offer**
проектное решение	**design approach, design solution, design decision**
проектные работы	**design work[s]**
выполнение проектных работ	carrying out design work[s]
задержка в выполнении проектных работ	delay in carrying out design work[s]
уровень выполнения проектных работ	standard of carrying out design work[s], level of design work[s]
приостанавливать выполнение проектных работ	suspend carrying out design work[s]
продолжать выполнение проектных работ	continue carrying out design work[s]
ускорять выполнение проектных работ	speed up carrying out design work[s]
завершение проектных работ	completion of design work[s]
сдача проектных работ	turning over of design work[s]
стоимость проектных работ	cost of design work[s]
процесс	**process**
технологический процесс	technological process
описание технологического процесса	description of the technological process
совершенствование технологического процесса	improvement of the technological process
описывать технологический процесс	describe the technological process
совершенствовать технологический процесс	improve the technological process
работа(-ы)	**work[s]**
выполненная работа	performed work, executed work
геологические работы	geologic[al] work[s]
гидро-метеорологические работы	hydro-meteorologic[al] work[s]
исследовательские и изыскательские работы	survey and research work[s]
инженерно-геологические работы	engineering-geological survey
камеральные работы	data processing, the design work[s] performed in contractor's country

монтажные работы	erection work[s], mounting work[s]
предстоящие работы	forthcoming work[s], future work[s]
проектно-изыскательские работы	design and survey work[s]
оборудование для проектно-изыскательских работ	survey equipment
проводить проектно-изыскательские работы	carry out design and survey work[s]
разведочные работы	prospecting
топографические работы	topographic[al] work[s]
оборудование для топографических и геологических работ	topographic and geological equipment
объем работ	volume of work
режим работы	mode of operation, type of operation
данные о режиме работы	data on the mode of operation
выполнять работу	perform work, execute work
прекращать работу	stop work
приостанавливать работу	suspend work
проводить работу	carry out work
развертывать работу	organize work
улучшать работу	improve work
разведка	**reconnaissance, prospecting, survey[ing]**
геофизическая разведка	geophysic[al] prospecting
геохимическая разведка	geochemic[al] prospecting
гравитационная разведка	gravitational prospecting
детальная разведка (*полезных ископаемых*)	exploration
магнитная разведка	magnetic prospecting
радиометрическая разведка	radiometric prospecting
рыбопромысловая разведка	fish reconnaissance
сейсмическая разведка	seismic prospecting
разведка погоды	weather reconnaissance
разведка скважинами	borehole surveying
ресурсы	**resources**
водные ресурсы	water resources
гидроэлектрические ресурсы	hydroelectric [power] resources
дефицитные ресурсы	tight resources
истощимые ресурсы	exhaustible resources
людские ресурсы	human resources, labour resources, manpower resources

материальные ресурсы	material resources, physical resources
недоиспользуемые ресурсы	underutilized resources
неиспользованные природные ресурсы	untapped natural resources
неиспользуемые ресурсы	idle resources
важнейшие общенациональные ресурсы	crucial national resources
общие энергетические ресурсы	electric energy and power resources
ограниченные ресурсы	scarce resources
основные ресурсы	primary resources
природные ресурсы	natural resources
производственные ресурсы	manufacturing resources, productive resources
свободные ресурсы	free resources, uncommitted resources
энергетические ресурсы	power resources
ресурсы окружающей среды	environmental resources
ресурсы подземных вод	groundwater resources
ресурсы подземных ископаемых	mineral resources
ресурсы сырья	raw material resources
система	**system**
аварийная система	emergency system
измерительная система	metering system
метрическая система	metric system
указывать в метрической системе	specify in metric system
электроэнергетическая система	electric power system
система водоснабжения	water supply system
система водопользования	water utilization system
система материально-технического снабжения	material-supply system
система сметных оценок	estimating-cost system
система технического контроля	inspection system
система управления	control system
система экологического равновесия	ecologic[al] system
систематизировать, приводить в систему	systematize
смета	**estimate**
оценивать, составлять смету	estimate

срок(-и)	**date(-s), term, time, period**
длительный срок	long term
на длительный срок	at a long date
конечный срок	expiration date, expiry date
короткий срок	short term
в кратчайший срок	at the earliest possible date
на короткий срок	at a short date
крайний срок	last date, last term
намеченный срок	stipulated date
неприемлемые сроки	unacceptable term
основной срок	key date
плановый срок	scheduled date
плановый срок завершения работ	scheduled completion date
последний срок подачи документов	closing date
приемлемые сроки	acceptable term
установленный срок	due date, target date
срок годности	term of service, effective date
срок действия	term of validity
срок завершения	completion date, finishing date, deadline
устанавливать срок завершения	set the deadline *for*
срок начала	starting date, date of commencement
срок окупаемости	pay-back time
сроком на... дней	for a period of... days
срок разработки (*от чертежа до производства*)	lead time
срок службы	service life, term of service, life time
переносить на более поздний срок	postpone
продлевать сроки	extend the term
согласовывать сроки между сторонами	coordinate the dates between the parties
сокращать сроки	reduce the time
стараться уложиться в сроки	work against time
устанавливать сроки	set a term
строительство	**construction, development**
дорожное строительство	highway engineering
жилищное строительство	housing, residential construction
жилищно-гражданское строительство	construction engineering
незавершенное строительство	construction in progress, incompleted construction

полносборное строительство	prefabrication construction
промышленное строительство	industrial engineering
место строительства	region and area allotted for the construction
организация строительства	organization of construction
проект организации строительства	programme of construction, construction programme
площадка строительства	construction site, building site
район предполагаемого строительства	construction area, area of the supposed site
сроки завершения строительства	completion date of a project
сроки строительства	period of construction
намечаемые сроки строительства	fixed period of construction
строительство объекта	construction of a project
задержка в строительстве объекта	delay in the construction of a project
технико-экономическое обоснование, ТЭО	**feasibility report, feasibility study**
анализ и оценка ТЭО	feasibility study analysis and assessment
подготовка ТЭО	preparation of a feasibility report
утверждение ТЭО	approval of a feasibility report
готовить ТЭО	prepare a feasibility report
высылать ТЭО отдельным пакетом	send a feasibility report under separate cover
утверждать, одобрять ТЭО	approve a feasibility report
техническое решение	**design, technical solution, technical decision**
трудности	**difficulties**
серьезные трудности	serious difficulties
преодолевать трудности	overcome difficulties
содействовать в преодолении трудностей	assist in overcoming difficulties
сталкиваться с трудностями	face difficulties, be faced with difficulties
уровень	**level**
соответствующий уровень	appropriate level
технический уровень	technical level
высокий технический уровень	high technical level
низкий технический уровень	low technical level
условия	**conditions**
заданные условия	desired conditions

климатические условия	climatic conditions
критические условия	critical conditions
метеорологические условия	meteorologic[al] conditions
ненормальные условия	abnormal conditions
неприемлемые условия	unacceptable conditions
нормальные условия	normal conditions
окружающие условия	environmental conditions
приемлемые условия	normal conditions
природные условия	natural conditions
проектные условия	design conditions
производственные условия	production conditions
в производственных условиях	under production conditions
расчетные условия	design conditions
специфические условия	specific conditions
технические условия	technical conditions
типичные условия эксплуатации	average service conditions
экономические условия	economic conditions
эксплуатационные условия	operating conditions
экстремальные условия	extreme conditions
условия местного законодательства	domestic law conditions
условия осуществимости	feasibility conditions
характеристика(-и)	**characteristic(-s)**
качественная характеристика	qualitative characteristics
количественная характеристика	quantitative characteristics
подробные характеристики	detailed characteristics
технические характеристики	technical characteristics
технологические характеристики (*для изделий обрабатывающей промышленности*)	manufacturing characteristics
эксплуатационные характеристики	operational characteristics, running characteristics
характеристика полезности	utility characteristic
целесообразность строительства объекта	**feasibility of the construction of a project**
техническая целесообразность строительства объекта	technical feasibility of the construction of a project
экономическая целесообразность строительства объекта	economic feasibility of the construction of a project
заключение о целесообразности строительства объекта	conclusion on the feasibility of the construction of a project
считать заключение о целесообразности строительства объекта обоснованным	consider the conclusion on the feasibility of the construction justified

чертеж(-и)	**drawing(-s)**
детальный чертеж	detailed drawing
монтажный чертеж	assembly drawing, mounting drawing
рабочий чертеж	working drawing, shop drawing
строительный чертеж	construction plan
установочный чертеж	installation drawing
эскизный чертеж	sketch, draft
эталонный чертеж	master drawing
изготовление чертежей	elaboration of drawings
комплектность чертежей	complete set of drawings
надписи в чертежах	inscriptions in drawings
партия чертежей	parcel of drawings, batch of drawings
пояснения к чертежам	explanatory notes to drawings
представление чертежей	submission of drawings
процедура представления чертежей	order of submission of drawings
проверка чертежей	checking of drawings
размеры чертежей	dimensions on (in) drawings
разработка чертежей	elaboration of drawings
приступать к разработке чертежей	start elaborating drawings
чертеж с размерами	dimensioned drawing
изготовлять по чертежу	make from a drawing
передавать чертежи	submit drawings, forward drawings
подписывать чертежи	letter a drawing
разрабатывать чертежи	elaborate a drawing
читать чертежи	read blueprints
экономика	**economy**
инженерная экономика (*экономический анализ результатов технических проектов*)	engineering economy
развивающаяся экономика	developing economy, expanding economy
экономический эффект	**economic benefit**
электроснабжение	**electric power supply**
обеспечивать электроснабжение	provide power supply, ensure power supply
электроэнергетика:	
электроэнергетика (*отрасль науки и техники*)	electric[al] power engineering
электроэнергетика (*промышленность*)	power industry

развитие электроэнергетики	development of power industry
долгосрочные планы по развитию электроэнергетики	long-term programme of power industry development
энергетика	**power, power engineering, energetics**
атомная энергетика	nuclear power, atomic power
гидроэнергетика	water-power engineering
тепловая энергетика, теплоэнергетика	thermal power
ядерная энергетика	nuclear power, atomic power
энергобаланс	**power balance**
энерговооруженность	**installed power per employee, power availability per worker**
энергосистема	**power system**
промышленная энергосистема	industrial power system

Когда будут готовы исходные данные по...?	When will the initial data on the... be ready?
площадке строительства	construction site
подземным коммуникациям	underground communications
сейсмичности района	seismicity of the region
топографии и геологии района	topographic and geological survey of the area
Проектная группа занята сбором и обработкой исходных данных	The design group is engaged in data organization now
Исходные данные будут готовы в соответствии с контрактом	The initial data will be ready in accordance with the contract
У нас есть трудности в проведении этих работ	We are facing difficulties in carrying out these types of work
Вы (Заказчик) задерживаете (задерживает)...	You (The Customer) delay(s) submitting ...
ведомости объема работ	bills of volume of work
сметную документацию	estimate documentation
технические данные	technical data
Отсутствие... данных может вызвать задержку в выполнении проектных работ	The lack of... data may cause a delay in carrying out design work
дополнительных	supplementary
первоначальных	primary
разведочных	prospecting
предварительных	preliminary

Нам потребуется не менее двух (трех) месяцев для сбора... данных	We shall need no less than two (three) months to collect the... data
технических	technical
необходимых	necessary
окончательных	final
оставшихся	remaining
Окончательные данные собраны	The final data has been collected
Направьте эти данные в проектную организацию	Forward this data to the design organization
Пожалуйста, учтите наши замечания по...	Please take into account our remarks on the...
заданию на проектирование	design assignment
проектной документации	design documentation
техническому проекту	detailed project report
Ваши замечания будут рассмотрены и внесены в документацию	Your remarks will be considered and introduced into the documents
Эти изменения приведут к увеличению объема работ	These alterations will result in an increase of the amount of work
Когда эти изменения были внесены в проект?	When were these alterations introduced into the design?
Во время его рассмотрения	During its consideration
Вы должны известить фирму о...	You should inform the firm of...
нашем решении	our decision
режиме работы	the mode of operation
продлении сроков	the extension of the terms
Мы должны обратиться к... организации и обсудить этот вопрос с ними	We are to turn to the... organization and discuss this point with them
соответствующей	appropriate
строительной	construction
субподрядной	subcontracting
Нам потребуется шесть (восемь) месяцев, чтобы провести... изыскания	We'll require six (eight) months to carry out the...
гидротехнические	hydraulic engineering research
предварительные	preliminary prospecting
инженерные	engineering survey
Мы можем ускорить выполнение... работ	We can speed up carrying out the... works
проектных	design
проектно-изыскательских	design and survey
топографических	topographic[al]
Когда... материалы будут направлены в соответствующие организации?	When will... materials be forwarded to the appropriate organizations?

графические	graphic[al]
текстовые	written
картографические	cartographic[al]
Через 2 дня (неделю)	In two days (in a week)
Через неделю во вторник	On Tuesday week
Не задерживайте одобрение проектного задания	Don't delay the approval of the detailed project report
Это задержит подготовку рабочих чертежей	It will delay the elaboration of the working drawings
Необходимо одобрить технический проект в течение... дней	It's necessary to approve the detailed project report within... days
Все будет сделано вовремя	Everything will be done on time
Мы хотели бы, чтобы... был(-а, -и) подготовлен(-а, -ы) ранее намеченных сроков (в установленные сроки)	We should like the... to be prepared before the stipulated date (on the due date)
техпроект	detailed project report
технические характеристики	technical characteristics
первая партия чертежей	first parcel of drawings
Наши проектные организации своевременно закончили разработку... части технического проекта	Our design organizations have finalized the elaboration of the... part of the DPR in due time
строительной	constructional
технической	technical
технико-экономической	technical and economic
Когда вы сможете командировать ваших представителей для согласования проектных решений всех частей проекта?	When will you be able to send your representatives to coordinate design solutions for all the parts of the DPR?
Приезд наших специалистов назначен на...	The arrival of our specialists is fixed for...
Просим вас учесть изменения сроков проектирования	We ask you to note the change in the design period
Задание на проектирование будет разработано после тщательного анализа и одобрения ТЭО	The design assignment will be worked out after a thorough analysis and approval of the feasibility report
Технико-экономическое обоснование по этому объекту будет разработано... фирмой	The feasibility report on this project will be prepared by a... firm
иностранной	foreign
местной	local
Вышлите ТЭО отдельным пакетом в этом месяце	Send the feasibility report under separate cover this month
Задержки не будет, уверяем вас	There won't be any delay, we assure you
В техническом отношении этот	Technologically this... is similar to

(эта)... подобен(-на) указанному в конкурентных материалах, но его (ее) мощность выше	that indicated in the competitive materials but its capacity is higher
завод	plant
фабрика	factory
Давайте перейдем к...	Let's pass on to the...
обсуждению проектно-изыскательских работ	discussion of design and survey work[s]
разработке мероприятий по охране окружающей среды	working out of measures on environmental protection
Рабочие чертежи будут переданы Заказчику 3-мя партиями	The working drawings will be handed over to the Customer in three parcels
Когда будет готова последняя партия чертежей?	When will the last parcel of drawings be ready?
Она будет готова за три (два) месяца до окончания поставок оборудования	It will be ready three (two) months before the completion of deliveries of the equipment
Наши специалисты начали работу на строительной площадке	Our specialists have started the work on the construction site
Что вы думаете об экономической целесообразности строительства...?	What's your opinion of the economic feasibility of the construction of the...
никелевого завода	nickel plant
швейной фабрики	sewing factory
завода медпрепаратов	medicines plant
Мы считаем строительство объекта (не)обоснованным	We consider the construction of this project (un)reasonable

ДИАЛОГИ

З. Мы хотим обсудить с вами несколько вопросов.	C. We'd like to discuss several questions with you.
П. Слушаем вас.	S. Fine, go ahead.
З. Прежде всего вопрос о недостающих (*оставшихся*) исходных данных.	C. First comes the question of the remaining data.
П. Да, без них мы не можем приступить к выполнению техпроекта.	S. Yes, without it we are unable to start preparing the DPR.
З. Мы вам их отправили. Просим вас проверить и сообщить дату получения этой документации.	C. We have sent it to you. Please, check whether it has arrived and advise us of the date when you received it.
П. Непременно. Как согласовано между обеими сторонами, дата получения полных исходных данных будет считаться начальной датой подготовки техпроекта.	S. We'll do as you wish. As agreed between the parties the date of receipt of the complete data shall be considered the starting date for preparing the DPR.

З. Хорошо. Этот вопрос можем считать решенным. Теперь о сроках выполнения проектных работ.

C. Good. We may consider this point settled. Now comes the question of the time for carrying out design work.

П. Собственно говоря, сроки у нас согласованы. Техпроект будет разработан за 12 месяцев.

S. As a matter of fact this time has been agreed upon. The DPR will be prepared within 12 months.

З. Этот срок нас не совсем устраивает.

C. This period doesn't quite suit us.

П. Но 12 месяцев — это вполне обоснованный срок для такого предприятия. Сюда же входит время на одобрение техпроекта. Прошу вас иметь это в виду.

S. But twelve months is quite a reasonable period for this type of enterprise. This time also includes the period for approval of the DPR. We ask you to take that into account.

З. И все же просим вас рассмотреть вопрос о возможности разработать техпроект на 2 месяца быстрее. Мы планируем начать строительство объекта в первых месяцах будущего года. Это очень важно для промышленности нашей страны.

C. Well, all the same we would like to request you to consider the possibility of preparing the DPR two months earlier. We are planning to start the construction of the project in the early months of next year. It's very important for the industry of our country.

П. Мы понимаем вашу озабоченность. Но едва ли это возможно. Однако, хочу вас заверить в том, что мы этот вопрос еще раз согласуем с проектными организациями и сообщим вам телексом о решении.

S. We are well aware of your concern. But it's hardly possible. However, I assure you that we'll discuss the matter with the design organizations once more and telex you our decision.

З. Благодарю вас.

C. Thank you.

КОМАНДИРОВАНИЕ СОВЕТСКИХ СПЕЦИАЛИСТОВ / SENDING OF SOVIET SPECIALISTS ABROAD

КОМАНДИРОВАНИЕ СОВЕТСКИХ СПЕЦИАЛИСТОВ / SENDING OF SOVIET SPECIALISTS ABROAD

СЛОВА

авария *см.* **несчастный случай**	
анкета	**inquiry schedule, questionnaire**
багаж	**luggage, baggage**
личный багаж	personal luggage, personal effects
вес личного багажа	weight of personal luggage
общий вес личного багажа	total weight of personal luggage
провоз багажа	luggage transportation
бесплатный провоз багажа	free baggage allowance
издержки по провозу багажа	expenses on luggage transportation
отправить *что-либо* багажом	send *smth.* as heavy luggage
сдавать вещи в багаж	register *one's* luggage, have *one's* luggage registered
безопасность	**safety, security**
меры по обеспечению безопасности	safety measures
техника безопасности	safety engineering, accident prevention
правила техники безопасности	safety code
соблюдать технику безопасности	observe safety code
обеспечивать безопасность	provide safety
болезнь (*специалиста*)	**illness, disease, sickness**
длительная болезнь	long period illness
заразная болезнь	infectious disease, contagious disease
тяжелая болезнь	serious illness, painful illness
хроническая болезнь	chronic illness
в случае болезни	in case of illness
период болезни	period of illness
беспрерывный период болезни	incessant period of illness
страдать болезнью	suffer from a disease
ванна	**bath**

виза	**visa, visé**
въездная виза	entry visa
выездная виза	exit visa
многократная виза	multiple visa
постоянная виза	permanent visa
транзитная виза	transit visa
выдача визы	issue of a visa
своевременная выдача визы	issue of a visa in time
задержка в выдаче визы	delay in the issue of a visa
обеспечивать выдачу визы	ensure the issue of a visa
получение визы	receipt of a visa
обеспечивать получение визы	ensure the receipt of a visa
срок действия визы	validity of a visa
истечение срока действия визы	expiration of a visa
выдавать визу	grant a visa, issue a visa
запрашивать визу	apply for a visa
получать визу	obtain a visa, get a visa
посылать паспорт на визу	send a passport to be viséd
продлевать визу	extend a visa
проставлять визу в паспорте	put a visa on a passport, visé a passport, have one's passport viséd
водоснабжение	**water-supply, running water**
горячее (холодное) водоснабжение	hot (cold) water-supply
возмещение	**reimbursement, compensation, remuneration**
возмещение расходов	compensation for expenses, reimbursement of expenses
ставка возмещения	rate of reimbursement
месячная ставка возмещения	monthly rate of reimbursement
выплата месячной ставки возмещения [в размере]...	monthly salaries of reimbursement [to the amount of]...
рассчитывать месячную ставку возмещения	calculate a monthly rate of reimbursement
размер ставки возмещения	rate of reimbursement
договариваться о ежегодном пересмотре ставки возмещения	agree upon a yearly reconsideration of the rate of reimbursement
определять ставку возмещения	determine the rate of reimbursement
пересматривать ставку возмещения	reconsider the rate of reimbursement

согласовывать ставку возмещения	agree upon the rate of reimbursement
увеличивать ставку возмещения	increase the rate of reimbursement
возмещать *кому-либо* расходы	reimburse *smb.* for expenses, reimburse the expenses of *smb.*
газ	**gas**
госпитализация (*специалиста*)	**hospitalization**
включая госпитализацию	including hospitalization
расходы на госпитализацию	hospitalization expenses
госпитализировать при необходимости	hospitalize if necessary
гостиница	**hotel**
первоклассная гостиница	first-class hotel, first-rate hotel
гостиница без пансиона	European plan hotel
гостиница с пансионом	American plan hotel
комната в гостинице	hotel room
номер в гостинице	hotel accommodation
останавливаться в гостинице	stay at a hotel
гостиничное обслуживание	**hotel service**
график, план	**schedule**
двухсменный график	two-shift schedule
календарный план [работы]	work schedule, operation schedule
линейный график	linear schedule
оптимальный график	optimal schedule
сетевой график	network schedule
согласованный график	adjusted schedule
корректировка графика	adjustment of a schedule
нарушение графика	breach of a schedule
план потребности в рабочей силе	demand schedule for employment
точно по графику	in scheduled time, according to schedule
выдерживать график	maintain a schedule
не укладываться в график	break a schedule
опережать график	be ahead of schedule
отставать от графика	be behind schedule
разрабатывать график, составлять график	draw up a schedule
соблюдать график	keep to schedule
утверждать график	approve a schedule
группа специалистов	**group of specialists, team**
руководитель группы специалистов	head of a group

день, дни	**day, days**
выходной день	day of rest, day off
оплачиваемый выходной день	payable rest day
предоставлять выходной день	grant a day off
календарный день	calendar day
в течение... календарных дней	within... calendar days
праздничные дни	holidays
рабочий день	working day
полный рабочий день	full working day
продолжительность рабочего дня	duration of a working day
в [заранее] намеченный день	on a fixed day
в зимнее (летнее) время	in winter (summer) time
день национального праздника	national holiday
день отбытия	day of departure
за... дней до отбытия	... days before the departure
день прибытия	day of arrival
за... дней до прибытия	... days before the arrival
душ	**shower-bath**
законодательство	**legislation**
местное законодательство	local legislation
действующее местное законодательство	local legislation in force
трудовое законодательство	labour legislation
закон(-ы) и обычай(-и)	**law(-s) and custom(-s)**
местные законы и обычаи	local laws and customs
уважать местные законы и обычаи	respect local laws and customs
вопреки закону	against the law, in spite of the law
в соответствии с законом	according to the law
свод законов	code of laws, statute book
толкование законов	law interpretation
не нарушать закона, держаться в рамках закона	keep within the law
нарушать законы и обычаи	break the laws and customs
обходить закон	go beyond the law
соблюдать закон	observe the law
замена (*специалиста*)	**replacement**
уведомить о замене	notify of the replacement
зарплата (*специалиста*)	**salary, pay**

месячная зарплата	monthly salary
выплата зарплаты	payment of salary
приостановить выплату зарплаты	suspend payment of salary
прекратить выплату зарплаты	terminate payment of salary
инструкция *см.* **правила**	
катастрофа *см.* **несчастный случай**	
квалификация	**qualification, skill**
аналогичная квалификация [и опыт]	similar qualification [and experience]
высокая квалификация	high professional qualification
производственная квалификация	professional skill
квалификация обслуживающего персонала	proficiency of attending personnel
повышать свою квалификацию	improve one's qualification
получать производственную квалификацию	acquire professional skill
количество специалистов	**number of specialists**
дополнительное количество специалистов	additional number of specialists
достаточное количество специалистов	sufficient number of specialists
недостаточное количество специалистов	insufficient number of specialists
требуемое количество специалистов	required number of specialists
изменение количества специалистов	change in the number of specialists
сократить количество специалистов	reduce the number of specialists
увеличить количество специалистов	increase the number of specialists
командирование (*специалиста*)	**sending abroad, secondment**
расходы, связанные с командированием	expenses on the sending of specialists abroad
срок командирования	term of service abroad
истечение срока командирования	expiration of the term of service
продлевать срок командирования	prolong the term of service, extend the term of service
условия командирования	terms of sending specialists abroad

неприемлемые условия командирования	unacceptable terms of sending specialists abroad
приемлемые условия командирования	acceptable terms of sending specialists abroad
согласовывать условия командирования	agree on the terms of sending specialists abroad
быть командированным	be sent on business, be sent on a mission, be seconded
командировать	**send on a mission, second**
командировка (*служебная*)	**mission, business trip**
длительная командировка	long-term business trip
краткосрочная командировка	short-term business trip
находиться в служебной командировке	be on a mission, be on a business trip
поехать в командировку	make a business trip, go on a mission, go on business
командировочные деньги	**travelling expenses**
кондиционер	**air-conditioner**
кондиционирование	**air-conditioning**
кухня	**kitchen**
кухонные и столовые принадлежности	kitchen and table utensils, kitchen and table implements
лаборатория	**laboratory**
оборудованная лаборатория	equipped laboratory
мебель	**furniture**
отвечающая требованиям мебель	adequate furniture
современная мебель	modern furniture
удобная мебель	comfortable furniture
обеспечить мебелью	provide with furniture
медикаменты	**medicines, drugs**
стоимость медикаментов	cost of medicines
оплачивать стоимость медикаментов	pay the cost of medicines
медицинская комиссия	**medical board**
медицинская помощь	**medical aid, medical assistance**
медицинские противопоказания	**medical contra-indications**
медицинский осмотр	**medical examination**
пройти медицинский осмотр	have a medical examination, undergo a medical examination
медицинский персонал	**medical staff**
медицинский пункт	**medical station, dispensary**
медицинский сертификат *см.* **медицинское свидетельство**	

медицинское оборудование и инструменты	**medical equipment**
медицинское обслуживание	**medical care, medical service, medical attendance**
бесплатное медицинское обслуживание	free medical service
оказывать бесплатное медицинское обслуживание	provide free medical service[s]
соответствующее медицинское обслуживание	adequate medical service
медицинское свидетельство	**health certificate, medical certificate**
получать медицинское свидетельство	receive a medical certificate
медицинское учреждение	**medical establishment**
заверенный медицинским учреждением	certified by a medical establishment
несчастный случай, катастрофа, авария	**accident**
авиационная катастрофа	air accident
автомобильная катастрофа	motor accident
железнодорожная катастрофа	railway accident
вследствие несчастного случая	due to an accident
несчастный случай на производстве	industrial accident
несчастный случай со смертельным исходом	fatal accident
попасть в катастрофу, потерпеть аварию	have an accident, meet with an accident
обменное письмо	**exchange letter**
освещение	**light[ing]**
газовое освещение	gas light[ing]
искусственное освещение	artificial light[ing]
электрическое освещение	electric light[ing]
отзыв специалиста	**recall of a specialist**
уведомить об отзыве специалиста в письменной форме	notify of a specialist's recall in written form
отопление	**heating**
отпуск	**leave**
месячный (двухмесячный) отпуск	a month's (two months') leave
оплаченный отпуск	paid leave
возвращение из отпуска	return for duty after leave
время отпуска	period of leave
согласовывать время отпуска	agree on the period of leave

выезд в отпуск	going on leave
график отпусков	leave schedule
оплата отпуска	leave allowance
размер оплаты отпуска	sum of a leave allowance
отпуск без оплаты	leave without pay
отпуск по болезни	sick leave
взять отпуск по болезни	take a sick leave
отпуск через год (6 месяцев) работы	leave after a year's (six months') work
быть в отпуске	be on leave
выходить из отпуска	return for duty after leave
предоставлять отпуск	grant leave of absence
прерывать *свой* отпуск	interrupt *one's* leave
план *см.* **график**	
подъемное пособие	**transfer allowance, lump sum allowance, relocation allowance**
размер подъемного пособия	rate of transfer allowance
возмещать подъемное пособие	reimburse for a transfer allowance
выплачивать подъемное пособие	pay a transfer allowance
помещение	**accommodation, premises**
жилое помещение	living accommodation
меблированное жилое помещение	furnished living accommodation
надлежащим образом меблированное жилое помещение	adequately furnished living accommodation
необходимые принадлежности жилого помещения	necessary living accommodation facilities
площадь жилого помещения	dwelling space
съем жилого помещения	lease of living accommodation
служебное помещение	office premises
надлежащим образом оборудованное служебное помещение	adequately furnished and equipped offices and laboratories
испытывать затруднения с помещением	experience accommodation difficulties
предоставлять жилое служебное помещение	provide living (office) accommodation
снять помещение	rent, lease, take on lease
постельные принадлежности	**bedding**
правила, инструкции, распорядок	**regulations**
правила трудового распорядка и техники безопасности	work and safety rules and regulations

соблюдать правила	observe rules and regulations
пребывание	**stay[ing]**
длительное пребывание	long-term stay
краткосрочное пребывание	short-term stay
недельное (двухнедельное) пребывание	a week's (two week's) stay
место пребывания	residence
место постоянного пребывания	permanent residence
месяц пребывания	a month's stay
неполный (полный) календарный месяц пребывания	incomplete (full, complete) calendar month of stay
срок пребывания	term of stay[ing]
приблизительный срок пребывания	approximate term of stay
точный срок пребывания	exact term of stay, exact period of stay
продлевать срок пребывания	prolong the period of stay
сокращать срок пребывания	reduce the period of stay, shorten the period of stay
проезд (*специалиста*)	**journey, passage**
расходы на проезд	travel[ling] expenses
расходы на проезд туда и обратно	round travel expenses
стоимость проезда самолётом туристским классом	air travel[ling] expenses by a tourist class
профессиональная этика	**professional etiquette**
профессиональное мастерство	**professional skill**
профессиональный совет	**professional advice**
профессия (*специалиста*)	**profession, trade**
по профессии	by profession, by trade
работа	**work**
вышеуказанная работа, вышеупомянутая работа	the above work
пуско-наладочные работы	starting and adjustment operations
выполнение работы	carrying out work, executing work
инструменты и оборудование, необходимые для выполнения работы	instruments and equipment necessary for executing work
завершение работы	completion of work
место работы	working place, place of work
перерыв в работе, потеря времени	time loss period

работа в две смены	work in two shifts
разрешение на работу	permission for (to) work, work permit
получение разрешения на работу	receipt of a work permit
условия работы	work[ing] conditions
надлежащие условия работы	adequate working conditions
обеспечивать надлежащие условия работы	provide adequate working conditions
ненадлежащие условия работы	inadequate working conditions
выполнять работу	do work
заканчивать работу	finish work, complete work, be through with work
оценивать работу	appraise work, evaluate work
предоставлять работу	provide work
приниматься за работу	get down to work, set to work
сдавать работу	hand in *one's* work
разрешение	**permit, permission**
валютное разрешение	foreign exchange permit
ввозное разрешение [на инструменты, оборудование]	entry permit
вывозное разрешение	exit permit
официальное разрешение	official permission, official permit
получение разрешения	obtaining a permit
расходы на получение разрешения	expenses on obtaining a permit
разрешение на временное проживание	sojourn permit, permit to reside
разрешение на право работы	permission to work, permit to work
получать разрешение	obtain a permit
распорядок *см.* **правила**	
расходы	**expenses**
включая расходы	including expenses
не включая расходы	excluding expenses
возмещать расходы	reimburse [for] expenses
нести расходы	bear expenses
риск	**risk**
риск, связанный с профессией	professional risk
рисковать	risk, run a risk, take a risk
семья (*специалиста*)	**family**
члены семьи специалиста	dependants, immediate family

случай	**case, instance**
возможный случай	possible case
единичный случай	solitary case, solitary instance
особый случай	particular case
в некоторых случаях	in certain cases
в отдельных случаях	sometimes
смерть (*специалиста*)	**death**
в случае смерти специалиста	in the event of a specialist's death
специалист(-ы)	**specialist(-s)**
высококвалифицированный специалист	highly qualified specialist
нехватка высококвалифицированных специалистов	lack of highly qualified specialists
квалифицированный специалист	qualified specialist
опытный специалист	skilled specialist, experienced specialist
узкий специалист	narrow specialist
биографические данные специалиста	biographic[al] data of a specialist
деньги на отпуск специалиста (*отпускные*)	leave allowance
деньги на содержание специалиста	allowance
перемещение специалиста в стране заказчика	transference of a specialist in the customer's country
список специалистов, командируемых в страну заказчика	list of specialists sent to the customer's country
заменять специалиста	replace a specialist
отзывать специалиста по просьбе поставщика (заказчика)	recall a specialist at the supplier's (customer's) request
откомандировывать специалиста	recall a specialist
принимать специалиста	receive a specialist
готовность принять специалиста	readiness to receive a specialist
уведомление о готовности принять специалиста	notification of readiness to receive a specialist
увеличивать количество специалистов	increase the number of specialists
специальность	**speciality**
требуемая специальность	required speciality
получать специальность	acquire a speciality
приобретать производственную специальность	acquire an industrial speciality

страхование (*специалиста*)	**insurance**
двойное страхование	double insurance
расходы по страхованию	expenses on insurance
нести расходы по страхованию	bear expenses on insurance, cover expenses on insurance
производить страхование в СССР	insure a specialist in the USSR
страховать от производственных рисков и несчастных случаев	insure against professional risks and accidents
телекс	**telex**
телефон	**telephone**
по телефону	by telephone
говорить по телефону	speak over (through) the telephone
дозвониться к *кому-либо* по телефону	get *smb.* on the telephone
ждать у телефона	be on the telephone
передавать по телефону сообщение	telephone a message
телефонировать	**[tele]phone, ring up**
телефонная будка	**telephone booth, call-box**
телефонная станция	**telephone exchange**
телефонный аппарат	**telephone set**
телефонный звонок	**telephone call**
транспорт	**transport**
авиатранспорт	air transport, air service
автобусный транспорт	bus transport, bus service
автомобильный транспорт	motor transport
водный транспорт	water transport
городской транспорт	city transport
пользоваться городским транспортом	go by city transport
железнодорожный транспорт	rail[way] service
междугородный транспорт	inter-city transport
санитарный транспорт	medical ambulance, medical transport
транспортировка	**transportation**
издержки по транспортировке	transportation costs
транспортные средства (*для деловых поездок*)	**transport facilities**
предоставление транспортных средств	supply of transport facilities
обеспечивать транспортными средствами	provide with transport facilities

предоставлять транспортные средства (*машину*)	place a car at *one's* disposal, allot a car
удобства	**facilities, conveniences**
современные удобства	modern facilities, modern conveniencies, accommodations
предоставлять все необходимые удобства	provide all the necessary facilities
условия	**conditions**
благоприятные условия	favourable conditions
жилищно-бытовые условия	living conditions
улучшать жилищно-бытовые условия	improve living conditions
жилищные условия	housing conditions
климатические условия	climatic conditions
надлежащие условия	proper conditions
неблагоприятные условия	unfavourable conditions
необходимые условия	necessary conditions
особо тяжелые условия	supersevere conditions
соответствующие условия	adequate conditions, appropriate conditions
обеспечивать соответствующие условия	provide adequate conditions
условия работы	working conditions
изменять условия	change conditions
улучшать условия	improve conditions
услуги	**services, utilities**
бесплатные услуги	gratis services
коммунально-бытовые услуги	public utilities
оказанные услуги	performed services
установка для обогрева	**heating installation, heater**
установка для охлаждения	**cooling installation, cooler**
формальности	**formalities**
таможенные формальности	custom house formalities
соблюдать формальности	comply with formalities
урегулировать формальности	settle formalities
холодильник	**refrigerator, ice-box**

ФРАЗЫ

Мы хотим, чтобы советские специалисты...	We'd like the Soviet specialists to...
собрали исходные данные	collect the initial data
осуществили авторский надзор	carry out the designer's supervision

выполнили пуско-наладочные работы	carry out starting-up and adjustment operations
ввели оборудование в эксплуатацию	put the equipment into operation
У нас нет возражений	We have no objections
Сообщите нам...	Please let us know...
количество специалистов	the number of specialists
специальности ваших специалистов	your specialists' specialities
период пребывания специалистов	the period of the specialists' stay
условия, необходимые для работы специалистов	the conditions necessary for the specialists' work
Необходимая информация будет передана незамедлительно	The necessary information will be submitted to you without delay
Для проведения данных работ этого количества специалистов будет (не)достаточно	This number of specialists will be (in)sufficient to carry out this work
Этот вопрос был согласован с...	This question has been agreed upon with the...
соответствующими организациями	appropriate organizations
министерствами	ministries
Они подтвердили указанное количество специалистов	They confirmed the above number of specialists
Мы (не) можем согласиться на это	We can(not) agree to that
Мы решили сократить количество ваших специалистов	We've come to the conclusion that the number of your specialists must be reduced
Это (не)возможно	It is (im)possible
Необходимо прежде всего согласовать..	First of all we must agree about the...
условия командирования специалистов	terms on which we send our specialists
условия пребывания наших специалистов в стране Заказчика	conditions of our specialists' stay in the Customer's country
жилищно-бытовые условия	living conditions
Мы могли бы обсудить это позже	We could discuss it later
Давайте обсудим ваше предложение о посылке специалистов...	Let us discuss your suggestion that the specialists should be sent...
в марте этого года	in March this year
к концу этого года	by the end of this year
в будущем году	next year
Мы хотели бы продлить время пребывания этой группы специалистов в нашей стране	We'd like to prolong the period of stay of this group of specialists in our country

Хорошо. Это может быть организовано	Good. It can be arranged
Вы (Заказчик) должны(-ен) за свой счет обеспечить наших специалистов...	You (The Customer) are to provide our specialists with... at your own expense
соответствующим образом меблированными рабочими и жилыми помещениями	adequately furnished offices and living accommodation
транспортными средствами для деловых поездок	transport facilities for business trips
соответствующим медицинским обслуживанием	adequate medical service
госпитализацией при необходимости	hospitalization if necessary
Все это оговорено в проекте контракта	All this is specified in the draft contract
Ваши условия командирования специалистов нам (не) подходят	Your terms of sending specialists are (un)acceptable to us
Считаем необходимым согласовать время отпуска каждого специалиста после 12-ти месяцев работы в каждом случае отдельно	We think it is necessary to agree upon the period of leave of every specialist after a twelve months' period of work in each particular case
Мы хотим обсудить ставку возмещения	We want to discuss the rate of reimbursement
Считаем, что ставку возмещения следует повысить	We believe the rate of reimbursement should be increased
Мы займемся этим вопросом	We shall attend to this matter
Наш специалист серьезно болен. Он нуждается в серьезном лечении и будет откомандирован в СССР в ближайшее время	Our specialist is seriously ill. He needs a professional medical treatment and will be recalled to the USSR in the near future
Ваш специалист... болен уже более 2-х месяцев. Сейчас он госпитализирован	Your specialist... has been ill for more than two months. Now he is hospitalized
Мы просим вас организовать замену	We ask you to arrange for a replacement
Просим вас помочь с въездной визой для его замены	We ask you to help us with the entry visa for his replacement
Чем объяснить задержку в...	How can you explain the delay in...
командировании проектировщиков	the sending of your designers
приезде переводчиков	the arrival of your interpreters
замене архитектора-планировщика	the replacement of the architect planner
выполнении работ по контракту	carrying out the work under the contract
Вы не обеспечили нашу сторону...	You haven't provided our party with...

соответствующими условиями для работы — adequate working conditions

жилыми помещениями — living accommodation

своевременной выдачей виз — the issue of visas in (on) time

необходимыми транспортными средствами — the necessary transport facilities

ДИАЛОГИ

П. Прежде всего хочу сообщить вам, что наша фирма заканчивает командирование советских специалистов в вашу страну для строительства домостроительного комбината.

S. First of all I want to tell you that our firm is completing the sending of Soviet specialists to your country for the construction of a House-Building factory

З. Да, мы знаем об этом. Вы должны командировать еще около 20-ти человек, не так ли?

C. Yes, we know that. Twenty more specialists are to be sent, aren't they?

П. Именно так. Хотим обратить ваше внимание на то, что у нас были затруднения с получением виз для последней группы.

S. You are right. We should like to draw your attention to the fact that we had difficulties in obtaining visas for the last group.

З. Это была наша оплошность. Уверяю вас, что мы примем меры к тому, чтобы обеспечить своевременную выдачу виз для последней группы.

C. It was our oversight. I assure you that we shall take the necessary steps to provide visas for the remaining group on time.

П. Благодарю вас. Иначе задержка приезда наших специалистов может привести, в конечном счете, к задержке пуска объекта.

S. Thank you. Otherwise the delay in our specialists' arrival may in the long run bring about the delay in putting the project into operation.

З. Вы правы, мы сделаем все необходимое.

C. You are right, we shall do everything that is necessary.

* * *

П. Я хочу вам напомнить о графике командирования специалистов для проведения строительно-монтажных работ.

S. I'd like to remind you of the schedule for the sending of specialists to carry out construction and erection work[s].

З. Да, пожалуйста.

C. Oh, yes.

П. Мы не можем сейчас послать вторую группу наших монтажников, так как вы не обеспечили до сих пор первую партию соответствующими жилищно-бытовыми условиями.

S. Now we are unable to send our second group of installation experts, as you haven't so far provided our first group with the appropriate living conditions.

З. Мы с удовольствием можем сообщить вам, что строительство поселка для ваших специалистов закончено.	C. We are happy to tell you that the construction of the settlement for your specialists has been completed.
П. Это хорошая новость. Надеюсь, что наши специалисты будут обеспечены всеми условиями.	S. That's good news. I hope our specialists will be provided with all the necessary facilities.
З. Несомненно. Все будет предоставлено в соответствии с условиями контракта — меблированные жилые помещения со всеми удобствами, включая электричество, газ, кондиционеры, горячую и холодную воду, холодильники.	C. There's no doubt about that. Everything will be provided in accordance with the contract terms and conditions: furnished living accommodation with all modern conveniences, including electricity, gas, air-conditioners, hot and cold water, refrigerators.
П. В таком случае мы будем срочно готовить к командированию вторую группу.	S. In that case we'll speed up the sending of the second group.
З. Будем считать этот вопрос решенным.	C. Let's consider this point settled.

ПОДГОТОВКА НАЦИОНАЛЬНЫХ КАДРОВ — TRAINING OF LOCAL PERSONNEL

ПОДГОТОВКА НАЦИОНАЛЬНЫХ КАДРОВ — TRAINING OF LOCAL PERSONNEL

возмещение	**reimbursement**
ставка возмещения	rate of reimbursement
месячная ставка возмещения	monthly rate of reimbursement
возраст	**age**
возраст учащегося	trainee's age, student's age
группа(-ы)	**group(-s)**
учебные группы	[academic] groups
комплектовать группы	make up groups
создавать группы по специальностям	group trainees according to their specialities
увеличивать группы	increase the number of trainees in a group
уменьшать группы	shorten the number of trainees in a group
данные	**data, particulars**
необходимые данные	necessary data, required particulars
полные данные	full particulars
следующие данные	the following data, particulars
частичные данные	partial data
представлять данные	submit data
дисциплина	**discipline**
нарушение дисциплины	breach of discipline
соблюдение дисциплины	maintenance of discipline
нарушать дисциплину	break discipline
систематически нарушать дисциплину	break discipline systematically
соблюдать дисциплину	maintain discipline, be disciplined
должность	**position, appointment, post**
в должности	in the capacity of
исполнять должность	act as, work as
еда, питание	**meals**
трехразовое питание	three meals a day
получать трехразовое питание	get three meals a day, receive three meals a day

есть, питаться	**have meals**
законы	**laws**
местные законы	local laws
советские законы	Soviet laws
соблюдать законы	observe the laws
занятия	**classes, lessons, studies**
лабораторно-практические занятия	laboratory work and instruction
отсутствовать на занятиях	be absent, stay away from classes
посещать занятия	attend lessons, be present
приступать к занятиям	take up one's studies, begin studies, commence studies
проводить занятия	hold classes *in*
пропускать занятия	miss lessons, miss classes
знания	**knowledge**
глубокие знания	deep knowledge, thorough knowledge
поверхностные знания	superficial knowledge
недостаток знаний	lack of knowledge
проверка знаний	test of knowledge
овладевать знаниями	acquire knowledge, gain knowledge, obtain knowledge
инструктор	**instructor**
каникулы	**holidays, vacation, recess**
зимние каникулы	winter vacation, winter recess
летние каникулы	summer vacation, summer recess
быть на каникулах	be on holiday, be on vacation
уезжать на каникулы	go home for holidays
квалификация	**qualification, skill, competence**
высокая квалификация	high professional qualification
необходимая квалификация	necessary qualification
производственная квалификация	professional skill
получать производственную квалификацию	acquire professional skill
повышение квалификации	professional improvement, improvement in *one's* skill
повышать квалификацию	increase *one's* competence, improve *one's* [professional] skill
курс	**course**
вводный курс	introductory course
дополнительный курс	supplementary course
краткий курс	short course, concise course
лекционный курс	lecture course

летний курс обучения	vacation course
обязательный курс	basic course, required course, compulsory course
одногодичный курс	one-year course
полный курс	full course, complete course, full-time course
специальный курс	special series of lectures *in*
теоретический курс	theory, theoretical course
ускоренный курс	crash course
факультативный курс	optional course
курс повышенного типа	advanced course
экзамен по курсу	examination in a course
вести курс	teach a course *in*, give a course *in*
заканчивать курс	complete a course
прерывать курс	interrupt *one's* course
проходить курс	take a course
курсы	**courses**
высшие курсы	higher courses
краткосрочные курсы	short-term courses
подготовительные курсы	preliminary courses
экономические курсы	courses in economics
курсы повышения квалификации	extention courses
мастер	**foreman**
наглядные пособия	**visual aids**
неуспеваемость	**unproficiency, nonattainment, poor progress, failure, deficiency**
постоянная неуспеваемость	constant failure
предупреждение неуспеваемости	prevention of *one's* failure
причина неуспеваемости	reasons for unproficiency, causes of failure
процент неуспеваемости	per cent of failure *in*
образование	**education**
высшее образование	higher education
общее образование	general education
профессиональное образование	vocational training, professional training, trade education
специализированное образование	specialized education
среднее образование	secondary education
иметь среднее (*высшее*) образование	have a secondary (higher) education
получать среднее (*высшее*) образование	acquire a secondary (higher) education

обучение	**training, tuition, instruction, teaching**
безвозмездное обучение	free of charge training, free tuition, free instruction
производственное обучение	industrial training
профессионально-техническое обучение	professional training, vocational training, trade training
сельскохозяйственное обучение	agricultural training
техническое обучение	technical training, technical instruction
график обучения	schedule of training
качество обучения	quality of training
высокое качество обучения	high quality of training
место обучения	place of training
методы обучения	methods of training, teaching methods
наглядность в обучении	visual presentation, use of visual aids in teaching
обучение по месту работы	shop training, on the job training
окончание обучения	completion of training
свидетельство об окончании обучения	certificate of completion of training
организация обучения	organization of teaching process
период обучения	length of studies, period of studies
помещения для обучения	premises for teaching
процесс (*ход*) обучения	process of training, process of instruction, teaching process
средства обучения	means of instruction
сроки обучения	period of studies, length of studies
цели обучения	instructional purposes, educational goals, aims of instruction
этапы обучения	stages of teaching, stages of instruction
заканчивать обучение	complete *one's* training
осуществлять обучение	carry out training *in*
прерывать обучение	interrupt *one's* training
проводить обучение	train, instruct
пройти обучение	complete *one's* training
проходить обучение	undergo training
обучение (*виды обучения*)	**teaching, tuition, instruction, training**
обучение иностранных граждан в высших и средних учебных заведениях СССР	teaching of foreigners in higher and secondary educational establishments of the USSR

обучение иностранных граждан на Высших экономических курсах при Госплане СССР	teaching of foreigners at Higher courses in Economics at the USSR State Planning Committee
подготовка квалифицированных национальных кадров в учебно-производственных мастерских, созданных на объекте	training of skilled local personnel in vocational training workshops at the construction site
подготовка квалифицированных рабочих в процессе строительства и эксплуатации объекта	training of skilled personnel on job sites during construction and operation of a project
прием иностранных граждан на стажировку на предприятиях, в специализированных организациях (НИИ), министерствах и ведомствах СССР	reception of foreign trainees for training at plants, specialized organizations (scientific research institutes), ministries and other government agencies of the USSR
прием на обучение профессиям квалифицированных рабочих в профессионально-технических училищах СССР	reception of trainees for training in skilled workers' specialities at vocational technical schools of the USSR
создание специализированных учебных центров и подготовка в них квалифицированных рабочих и специалистов более высокой квалификации	setting up of special educational centres and training of skilled workers and specialists of higher qualification there
общежитие	**hostel**
одежда	**clothes**
зимняя (теплая) одежда	winter (warm) clothes
спецодежда	overalls
опыт	**experience**
преподавательский опыт	teaching experience
из [нашего] опыта	from [our] experience
делиться опытом	share experience
передавать опыт	pass on experience
переводчик	**interpreter**
количество переводчиков	number of interpreters
достаточное количество переводчиков	adequate number of interpreters, sufficient number of interpreters
недостаточное количество переводчиков	inadequate number of interpreters, insufficient number of interpreters
услуги переводчика	services of an interpreter
пользоваться услугами переводчика	use services of an interpreter
предоставлять переводчика	render services of an interpreter

переписка	**correspondence**
деловая переписка	business correspondence
вступать в деловую переписку	enter into business correspondence
персонал *см.* **работник(-и)**	
питание *см.* **еда**	
подготовка	**training, grounding, education, instruction**
достаточная подготовка	adequate training
общеобразовательная подготовка	general educational grounding
политехническая подготовка	politechnical training, politechnical education
предварительная подготовка	preliminary instruction
специальная подготовка	special[ized] training
получать специальную подготовку	acquire special[ized] training
курс подготовки	course of training
уровень подготовки	level of training
получать подготовку	receive training, get instruction
подтверждение	**confirmation**
в подтверждение	in confirmation
получать подтверждение	receive confirmation
пребывание [в стране]	**stay[ing] [in the country]**
период пребывания	period of stay
истечение периода пребывания	expiration of the period of stay
правила пребывания	rules and regulations of stay
нарушать правила пребывания	violate the rules, break the rules
соблюдать правила пребывания	observe the rules and regulations
предметы домашнего обихода	**household goods**
преподаватель	**teacher, instructor**
высококвалифицированный преподаватель	highly qualified teacher
знающий преподаватель	skilful teacher, learned teacher
опытный преподаватель	experienced teacher
старший преподаватель	senior teacher, head teacher
мастерство преподавателя	teacher's art, teacher's skill
быть преподавателем	be a teacher
преподавательский состав	**teaching staff**
прибытие	**arrival**
своевременное прибытие	arrival in (on) time

обеспечивать своевременное прибытие	provide *one's* arrival in (on) time, secure *one's* arrival in (on) time
программа	**programme, curriculum, syllabus**
насыщенная программа	heavy programme
расширенная программа	broadened study programme, inclusive curriculum
сокращенная программа	limited study programme
учебная программа	programme of studies, syllabus of instruction
в объеме программы	within the scope of the programme
изменения в программе	alterations in the programme, changes in the programme
раздел программы	part of the programme, section of the programme
выполнять программу	cover the programme
проходить программу в положенный срок	cover the programme in the aloted time
разрабатывать программу	draw up a programme, frame a programme
сокращать программу	cut a programme, reduce a programme, curtail a programme
составлять программу	draw up a programme, devise a programme
увеличивать программу	increase a programme
работник(-и), персонал	**worker(-s), staff; personnel**
административно-управленческие работники	administrative and managerial staff
административный работник	administrative worker
инженерно-технические работники	nonproduction workers, white-collar workers
научный работник	scientific worker
обучающий персонал	teaching staff
оперативный персонал	operating staff
руководящий персонал	directing staff
средний руководящий персонал	executive staff
старший руководящий персонал	managerial staff
технические работники	technical workers, technicians
эксплуатационные работники (*персонал*)	operating personnel
рабочий	**worker**
высококвалифицированный рабочий	highly qualified worker, highly skilled worker

квалифицированный рабочий	skilled worker
малоквалифицированный рабочий	low-skill worker
местный рабочий	local worker
неквалифицированный рабочий (*разнорабочий*)	unskilled worker
рабочий средней квалификации	average worker
разногласия	**differences**
разрешать разногласия дружеским путем	settle all the differences amicably
расходы	**expenses**
карманные расходы (*деньги*)	pocket money
путевые расходы	travel expenses
средние расходы	average expenses
фактические расходы	actual expenses
возмещение расходов	reimbursement for expenses
компенсация расходов	compensation for expenses
возмещать расходы за... жилье	reimburse expenses for... living accommodation
культурные мероприятия	entertainments
проезд городским транспортом	city travel
проезд туда и обратно (*из страны в страну*)	round travel
содержание	upkeep[ing]
спецодежду	overalls
теплую одежду	winter clothes
трехразовое питание	three meals a day
содержание	**upkeep[ing]**
денежное содержание	upkeep[ing]
полное содержание (*пансион*)	board and lodging
расходы по содержанию	expenses on upkeep[ing]
специализация	**specialization**
узкая специализация	narrow specialization
область специализации	field of specialization
специализация в *какой-либо* области	specialization in a particular field
специалист	**specialist, expert**
высококвалифицированный специалист	highly qualified specialist
иностранный специалист	foreign specialist
неопытный специалист	inexperienced specialist
опытный специалист	experienced specialist
узкий специалист	narrow specialist

отсутствие специалистов	lack of specialists
подготовка специалистов	training of specialists
выпускать специалистов	turn out specialists
готовить специалистов	train specialists
специальность	**speciality**
вторая специальность	additional speciality
производственная специальность	industrial speciality
получать производственную специальность	acquire an industrial speciality
требуемая специальность	required speciality
стажер	**trainee**
перечень стажеров	list of trainees
поведение стажера	trainee's behaviour
подбор стажеров	trainee's selection
способность стажера	trainee's ability
уровень знаний стажера	level of trainee's knowledge
обучать стажера	instruct a trainee
отзывать стажера	recall a trainee
принимать стажера	receive a trainee
стажирование	**training, qualification apprenticeship**
срок стажирования	period of training
установленный срок стажирования	fixed period of training
ход стажирования	process of training
отчет о ходе стажирования	report on the process of training
организовывать стажирование	arrange for training
прекращать стажирование	give up training
принимать на стажирование	receive for training
проводить стажирование	conduct training
стажировать(-ся)	**undergo qualification apprenticeship**
степень	**degree**
ученая степень	academic degree, advanced degree
без ученой степени	without an academic degree
имеющий степень доктора	doctor-degree holder
имеющий степень кандидата	candidate-degree holder
иметь ученую степень	hold an academic degree
стипендиальная квота	**stipend quota**
стипендия	**stipend, scholarship**
бюджетные ассигнования на стипендии	budgetary outlays for stipends

выплачивать стипендию	pay a stipend
иметь право на стипендию	be eligible for a stipend
назначать стипендию	grant a stipend *to*, award a stipend *to*
условия	**conditions, facilities**
жилищно-бытовые условия	living conditions
технические условия	technical conditions
изменение условий	change in the conditions
создавать условия	provide conditions *for*, provide facilities *for*
учебное заведение	**educational institution, educational establishment**
высшее учебное заведение	higher educational establishment
специальное учебное заведение	specialized educational establishment
среднее техническое учебное заведение	secondary professional school, secondary technical establishment
среднее учебное заведение	secondary educational establishment
учебно-производственная мастерская	**vocational training workshop, industrial practice workshop**
учебный центр	**training centre**
училище	**school**
профессионально-техническое училище	vocational technical school
ущерб	**damage**
причинять ущерб	damage
экзамен	**examination**
выпускной экзамен	final examination, graduation examination, finals
письменный экзамен	written examination
устный экзамен	oral examination
держать экзамен	take an examination
освобождать от экзамена	exempt from an examination
провалиться на экзамене	fail at examination
сдавать экзамен	take an examination
сдать экзамен	pass an examination

ФРАЗЫ

Мы прибыли, чтобы обсудить возможность обучения наших специалистов в Советском Союзе	We have come here to discuss a possibility of training our specialists in the USSR
Вы ознакомились с проектом	Have you got acquainted with the

контракта на подготовку национальных кадров для...?	draft contract for training local personnel for the...?
завода	plant
фабрики	factory
промышленного предприятия	industrial enterprise
данного объекта	project
Каких специалистов вы собираетесь прислать на обучение?	What specialists are you going to send for training?
Мы планируем послать... на год	We are planning to send... for a year
геологов	geologists
топографов	topographists
геодезистов	geodesists
Мы считаем, что их пребывание в Советском Союзе надо сократить до полугода	We think their stay in the Soviet Union must be shortened to half a year
Это вам решать	It's up to you
Мы предлагаем организовать... курсы на предприятиях и в высших учебных заведениях для административно-управленческого персонала	We offer to set up... for administrative and managerial personnel at plants and higher educational establishments of the USSR
краткосрочные	short-term courses
экономические	courses in economics
высшие	higher courses
Нужно ли оформлять [двусторонний] акт после каждого этапа стажировки?	Shall we make up an act after each stage of training?
Он должен быть оформлен в течение 15-ти дней	Yes, it is to be made up within 15 days
Какие данные надо там указать?	What data is required there?
Надо указать...	It's necessary to indicate the...
количество учебных групп	number of academic groups
время занятий	period of studies
количество преподавателей	number of teachers
У вас есть вопросы по видам и методам обучения?	Have you any questions on the types and methods of instruction?
Мы бы хотели знать, какие виды обучения вы предлагаете?	We'd like to know what types of training you offer
Уточните количество... и сроки обучения	Please clarify the number of... and the periods of training
учащихся	students
стажеров	trainees
На текущий учебный год для вашей страны определена следующая стипендиальная квота...	Your country's stipend quota for this year is determined as follows...

Что вы думаете о необходимости командирования советских...? (Считаете ли вы необходимым командировать советских...?)	Do you think it is necessary to send Soviet...?
преподавателей	teachers
инструкторов	instructors
мастеров	foremen
Мы можем командировать высококвалифицированных преподавателей в области... сроком до 3-х лет	We are able to send highly qualified teachers in the field of... for the period of 3 years or so
машиностроения	machine-building
сельского хозяйства	agriculture
энергетики	energetics
Подготовка квалифицированных рабочих и технических работников по различным специальностям будет организована в...	The training of qualified workers and technicians of different specialities will be organized in...
учебно-производственных мастерских	vocational training workshops
учебных центрах	training centres
училищах	vocational technical schools
Для инженерно-технического персонала вы должны подбирать стажеров с высшим и средним техническим образованием	To train engineers and technicians you must select trainees from secondary and high school graduates
Мастерские будут оснащены необходимым(-и)...	The workshops will be furnished with the required...
оборудованием	equipment
материалами	materials
инструментами	instruments
наглядными пособиями	visual aids
Ваши стажеры должны соблюдать правила трудового распорядка и техники безопасности на наших заводах и предприятиях	Your trainees must observe work and safety engineering rules at our plants and enterprises
Разумеется	It's self-understood
Ваши специалисты будут бесплатно...	Your trainees will... free of charge
проходить профессионально-техническую подготовку	undergo vocational training
изучать русский язык	study Russian
пользоваться услугами переводчиков	use the services of interpreters
В случае систематического нарушения дисциплины или постоян-	In case of systematic breach of discipline or constant failure in sub-

ной неуспеваемости стажер будет откомандирован в свою страну	jects the trainee will be recalled to his country
Все расходы в этом случае будут оплачены Заказчиком	All the expenses will be covered by the Customer in that case
Ваши стажеры...	Your trainees will...
будут размещены	be accommodated
получат трехразовое питание	receive three meals a day
будут пользоваться транспортом	make use of transport facilities
Придется ли нам платить за эти услуги?	Do we have to cover these expenses?
Да, вы возместите нам эти расходы	Yes, these expenses are to be reimbursed by you
Подлежат ли возмещению затраты, связанные с содержанием иностранных специалистов в СССР?	Are the expenses for the upkeep [-ing] of foreign specialists in the USSR to be reimbursed?
Конечно	Certainly
Какова ставка возмещения?	What is the rate of reimbursement?
За каждого обучаемого... в месяц	It's... for each trainee per month
Наши действительные расходы на каждого обучаемого гораздо выше	Our actual expenses for each trainee are much higher
Они составляют...	They amount to...
Мы (не) согласны на вашу сумму	We (do not) agree to your sum
На обучение стажер должен прибыть один, без семьи	A trainee is to come for training alone, without his family
Это (не) устраивает нас	It (does not) suits (suit) us
Должны ли стажеры сдавать экзамены отдельно по каждой изучаемой теме?	Must trainees take exams in each topic they work on?
Нет, наши программы предусматривают сдачу экзаменов по полному курсу	No, our programmes provide for examinations in a complete course

ДИАЛОГИ

З. Если вы не возражаете, приступим к делу.	C. If you have no objections let us get down to business.
П. Слушаю вас.	S. Fine.
З. Не так давно руководители наших делегаций подписали контракт на строительство на условиях подряда завода по производству сельскохозяйственных машин.	C. Recently the heads of our delegations have signed a "turn-key" contract for the construction of an Agricultural Machine-Building Plant.
П. Да, это крупный объект и очень важный для вашей страны.	S. You are right. It's a big project and of great importance to your country.

З. Как вы знаете, в ходе переговоров была достигнута договоренность о том, что советские организации окажут содействие в подготовке национальных кадров, необходимых для обеспечения нормальной эксплуатации объекта.

C. As you know, in the course of the talks it was agreed that the Soviet organizations would render assistance in training the local personnel necessary for providing normal operation of the project.

П. Мы понимаем вашу озабоченность вопросом подготовки эксплуатационного персонала для завода.

S. We understand your concern about the training of the operating personnel for the plant.

З. Наша страна, как и другие развивающиеся страны, испытывает острую нехватку в квалифицированной рабочей силе, инженерно-технических работниках, административно-технических работниках. Поэтому я бы просил вас предусмотреть обучение максимально возможного количества эксплуатационного персонала в СССР.

C. Our country along with other developing countries is experiencing acute shortage of skilled workers, engineers, technicians, administrative and managerial personnel. So I should like to ask you to provide for the training of as many operating personnel in the USSR as possible.

П. Вы ознакомились с проектом контракта на подготовку национальных кадров для данного завода?

S. Have you considered the draft contract for training local personnel for this plant?

З. Мы внимательно изучили проект контракта, который получили месяц назад, и у нас есть к вам ряд вопросов.

C. We have thoroughly studied the draft contract which we received a month ago and we have a number of questions to ask you.

П. Пожалуйста, я дам вам все необходимые разъяснения.

S. Good. I am ready to give you all the necessary clarifications.

З. В частности, мы хотим обсудить с вами формы и методы обучения, количество учащихся, сроки обучения, размер ставок возмещения за обучение, стажировку и предоставление консультаций, права и обязанности сторон.

C. In particular, we should like to discuss with you the types and methods of training, the number of trainees, the periods of training, the reimbursement rates for training, and consultations, the rights and obligations of the parties.

П. Готов ответить на все ваши вопросы

S. All right. I am here to answer all the questions.

* * *

П. Мы хотим обсудить с вами как с представителем фирмы вопрос о времени приезда вашей группы для производственно-технического обучения.

S. We'd like to discuss with you, as the representative of the firm, the time of the arrival of your group for vocational training.

З. Я знаю, что выезд практикантов намечен на 20-е августа этого года.

C. I know that the departure time for the trainees is fixed for August 20, this year.

П. Хочу заметить, что необходимую документацию со списком специалистов, направляемых на обучение, мы получили лишь несколько дней назад, а до 20-го августа осталось 3 недели.

S. I want to draw your attention to the fact that the necessary documentation including a list of specialists, sent for training, reached us only a few days ago but there are only 3 weeks left before August 20.

З. Вы должны понять, что у нас были некоторые сомнения в отношении необходимого количества стажеров. С вашей помощью мы разрешили этот вопрос. Все остальное было согласовано ранее.

C. We want you to understand that we had some doubts about the required number of trainees. You've assisted us in settling this point. All the other points had been settled before.

П. Наша организация должна была получить необходимую информацию, по крайней мере, за 2 месяца до приезда специалистов.

S. Our organization was to have received the necessary information at least 2 months before the arrival of the trainees.

З. Разве 3 недели недостаточный срок, чтобы сделать необходимые приготовления?

C. Aren't three weeks enough to make all the necessary preparations?

П. Думаю, что вы не совсем представляете наши затруднения. (Думаю, что этого времени недостаточно).

S. I am afraid you are not quite aware of our difficulties. (I don't think this time is sufficient.)

З. Конечно, я понимаю, что прием такой большой группы специалистов на стажирование представляет собой некоторые трудности.

C. I realize, it's not easy to arrange the reception of such a big group for vocational training.

П. Разумеется, нам надо согласовать этот вопрос с соответствующими министерствами и предприятиями, где стажеры будут проходить практику. Раньше конца сентября мы не сможем их принять.

S. You are right. We have to coordinate this problem with the ministries concerned and the plants where the trainees will undergo training. We shall not be able to receive them earlier than the end of September.

З. Я немедленно сообщу о вашем решении. Что еще с нашей стороны потребуется сделать?

C. I'll inform my people of your decision right away. Is there anything else we can do?

П. Необходимо сообщить нам точную дату выезда стажеров в СССР за 10 дней. Вы, конечно, понимаете, что нужно забронировать им места в гостинице, обеспечить транспортом, заказать билеты для выезда на места стажировки.

З. Хорошо. Все будет сделано в соответствии с вашими требованиями. (Все будет сделано вовремя.)

S. You must inform us of the exact date of the trainees' arrival in the USSR ten days before their departure. You certainly understand that it's necessary to book accommodation for them at hotels, provide transport facilities and book tickets to get to the places of training.

C. Good. We'll do everything as requested. (Everything will be done in time.)

ПОСТАВКА ОБОРУДОВАНИЯ И МАТЕРИАЛОВ / DELIVERY OF EQUIPMENT AND MATERIALS

ПОСТАВКА ОБОРУДОВАНИЯ И МАТЕРИАЛОВ / DELIVERY OF EQUIPMENT AND MATERIALS

аварийный режим	**malfunction**
акт	**certificate, report**
акт о качестве	quality certificate
акт приемки (*оборудования*)	acceptance report
аппаратура	**apparatus, equipment, instrument [ation]**
вспомогательная аппаратура	auxiliary equipment, ancillary apparatus
испытательная аппаратура	test equipment
контрольно-измерительная аппаратура	control and measuring, instrumentation, test equipment
оснащать... контрольно-измерительной аппаратурой	instrument
контрольно-испытательная аппаратура	checkout equipment
серийно выпускаемая аппаратура	production equipment
аппаратура автоматического управления	automatic control equipment
ГОСТы	**GOSTs**
соответствовать ГОСТам	be in conformity with GOSTs, conform to GOSTs
дефект(-ы)	**defect(-s), fault(-s)**
незначительный дефект	minor defect
скрытый дефект	hidden [latent] defect
существенный дефект	major defect
явный дефект	visible defect
дефекты в конструкции	construction defects, design faults
обнаруживать дефект	detect a defect
устранять дефект	rectify a defect, eliminate a defect
документ(-ы)	**document(-s)**
технические документы	technical documents
получать документ	obtain a document
принимать документ	accept a document

завод-изготовитель	**manufacturing works, manufacturer**
заказчик	**customer**
инструкции по эксплуатации и уходу за оборудованием	**operation and maintenance instructions**
инструмент	**instrument, tool[s]**
безопасный инструмент	safety tool[s]
прецизионный инструмент	precision instrument
расходуемый инструмент	[rapid-]wearing tools
ремонтный инструмент	maintenance tool[s]
сборочный инструмент	erecting tools, assembly tools
эксплуатационный инструмент	maintenance tool[s]
испытание	**test[ing], trial**
повторное испытание	duplicate test
приемочное испытание	acceptance test, approval test
эксплуатационное испытание	maintenance test
выдерживать испытание	stand the test
подвергать испытанию	test, experiment with, try out, give a trial, put to the test
производить испытание	carry out a trial, make a test
коррозия	**corrosion**
материал(-ы)	**material(-s)**
взрывчатый материал	explosive material
вспомогательные материалы	auxiliary materials, indirect materials, inventory materials
высококачественный материал	high grade material
изоляционный материал	insulating material
использованный материал	used material
исходный материал	source material
качественный материал	qualitative material
неиспользованный материал	nonused material
некачественный материал	substandard material
низкосортный материал	low-grade material
огнезащитный материал	fire-proof material
огнестойкий материал	fire-resistant material
огнеупорный материал	refractory
производственные материалы	inventory materials
основные производственные материалы	direct materials
сепарационный материал	separation material
смазочные материалы	lubricants
стандартный материал	standard material
строительные материалы	construction materials, building materials

сыпучие материалы	granular materials
сырьевые материалы	raw materials
экспериментальный материал	experimental material
эксплуатационные материалы	operational materials
использование материалов	utilization of materials
перечень материалов	list of materials
потребность в материалах	need for materials
годовая потребность в материалах	annual need for materials
расход материалов	consumption of materials
материалы, годные для использования в тропическом климате	materials fit for tropical climate, tropicalized materials
отгружать материалы	ship materials, deliver materials
поставлять материалы	supply materials
машина(-ы)	**machine, machinery**
детали машин	machine components, machinery parts
механизм(-ы)	**mechanism(-s), device, equipment, gear**
монтажный механизм	erecting mechanism
погрузочно-разгрузочные механизмы	material handling equipment
подъемный механизм	lifting mechanism
предоставление механизмов	submission of mechanisms
модель	**model**
рабочая модель (*завода*)	working model
монтажные работы	**erection work[s]**
график монтажных работ	schedule of erection work[s]
нарушение графика монтажных работ	disruption of the schedule of erection work[s]
накладная	**waybill, bill of lading (*US*), delivery note**
недостаток(-ки)	**defect(-s), fault(-s)**
мелкие недостатки	minor faults, minor defects
неустранимый недостаток	incurable defect
серьезные недостатки	grave defects
существенные недостатки	essential faults
решение по недостаткам	decision on defects
устранять недостатки	eliminate defects
номенклатура (*наименование оборудования*)	**nomenclature, range of products**
номенклатура изделий	listed products

нормы и стандарты	**norms and standards**
новые нормы и стандарты	new norms and standards
технические нормы и стандарты	technical norms and standards
высокие технические нормы и стандарты	high technical norms and standards
технические нормы и стандарты, действующие в СССР	technical norms and standards existing in the USSR
введение норм и стандартов	introduction of norms and standards
изменение норм и стандартов	alteration of norms and standards
вводить нормы и стандарты	introduce norms and standards
применять нормы и стандарты	use norms and standards
соответствовать нормам и стандартам	correspond to norms and standards
оборудование	**equipment**
аварийное оборудование	emergency equipment, standby equipment
вспомогательное оборудование	service equipment, auxiliary equipment
дефектное оборудование	defective equipment
замена дефектного оборудования	replacement of defective equipment
ремонт дефектного оборудования	repair[s] of defective equipment
запасное оборудование	standby equipment
изношенное оборудование	worn-out equipment
испытательное оборудование	test equipment
капитальное оборудование	productive equipment
комплектное оборудование	complete plant equipment
контрольно-измерительное оборудование	control and measuring instrumentation, test equipment
монтажное оборудование	erection equipment, erecting equipment, erection facilities
негабаритное оборудование	oversized equipment
неисправная работа оборудования	malfunction
некачественное оборудование	substandard equipment
нестандартизированное оборудование	nonstandard equipment
основное оборудование	capital equipment
погрузочное оборудование	loading equipment
погрузочно-разгрузочное оборудование	handling equipment, loading-unloading equipment
подержанное оборудование	used equipment

подъемно-транспортное оборудование	lifting-and-conveying machines (*GB*), hoisting-and-conveying machinery (*US*)
поставляемое оборудование	delivered equipment
производственное оборудование	production equipment, capital equipment
простое оборудование	simple equipment
противопожарное оборудование	fire-fighting equipment
резервное оборудование	standby equipment, back-up equipment
ремонтное оборудование	maintenance equipment, repair equipment
серийное оборудование	standard equipment, off-the-shelf equipment
силовое оборудование	power facilities
складское оборудование	storage equipment
сложное оборудование	sophisticated equipment
смонтированное оборудование	equipment in place, erected equipment
современное оборудование	sophisticated equipment, modern equipment
стандартизированное оборудование	standard equipment
строительное оборудование	construction equipment
технологическое оборудование	process[ing] equipment, manufacturing equipment, technological equipment
тяжеловесное оборудование	heavy equipment
устаревшее оборудование	dated equipment, obsolete equipment
агрегаты оборудования	units of equipment
амортизация оборудования	depreciation of equipment
с учетом амортизации оборудования	taking into account depreciation of equipment, with allowance made for depreciation of equipment
аренда оборудования	rent of equipment
ввоз оборудования	importation of equipment
вывоз оборудования	exportation of equipment
выпуск оборудования	production of equipment, manufacture of equipment
заказ на оборудование	order for equipment
закупка оборудования	purchase of equipment
замена оборудования	replacement of equipment
изготовление оборудования	production of equipment, manufacture of equipment

ход изготовления оборудования	progress of production of equipment, progress of manufacture of equipment
проверять ход изготовления оборудования	check the progress of equipment production
износ оборудования	wear[ing] of equipment, deterioration of equipment, wear-out of equipment
нормальный износ оборудования	normal wearing of equipment
качество оборудования	quality of equipment
приемлемое качество оборудования	acceptable quality of equipment
ответственность за качество оборудования	responsibility for the quality of equipment
нести ответственность за качество оборудования	bear responsibility for the quality of equipment
проверка качества оборудования	check[ing] of the quality of equipment
подвергнуть проверке качество оборудования	check the quality of equipment
ухудшение качества оборудования	deterioration of the quality of equipment
количество оборудования	quantity of equipment
консервация оборудования	preservation of equipment
производить консервацию оборудования	carry out the preservation of equipment
монтаж оборудования	erection of equipment
недопоставка оборудования, недостача при доставке оборудования	short-delivery of equipment, short-shipment of equipment
оборудование в тропическом исполнении	tropicalized equipment
оборудование высокого качества	equipment of high quality, high quality equipment
оборудование серийного производства	equipment of serial production
отгрузка оборудования	shipment of equipment, delivery of equipment
партия оборудования	lot, consignment, parcel
переконсервация оборудования	represervation of equipment
производить переконсервацию оборудования	carry out the represervation of equipment
перечень оборудования	list of equipment
повреждение оборудования	damage to equipment
позиция оборудования	item of equipment
покупка оборудования	purchase of equipment

поломка оборудования	breakage of equipment
продажа оборудования	sale of equipment
производство оборудования	production of equipment, manufacture of equipment
простой оборудования	idle time of equipment, lost time of equipment, downtime of equipment
разгрузка оборудования	unloading of equipment
размер оборудования	size of equipment, dimensions of equipment
размещение оборудования	placing of equipment
ремонт (*текущий*) оборудования	maintenance of equipment
инструкция по ремонту оборудования	instruction on equipment maintenance
расходы по ремонту оборудования	maintenance expenses
сборка оборудования	assembly of equipment
спрос на оборудование	demand for equipment
тип оборудования	type of equipment
тропикализация оборудования	tropicalization of equipment
узлы оборудования	units of equipment
характеристики оборудования	equipment specifications, characteristics of equipment
хранение оборудования	storage of equipment
эксплуатация оборудования	operation of equipment, maintenance of equipment
оборудование, сдаваемое в аренду	rental equipment
изготовлять оборудование	manufacture equipment, produce equipment
отгружать оборудование	ship equipment, deliver equipment
поставлять оборудование	supply equipment, deliver equipment
продавать оборудование	sell equipment
устанавливать оборудование	install equipment
покупатель	**buyer, purchaser**
поставка(-и)	**delivery(-ies), supply(-ies)**
будущая поставка	forward delivery, future delivery
взаимные поставки	mutual deliveries
досрочная поставка	prior delivery
контрактная поставка	contractual delivery
неправильная поставка (*сдача товара*)	mis-delivery
обязательные поставки	obligatory deliveries
окончательная поставка	final delivery

основные поставки	main deliveries, basic deliveries
первоначальная поставка	first delivery
плановые поставки	scheduled deliveries
репарационные поставки	reparation deliveries
своевременная поставка	timely delivery
срочная поставка	express delivery, special delivery
частичная поставка	partial delivery
базис (*условия*) поставки	terms of delivery
вопрос о поставке	problem of delivery
решать вопрос о поставке	settle the problem of delivery
готовность к поставке	readiness for delivery
график поставок	schedule of deliveries
срыв графика поставок	disruption of the schedule of deliveries
нарушать график поставок	disrupt the schedule of deliveries
дата поставки	date of delivery
завершение поставок	completion of deliveries, completion of supplies
задержка в поставке	delay in delivery
временная задержка в поставке	temporary delay in delivery, time delay in delivery
объем поставок	volume of deliveries
отсрочка в поставках	postponement of deliveries, delay in deliveries
период поставки	period of delivery
поставка готовой продукции	ready delivery
поставка закупленного материала	purchase delivery
поставка оборудования	delivery of equipment
поставка первостепенной важности	delivery of paramount importance
поставка партиями	delivery by (in) lots, delivery in consignments
поставка по просьбе	delivery at *smb.'s* request
поставка по требованию	delivery on call
поставка с опозданием	lagged delivery, late delivery
поставки по графику	scheduled deliveries
разделение поставок	division of supplies
срок поставки	time of delivery, delivery time
предельный срок поставки	delivery time limit
срыв срока поставки	slow[er] delivery
изменять срок поставки	change the delivery time
переносить срок поставки	postpone the delivery time, put off the delivery time, transfer the delivery time

приходить к соглашению в отношении сроков поставки	come to an agreement in respect of the delivery time
возобновлять поставку	resume delivery
договариваться о поставках	reach an agreement about deliveries
задерживать поставку	delay the delivery
заканчивать поставку	complete the delivery
начать поставку	start the delivery, begin the delivery
осуществлять поставки	make deliveries, deliver, supply
отложить поставку	postpone delivery, suspend delivery
принимать поставку	take delivery
приостанавливать поставку	suspend delivery, delay delivery
продолжать поставку	go on with the deliveries, continue deliveries
производить поставку	deliver, supply
поставщик	**supplier**
прибор	**apparatus, device, instrument**
измерительный прибор	measuring instrument
продавец	**seller, vendor**
ремонт	**repair[s]; maintenance**
аварийный ремонт	emergency repair
капитальный ремонт	overhaul
профилактический ремонт	maintenance, running repair
текущий ремонт	maintenance
требующий ремонта	in want of repair
сертификат о качестве	**quality certificate**
склад	**storehouse, warehouse, depot, storage**
открытый склад	ground storage
резервный склад	dead storage
таможенный склад	customs warehouse
склад снабжения	depot of supply
складирование	**storage, storekeeping, warehousing**
надлежащее складирование	proper storage
нормальное складирование	normal storage, standard storage
расходы по складированию	expenses on storage, storage expenses
система складирования	warehousing system
наблюдать за складированием	supervise storage
обеспечивать складирование	provide storage
спецификация	**specification**
техническая спецификация	technical specification

в соответствии со спецификацией	in accordance with the specification
соответствовать спецификации	conform to the specification
стандарты	**standards**
государственные стандарты СССР	state standards of the USSR
качественные стандарты	qualitative standards
станок	**machine tool**
технические характеристики...	**technical characteristics of..., technical specifications of..., technical data of...**
машин	machines
оборудования	equipment
станков	machine tools
техническое обслуживание	**maintenance, maintenance service**
текущее техническое обслуживание	routine maintenance
осуществлять техническое обслуживание	perform maintenance
тропикализация оборудования *см.* **оборудование**	
установка	**installation**
уход (*за оборудованием*)	**maintenance**
чертеж(-и)	**drawing(-s)**
монтажные чертежи	erection drawings
рабочие чертежи	working drawings
сборочные чертежи	assembly drawings
комплект чертежей	set of drawings
правильность чертежей	correctness of drawings
эксплуатация оборудования	**operation of equipment, maintenance of equipment, service of equipment**
безопасная эксплуатация оборудования	safe maintenance of equipment
кратковременная эксплуатация оборудования	short-term service of equipment
надлежащая эксплуатация оборудования	proper maintenance of equipment
непрерывная эксплуатация оборудования	uninterrupted operation of equipment, continuous operation of equipment
опытная эксплуатация оборудования	trial operation of equipment
продолжительная эксплуатация оборудования	long-term service of equipment

промышленная эксплуатация оборудования	commercial operation of equipment
текущая эксплуатация оборудования	day-to-day operation of equipment
ввод оборудования в эксплуатацию	putting equipment into operation
ошибки при эксплуатации оборудования	errors in the maintenance of equipment
вводить оборудование в эксплуатацию	put equipment into operation

Когда мы сможем решить вопрос о поставках?	When shall we be able to settle the delivery point?
Нам потребуется 2 недели, чтобы окончательно решить вопрос о поставках	We'll need two weeks to finalize the delivery point
Мы не можем принять ваши условия поставки	We can't accept your delivery terms
Когда вы известите нас о сроках поставки?	When will you inform us of the delivery dates?
Поставки начнутся в мае, как указано в контракте	The deliveries will start in May as indicated in the contract
Мы не можем продолжать поставку	We can't proceed with deliveries
Вы не выполняете обязательства по контракту	You don't fulfil your contractual obligations
Не могли бы вы сократить сроки поставки на 2 месяца?	Could you reduce the delivery time by 2 months?
Как будут производиться поставки?	How will deliveries be made?
Тремя партиями, с интервалом в 4 месяца	In three consignments, at a 4 month interval
Нам пришлось приостановить поставки	We had to suspend deliveries
Поставки будут возобновлены, как только мы получим платежи за последнюю партию	The deliveries will be resumed as soon as we receive payments for the last consignment
Мы не отвечаем за срыв графика поставок, так как поставки осуществляются на условиях ФОБ	We are not responsible for disrupting the delivery schedule as the deliveries are made on f. o. b. terms (as this is f. o. b. contract)
Если вы не выполните сроки поставки, вам придется платить неустойку	If you don't meet the delivery dates you'll have to pay penalt damages
Надеюсь, мы сможем договориться о поставках в III квартале этого года	I hope we'll be able to agree about the deliveries in the third quarter this year

Первоначальная поставка будет выполнена через... после подписания контракта	The first delivery will be made... after signing the contract
Мы хотели бы обсудить вопрос о частичной поставке оборудования	We'd like to discuss partial deliveries
Напоминаем, что досрочная поставка должна быть обязательно указана в контракте	We remind you that prior delivery is certainly to be specified in the contract
Мы обязуемся осуществить своевременную поставку оборудования	We undertake to make timely deliveries
Окончательная поставка будет осуществлена в сроки, указанные в контракте (контрактом)	The final delivery will be made in the time stipulated in the contract
Мы отгрузим сначала это оборудование. Эта поставка первостепенной важности	We shall ship this equipment first. This delivery is of paramount importance
Мы можем перейти к обсуждению объема поставок	We can pass on to the volume of deliveries
Мы рады, что наши условия поставки приемлемы для вас	We are glad that our terms of delivery are acceptable to you
Мы не можем изменить сроки поставки	We can't change the delivery time
В нашем контракте не указана досрочная поставка оборудования	Prior delivery is not specified in our contract
Давайте обсудим поставки негабаритного и тяжелого оборудования	Let's discuss the deliveries of oversized and heavy equipment
Надеемся, что у нас не будет нарушения сроков поставки	We hope, that we shall avoid the disruption of the delivery schedule
Поставки морем будут осуществляться на условиях СИФ — порт...	Deliveries by sea will be made c. i. f. — port...
Мы только хотим напомнить вам, что задержка в поставках вызвана тем, что вы нарушили график платежей	We just wish to remind you that late deliveries are caused by your disruption of the payment schedule
Когда мы можем обсудить с вами отсрочку в поставках?	When can we discuss the postponement of deliveries?
Мы будем поставлять оборудование частями	We'll make deliveries by installments
Вы готовы обсудить будущую поставку?	Are you ready to discuss the future delivery?
Мы приносим свои извинения за неправильную поставку	We bring our apologies for the misdelivery
Мы предусматриваем в нашем контракте поставки по реэкспорту	We provide for reexport deliveries in the contract

Отвечает(-ют) ли... новым нормам и стандартам?	Does (do) the... correspond to the new norms and standards?
аппаратура	apparatus
оборудование	equipment
сборочный инструмент	assembly tool[s]
строительные материалы	construction materials
изоляционный материал	insulating material
Да, они находятся в соответствии с действующими техническими нормами и стандартами	Yes, they are in full conformity with the existing technical norms and standards
Каково ваше решение по...?	What is your decision on the...?
дефектному оборудованию	defective equipment
устаревшему оборудованию	dated equipment
Мы считаем, что его нужно заменить	We think that it must be replaced
Вы уже определили свою годовую потребность в...?	Have you determined your annual need for... yet?
сырьевых материалах	raw materials
подъемных механизмах	lifting mechanisms
деталях машин	machine components
Да, она составляет...	Yes, it amounts to...
Мы поставим вам... в соответствии с контрактом	We shall deliver you the... under the contract
аварийное оборудование	emergency equipment
испытательное оборудование	test equipment
сложное оборудование	sophisticated equipment
Мы несем ответственность за...	We bear responsibility for the...
качество оборудования	quality of equipment
соблюдение выполнения графика монтажных работ	observance of the schedule of erection work
монтаж оборудования	erection of equipment
Вы не можете считать нас ответственными за...	You cannot hold us responsible for the...
повреждение оборудования	damage to equipment
простой оборудования	idle time of equipment
разгрузку оборудования	unloading of equipment
текущий ремонт оборудования	maintenance of equipment
переконсервацию оборудования	represervation of equipment
Кто будет нести расходы по...?	Who will bear expenses on the...?
хранению оборудования в порту	storage of equipment at the port
производству оборудования	production of equipment
техническому обслуживанию	maintenance of equipment

Можно считать, что мы договорились с вами по главным пунктам контракта	We may take it that we've agreed upon the major points of the contract
Какие виды работ вы выполните и кто их оплатит?	What types of work[s] will you execute and who will pay for them?
Мы... оборудование за свой счет	We shall... the equipment at our expense
отгрузим	ship
поставим	supply
установим	install
Вы сможете...?	Will you be able to...?
обеспечить надлежащее складирование	provide proper storage
приостановить поставку	suspend the delivery
продолжать поставки	continue deliveries
Кто будет наблюдать за...?	Who will supervise the...?
складированием оборудования	storage of the equipment
погрузкой оборудования	loading of the equipment
разгрузкой оборудования	unloading of the equipment
ремонтом оборудования	repair[s] of the equipment
установкой оборудования	installation of the equipment
Все это будет зависеть от условий контракта	All this will depend on the terms and conditions of the contract
Как мы сможем выполнить... оборудования?	How shall we be able to carry out the... of equipment?
монтаж	erection
сборку	assembly
установку	installation
Мы вышлем... чертежи	We shall send... drawings to you
монтажные	erection
сборочные	assembly
рабочие	working
Какие документы вы нам представите?	What documents will you submit to us?
Мы представим вам...	We shall submit... to you
технические спецификации	technical specifications
технические документы	technical documents
инструкции по эксплуатации и уходу за оборудованием	operation and maintenance instructions
Что вы можете сказать по поводу эксплуатации оборудования?	What can you say about the maintenance of the equipment?
Мы гарантируем... эксплуатацию оборудования	We guarantee... operation of the equipment
безопасную	safe
надлежащую	proper
непрерывную	uninterrupted

П. Доброе утро, г-н... Вы можете уделить мне несколько минут?	S. Good morning, Mr... Do you have a minute to spare?
З. Конечно, г-н... Я предлагаю зайти ко мне в кабинет.	C. Certainly, Mr... I suggest we go to my office.
П. Вчера я получил спецификацию и письмо из «...экспорта», где говорится о том, что оборудование, которое должно поставляться по контракту, больше не выпускается. Предлагается заменить его новым.	S. Yesterday I got a specification and a letter from "...export", which says that the equipment to be delivered under the contract is, no longer manufactured. There is a suggestion that it should be replaced with (by) new equipment.
З. Это новое оборудование отличается от старого в отношении размеров и характеристик?	C. Does this new equipment differ from the old one in terms of dimensions and specifications?
П. Да, отличается, но у вас не будет трудностей с монтажом нового оборудования.	S. Yes, it does, but you won't have any difficulties in erecting the new equipment.
З. Скажите, а эта замена вызовет дополнительные расходы?	C. Tell me please, will this replacement involve any extra expenses?
П. Нет. Более того, у нового оборудования целый ряд преимуществ по сравнению со старым.	S. No. Not only that, the new equipment has quite a number of advantages over the old equipment.
З. Хорошо. Мы изучим техническую спецификацию и дадим свое подтверждение.	C. Good. We shall study the technical specification and give you our confirmation.
П. Договорились.	S. Settled, then.

МАРКИРОВКА. УПАКОВКА / MARKING. PACKING

бечевка	**twine, string, pack thread**
шнуровочная бечевка	packing cord
бирка(-и)	**tag** (*US*), **label, tally**
бумажная бирка	paper tag
металлическая бирка	metal tag
специальная бирка	special tag
маркировка на бирке	marking on a tag
наклеивать бирки на багаж	put labels on *one's* luggage
бочка	**barrel**
брезент	**canvas, cloth, canvas sheet, tarpaulin**
бумага	**paper**
влагоотталкивающая бумага	damp-resisting paper
восковая бумага	grease-paper

гофрированная бумага	corrugated paper
оберточная бумага	wrapping paper, brown paper
папиросная бумага	tissue paper
плотная бумага	stout paper
прочная бумага	stout paper
упаковочная бумага	packing paper
завернутый в бумагу	wrapped in paper
завертывать в бумагу	wrap up
вентиляционное отверстие(-я), отдушина	**vent-hole(-s)**
делать вентиляционные отверстия в ящиках	cut vent-holes in cases
веревка (*тонкая*)	**cord**
шнуровочная веревка	packing cord
вибрация	**vibration**
защищать от вибрации	protect from vibration
конверт	**envelope**
водонепроницаемый конверт	waterproof envelope
краска	**paint**
водоотталкивающая краска	water-repellent paint
несмываемая краска	indelible paint, permanent paint
куль	**sack**
липкая лента	**adhesive tape**
заклеивать липкой лентой	seal with adhesive tape
марка	**mark, sign, brand**
отличительная марка	distinction mark
тропическая грузовая марка	tropical loadline
фабричная марка	trade-mark, trademark
наносить марку	mark
наносить марку краской	make a mark by paint
ставить марку	mark
маркировать красной вертикальной линией	**mark with a red vertical line**
маркировка	**marking, mark**
дополнительная маркировка	additional marking
недостаточная маркировка	insufficient marking
правильная маркировка	correct marking
специальная (*предупредительная*) маркировка	special marking
четкая маркировка	clear marking
маркировка отправителя	consignor's mark[ing]
маркировка получателя	consignee's mark[ing]

предписание к маркировке	instructions concerning marking
с соответствующей маркировкой	with appropriate marking
типы маркировки	types of marking
наносить маркировку	mark, grade, to do the marking
указывать маркировку в накладной	specify marking in a waybill
указывать маркировку в спецификации	point out marking in a specification
маркировка (*оформление*)	**marking; mark**
«верх»	"up", "top"
«вес брутто»	"gross weight"
«вес нетто»	"net weight"
«дробь»	"fraction"
в форме дроби	in the form of a fraction
«знаменатель»	"denominator"
«числитель»	"numerator"
«держать в сухом месте»	"keep dry"
«не кантовать»	"do not turn over"
«не переворачивать»	"do not turn over"
«низ»	"bottom"
«обращаться осторожно»	"handle with care"
«открывать здесь»	"open this end"
«стекло»	"glass"
материал	**material**
водонепроницаемый материал	waterproof material
воздухонепроницаемый материал	airtight material
защитный материал	protective material
мягкий материал	soft material
упаковочный материал	packing material
место(-а) (*груза, багажа*)	**case(-s), package**
упаковочное место	packing case
номер места	number of a package
порядковый номер места	ordinal number of a package
число мест	number of cases
общее число мест	total number of cases
мешковина	**sacking, sackcloth**
упаковывать в мешковину	wrap in sacking
мешок	**sack, bag**
бумажный мешок	paper bag
джутовый мешок	sack of jute
изношенный мешок	worn-out sack
пластиковый мешок	plastic bag

парусиновый мешок	canvas bag
полиэтиленовый мешок	polythene bag
прочный мешок	strong sack
холщовый мешок	linen bag, canvas bag
запечатывать мешок	seal a bag
упаковывать в мешок	pack in a bag; bag, sack
накладная	**waybill**
грузовая накладная	cargo waybill
номер грузовой накладной	number of a cargo waybill
нумерация	**numeration**
нумерация покупателя	numeration of the buyer, numeration of the purchaser
нумерация продавца	numeration of the seller
нумеровать	**number**
нумеровать подряд	number consecutively
отличительный знак объекта	**identification mark of object**
отдушина *см.* **вентиляционное отверстие**	
перегородка	**divider**
пенопласт	**styrofoam**
пленка	**film**
полиэтиленовая пленка	polyethlene film, polythene film
спецификация(-и)	**specification(-s)**
покипные спецификации	bale specifications
поящичные спецификации	case specifications
тара; тара (*вес*)	**package, container, crate; tare**
многооборотная тара	reusable container
пленочная тара	film packing
поврежденная тара	damaged container, broken container
пригодная тара	suitable container
пустая тара	empties
вес тары	tare
действительный вес тары	actual tare
предполагаемый вес тары	estimated tare, computered tare
средний вес тары	average tare
фактурный вес тары	invoice tare
вес тары, установленный таможенными правилами	customs tare
вес тары, установленный таможенным тарифом	legal tare
определять вес тары	tare
дефект в таре	defects in a container

масса тары	tare
установленная масса тары	customary tare
стоимость тары	cost of a container
тара, не подлежащая дальнейшему использованию, тара разового пользования	throwaway container
трафарет, шаблон	**stencil, pattern, template, templet**
по трафарету	by stencil, through stencil, by pattern
наносить символы по трафарету	stencil symbols, make symbols (marks) through stencil
упаковка (*процесс, материал, тара*)	**packing, package container**
водонепроницаемая упаковка	waterproof packing
закрытая упаковка	sealed package
картонная упаковка	cardboard package
морская упаковка	seaworthy container
надлежащая упаковка	suitable packing
неповрежденная упаковка	sound packing, undamaged packing
обыкновенная упаковка	customary packing
поврежденная упаковка	damaged container
тропическая упаковка	tropical packing
без упаковки	without packing, unpacked
в прочной упаковке	strongly crated
вес упаковки	tare
вид упаковки	kind of packing
бумажный вид упаковки	paper packing
внешний вид упаковки	packing exterior
внутренний вид упаковки	packing interior
пластиковый вид упаковки	plastic packing
дефект упаковки	packing defect
инструкции по упаковке	packing instruction
повреждение упаковки	damage to packing
расходы по упаковке	packing charges
свойства упаковки	properties of packing
скрытые свойства упаковки	latent properties of packing
соблюдение условий по упаковке	observance of instructions
состояние упаковки	condition of packing
дефектное состояние упаковки	defective condition of packing
стоимость упаковки	cost of packing
упаковка в мешке	sacking, bagging
упаковка для экспортных товаров	packing for export goods
характер упаковки	nature of packing

цена без упаковки	packing not included
цена, включая упаковку	packing inclusive
упаковка оплачивается дополнительно	packing extra
обеспечивать упаковку товара	provide the packing of goods
отгружать товар в упаковке (без упаковки)	ship *smth.* in packing (without packing)
в упакованном виде	packaged, packed
упаковочный лист	**packing list, packing sheet, packing note, packing slip**
упаковщик	**packer**
упаковывать	**pack, do the packing, package**
упаковывать в соответствии с инструкцией	pack in accordance with instructions
упаковывать в тюки	pack in bales, bale
упаковывать небрежно	pack carelessly
упаковывать в ящики	crate
холст	**cloth, canvas**
упаковочный холст	packing cloth, packing canvas
центр тяжести	**centre of gravity**
обозначать центр тяжести вертикальной красной линией	mark the centre of gravity with a red vertical line
шаблон *см.* **трафарет**	
шнур	**cord**
ящик	**case, box, crate**
подержанный ящик	second-hand case
прочный ящик	solid case, strong case
упаковочный ящик	packing case
количество ящиков	number of cases, number of boxes
размер ящика	size of a case (box)
сторона ящика	side of a case (box)
торцовая сторона ящика	face plane side of a case
ящик, выложенный...	case lined *with*...
ящик, выстланный...	case lined *with*...
ящик с укрепленным дном	crate with reinforced bottom

ФРАЗЫ

Каждое место должно иметь следующую маркировку:..	Each package must have the following marking...
«вес брутто»	"gross weight"
«вес нетто»	"net weight"
«держать в сухом месте»	"keep dry"

Маркировка наносится...	Marking is to be made...
водоотталкивающей краской	in water-repellent paint
несмываемой краской	in indelible paint
по трафарету	through stencil
Вы нанесли дополнительную маркировку?	Have you made additional marking?
Маркировка должна быть четкой	Marking must be clear
Мы получили инструкцию относительно маркировки (упаковки)	We have got instructions concerning marking (packing)
Вы указали маркировку в...?	Have you specified the marking in the...?
накладной	waybill
спецификации	specification
На этот товар мы нанесли специальную маркировку	These goods got a special marking
Мы указали...	We have specified the...
общее число мест	total number of cases
порядковый номер места	ordinal number of package
номер грузовой накладной	number of a cargo waybill
Какие документы вы подготовили?	What documents have you prepared?
Мы подготовили...	We have prepared...
покипные спецификации	bale specifications
поящичные спецификации	case specifications
В какой упаковке вы будете поставлять груз?	In what package will you supply the cargo?
Мы обеспечим за свой счет... упаковку	We shall provide ... packing at our own expense
морскую	seaworthy
надлежащую	suitable
обыкновенную	customary
Мы не будем использовать...	We shall not use...
многооборотную тару	reusable containers, reusable cases
поврежденную тару	damaged containers, damages cases
подержанные ящики	second-hand cases

ЗАПАСНЫЕ ЧАСТИ / SPARE PARTS

деталь	**detail, part, component, element, member, piece**
бракованная деталь	rejected detail, rejected part
быстроизнашивающаяся деталь	quick-wearing part
второстепенная деталь	minor part

СЛОВА

готовая деталь	off-the-shelf component, finished part
запасная деталь	spare part
пробная деталь	sample piece, test part
сменная деталь	replacement part
стандартная деталь	standard part
заменять деталь	replace a part
устанавливать деталь	install a part
запасные части	**spare parts**
общие запасные части	general spare parts
поставляемые запасные части	spare parts to be delivered
выбор запасных частей	choice of spare parts, selection of spare parts
заказ на запасные части	order for spare parts
изготовление запасных частей	production of spare parts, manufacture of spare parts
техническая документация на изготовление запасных частей	technical documentation on (for) the production of spare parts, manufacture of spare parts
количество запасных частей на единицу оборудования	quantity of spare parts for the unit of equipment
комплект запасных частей	set of spare parts
полный комплект запасных частей	complete set of spare parts
стандартный комплект запасных частей	standard set of spare parts
номер запасной части по каталогу	number of a spare part under the catalogue
описание запасной части	description of a spare part
перечень запасных частей	list of spare parts
корректировка перечня запасных частей	adjustment of a list of spare parts
заказывать запасные части	order spare parts
изготовлять запасные части	manufacture spare parts, produce spare parts
передавать запасные части	hand over spare parts
поставлять запасные части	deliver spare parts, supply spare parts
продавать запасные части	sell spare parts
продавать запасные части на условиях консигнации	sell spare parts on a consignment basis
техническая документация на изготовление запасных частей	**technical documentation on (for) the manufacture of spare parts, production of spare parts**

ФРАЗЫ

Как будет решен вопрос с запасными частями?	How will the problem of spare parts be settled?
Мы поставим вам...	We shall deliver... to you
полный комплект запасных частей	a complete set of spare parts
быстроизнашивающиеся детали	quick-wearing parts
готовые детали	off-the-shelf components
сменные детали	replacement parts
Мы получили...	We have received...
заказ на запасные части	an order for spare parts
техническую документацию на изготовление запасных частей	the technical documentation on the manufacture of spare parts
перечень необходимых запасных частей	a list of required spare parts
На каких условиях вы поставляете запасные части?	On what terms do you supply spare parts?
Мы поставляем запасные части в соответствии с положениями контракта	We supply spare parts in compliance with the provisions of the contract
Мы продаем запасные части на условиях консигнации	We sell spare parts on a consignment basis
Мы представим вам техническую документацию и вы сможете сами изготавливать запасные части	We shall furnish you with technical documentation and you'll be able to manufacture spare parts yourselves

ДИАЛОГИ

З. Мы обращались к вам с просьбой поставить нам комплект запасных частей для генератора. Вы уже рассмотрели нашу просьбу?	C. We turned to you with the request to deliver us a set of spare parts for the generator. Have you considered it yet?
П. Да, мы готовы поставить вам запасные части, г-н..., но вы должны представить нам спецификации на нужное вам оборудование.	S. Yes, we are prepared to supply spare parts to you, Mr..., but you should submit to us specifications for the equipment you need.
З. Мы знаем, что мы должны выслать вам эти документы, но не могли бы вы напомнить, как составляются спецификации?	C. We know that we are to send you these documents, but could you possibly remind us of the way the specifications are drawn up?.
П. Конечно, г-н... Вы должны составить заявку по установленной форме. Следует указать тип оборудования, заводской номер и год его изготовления.	S. Certainly, Mr... You must draw up an order according to the accepted form. You should specify the type of the equipment the works' number and the time of its manufacture.

З. Мы представим заявку в соответствии с вашими требованиями, но почему надо указывать заводской номер и год изготовления изделия?

П. Дело в том, что это нестандартизированное оборудование. Поэтому заводу-изготовителю необходимо иметь эти данные, чтобы изготовить именно ту модель, которая вам нужна.

З. Спасибо за разъяснение, г-н... Мы обязательно все сделаем.

C. We'll make an order in accordance with your requirements, but why should we specify the works' number and the time of production of the equipment?

S. The thing is, this is nonstandard equipment. That is why the manufacturing works must have this information to make exactly the model you need.

C. Thank you for the clarification, Mr... We shall by all means do everything.

СОТРУДНИЧЕСТВО НА УСЛОВИЯХ ГЕНЕРАЛЬНОГО ПОДРЯДА («ПОД КЛЮЧ») — COOPERATION ON "TURN-KEY" BASIS

СТРОИТЕЛЬНАЯ ПЛОЩАДКА — CONSTRUCTION SITE

аэрофотосъемка	**aerial photography, air photography**
ветер(-ры)	**wind**
господствующий ветер	prevailing wind
роза ветров	wind rose
владение	**possession**
владение площадкой	possession of the site
вступать во владение	assume possession
находиться во владении	be in the possession *of*
передавать площадку во владение	afford the possession of the site to *smb.*, give to *smb.* the possession of the site
водоснабжение (*площадки*)	**water supply**
генеральный план	**general [site] layout, master plan**
геологическая съемка	**geological survey**
геологические условия	**geological conditions**
геология	**geology**
гидрологические условия	**hydrological conditions**
грунт	**earth, ground, soil**
аллювиальный грунт	alluvial soil
болотистый грунт	boggy ground
водонасыщенный грунт	water-saturated ground
водоносный грунт	water-bearing ground
глинистый грунт	clayey ground
илистый грунт	slimy ground, muddy ground
каменистый грунт	stony soil
наносный грунт	alluvial soil
песчаный грунт	sandy ground
плотный грунт	compact ground, solid ground
растительный грунт	vegetable soil, top soil
рыхлый грунт	loose ground
связный грунт	cohesive soil
скальный грунт	rocky ground
слабый грунт	loose ground, soft ground

сыпучий грунт	cohesionless soil
твердый грунт	stiff soil
дождевые осадки	**rainfall**
дорога(-и)	**road(-s)**
внеплощадочные дороги	roads outside the site
внутриплощадочные дороги	roads on the site
временная дорога	temporary road
государственная дорога	public road, state road
подъездная дорога	access road, road of access
пропускная способность дороги	carrying capacity of a road, road [traffic] capacity, throughput capacity of a road
частная дорога	private road
расширять дороги	widen roads
строить дороги	construct roads
укреплять дороги	strengthen roads
загрязнение воздушной среды	**atmospheric pollution**
инфраструктура	**infrastructure**
климат	**climate**
климатические условия	**climatic conditions**
ливневая канализация	**storm sewer, storm water drainage**
линия электропередачи	**transmission line**
осушение (*площадки*)	**drainage**
отчуждение (*территории*)	**alienation**
полоса отчуждения	right of way
охрана окружающей среды	**environmental control**
пешеходные дорожки	**footpaths, footways**
временные пешеходные дорожки	temporary footpaths, temporary footways
площадка	**site**
строительная площадка	construction site
близость площадки	proximity of the site
вариант площадки	alternative site
вне площадки	outside the site
водоснабжение площадки	water supply of the site
вывоз с площадки	removal from the site
доступ на площадку	access to the site
предоставлять доступ на площадку	grant access to the site
информация о площадке	information about (on, upon) the site
обеспечение площадки *чем-л.*	provision of the site *with smth.*

ограждение площадки	fence of the site, fencing of the site
в ограждении площадки	inside the fencing of the site
обеспечить ограждение площадки	provide the fencing of the site
освещение площадки	lighting of the site
обеспечить освещение площадки	provide the lighting of the site
осмотр площадки	examination of the site, inspection of the site
отдаленность площадки	remoteness of the site
охрана площадки	guarding of the site, watching of the site
сторожевая охрана площадки	watching of the site
обеспечивать охрану площадки	provide the guarding of the site, provide the watching of the site
очистка площадки	clean-up of the site, clearance of the site
планировка площадки (*выравнивание поверхности*)	levelling of the site, grading of the site
планировка площадки (*размещение*)	layout
часть площадки	part of the site, portion of the site
вывозить с площадки	take away from the site, remove from the site
доставлять на площадку	deliver to the site
завозить на площадку	bring to the site
изучать площадку	study the site
находиться на площадке	be present on the site, be on the site
ограждать площадку	fence the site
осматривать площадку	examine the site, inspect the site
охранять площадку	guard the site, watch the site
передавать площадку	make the site available *to*
поддерживать порядок на площадке	maintain order at the site
производить осмотр площадки	examine the site, inspect the site
содержать площадку в чистоте и в рабочем состоянии	keep the site clean and in an orderly condition
удалять с площадки	remove from the site
плывуны	**quick ground, floating earth**
повреждение	**damage**
наносить повреждение [собственности]	damage [property], do damage to [property], cause damage to [property], occasion damage to property

подъездные пути	**access roads**
почва	**soil**
осушение почвы	soil draining, soil drainage
характер почвы	nature of soil
право	**right**
право доступа на площадку	right of access to the site
предоставлять право доступа на площадку	grant the right of access to the site
право перевозки по чужой земле	right of way, wayleave
право пользования (*сервитут*)	easement
право прохода по чужой земле	right of way, wayleave
предмет(-ы)	**article(-s), thing(-s)**
ценные предметы	articles of value
предметы, обнаруженные на строительной площадке	things discovered on the construction site
предметы, представляющие археологический интерес	things of archaeological interest
привязка (*к строительной площадке*)	**site adaptation, tie-in**
природные условия	**physical conditions**
размещать (*на площадке*)	**set out**
рельеф	**relief**
рельеф местности	relief of the terrain, relief of the ground, surface features
рельеф площадки	relief of the site
репер	**bench mark, reference point**
сейсмичность	**seismicity**
сеть(-и)	**mains, system(-s), network**
внеплощадочные сети	mains outside the site, systems outside the site, off[-the]-site systems
внутриплощадочные сети	mains on the site, systems on the site
водопроводная сеть	water-supply system
осветительная сеть	lighting system
тепловая сеть	heating system
электрическая сеть	power network
скважина	**borehole, hole, well**
артезианская скважина	artesian well
водозаборная скважина	water-supply well
бурить скважину	make a borehole
собственность	**property**
абсолютная собственность	absolute property

прилегающая собственность	adjoining property
частная собственность	private property
территория	**territory**
точка (*геодезическая*)	**point**
трансформаторная подстанция	**transformer substation**
уровень	**level**
уровень почвенных вод	underground-water level
участок	**area, space**
разрешение на пользование участком	zoning permit
участок площадки	portion of the site
выделенный участок площадки	portion of the site made available *to*
размер участка площадки	extent of the portion of the site
предоставлять участок площадки во владение	give the possession of the portion of the site *to*
выделять участок (*под строительную площадку*)	allocate the area, allot the area
передавать участок в распоряжение подрядчика	hand the area over to the contractor
шкала	**scale**
по шкале	on a scale

ФРАЗЫ

Заказчик передает Подрядчику полную информацию о... условиях площадки	The Customer shall hand over to the Contractor full information on the... conditions of the site
геологических	geological
гидрологических	hydrological
климатических	climatic
природных	physical
Имеются ли какие-либо ограничения на использование... дорог?	Are there any restrictions as to the use of... roads?
государственных	public
подъездных	access
частных	private
Нет, вы можете использовать все дороги, ведущие к площадке, однако, вы должны принимать все разумные меры для предотвращения их повреждения	No, there are not, you may use all roads leading to the site. You, however, should use every reasonable means to prevent them from being damaged
Во время осмотра подъездных путей к площадке, мы обнаружили, что некоторые участки дорог	During the inspection of the access roads we found, that parts of the roads did not meet the require-

не отвечают требованиям перевозки тяжеловесных и негабаритных грузов	ments for the transportation of heavy and oversized loads
Да, вы правы, вопрос об их расширении и укреплении будет решен на основе предложений Инженера	You are right, the question of widening and strengthening the roads will be settled on the basis of the Engineer's proposals
Подрядчик обеспечит беспрепятственный доступ на строительную площадку и ко всем работам Инженеру или лицам, им уполномоченным	The Contractor shall afford to the Engineer or any person authorised by him a free access to the construction site and to the works
Подрядчик произведет осмотр площадки и ознакомится с...	The Contractor shall inspect and examine the site and shall acquaint himself with the...
доступом на площадку	access to the site
рельефом площадки	relief of the site
характером почвы на площадке	soil of the site
Нуждается ли строительная площадка в организации специальной охраны?	Does the construction site need special guarding?
Нет, вы должны обеспечить обычную сторожевую охрану, а также освещение и ограждение площадки и содержать их в исправности	No, it doesn't. You'll have to provide normal watching as well as lighting and fencing and maintain them properly
По завершении работ Подрядчик должен удалить с площадки... и оставить площадку в рабочем состоянии	Upon completion of the work[s], the Contractor shall remove from the site... and leave the site in an orderly condition
временные работы	temporary work[s]
временные сооружения	temporary structures
мусор	rubbish
неиспользованные материалы	unused materials, surplus materials
строительное оборудование	constructional equipment
Все обнаруженные на площадке предметы, представляющие археологический интерес, считаются абсолютной собственностью Заказчика	All the things of archaeological interest discovered on the site are deemed to be the absolute property of the Customer
Сооружение внеплощадочных сетей осуществляется Заказчиком	The Customer shall make arrangements for the construction of mains and systems outside the site
В какие сроки вы будете передавать участки площадки для проведения работ?	When will portions of the site be made available so that we could start executing the work[s]?
Исходя из нашей практики, считаем целесообразным переда-	From our experience we believe it proper if we give to you the posses-

вать участки площадки в ваше владение за 30 дней до начала проведения работ

sion of the portions of the site 30 days before the commencement of the work[s]

Пд. Мы провели осмотр площадки строительства и уточнили рельеф площадки, ее геологию и возможности доступа на площадку.

Cnt. We've examined the construction site and got more specific information as to the relief of the site, its geology and possible ways of access to the site.

З. Вы удовлетворены результатами осмотра?

C. Are you satisfied with the results of the inspection?

Пд. В целом, да. Однако хотели бы отметить, что в связи с отсутствием подъездных путей к площадке и удаленностью линии электропередачи, вам необходимо уже сейчас начать работы по строительству внеплощадочных сетей.

Cnt. Yes, on the whole, we are. But we'd like to say that you'll have to start constructing the mains and roads outside the site without delay because there are no access roads to the site and the transmission line is far from it.

З. Мы это знаем. Не могли бы вы взять на себя выполнение этих работ?

C. We know this. Could you possibly undertake the execution of the work?

Пд. В принципе эти работы могли бы быть выполнены нами или другим нашим объединением по отдельному контракту с вами. Этот вопрос должен быть детально рассмотрен в ходе отдельных переговоров.

Cnt. Well, in principle, the work[s] may be done either by us or by another Soviet organization under a separate contract. This matter should be discussed in detail in the course of separate talks.

З. Рад это слышать. Необходимые данные будут вам переданы в кратчайшие сроки.

C. I'm glad to hear that. All necessary data will be handed over to you as soon as possible.

Пд. Возвращаясь к вопросу о площадке, мы хотели бы знать, когда вы сможете передать ее нам.

Cnt. Returning to the site, we'd like to know when we'll be given the possession of it.

З. Обычно площадка передается во владение Подрядчику за 30 дней до начала работ.

C. The site is usually made available to the Contractor 30 days before the commencement of the work[s].

Пд. Мы согласны зафиксировать этот срок в нашем контракте.

Cnt. We agree to state this period in our contract.

ПЕРСОНАЛ. РАБОЧАЯ СИЛА — PERSONNEL. LABOUR

безопасность — **safety, security**

личная безопасность — personal safety

обеспечивать личную безопасность — ensure personal safety

противопожарная безопасность	fire safety
безопасность персонала	safety of personnel
гарантировать безопасность персонала	guarantee safety of personnel
правила безопасности	safety rules
соблюдать правила безопасности	observe safety rules
техника безопасности	accidents prevention, safety precautions
правила техники безопасности	safety regulations
нарушать правила техники безопасности	break safety regulations, infringe safety regulations
соблюдать правила техники безопасности	observe safety regulations
безработица	**unemployment**
боеприпасы	**ammunition**
бригада	**crew, team, gang**
бригадир	**job foreman, leading hand, team leader**
вагон-домик	**camp-car**
вакцинация, прививка	**vaccination**
вакцинация против желтой лихорадки	vaccination against yellow fever
проводить вакцинацию	vaccinate
виза	**visa, visé**
въездная виза	entry visa
выездная виза	exit visa
получение визы	receipt of a visa
выдавать визу	issue a visa
получать визу	get a visa, obtain a visa
продлевать визу	extend a visa
вода	**water**
питьевая вода	drinking water, potable water, drinkable water
вода для технических нужд	service water
обеспечивать водой	supply water
водоснабжение	**water supply**
год	**year**
календарный год	calendar year
дисциплина	**discipline**
поддерживать дисциплину	maintain discipline
дом(-а)	**house(-s)**
сборные дома	prefabricated houses, sectional houses

дома-автоприцепы	**trailers**
душ (*душевая*)	**shower-bath**
жилпоселок	**settlement**
строить жилпоселок	build a settlement
жилье	**accommodation, dwelling, housing accommodation**
обеспечивать жильем	provide accommodation
забастовка	**strike**
заболевание	**desease, illness**
профессиональное заболевание	occupation[al] disease
эпидемическое заболевание	epidemic disease
вспышка эпидемических заболеваний	flare-up of an epidemic disease, outbreak of an epidemic disease
распространение эпидемических заболеваний	spread of an epidemic disease
ликвидировать эпидемическое заболевание	do away with an epidemic disease, root out an epidemic disease, stamp out an epidemic disease
закон(-ы)	**law(-s)**
местные законы	local laws
нарушать законы	break laws, violate laws
руководствоваться законами	be governed by the laws
соблюдать законы	observe laws, keep within the laws
уважать законы	respect laws
заработная плата	**salary[-ies], wage[-s]**
минимальная заработная плата	minimum salary
средняя заработная плата	average wages
выплата заработной платы	payment of a salary
вычет из заработной платы	deduction from wages
замораживание заработной платы	wage freeze
повышение заработной платы	wage increase
понижение заработной платы	wage cut
ставки заработной платы	wage rates
выплачивать заработную плату	pay salaries, pay wages
удерживать из заработной платы	deduct from the pay, deduct from the salary
иждивенец	**dependent**
инструктаж	**briefing, instruction, instructing**

календарь	**calendar**
грегорианский календарь	Gregorian calendar
квалификация	**competence, skill, qualification**
высокая квалификация	high level of skill, high competence
техническая квалификация	technical skill, technical competence
иметь квалификацию	be competent, be trained
командировать (*см.* **Командирование советских специалистов**)	
культурно-бытовые объекты	**amenities**
мастер	**foreman**
сменный мастер	shift foreman
медицинская помощь [на площадке]	**first aid [at site]**
первая медицинская помощь	first aid
оказывать первую медицинскую помощь	provide first [medical] aid
медицинские власти	**medical authorities**
медицинское обслуживание	**medical care, medical service, medical treatment**
нести расходы, связанные с медицинским обслуживанием	bear expenses on medical treatment
медицинский осмотр	**medical examination**
производить медицинский осмотр	carry out a medical examination
международные свидетельства о вакцинации	**international certificates of vaccination**
месяц	**month**
календарный месяц	calendar month
набор *см.* **найм**	
надзор	**superintendence, supervision**
осуществлять надзор	provide superintendence, provide supervision, supervise, superintend
найм, набор	**employment, engagement, recruitment, hiring**
расходы, связанные с наймом	costs and charges on employment, costs and charges on engagement, costs and charges on recruitment
осуществлять найм	employ, engage, recruit
налог(-и), сбор(-ы)	**due(-s), duty(-ies), tax(-es)**
местные налоги	local dues, local duties, local taxes

подоходный налог	income tax, tax on income
налог на заработную плату	wage tax
размер налога (*налоговая ставка*)	tax rate
удержание налогов	deduction of taxes
вводить налоги	impose taxes
взимать налоги	collect taxes
облагать налогом	levy a tax *on*
подлежать обложению налогом	be liable to a tax
удерживать налоги	withhold taxes, deduct taxes
уклоняться от уплаты налогов	dodge taxes, evade taxes
наркотики	**drugs, narcotics**
несчастный случай	**accident**
ответственность за несчастный случай	liability for an accident
предотвращать несчастный случай	prevent an accident
норма выработки	**standard, output, performance standard**
общественный порядок (*на строительной площадке*)	**public order, order**
нарушение общественного порядка	disorderly conduct, violation of order
нарушать общественный порядок	violate order, misconduct
поддерживать общественный порядок	keep order, maintain order
обычай(-и)	**custom(-s)**
местный обычай	local custom
соблюдать местные обычаи	observe local customs
уважать местные обычаи	have due regard to local customs, respect local customs
опыт	**experience, knowledge**
производственный опыт, опыт в проведении работ	knowledge of a job, operational experience
иметь опыт	have experience, possess knowledge
охрана труда	**labour protection**
мероприятия по охране труда	safety measures, labour protection measures
проводить мероприятия по охране труда	take safety measures, take labour protection measures
паспорт	**passport**

персонал	**employees, personnel, staff**
квалифицированный персонал	competent personnel, skilled personnel
местный персонал	local personnel, locally engaged personnel, locally recruited personnel
обслуживающий персонал	maintenance personnel
служебный персонал	site staff
советский персонал	Soviet personnel
эксплуатационный персонал	operating personnel
информация о персонале	information about personnel
персонал заказчика	customer's personnel, owner's personnel
персонал подрядчика	contractor's employees, contractor's personnel, contractor's staff
персонал по надзору на площадке	supervisory staff
поведение персонала	conduct of personnel
размещение персонала	accommodation of personnel
инструктировать персонал	instruct personnel
набирать персонал	recruit staff, engage personnel
нанимать персонал	employ personnel, engage employees
обучать персонал	instruct personnel, train personnel
страховать персонал	insure personnel
питание (*на площадке*)	**feeding, meals on the site**
организация питания	arrangements for feeding
продукты питания	foodstuffs
закупка продуктов питания	procurement of foodstuffs
обеспечение продуктами питания	provision with foodstuffs
продажа продуктов питания	sale of foodstuffs
снабжение продуктами питания	supply with foodstuffs
продавать продукты питания	sell foodstuffs
организовать питание	arrange feeding, arrange meals on the site
помещение(-я)	**accommodation, apartment, lodging, premises, room**
бытовое помещение	amenity room
жилые помещения	living accommodation
меблированные помещения	furnished accommodation
немеблированные помещения	unfurnished accommodation
служебные помещения	office accommodation, service room

помещения подрядчика	contractor's premises
обеспечивать помещением	provide accommodation
право	**right**
право замены (*специалиста*)	right to replace
право отзыва (*специалиста*)	right to recall
право увольнять	right to dismiss
право устранять	right to remove
иметь право	have a right
предоставлять право	give a right
праздник(-и)	**holiday(-s)**
местные праздники	local holidays
национальные праздники	national holidays
религиозные праздники	religious holidays
советские праздники	Soviet holidays
уважать праздники	have due regard to holidays
пребывание	**stay**
прививка *см.* **вакцинация**	
проживание	**board and lodging**
производительность труда	**labour productivity**
повышать производительность труда	increase labour productivity
снижать производительность труда	reduce labour productivity
прораб	**superintendent**
профессия	**occupation, profession, trade**
пункт первой медицинской помощи (*на площадке*)	**dispensary, first aid post**
организовывать пункт первой медицинской помощи	set up a dispensary
укомплектовывать пункт первой медицинской помощи персоналом	staff a dispensary with medical personnel
рабочая сила	**labour**
иностранная рабочая сила	expatriate labour
квалифицированная рабочая сила	skilled labour
местная рабочая сила	local labour
неквалифицированная рабочая сила	unskilled labour
полуквалифицированная рабочая сила	semiskilled labour
избыток рабочей силы	excess of labour
отчетность по рабочей силе	returns of labour

потребности в рабочей силе	labour requirements, manpower requirements
численность рабочей силы [по профессиям]	number[s] of labour [by trades]
использовать рабочую силу	use labour
нанимать рабочую силу	engage labour
обеспечивать рабочую силу	provide labour, supply labour
рабочее время *см.* **часы работы**	
рабочий	**worker, workman**
временный рабочий	temporary worker
квалифицированный рабочий	skilled worker
местный рабочий	local worker
неквалифицированный рабочий	unskilled worker
полуквалифицированный рабочий	semiskilled worker
постоянный рабочий	permanent worker
увольнение рабочих	discharge of workers, dismissal of workers
набирать рабочих	recruit workers, take on workers
размещать рабочих	provide workers with living accommodation
страховать рабочих	insure workers
увольнять рабочих	discharge workers, dismiss workers
санитария	**sanitation**
правила санитарии	sanitary rules
выполнять правила санитарии	comply with sanitary rules
требования санитарии	sanitary requirements
выполнять требования санитарии	comply with sanitary requirements
санитарно-профилактические мероприятия	**sanitary arrangements**
санитарные власти	**sanitary authorities**
постановления санитарных властей	rules and regulations of sanitary authorities
санитарные меры	**sanitary measures**
сбор(-ы) *см.* **налог(-и)**	
социальное обеспечение	**social security**
специалист	**specialist, expert**
высоко квалифицированный специалист	competent specialist, highly qualified specialist
местный специалист	local specialist

недостаточно квалифицированный специалист	incompetent specialist
советский специалист	Soviet specialist
замена специалиста	replacement of a specialist
расходы, связанные с заменой специалиста	expenses on the replacement of a specialist
отзыв специалиста	recall of a specialist
расходы, связанные с отзывом специалиста	expenses on the recall of a specialist
приезд специалиста	arrival of a specialist
устранение специалиста	removal of a specialist
фамилия специалиста	name of a specialist
заменять специалиста	replace a specialist
командировать специалиста, направлять специалиста	send a specialist
отзывать специалиста	recall a specialist
специальность	**calling, profession, trade, speciality**
спиртные напитки	**alcoholic liquor**
столовая	**canteen**
страхование	**insurance**
травма(-ы)	**injury(-ies), trauma**
легкая травма	slight injury
серьезная травма	serious injury
предотвращать травмы	prevent injuries
причинять травму	injure
травматизм	**traumatism**
производственный травматизм	occupational injuries
трудовое законодательство (*законодательство о труде*)	**labour laws**
местное трудовое законодательство	local labour laws
нарушать трудовое законодательство	violate labour laws, break labour laws
соблюдать трудовое законодательство	abide by the local labour laws
трудовой конфликт	**industrial dispute**
увечье	**injury**
компенсация за увечье	indemnity for injury
выплачивать компенсацию за увечье	indemnify for injury
ответственность за увечье	liability for injury, responsibility for injury
нести ответственность за увечье	be liable for injury, be responsible for injury

удостоверение личности	**identity card**
фирма	**firm**
иностранная фирма	foreign firm
местная фирма	local firm
строительная фирма	civil engineering firm
субподрядная фирма	subcontractor
нанимать фирму	engage a firm
часы работы, рабочее время	**working hours**
соблюдать часы работы	observe working hours
чернорабочий	**labourer, unskilled worker, workman**
эпидемия	**epidemic**
вспышка эпидемии	outbreak of an epidemic, flare-up of an epidemic

ФРАЗЫ

У нас возникли трудности с получением въездных виз для наших специалистов	We're having difficulties in getting entry visas for our specialists
Мы незамедлительно свяжемся с нашим посольством и выясним этот вопрос	We'll contact our embassy right away and we'll clear up the matter
Не забудьте, что ваши специалисты и члены их семей должны иметь [необходимые] прививки	Please do not forget that your specialists and their dependents should have certificates of vaccination
Кто будет осуществлять необходимое обеспечение площадки питьевой водой и водой для технических нужд?	Who will provide the site with an adequate supply of drinking and service water?
Подрядчик	The Contractor will
Кто будет производить выплату зарплаты местным рабочим?	Who will pay wages to the local labour?
Субподрядная фирма, которая их нанимает	The subcontractor, who will engage them
Как вы собираетесь организовать первую медицинскую помощь на площадке?	What arrangements are you going to make for the provision of first aid on the site?
Мы организуем пункт первой медицинской помощи и укомплектуем его высококвалифицированными врачами и медсестрами	We'll set up a dispensary and staff it with highly qualified doctors and nurses
Пункт первой медицинской помощи будет оказывать первую помощь и местным рабочим	The dispensary will give first aid to local workmen as well
В случае возникновения эпидемических заболеваний, Подряд-	In the event of any outbreak of illness of an epidemic nature the Con-

чик должен строго соблюдать все указания и требования медицинских и санитарных властей	tractor shall strictly comply with and carry out all regulations, orders and requirements of medical and sanitary authorities
Как будет решаться вопрос обеспечения персонала Подрядчика жильем?	What arrangements shall be made for the provision of the Contractor's personnel with living accommodation?
Мы предоставим за свой счет советскому персоналу Подрядчика и членам их семей в столице меблированные комнаты с кондиционерами и холодильниками	We shall at our expense provide the Contractor's Soviet personnel and their dependents in the capital with furnished living accommodation with conditioners and refrigerators
Что касается советского персонала Подрядчика на строительной площадке, то Подрядчик сам должен обеспечить его жильем	As to the Contractor's Soviet personnel at the site, the Contractor shall himself provide them with housing accommodation
Советский персонал Подрядчика и их семьи будут размещены в жилпоселке вблизи объекта	The Contractor's Soviet personnel and their dependents will be provided with housing accommodation in the settlement near the project
Ваши специалисты приедут с семьями?	Will your specialists come with their families?
Да, их семьи приедут за счет Подрядчика	Yes, they will. The Contractor will cover their travelling expenses
В вашей стране существуют законодательные акты, регламентирующие права иностранных подрядчиков при найме местной рабочей силы?	Are there any rules and regulations in your country regulating the rights of foreign contractors to recruit local labour?
Да, мы передадим вам полный перечень этих законов	Yes, there are, and we'll give you a full list of such rules and regulations
Каков срок строительства такого объекта?	How long does such a project take to build?
Срок строительства будет зависеть от того, какие фирмы вы пригласите для выполнения работ	The period of construction will depend on what firms you'll engage to execute the work
Мы собираемся максимально использовать местные строительные фирмы и местную рабочую силу для выполнения строительных работ	We intend to use local civil engineering companies and local labour for the execution of civil work[s] to the greatest extent
Рады это слышать. Хотим напомнить вам, что все контракты должны быть подписаны в соответствии с законами нашей страны	We're glad to hear that. May we remind you that all contracts should be signed in accordance with the laws of our country

Почему вы хотите оставить за собой право найма фирм третьих стран?	Why do you want to reserve the right to engage firms from third countries?
Мы не уверены, что ваши местные фирмы справятся с запланированными объемами работ	We are not sure, that your local firms will cope with the projected volume of work[s]
Учитываются ли... в цене контракта?	Does the contract price include...?
местные налоги	local taxes
подоходный налог	income tax
налог на заработную плату	wage tax
Нет, цена контракта представляет собой чистую сумму, выплачиваемую Подрядчику, из которой исключены все налоги	No, the contract price is a net sum, to be paid to the Contractor, from which all payments in reimbursement of taxes and duties are excluded
Подрядчику предоставляется право отозвать в СССР любого из своих специалистов и заменить его другим	The Contractor is given the right to recall to the USSR any Soviet specialist and to replace him by a substitute
В случае просьбы со стороны Заказчика, Подрядчик должен будет отозвать и заменить любого своего специалиста	If the Customer requires the Contractor will have to remove and replace any person employed by him
Подрядчик должен соблюдать трудовое законодательство страны, а также правила по технике безопасности	The Contractor shall comply with the labour laws of the country and observe safety regulations

ДИАЛОГИ

З. В соответствии с тендерной документацией, жилпоселок для персонала Подрядчика должен быть передан Заказчику после завершения строительства объекта. В связи с этим нас интересует, какие объекты культурно-бытового назначения вы планируете построить в составе этого поселка?	C. According to the tender documents the settlement for the Contractor's employees shall be handed over to the Customer upon completion of construction. In this connection we'd like to know what amenities are planned to be built in the settlement?
Пд. Помимо жилых домов нами будут построены такие объекты как столовая, магазин, общественный центр, бассейн, спортивные площадки и другие объекты, обеспечивающие нормальное проживание.	Cnt. In addition to houses, we'll build a canteen, a shop, a civic centre, a swimming pool, sports grounds and other projects providing for normal living conditions.
З. Нас это устраивает. В дальнейшем в этом поселке будет	C. That suits us. You know that in the future the settlement is in-

проживать персонал объекта, и мы просим вас предусмотреть в проекте жилпоселка его дальнейшее расширение.

Пд. Ваша просьба будет учтена при разработке технического проекта.

tended for the personnel of the project, so we ask you to provide for further extension of the settlement in its design.

Cnt. We'll take your request into account while elaborating the detailed project report.

ВЫПОЛНЕНИЕ РАБОТ / EXECUTION OF THE WORK

СЛОВА

авария (*на объекте*)	**accident, damage, breakdown, emergency, failure**
в случае аварии	in an emergency
по причине аварии	due to the accident
предотвращать аварию	prevent an accident
акт *см.* **сертификат**	
браковать	**reject**
браковка	**inspection, rejection**
ввод в строй	**commissioning, putting into operation, putting into service**
вводить в строй	**bring into service, commission, place in operation, put into operation, put into service**
ввоз (*оборудования, материалов*)	**importation**
временный ввоз	temporary importation
на условиях временного ввоза	on a re-exportation basis
ввозить на условиях временного ввоза	import on a re-exportation basis
ведомость	**bill, list. schedule**
ведомость материалов	bill of materials, schedule of materials
ведомость работ	bill of work[s]
ведомость физических объемов работ	bill of actual volumes of work[s]
вина	**fault**
по вашей (его, их) вине	through your (his, their) fault
вступать в строй	**become operational, come on stream, go into operation**
выбор	**choice, option, selection**
по выбору	at *one's* option
выемка грунта	**excavation**
гарантия подрядчика на качественное выполнение работ	**performance bond**

график	**schedule**
предварительный график	tentative schedule
сетевой график	activity network
выполнение графика	fulfilment of a schedule
гарантировать выполнение графика	ensure the fulfilment of a schedule
обеспечивать выполнение графика	provide for the fulfilment of a schedule
график земляных работ	schedule of earthworks
график монтажных работ	schedule of erection work[s]
график выдачи рабочих чертежей	schedule [of submission] of working drawings
график строительных работ	schedule of civil work[s]
график поставки материалов	schedule of delivery of materials
график поставки оборудования	schedule of delivery of equipment
график хода строительства	schedule of construction
отклонение от графика	departure from a schedule
соответствие графику	compliance with a schedule
гарантировать соответствие графику	ensure compliance with a schedule
с опережением графика	ahead of schedule
выдерживать график	maintain a schedule
нарушать график	disrupt a schedule
одобрять график	approve a schedule
опережать график	be ahead of schedule
отставать от графика	be behind schedule
пересматривать график	revise a schedule
работать по графику	run on schedule
работать с опережением графика	meet a schedule at an earlier date
согласовать график	agree upon a schedule, finalize a schedule, come to an agreement about a schedule
согласовывать график	consider a schedule
действия	**actions**
несанкционированные действия	unauthorized actions
санкционированные действия	authorized actions
дефект	**defect**
дефицит	**deficiency, deficit, shortage**
испытывать дефицит	lack
доверенность	**power of attorney**
выдавать кому-либо доверенность	invest *smb.* with power of attorney

договор	**agreement, contract**
субподрядный договор	subcontract
заключать субподрядный договор	subcontract
договор с субподрядчиком	subcontract
заключать договор с субподрядчиком	enter into a subcontract, make a subcontract
документация	**documents**
техническая документация	technical documents
исключительное право на документацию	exclusive right to documents
вести документацию	keep records
доступ *см.* **работа(-ы)**	
доход	**profit**
чистый доход	net profit
заказчик	**customer**
выступать в качестве заказчика	act as a customer
закон(-ы) (*законодательные акты, постановления*)	**law(-s)**
местные законы	local laws
в соответствии с законами	in accordance with laws
регистрировать фирму в соответствии с законами страны	register a firm in accordance with the laws of a country
закон контракта	law of a contract
закон страны	law of a country
закон запрещает	the law prohibits
законы, применимые к...	laws applicable to...
выполнять законы	observe laws
закон имеет преимущественную силу	the law overrides
закон предусматривает, закон разрешает	the law permits
нарушать закон	break the law, violate the law
ознакомиться с законами	familiarize oneself with laws
руководствоваться законами	be governed by laws
соблюдать законы	comply with laws, observe laws
замер	**measurement**
периодический замер	periodical measurement
регулярный замер	regular measurement
акт замера	record of measurement
запасные части	**spare parts**
затраты	**cost[s], expenses**

здание(-я) *см.* **сооружения**	
извещать, уведомлять	**give notice, intimate, notify**
извещение, уведомление	**notice, notification**
официальное извещение	formal notice, official notification
письменное извещение	notice in writing
извещение по почте	notice by post
извещение по телексу	notice by telex
извещение по факсу	notice by fax
уведомление в письменном виде	notification in writing
издержки	**cost[s], expenses**
изменения	**alterations**
вносить изменения	make alterations
имя	**name**
от имени	in the name
ввозить на имя	import in the name
выступать от имени	act in the name
инженер (*на площадке*)	**engineer**
одобрение инженера	engineer's approval
представлять на одобрение инженера	submit for the engineer's approval
подтверждение инженера	engineer's confirmation
письменное подтверждение инженера	engineer's confirmation in writing
полномочия инженера, *см.* **полномочия**	
приказ инженера	engineer's order
невыполнение приказа инженера	default in carrying out the engineer's order
выполнять приказ инженера	carry out the engineer's order
разрешение инженера	permission of the engineer, engineer's permission
письменное разрешение инженера	written permission of the engineer
с разрешения инженера	by permission of the engineer
распоряжение инженера	engineer's directions, engineer's instructions
решение инженера	engineer's decision
оспаривать решение инженера	dispute the engineer's decision
отменять решение инженера	revoke the engineer's decision
подтверждать решение инженера	confirm the engineer's decision

согласие инженера	engineer's consent
письменное согласие инженера	written consent of the engineer
требования инженера	engineer's requirements
указания инженера	engineer's directions, engineer's instructions
быть одобренным инженером	be approved by the engineer
назначать инженера	appoint the engineer
уведомлять инженера	notify the engineer
уполномачивать инженера	authorize the engineer
инженер-консультант	**consultant engineer**
инженер-резидент	**resident engineer**
инспектирующая власть	**inspecting authority**
инспектор	**inspector**
назначать инспектора	appoint an inspector
инспекция(-и)	**inspection(-s)**
инспекция материалов	material inspection
инспекция на заводах-изготовителях	inspection at the Manufacturing works
инспекция на строительной площадке	inspection on the site, site inspection
инспекция оборудования	equipment inspection
проведение инспекций	performance of inspections
отказываться от инспекции	waive the inspection
проводить инспекции	inspect, perform inspections
инструкция	**instruction, manual**
инструменты	**tools**
строительные инструменты	construction[al] tools
испытание(-я)	**test(-s), testing**
всесторонние испытания	comprehensive tests
гарантийные испытания	guarantee tests, warranty tests
заводские испытания	tests at the manufacturing plant
модельные испытания	simulation tests
окончательные испытания	final tests
повторные испытания	repeat tests
проводить повторные испытания	repeat the tests, re-test
приемочные испытания	acceptance tests, taking over tests
пусковые испытания	commissioning tests
успешные испытания	successful tests
эксплуатационные испытания	service tests
время испытаний	time of tests
назначить время испытаний	appoint time of tests

за... дней до испытаний	... day prior to testing
не позже чем за... дней до испытаний	not later than... days prior to testing
испытания в период выполнения работ	performance tests
испытания материалов	material tests, material testing
испытания на надежность	reliability tests
испытания на площадке	tests on the site, site tests
испытания под нагрузкой	load tests
испытания по завершению работ	tests upon completion of works
испытания работ	works tests
непрерывность испытаний	continuity of tests
обеспечение испытаний	provision of tests *with*
проведение испытаний	carrying out of tests
успешное проведение испытаний	successful carrying out of tests
задержка в проведении испытания	delay in carrying out tests
порядок проведения испытаний	procedure for tests
одобрять порядок проведения испытаний	approve the procedure for tests
согласовать порядок проведения испытаний	agree upon the procedure for tests
расходы по проведению испытаний	expenses on carrying out tests
извещать *кого-либо* о проведении испытаний	notify *smb.* of the tests
не пройти испытания	fail the test
присутствовать во время проведения испытаний	be present at the tests
программа испытаний	programme of tests
согласовать программу испытаний	agree up on the programme of tests, finalize the programme of tests, come to an agreement about the programme of tests
согласовывать программу испытаний	discuss the programme of tests; consider the programme of tests
продолжительность испытаний	duration of tests
результаты испытаний	results of tests
протокол результатов испытаний	protocol of the results of tests
свидетельство об испытании	tests certificate
сроки испытаний	dates of testing, period of testing

участие в испытаниях	participation in tests
право участия в испытаниях	the right to participate in tests
выдерживать испытания	stand the tests
задерживать испытания	delay tests
начинать испытания	begin tests, start testing
обеспечивать испытания	provide tests *with*
отказываться от испытаний	waive tests
переносить испытания	put off tests
подвергать испытаниям	test, put to test, subject to test, apply to test
проводить испытания	carry out tests, make tests, perform tests, test
проходить испытания	undergo tests, pass the tests
качество	**quality**
неудовлетворительное качество	unsatisfactory quality
удовлетворительное качество	satisfactory quality
качество материалов	quality of materials
качество работ	quality of works
качество соответствует...	quality corresponds to...
проверять качество	check the quality
контора (*подрядчика*)	**office**
контракт	**contract**
генеральный контракт	package deal, general contract
главный контракт	prime contract
контракт на условиях генерального подряда	general contract
контракт на условиях «под ключ»	"turn-key" contract
контракт с субподрядчиком	sub-contract, subcontract
заключать контракт	enter into a contract, contract with
материал(-ы)	**material(-s)**
взрывчатые материалы	explosive materials
дефектные материалы	defective materials
дефицитные материалы	materials in short supply
дополнительные материалы	additional materials
местные материалы	local materials, locally manufactured materials
максимально использовать местные материалы	make maximal use of local materials
неиспользованные материалы	surplus materials, unused materials
продажа неиспользованных материалов	sale of unused materials

реэкспорт неиспользованных материалов	re-export of unused materials
необходимые материалы	required materials
непригодные материалы	improper materials
замена непригодных материалов	replacement of improper materials
смазочные материалы	lubricants
сырьевые материалы	raw materials
эксплуатационные материалы	operational materials
ведомость материалов	bill of materials
доставка материалов	delivery of materials
закупка материалов	procurement of materials
качество материалов	quality of materials
материалы заказчика	customer's materials
материалы подрядчика	contractor's materials
недостаток материалов	lack of materials
испытывать недостаток материалов	lack materials
описание материалов [по весу, по длине, по объему]	description of materials [by weight, by length, by volume]
перечень материалов	list of materials
согласовать перечень материалов	agree upon a list of materials
повреждение материалов	damage to materials
исправлять повреждения материалов	eliminate damage to materials
причинять повреждения материалам	damage materials
поставка материалов	delivery of materials
потребление материалов	consumption of materials
проверка материалов	check of materials, inspection of materials
расход материалов	consumption of materials
сводить до минимума расход материалов	minimize the consumption of materials
сокращать расход материалов	reduce the consumption of materials
транспортировка материалов	transportation of materials
материалы, не соответствующие контрактной документации	materials, which do not comply with contract documents
браковать материалы	reject materials
ввозить материалы	import materials
приобретать материалы	obtains materials, procure materials
реэкспортировать материалы	re-export materials

механизмы	**mechanisms**
строительные механизмы	constructional mechanisms
монтаж *см.* **оборудование**	
мощность(-и)	**capacity(-ies), output, power**
проектная мощность	design capacity, designed output
производственные мощности	industrial capacities, production capacities
работать на неполную мощность	work under capacity
работать на полную мощность	be in full operation, work at (to) capacity
нагрузка	**load, tension, force**
номинальная нагрузка	rated load
ответственная нагрузка (*строительного элемента*)	heavy duty
пиковая нагрузка	peak load
средняя нагрузка	average load, mean load
удельная нагрузка	unit load
без нагрузки	off-load
под нагрузкой	on load, under load
надзор	**supervision**
надзор за выполнением работ	supervision of the execution of works
надзор за техническим обслуживанием	supervision of maintenance
осуществлять надзор	supervise
наладка	**adjustment**
недоделка	**fault in workmanship, off-standard work**
норма(-ы)	**norm, rate, standard**
строительные нормы и правила	construction rules and regulations
норматив	**quota, standard**
нормирование	**rate fixing, rate setting**
нормирование работ	job standardization
нормировщик	**rate-fixer, rate-setter**
обеспечение (*снабжение*)	**supply**
достаточное обеспечение	adequate supply
обеспечение водой	water supply
обеспечение электроэнергией	electricity supply
обкатка (*оборудования*)	**green run, running-in**
обмер	**measurement, admeasurement**

путем обмера	by admeasurement
оборудование	**equipment**
вспомогательное оборудование	auxiliary equipment
местное оборудование	local equipment, locally produced equipment
[максимально] использовать местное оборудование	make [maximal] use of local equipment
основное оборудование	main equipment
резервное оборудование	standby equipment
строительное оборудование	construction[al] equipment
аренда строительного оборудования	renting of construction[al] equipment
ввоз строительного оборудования	importation of construction[al] equipment
вывоз строительного оборудования	re-exportation of construction[al] equipment
обеспечение строительного оборудования	provision of construction[al] equipment
перемещение строительного оборудования [на площадке]	moving of construction[al] equipment [from one part of the site to another]
перечень строительного оборудования	list of construction[al] equipment
арендовать строительное оборудование	rent construction[al] equipment
ввозить строительное оборудование	import construction[al] equipment
вывозить строительное оборудование	re-export construction[al] equipment
технологическое оборудование	process equipment, production equipment
амортизация оборудования	depreciation of equipment
доставка оборудования	delivery of equipment
приостанавливать доставку оборудования	suspend the delivery of equipment
качество оборудования	quality of equipment
с учетом качества оборудования	with due regard to the quality of equipment
конструкция оборудования	design of equipment
монтаж оборудования	assembling of equipment, assembly of equipment, installation of equipment, mounting of equipment, erection of equipment
осуществлять монтаж оборудования	assemble equipment, erect equipment, fit equipment, install equipment, mount equipment, set equipment
наличие оборудования	availability of equipment

оборудование заказчика	customer's equipment
оборудование подрядчика	contractor's equipment
осмотр оборудования	examination of equipment, inspection of equipment
охрана оборудования (*хранение*)	custody of equipment
перечень оборудования	list of equipment
согласовать перечень оборудования	agree upon a list of equipment, finalize a list of equipment
повреждение оборудования	damage to equipment
поломка оборудования	breakdown of equipment
поставка оборудования	delivery of equipment
задержка в поставке оборудования	delay in delivery of equipment
потеря оборудования	loss of equipment
размеры оборудования	dimensions of equipment
реализация оборудования	sale of equipment
реэкспорт оборудования	re-exportation of equipment
складирование оборудования	storage of equipment
сохранность оборудования	safety of equipment, preservation of equipment
транспортировка оборудования	transportation of equipment
установка оборудования	assembling of equipment, erection of equipment, installation of equipment, mounting of equipment
оборудование, временно являющееся частью работ	equipment, temporarily incorporated in work[s]
завозить оборудование на строительную площадку	bring equipment to the construction site
закупать оборудование	buy equipment
монтировать оборудование	assemble equipment, erect equipment, fit equipment, install equipment, mount equipment, set equipment
предохранять оборудование от влияния климатических условий	protect equipment from (against) adverse climatic conditions
приобретать оборудование на местном рынке	obtain equipment in the local market, procure equipment in the local market
продавать оборудование, реализовывать оборудование	sell equipment
объект	**project**
описание объекта	description of a project, project description

передача объекта	handing over of a project
приемка объекта *см.* **приемка**	
пуск объекта	start-up of a project
состав объекта	set-up of a project
передавать объект	hand a project *over* (*to*)
принимать объект	take over a project
пускать объект *см.* **эксплуатация**	
расширять объект	expand a project
строить объект	build a project, construct a project
эксплуатировать объект	operate a project
объем (*поставок, работ, услуг*)	**amount, volume**
замерять объем	measure the volume
определять объем	ascertain the volume, define the amount
определять объем работ, подлежащих выполнению	define the volume of the work to be executed
обязательство(-а)	**obligation(-s)**
невыполнение обязательств подрядчиком	contractor's default
объем обязательств (*по контракту*)	scope of contract, extent of contract
выполнять обязательства	meet obligations
определять обязательства	ascertain obligations
освобождать от обязательств	relieve from obligations
одобрение	**approval**
заслуживать одобрение	meet with approval
не давать одобрение	withhold approval
получать одобрение	get approval
представлять на одобрение	submit for approval
одобрять	**approve**
осмотр	**examination, inspection**
окончательный осмотр	final inspection
периодический осмотр	periodical examination, periodical inspection
ответственность	**liability, responsibility**
ограничение ответственности	limitation on liability
прекращение ответственности	cessation of liability
освобождать *кого-либо* от ответственности	discharge *smb.* from a liability, release *smb.* from liability, release *smb.* from responsibility, relieve *smb.* from responsibility
отчет	**report**
детальный отчет	detailed report

ежемесячный отчет	monthly report
квартальный отчет	quarterly report
периодический отчет	periodical report
отчет о ходе выполнения работ	progress report
одобрять отчет	approve a report
представить отчет	submit a report
составлять отчет	draw up a report
ошибка(-и) (*в инструкциях, спецификациях, чертежах*)	**mistake(-s), error(-s)**
незначительная ошибка	slight mistake
серьезная ошибка	serious mistake
по ошибке	by mistake
исправлять ошибки	correct mistakes, correct errors, rectify mistakes
переуступать	**assign**
переуступка	**assignment**
переуступка контракта	assignment of a contract
повреждение	**damage, fault**
механическое повреждение	mechanical damage, mechanical injury
выявлять повреждение	detect a fault
ликвидировать повреждение	clear a fault
наносить повреждение	inflict damage, damage
подача (*воды, пара, электроэнергии*)	**supply**
«под ключ»	**"turn-key"**
на условиях «под ключ»	on a "turn-key" basis, on "turn-key" terms
подряд	**contract**
генеральный подряд	general contract
единый подряд	single contract
на условиях подряда	on contract terms
брать подряд	contract *with smb.*
подрядчик	**contractor**
генеральный подрядчик	general contractor, package dealer, prime contractor
компетентный подрядчик	competent contractor
независимый подрядчик	independent contractor
некомпетентный подрядчик	incompetent contractor
выбор подрядчика	selection of a contractor
обязательства подрядчика	contractor's obligations
выбирать подрядчика	select a contractor
выступать в качестве подрядчика	act as a contractor

препятствовать подрядчику	impede a contractor *in*
позиция (*работ*)	**item**
покупатель	**purchaser**
выступать в качестве покупателя	act as a purchaser
полномочия	**authority, powers**
чрезвычайные полномочия	emergency powers
широкие полномочия	wide powers
в пределах прав и полномочий	within the limits of rights and powers
объем полномочий	scope of authority
передача полномочий	delegation of authority
полномочия инженера	engineer's powers, engineer's authority
давать полномочия	empower, authorize
действовать в рамках предоставленных полномочий	act within the limits of power delegated *to*
иметь полномочия	have the authority
определять полномочия	specify powers
осуществлять полномочия	exercise powers
передавать полномочия	delegate powers
предоставлять полномочия	empower, authorize
поставщик	**supplier**
выбор поставщика	selection of a supplier
выбирать поставщика	select a supplier
выступать в качестве поставщика	act as a supplier
потребление (*материалов, энергии*)	**consumption**
право	**liberty, right, title**
право браковать	right to reject
право на имущество (*право полной собственности*)	title
право собственности	ownership; property
переход права собственности	transfer of property, transfer of ownership, transfer of title
право собственности переходит обратно к...	the property revests in...
право удержания (*собственности*)	lien
иметь право	be at liberty, have liberty, be entitled, have a right
лишать права	deprive of a right
ограничивать права	limit the rights
определять права	ascertain the rights

оставлять за собой право	reserve the right
отказаться от права	waive the right
правопреемник	**assign, assignee, successor**
предприятие	**enterprise**
доходное предприятие, рентабельное предприятие	profitable enterprise, remunerative enterprise
убыточное предприятие	unprofitable enterprise
хозрасчетное предприятие	self-supporting enterprise
представитель	**representative**
компетентный представитель	competent representative
ответственный представитель	responsible representative
полномочный представитель	authorized representative
назначать представителя	nominate a representative
уполномачивать представителя	authorize a representative
премия за досрочное завершение работ	**bonus for early completion of work[s]**
приемка	**acceptance, taking over**
временная приемка	temporary acceptance, provisional taking over
окончательная приемка	final acceptance, final taking over
приемка объекта	project taking over
проверка	**check, inspection, test**
проверка без разрушения	non-destructive check
проверка качества (*работ*)	work quality check
проверка материалов	check of materials, inspection of materials, test of materials
проверка на месте изготовления	check at the place of manufacture, inspection at the place of manufacture
проверка на строительной площадке	check on the site, inspection on the site, test on the site
проверка с разрушением	destructive check
осуществлять проверку	carry out a check, perform a check, make inspection, perform inspection, make a test, perform a test, carry out a test
подвергаться проверке	be subjected to a check, be subjected to an inspection, be subjected to a test
прогонка (*оборудования*)	**trial run**
программа работ	**programme of work[s]**
согласованная программа работ	agreed programme of work[s]

изменения в программе работ	changes in the programme of work[s]
извещать об изменениях в программе работ	inform *smb.* about the changes in the programme of work[s]
одобрение программы работ	approval of the programme of work[s]
отклонение от программы работ	departure from the programme of work[s]
знакомиться с программой работ	familiarize oneself with the programme of work[s]
одобрять программу работ	approve the programme of work[s]
согласовать программу работ	agree upon the programme of work[s], finalize the programme of work[s]
продукция	**output, products, production**
валовая продукция	gross output
готовая продукция	finished products
единица продукции	unit of output
на единицу продукции	per unit of output
выпускать продукцию	produce, put out, turn out, manufacture
производительность	**output, productivity, capacity**
производство	**production**
объем производства	volume of production, volume of output
работа(-ы)	**work[s]**
бетонные работы	concreting
взрывные работы	blasting
временная работа	temporary work[s]
вспомогательная работа	auxiliary work[s]
выполненные работы	executed work[s], work[s] done
объем выполненных работ	amount of the executed work[s]
выполняемые работы	work[s] under way
дефектные работы	defective work[s]
дополнительные работы	additional work[s]
завершенные работы	completed work[s]
частично завершенные работы	partially completed work[s]
земляные работы	earth[moving] work[s], excavation, digging
мобилизационные работы	mobilization work[s]
монтажные работы	erection work[s]
невыполненные работы	outstanding work[s]
незавершенные работы	uncompleted work[s]

непригодные работы	inadequate work[s]
общестроительные работы	civil [engineering] work[s]
основные работы	main work[s]
переделанные работы	substituted work[s]
подготовительные работы	preparatory work[s]
подрядные работы	contract work[s]
постоянные работы	permanent work[s]
пусковые работы	start-up operation[s]
пуско-наладочные работы	starting-up and adjustment operation[s]
ремонтные работы	repair work[s]
сверхурочная работа	overtime [work]
добровольная сверхурочная работа	voluntary overtime [work]
обязательная сверхурочная работа	compulsory overtime [work]
сдельная работа	piecework[s]
скрытые работы	covered-up work[s], concealed work
сменная работа	shift work[s]
строительно-монтажные работы	civil and erection work[s]
строительные работы	civil work[s], construction work[s]
субподрядные работы	subcontract work[s]
возобновление работ	resumption of work[s]
вскрытие работ	uncovering of work[s]
стоимость вскрытия работ	cost of uncovering work[s]
выполнение работ	execution of work[s]
добросовестное выполнение работ	diligent execution of work[s]
должное выполнение работ	proper execution of work[s]
непрерывное выполнение работ	continuous execution of work[s]
своевременное выполнение работ	timely execution of work[s]
задержка в выполнении работ	delay in executing work[s]
руководство выполнением работ	job management, work[s] management
способ выполнения работ	manner of executing work[s], method of carrying out work[s]
определять способ выполнения работ	determine the manner of executing work[s], determine the method of carrying out work[s]

сроки выполнения работ	period of execution of work[s]
темпы выполнения работ	pace of executing work[s], speed of executing work[s]
ход выполнения работ	progress of work[s]
недостаточный ход выполнения работ	inadequate progress of work[s]
фактический ход выполнения работ	actual progress of work[s]
задерживать ход выполнения работ	delay executing work[s]
обеспечивать [должный] ход выполнения работ	ensure the [proper] progress of work[s]
определять ход выполнения работ	ascertain the progress of work[s]
сообщать о ходе выполнения работ	report the progress of work[s]
брать на себя выполнение работ	undertake work[s]
обеспечивать выполнение работ	ensure the execution of work[s]
график работ	schedule of work[s]
достаточность работ	sufficiency of work[s]
доступ к работам	access to work[s]
право доступа к работам	right of access to work[s]
иметь право доступа к работам	have the right of access to work[s]
предоставлять право доступа к работам	grant the right of access to work[s]
предоставлять доступ к работам	grant access to work[s]
завершение работ	completion of work[s]
несвоевременное завершение работ	delayed completion of work[s]
своевременное завершение работ	timely completion of work[s]
дата завершения работ	completion date, date of completion
планируемая дата завершения работ	target completion date
задержка в завершении работ	delay in completion of work[s]
по завершении работ	upon completion of work[s]
срок(-и) завершения работ	time for completion of work[s]
продление сроков для завершения работ	extension of the time for completion of work[s]
изменения в работах	variations of work[s]
вносить изменения в работы	make variations of work[s]

согласовывать изменения в работах	agree upon the variations of work[s], finalize the variations of work[s]
количество работ	amount of work[s], quantity of work[s]
надзор за работами	supervision for (of) work[s]
надежность работ	reliability of work[s]
начало работ	commencement of work[s]
дата начала работ	date of commencement of work[s]
определять дату начала работ	ascertain the date of commencement of work[s], fix the date of commencement of work[s], lay down the date of commencement of work[s]
объем работ	amount of work[s], volume of work[s]
окончание работ	completion of work[s]
дата окончания работ	date of completion of work[s]
изменение даты окончания работ	amendment of the date of completion of work[s]
задержка в окончании работ	delay in completing work[s]
срок(-и) окончания работ	date(-s) of completion of work[s]
описание работ	description of work[s]
осмотр работ	examination of work[s], inspection of work[s]
производить осмотр работ	examine work[s], inspect work[s]
остановка работ	stoppage of work[s], work stoppage
охрана работ	guarding of work[s], watching of work[s]
оценка работ	assessment of work[s]
очередность [выполнения] работ	order of execution of work[s]
переделка работ	alteration of work[s]
период работ	period of work[s]
предполагаемый период работ	expected period of work[s]
повреждение работ	damage to work[s]
исправлять повреждение работ	eliminate the damage to work[s]
причинять повреждение работам	damage work[s], occasion damage to work[s]
полнота работ (*достаточность работ*)	sufficiency of work[s]

порядок [выполнения] работ	order of works, procedure of work[s]
прекращение [выполнения] работ	cessation of work[s]
временное прекращение [выполнения] работ	suspension of work[s]
приемка работ	taking over of work[s]
проведение работ	execution of work[s]
проверка работ	check[ing] of work[s]
поэтапная проверка работ	step by step check[ing] of work[s]
программа работ	programme of work[s]
работа в ночное время	night work
работы на площадке	work[s] on the site
работы по исправлению недоделок	remedial work[s]
руководство работами	management of work[s]
осуществлять руководство работами	perform management of work[s]
сохранность работ	safety of work[s]
стоимость работ	cost of work[s]
характер работ	nature of work[s]
часть работ	portion of work[s], part of work[s]
заменять часть работ	replace part of work[s]
работа, выполненная небрежно	work, performed without the necessary diligence
работа, выполненная с недостаточным использованием материалов	work performed with materials in a smaller quantity
работа, не отвечающая требованиям инженера	work which is not in accordance with the requirements of the engineer
работа, не соответствующая техническим требованиям	work which is not in accordance with specifications
браковать работы	reject work[s]
восстанавливать работы	restore work[s]
вскрывать работы полностью (частично)	uncover the work[s] completely (partially)
выполнять работы	carry out work[s], execute work[s], do work[s]
завершать работы [в срок, оговоренный в контракте]	complete work[s] [in the time stipulated in the contract]
закрывать работы (*засыпать*)	bury work[s], cover up work[s]
защищать работы от повреждений	protect work[s] against damage
консервировать работы	abandon work[s]

контролировать работы	superintend work[s], supervise work[s]
координировать работы	coordinate work[s]
начинать работы	commence work[s], begin work[s], start work[s]
откладывать работы	postpone work[s]
охранять работы	guard work[s], watch work[s]
переделывать работы	alter work[s], re-do work[s]
прекращать работы	terminate work[s]
принимать работы	take over work[s]
приостанавливать работы	suspend work[s]
разрушать работы	demolish work[s]
руководить работами	manage work[s]
страховать работы	insure work[s]
ускорять работы	expedite work[s], speed up work[s], step up work[s]
работать	**work**
работать сверхурочно	work overtime
рабочие характеристики	**working characteristics**
таблицы рабочих характеристик	charts of working characteristics
рабочие характеристики, указанные в технической документации	working characteristics indicated in technical documents
расходы	**expenses**
расценки	**prices, rates**
сертификат, акт	**certificate**
временный сертификат	interim certificate, provisional certificate
окончательный сертификат	final certificate
отдельный сертификат	separate certificate
выдача сертификата	issuance of a certificate
просьба о выдаче сертификата	application for a certificate
откладывать выдачу сертификата	postpone the issuance of a certificate
сертификат за подписью	certificate over the signature
сертификат об окончательной приемке	final acceptance certificate
сертификат о завершении работ	certificate of completion of work[s]
сертификат о передаче объекта	handing-over certificate
сертификат о предварительной приемке	interim acceptance certificate

сертификат о приемке	taking-over certificate, acceptance certificate
выдавать сертификат	grant a certificate, issue a certificate
выдавать сертификат за подписью	issue a certificate under the hand *of*, issue a certificate signed *by*
подписывать сертификат	sign a certificate
смена	**shift**
скользящая смена	rotary shift, rotating shift
работа в две смены	double shift
смета	**budget, estimate, cost estimate**
собственность	**property**
государственная собственность	state property
общественная собственность	communal property, public property
примыкающая собственность	adjacent property, adjoining property
частная собственность	private property
повреждение собственности	damage to property
наносить повреждение собственности	damage property
собственность государства	government property
оставаться собственностью	remain property
согласие	**consent**
письменное согласие	written consent
с согласия	with the consent *of*
давать согласие на...	give consent to...
не давать согласие	withhold consent
согласовывать	**agree upon** *smth.*, **come to an agreement** *with smb. about smth.*, **coordinate, submit** *smth. to smb.'s* **approval**
сооружение(-я), здание(-я), строение	**building(-s), house, structure(-s)**
административное здание	administrative building, office building
временные здания	temporary buildings
разрушать временные здания	demolish temporary structures
временные сооружения	temporary structures
вспомогательные сооружения	auxiliary structures
жилое здание	house, residential building
основные сооружения	main buildings
складские здания	storage buildings

эксплуатация сооружений	usage of buildings, use of buildings
наносить повреждения сооружениям	damage buildings
спецификация	**specification**
техническая спецификация	technical specification
отступать от спецификации	depart from a technical specification
срок(-и)	**date(-s), period(-s), time, term**
взаимосогласованный срок	mutually agreed date
контрактные сроки	contract dates, contract periods
выполнять контрактные сроки	meet the contract dates
планируемые сроки	planned dates, planned periods
приемлемый срок	acceptable date, acceptable period, acceptable time
разумный срок	reasonable period, reasonable time
установленный срок	fixed period
фактический срок	actual period
в возможно короткие сроки	at the earliest possible date
в срок	in time
продление сроков для завершения работ	extension of the time for completion of work[s]
соблюдение сроков	compliance with the periods
срок окупаемости	payback time
сроки, указанные в...	periods indicated in..., periods specified in..., dates stated in...
вносить изменения в сроки, пересматривать сроки	revise the dates
продлевать срок(-и)	prolong the period(-s), extend the term
соблюдать сроки	comply with the periods, meet the dates
согласовывать сроки	agree upon the dates, finalize the dates
устанавливать сроки	fix the dates
ставка(-и)	**rate(-s)**
неприемлемые ставки	unacceptable rates
приемлемые ставки	acceptable rates
по ставкам	at rates
по ставкам, существующим в стране	at the rates existing in the country
по ставкам, указанным в контракте	at the rates specified in the contract
ставки на выполнение работ	rates for execution of work[s]

согласовать ставки	agree upon the rates, finalize the rates
стадия, этап	**phase, stage**
конечная стадия	final stage
начальная стадия	initial stage
на стадии	at the stage
стандарты	**standards**
стандарты, принятые в стране поставщика	standards, existing in the supplier's country
находиться в соответствии со стандартами, соответствовать стандартам	be in accordance with standards, comply with standards, conform to standards
стоимость	**cost, value**
строение *см.* **сооружение**	
строительство	**construction**
комплексное строительство	integrated construction
незавершенное строительство	carry-over construction, incompleted construction
завершение строительства	completion of construction
окончательное завершение строительства	final completion of construction
дата завершения строительства	date of completion of construction
удостоверять дату завершения строительства	certify the date of completion of construction
задержка в строительстве	delay in construction
сводить до минимума задержку в строительстве	minimize the delay in construction
организация строительства	organization of construction
руководство строительством	construction management
сроки строительства	period of construction
строительство на условиях генерального подряда, строительство на условиях «под ключ»	construction on a "turn-key" basis, "turn-key" construction, construction by contract
темпы строительства	pace of construction, speed of construction
ускорять темпы строительства	accelerate construction, speed up construction
намечать к строительству	schedule for construction
осуществлять строительство	construct
прекращать строительство	discontinue a project
субаренда (*передача в субаренду*)	**subletting**
передавать в субаренду	sublet

субподряд(-ы)	**subcontract**
выдача субподрядов	subcontracting
аннулировать субподряд	annul a subcontract, cancel a subcontract
передавать в субподряд	subcontract
субподрядчик	**subcontractor**
договор с субподрядчиком	subcontract
заключать договор с субподрядчиком	subcontract, conclude a subcontract
выбирать субподрядчика	select a subcontractor
нанимать субподрядчика	engage a subcontractor
сырье	**raw materials**
исходное сырье	primary raw materials
техническая документация *см.* **документация**	
техническое обслуживание	**maintenance, servicing**
осуществлять техническое обслуживание	maintain, service
технологический процесс	**technological process**
схема технологического процесса	flow sheet, progress chart, flow chart
топливо	**fuel**
жидкое топливо	liquid fuel
твердое топливо	solid fuel
транспортные средства	**transport facilities, vehicles**
транспортные средства подрядчика	contractor's vehicles
уведомление *см.* **извещение**	
уведомлять *см.* **извещать**	
уполномочивать	**authorize, empower**
условия	**conditions, terms**
производственные условия	production conditions, working conditions
технические условия	specifications
технические условия, действующие в СССР	specifications in force in the USSR
технические условия на выполнение строительных и монтажных работ	specifications for the execution of civil and erection work[s]
эксплуатационные условия	operating conditions, service conditions, working conditions
на условиях генерального подряда	on general contract terms
на условиях «под ключ»	on a "turn-key" basis
условия завода-изготовителя	conditions of the Manufacturer

соответствовать условиям	be in accordance with conditions
установка(-и)	**installation(-s)**
временные установки	temporary installations
ущерб	**damage**
причинять ущерб	cause damage, damage, occasion damage
фирма	**firm**
иностранная фирма	foreign firm
консультационная фирма	consultants, consulting engineers, firm of consulting engineers
местная фирма	local firm
строительная фирма	civil-engineering company
субподрядная фирма	subcontractor
банкротство фирмы	bankruptcy of a firm
ликвидация фирмы	liquidation of a firm
ликвидировать фирму	liquidate a firm
нанимать фирму	engage a firm
регистрировать фирму	register a firm
фирма-консультант (*консультационная фирма*)	**consultants, consulting engineers, firm of consulting engineers**
холостой ход	**idle running, light running, no-load run**
работать на холостом ходу	idle, run idle
чертеж(-и)	**drawing(-s)**
деталировочный чертеж	detailed drawing
исполнительные чертежи	record drawings
рабочие чертежи	working drawings
в соответствии с чертежами	in accordance with drawings
изменения в чертежах	modifications in drawings
комплект чертежей	set of drawings
копия чертежа	copy of a drawing
масштаб чертежа	scale of a drawing
отклонения от чертежа	departure from a drawing
ошибки в чертежах	errors in drawings, mistakes in drawings
пропуски в чертежах	omissions in drawings
чертеж на кальке	tracing
чертеж на синьке	blue print
вносить изменения в чертежи	modify drawings
исправлять чертежи	correct drawings
нести ответственность за правильность чертежей	be responsible for drawings
одобрять чертежи	approve drawings

отклонять чертежи	reject drawings
отступать от чертежей	depart from drawings
подписывать чертежи	sign drawings
представлять чертежи на утверждение	submit drawings for approval
проверять чертежи	verify drawings
утверждать чертежи	approve drawings
эксплуатационные нужды	**operational purposes**
эксплуатация	**maintenance, operation, run[ning], service**
гарантийная эксплуатация	guarantee maintenance, guarantee operation
коммерческая эксплуатация	commercial operation, commercial use
готовый к коммерческой эксплуатации	ready for commercial operation
пробная эксплуатация	test run, trial run
надзор за эксплуатацией	supervision for operation
ответственность за эксплуатацию	responsibility for operation
пуск в эксплуатацию	commissioning
вводить в эксплуатацию	commission, put into operation, put into service, bring into use
вступать в эксплуатацию	come on stream, become operational, go on line, go into operation
пускать [объект] в эксплуатацию	bring [the project] into commission, commission [the project], put the project into operation
эксплуатировать (*объект*)	**maintain, operate, run, service**
энергия	**energy, power**
виды энергии [подводимые к рабочему месту]	utilities
подводка энергии	utilities supply
этап *см.* **стадия**	

ФРАЗЫ ◄

Строительное оборудование и механизмы ввозятся в страну Заказчика на условиях временного ввоза	Constructional equipment and mechanisms are imported to the Customer's country on a re-exportation basis
Подрядчик будет иметь право выбора местных субподрядных фирм	The Contractor shall have the right to select local subcontractors
Графики и программа работ с подробным указанием очеред-	The schedules and the programme of work[s] indicating the order of

ности работ, их объемов и способов выполнения готовятся Подрядчиком и согласовываются с Инженером	work[s], their volume and manner of execution shall be prepared by the Contractor and agreed upon with the Engineer
В связи с задержкой в разгрузке судов и невыполнением вами целого ряда других обязательств, ... должен быть пересмотрен	Due to the delay in unloading and your failure to fulfil other obligations the... shall be revised
график поставки материалов	schedule of delivery of materials
график поставки оборудования	shedule of delivery of equipment
график строительных работ	schedule of civil work[s]
график строительства	schedule of construction
Подрядчик во всех своих действиях руководствуется местными законами страны	The Contractor in all his actions shall be governed by the local laws of the country
Каковы обязанности Инженера?	What are the Engineer's obligations?
Инженер является представителем Заказчика на строительной площадке, в его функции входит наблюдение и контроль за выполнением работ	The Engineer represents the Customer on the site and is responsible for the supervision of the execution of work[s]
Он действует в пределах прав и полномочий, предоставленных ему Заказчиком	He acts within the limits of rights and powers given to him by the Customer
Все работы должны отвечать требованиям Инженера и выполняться в срок	All work[s] shall be executed to the satisfaction of the Engineer and in time
Все отчеты о ходе выполнения работ должны быть подписаны Инженером	All progress reports shall be signed by the Engineer
Инженер имеет право браковать...	The Engineer has the right to reject...
материалы	materials
оборудование	equipment
работы	work[s]
сооружения	structures
Каковы полномочия Инженера на площадке?	What are the rights of the Engineer on the site?
Ему дано право решать все возникающие вопросы	He is responsible for the solution of all matters which may arise
А как насчет допуска Инженера к работам?	And what about the access of the Engineer to the work[s]?
Инженер будет иметь доступ ко всем работам на объекте	The Engineer shall be granted access to all the work[s] on the site
Каким образом гарантируется качество работ?	What quarantees the quality of the work[s]?

Инженеру будет предоставлена возможность осмотра и инспектирования всех работ	The Engineer shall be at liberty to examine and inspect all work[s]
Никакие работы не будут закрываться без одобрения Инженера	No work shall be covered up without the approval of the Engineer
В процессе производства работ Инженер имеет право потребовать переделать любые работы, не отвечающие требованиям Инженера	In the course of work[s] the Engineer has full power to direct the Contractor to re-do the work[s] which are not in accordance with the requirements of the Engineer
Подрядчиком будут разработаны и переданы Заказчику все необходимые инструкции по эксплуатации	The Contractor shall prepare and hand over to the Customer all operation and maintenance instructions required
Когда вы сможете передать нам программу испытаний?	When will you hand over the programme of tests to us?
Не позже, чем за три месяца до момента готовности объекта к проведению таких испытаний	Not later than three months before the project is ready for tests
Проводятся ли вами испытания оборудования до его отправки на объект?	Do you test the equipment before sending it to the project?
Да, мы проводим заводские испытания	Yes, we make tests at the Manufacturing work[s]
... должны проводиться в присутствии Инженера или его представителя	... shall be made in the presence of the Engineer or his representative
Окончательные испытания	Final tests
Приемочные испытания	Acceptance tests
Пусковые испытания	Commissioning tests
Эксплуатационные испытания	Service tests
Испытания на надежность	Reliability tests
Испытания под нагрузкой	Load tests
Качество строительных работ, материалов и оборудования будет находиться в строгом соответствии со стандартами, нормами и техническими условиями, действующими в Советском Союзе	The quality of civil work[s], materials and equipment shall be in strict conformity with the standards, norms and specifications in force in the USSR
Как насчет обеспечения объекта эксплуатационными материалами и энергией на период пусконаладочных работ и испытаний?	What about the provision of the project with operational materials and utilities for the period of starting-up and adjustment operations and tests?
В связи с нехваткой отдельных видов эксплуатационных материалов в нашей стране, просим вас указать минимальные количества, необходимые для проведения испытаний	Since some kinds of operational materials are in short supply in our country, we ask you to indicate the minimum quantities of the materials required for tests

Что вы намереваетесь сделать со строительным оборудованием и механизмами после завершения строительства?	What do you intend to do with the constructional equipment and mechanisms upon completion of construction?
Часть оборудования будет возвращена в Советский Союз, а другую часть мы хотели бы реализовать на местном рынке	Part of the equipment will be returned to the USSR, some other part will be sold in your local market
По завершении строительства все временные работы, сооружения, строительное оборудование и неиспользованные материалы должны быть удалены с площадки	Upon completion of construction all temporary work[s], structures, constructional equipment and unused materials shall be removed from the site
Подрядчик должен стараться максимально использовать возможности местного рынка при закупке оборудования и, особенно, материалов	The Contractor shall make maximal use of local equipment and particularly of materials available in the local market
Просим вас рекомендовать нам местные строительные фирмы, у которых мы могли бы арендовать некоторые виды строительного оборудования и механизмы	We ask you to recommend us local civil engineering firms from whom we could rent some constructional equipment and mechanisms
Окончательная приемка объекта будет осуществляться после достижения им проектных показателей	Final taking over will be made after the project reaches the design performance
В обязательства Подрядчика, как правило, входит...	The Contractor's obligations include as a rule...
выполнение работ	execution of work[s]
завершение работ	completion of work[s]
наем рабочей силы	employment of labour
обеспечение строительными материалами	procurement of building materials
обеспечение строительным оборудованием	provision with constructional equipment
проведение испытаний	making of tests
проведение пуско-наладочных работ	execution of starting-up and adjustment operations
руководство работами	management of work[s]
транспортировка оборудования	transportation of equipment
Изменения в программе работ согласовываются с Инженером	All changes in the programme of work[s] shall be agreed upon with the Engineer
Подрядчик предоставит Инженеру возможность проверять качество работ и замерять объем выполненных работ	Full facilities and assistance shall be afforded by the Contractor for the Engineer to check and measure the work[s]

Подрядчик примет меры, обеспечивающие сохранность работ	The Contractor shall take full responsibility for the safety of work[s]
По завершении работ Подрядчик восстанавливает право собственности на строительное оборудование и неиспользованные материалы после вывоза их со строительной площадки	Upon completion of the work[s] the property in any Contractor's constructional equipment and unused materials shall revert to the Contractor after they are removed from the site
Завершение работ будет удостоверяться соответствующим сертификатом	Completion of work[s] shall be certified by an appropriate certificate
Выдача сертификата о предварительной приемке откладывается до исправления дефектов и успешного окончания повторных испытаний	The issuance of the provisional certificate is postponed till the defects are eliminated and the repeat tests are successfully over
При невыполнении Заказчиком контрактных обязательств Подрядчик имеет право на продление срока для завершения работ	In the event of the Customer's default the Contractor is entitled to be granted extension of time for completion
По мере завершения работ Подрядчик будет страховать их на полную стоимость	As soon as the work is completed the Contractor shall insure it for its full value
Вы должны принять меры к увеличению темпов строительства с тем, чтобы выполнить работы в контрактные сроки	You should speed up the construction to meet the contract dates
Как будет осуществляться руководство строительством?	Who will perform the management of the construction?
Подрядчик создаст управление строительством, которое будет...	The Contractor will establish an office which will...
разрешать все вопросы, связанные с выполнением работ	solve all matters pertaining to the execution of work[s]
руководить монтажными работами	perform management of erection work[s]
руководить строительными работами	perform management of civil work[s]
Каковы сроки строительства такого объекта?	How long does the project take to build?
Обычно около 3-х лет	About 3 years, as a rule
Мы просим вас сократить сроки строительства	We ask you to reduce the period of construction
Завершение строительства запланировано на...	The completion of the construction is scheduled for...
Все работы на объекте будут выполняться в соответствии с требованиями техники безопасности	All the work[s] will be executed in accordance with the requirements of safety regulations
Все рабочие чертежи до их использования должны быть одобрены Инженером	All working drawings shall be approved by the Engineer prior to their use

ДИАЛОГИ

Пд. Г-н..., мы рассмотрели вашу просьбу о сокращении сроков строительства, указанных в нашем проекте контракта. Объект может быть построен в более сжатые сроки, если вы возьмете на себя поставку местных строительных материалов и предоставите нам в аренду строительное оборудование.

Cnt. Mr..., we have studied your request to reduce the period of construction stated in our draft contract. The project can be constructed within a shorter period of time if you undertake to procure and deliver local building materials and rent building equipment for us.

З. Мы согласны, так как заинтересованы в максимальном использовании местного сырья и оборудования.

C. As we are interested in the maximal use of local raw materials and equipment, we'll agree to that.

Пд. Хорошо, г-н..., все это значительно ускорит строительство.

Cnt. Good, Mr..., this would be a great saving in time.

З. Более того, мы согласны рекомендовать вам наши местные строительные фирмы для выполнения отдельных видов строительных работ в качестве ваших субподрядчиков.

C. Moreover, we are ready to recommend you our local civil-engineering firms as subcontractors for executing some of the civil work[s].

Пд. Спасибо, г-н..., мы намерены использовать местную рабочую силу для выполнения работ на объекте. Однако мы хотим оставить за собой право найма иностранных субподрядных фирм.

Cnt. Thank you, Mr..., we intend to use local labour for the construction of the project. But we would like to reserve the right to engage foreign firms as subcontractors as well.

З. Мы не возражаем, но хотим обратить ваше внимание на то, что все контракты с иностранными субподрядными фирмами должны быть в соответствии с законами нашей страны.

C. We don't mind, but see to it that all your contracts with foreign subcontractors are to be in accordance with the laws of our country.

Пд. Мы обязательно проследим за этим, г-н... Что касается сроков строительства, то мы можем окончательно согласовать их, как только ознакомимся с возможностями рекомендуемых вами фирм и сроками поставки местных строительных материалов.

Cnt. We certainly will, Mr... As to the period of construction we shall be able to finalize it as soon as we know the firms you recommend and the delivery time of local building materials.

З. Список фирм, г-н..., будет передан вам завтра утром.

C. A list of the firms will be handed over to you tomorrow morning, Mr...

Пд. Рад это слышать. Кроме этого, сроки выполнения работ будут зависеть от своевременной передачи нам строительной площадки и начала финансирования работ.

Cnt. I'm glad to hear that. The period of construction will also depend on the time when you hand over the site to us and start financing the work[s].

З. Г-н..., все будет выполнено своевременно.

C. Mr..., everything will be done on time

* * *

Пд. В тендерной документации указано, что Инженером на строительной площадке будет выбрана фирма из третьей страны. Мы хотели бы знать, выбрана ли вами уже такая фирма, или еще нет?

Cnt. The tender documents stipulate that a firm from a third country will be appointed as Engineer on the construction site. We wonder if the firm has been selected yet?

З. Да, мы уже подписали контракт с английской фирмой «...» на выполнение обязанностей Инженера.

C. Yes, we have signed a contract with the English firm "..." which will act as Engineer.

Пд. Рады это слышать, мы знаем эту фирму как солидную фирму, имеющую опыт таких работ. Мы понимаем, что Инженер будет представлять Заказчика на строительной площадке по всем техническим вопросам.

Cnt. I'm glad to hear that, the firm is known as sound and competent. We understand that the Engineer will represent the Customer and will be authorized to decide all technical matters.

З. Да, они будут действовать от нашего имени и в наших интересах и в рамках, очерченных в тендерной документации.

C. Yes, they will act in our name and in our interests and within the limits of powers specified in the tender documents.

Пд. Это обычная практика.

Cnt. That's standard practice.

З. Мы хотим подчеркнуть, что Инженер должен иметь свободный доступ ко всем работам, особенно к работам, качество которых в дальнейшем, после их завершения, проверить невозможно.

C. We'd like to stress that the Engineer must be granted access to all the work[s], especially to the work[s] the quality of which can't be checked after completion.

Пд. Вы имеете в виду скрытые работы?

Cnt. You mean covered-up work[s], don't you?

З. Да, более того, в случае ненадлежащего выполнения каких-либо работ или отступлений от проектной документации, не согласованных с инже-

C. Yes, moreover, if the work[s] are done improperly or if there are deviations from the design documentation, not agreed upon with the Engineer, the work[s]

нером, такие работы должны быть переделаны за счет Подрядчика.

will have to be re-done at the expense of the Contractor.

Пд. Можете быть уверены, что мы примем меры, обеспечивающие возможность надлежащего выполнения представителями Инженера своих обязанностей.

Cnt. You may be sure that we'll do our best to allow the representatives of the Engineer to perform their obligations properly.

* * *

З. Г-н..., мы хотим обсудить с вами задержку в выполнении строительных работ.

C. We'd like to discuss with you the delay in executing the civil work[s], Mr...

Пд. К сожалению, мы должны признать, что в выполнении отдельных видов работ действительно имеется отставание от графика. Субподрядная фирма, рекомендованная вами, не справляется с объемами работ.

Cnt. We regret to have to admit that we are behind schedule with some of the work[s]. The subcontractor recommended by you can't cope with the work[s].

З. Неужели? Эта фирма имеет самые высокие рекомендации. Возможно, они столкнулись с временными трудностями.

C. Really? The firm is rated as sound. They must be having temporary difficulties.

Пд. Нет. Сейчас уже ясно, что фирма не сможет выполнить порученных ей работ в контрактные сроки.

Cnt. No, they are not. It's obvious that the firm won't be able to meet the contract dates.

З. В таком случае необходимо пригласить другую субподрядную фирму.

C. Well then, you may engage another subcontractor.

Пд. Да, это разумное решение. Мы могли бы пригласить фирму «...».

Cnt. Yes, this does seem a sensible solution. We could employ "...".

З. Мы знаем эту фирму и надеемся, что она вас не подведет.

C. We know the firm and hope they won't let you down.

Пд. К сожалению, заключение нового контракта будет связано с дополнительными расходами, так как расценки на выполнение строительных работ в вашей стране выросли за последнее время.

Cnt. A new contract will unfortunately involve extra expenses, since the rates for the execution of civil work[s] in your country have gone up lately.

З. В цене нашего контракта предусмотрены суммы на покрытие непредвиденных расходов такого рода.

C. The contract price provides for such unforeseen expenses.

Пд. Боюсь, что дополнительные расходы значительно превысят эту сумму, поэтому мы считаем желательным ваше присутствие на переговорах по заключению контракта с новой строительной фирмой.

Cnt. Our additional expenses may well exceed the reserve, I'm afraid. So we consider it desirable for you to take part in our talks with the new civil-engineering firm.

З. Понятно. Мы обдумаем ваше предложение, г-н...

C. Very understandable. We'll think over your proposal, Mr...

* * *

Пд. И последний вопрос, который мы намеревались обсудить с вами сегодня. Это испытания, обеспечение пусконаладочных работ необходимыми сырьевыми и эксплуатационными материалами и удовлетворение энергетических потребностей объекта. Нам, например, до настоящего времени неизвестно ваше решение о снабжении объекта электроэнергией.

Cnt. This brings us to the last point we wanted to discuss with you today. It is tests, provision of starting-up and adjustment operations with operational and raw materials, and the provision of the project with utilities. So far we don't know how you have decided to supply the project with electric power.

З. Не стоит беспокоиться. Вопрос о сроках поставки и необходимых количествах сырья и эксплуатационных материалов будет решен нами после рассмотрения этого вопроса Инженером, с учетом графика строительства и испытаний.

C. Well, you haven't got to worry about that. We'll finalize the delivery dates and quantities of the required operational and raw materials with due regard to the schedule of construction and tests after we have discussed the matter with the Engineer.

Пд. Будут ли у вас трудности с доставкой дефицитных материалов?

Cnt. Do you foresee any difficulties in delivering materials which are in short supply?

З. Да, и вы должны принять во внимание, что требования о доставке таких материалов должны передаваться нам не позже, чем за 3 месяца до начала испытаний. Позвольте напомнить вам, господа, что вы должны будете письменно уведомить Инженера о дате испытаний за 21 день до их начала.

C. Yes, we do, and we ask you to submit to us your requests for such materials not later than 3 months before the tests. May we remind you, gentlemen, that you must give the Engineer written notice of the date of the tests 21 days before they take place.

Пд. Спасибо за напоминание. Кстати, нами уже дано задание подготовить ведомости таких материалов. По мере приближения сроков проведения испытаний они будут вручаться вам.

Cnt. Thank you for reminding us. Incidentally we have already asked our people to prepare schedules of such materials. They will be handed over to you as the tests approach.

З. Что касается обеспечения объекта электроэнергией, то мы рады сообщить вам, что нами подписан контракт на строительство линии высоковольтной передачи от близлежащей ТЭС до трансформаторной подстанции на площадке строительства. Строительство линии будет завершено через 8 месяцев.

C. As to the supply of the project with electric power, we are glad to tell you, that we've signed a contract for the construction of a high-voltage transmission line from the near-by thermal power station to the transformer substation on the construction site. The construction of the line will be completed in 8 months.

Пд. Спасибо за ваши разъяснения. Они будут нами учтены при согласовании с Инженером графиков работ и сдаточных испытаний.

Cnt. Thank you for your clarifications. We'll take them into account when we discuss the schedule of work[s] and the schedule of acceptance tests with the Engineer.

* * *

Пд. В завершение нашей сегодняшней встречи мы хотели бы обсудить с вами вопрос о ввозе и вывозе строительного оборудования и механизмов. Мы ввозим и вывозим всю технику, необходимую для обеспечения строительно-монтажных работ беспошлинно, как это указано в тендерной документации.

Cnt. To conclude our today's meeting we would like to discuss the importation and re-exportation of constructional equipment and mechanisms. According to the tender documents we import and re-export the equipment and materials required for the execution of civil and erection work[s] duty-free.

З. Да, это предусмотрено в тендерной документации. Однако вам, по-видимому, известно, что иностранные фирмы после завершения работ часто не вывозят технику и продают ее в стране Заказчика.

C. Yes, the tender documents provide for that. You may know, however, that foreign firms very often sell such equipment and mechanisms in the country of the Customer and don't take them back home upon completion of the work[s].

Пд. Да, часть техники в рабочем состоянии, вывозить которую нам нерентабельно, мы тоже хотели бы продать в вашей стране. Будете ли вы возражать против этого?

Cnt. Yes, we do. And we'd also like to sell in your country part of our equipment and mechanisms which are serviceable and which we don't find profitable to reexport. Will you object to that?

З. Мы, конечно, не будем возражать. Вы можете это сделать. Однако нам бы хотелось иметь право преимущественной покупки вашего оборудования.

C. Certainly not, you are free to do that. But we would like to have the first option in purchasing your equipment.

Пд. Рады слышать это. Вы не пожалеете.

З. Кстати, в случае продажи вашего строительного оборудования на местном рынке, вам придется уплатить таможне пошлину за него.

Пд. Да, мы знаем об этом. Итак, сегодня мы обсудили все намеченные вопросы, завтра, если вы не возражаете, мы продолжим наши переговоры.

Cnt. I'm glad to hear that. You won't regret it.

C. By the way, if you sell your constructional equipment in our local market you will have to pay customs duties on it.

Cnt. Yes, we know about that. Well, we've covered all the points we planned to discuss today. If you don't mind, we'll continue our talks tomorrow.

СОТРУДНИЧЕСТВО В РАМКАХ СОГЛАШЕНИЯ О КОНСОРЦИУМЕ

COOPERATION WITHIN THE FRAMEWORK OF CONSORTIUM AGREEMENT

СОТРУДНИЧЕСТВО В РАМКАХ СОГЛАШЕНИЯ О КОНСОРЦИУМЕ

COOPERATION WITHIN THE FRAMEWORK OF CONSORTIUM AGREEMENT

СЛОВА

вознаграждение	**fee, remuneration**
комиссионное вознаграждение	commission
лидерское вознаграждение	leadership fee
ставка вознаграждения	fee rate
выплачивать вознаграждение	pay a fee
получать вознаграждение	receive a fee
встреча(-и), совещание, заседание(-я)	**meeting(-s)**
встреча участников консорциума	consortium meeting, members' meeting
правомочность встреч (заседаний)	competence of meetings
проведение встреч (заседаний)	holding of meetings
порядок проведения встреч (заседаний)	procedure of meetings
переносить встречи (заседания)	adjourn meetings, postpone meetings
проводить встречи (заседания)	arrange meetings
созывать встречу (заседание)	convene a meeting
участвовать во встречах (заседаниях)	participate in meetings
гарантия (*залог*)	**bond, guarantee**
гербовый сбор	**stamp duty**
голосование	**vote, voting**
единогласное голосование	unanimous vote
график(-и)	**schedule(-s)**
детальный график	detailed schedule
общий график	joint schedule
график поставок	schedule of deliveries, delivery schedule
график работ	schedule of work[s]
график услуг	schedule of services
подготовить график	prepare a schedule
согласовывать графики	coordinate schedules

долевое участие	**individual share**
доля (*часть*)	**part, share**
доля поставок	share of deliveries, share of supplies
доля работ	share of work[s]
доля услуг	share of services
пропорционально доле	proportionally to the share
состав доли	composition of a share
стоимость доли	cost of a share
определять долю	establish a share
пересматривать долю	reconsider a share, revise a share
заседание *см.* **встреча**	
затраты	**cost[s], expenses**
дополнительные затраты	additional cost[s], extra expenses
совместные затраты	joint cost[s]
извещение *см.* **уведомление**	
информация	**information**
деловая информация	business information
конфиденциальная информация	confidential information
неполная информация	incomplete information
неправильная информация	incorrect information
полная информация	complete information, full information
техническая информация	technical information
обмен информацией	exchange of information
ответственность за информацию	responsibility for information
предоставлять информацию	supply information
разглашать информацию	divulge information
информировать	**inform, keep** *smb.* **informed**
кворум	**quorum**
устанавливать кворум	establish a quorum
конкуренция	**competition**
взаимная конкуренция	mutual competition
свободная конкуренция	free competition
ограничение конкуренции	limitation of competition
запрещать конкуренцию	prohibit competition
ограничивать конкуренцию	limit competition
консорциум	**consortium**
международный консорциум	international consortium
вступление в консорциум	entry into a consortium

выход из консорциума	retirement from a consortium
право выхода из консорциума	right of retirement from a consortium
исключение из консорциума	expulsion from a consortium
консорциум подрядчиков	consortium of contractors
ликвидация консорциума	ending of a consortium, liquidation of a consortium, winding-up of a consortium
добровольная ликвидация консорциума	voluntary ending of a consortium
условия ликвидации консорциума	terms of the liquidation of a consortium
устанавливать условия ликвидации консорциума	fix the terms of the liquidation of a consortium
по поручению консорциума	on behalf of the consortium
регистрация консорциума	registration of a consortium
сотрудничество с консорциумом	collaboration with a consortium
средства консорциума	funds of a consortium
управлять средствами консорциума	administer the funds of a consortium
вступать в консорциум	enter into a consortium
выходить из консорциума	withdraw from a consortium, retire from a consortium
исключать из консорциума	expel from a consortium
ликвидировать консорциум	wind up a consortium
образовывать консорциум	establish a consortium, form a consortium, set up a consortium
представлять консорциум	represent a consortium
принимать в консорциум	admit to a consortium
распускать консорциум	disband a consortium
конфиденциальный	**confidential**
считать конфиденциальным	treat *smth.* as confidential
конфиденциальность	**confidentiality**
соблюдать конфиденциальность *чего-либо*	keep *smth.* confidential
координация	**coordination**
общая координация	overall coordination
координация технических вопросов	technical coordination
координировать	**coordinate**
лидер консорциума	**consortium leader, leader of consortium**
выступать в качестве лидера консорциума	act as leader of a consortium

обязательство(-а)	**obligation(-s), undertaking**
освобождать от обязательств	relieve from obligations
принимать на себя обязательства	assume obligations
ответственность	**liability, responsibility**
коллективная ответственность	collective liability
возлагать ответственность	impose a responsibility
нести ответственность	be responsible, be liable
ограничивать ответственность	limit the responsibility
освобождать от ответственности	discharge *smb.* from liability, exempt from responsibility, free from responsibility, release from responsibility, relieve from responsibility
партнер(-ы)	**partner(-s)**
равноправные партнеры	equal partners
переписка	**correspondence**
вести переписку	conduct correspondence, correspond
планирование	**planning**
общее планирование	overall planning
планировать	**plan**
полномочия	**powers**
неограниченные полномочия	plenary powers
объем (*предел*) полномочий	limits of powers
определять объем (*предел*) полномочий	specify the limits of powers
ограничивать полномочия	limit the powers
передавать полномочия	delegate the powers
поставка(-и) [члена консорциума]	**delivery(-ies), supply(-ies)**
дополнительные поставки	additional deliveries
доля поставок	share of supplies
объем поставок	volume of deliveries
полнота поставок	completeness of deliveries, entirety of deliveries
проверка поставок	check-up of deliveries
разделение поставок	division of supplies
предварительное разделение поставок	tentative division of supplies, provisional division of supplies
осуществлять разделение поставок	divide supplies, split supplies
пересматривать разделение поставок	revise the division of supplies
стоимость поставок	cost of supplies

задерживать поставку	delay delivery
координировать поставки	coordinate deliveries
осуществлять поставку	deliver
право(-а)	**right(-s)**
право выхода из консорциума	right of retirement, right to retire
право подписи	right to sign
иметь право	have the right, be entitled *to*
передавать права	transfer the rights
сохранять право	reserve the right
представитель	**representative**
полномочный представитель	authorized representative
программа работ	**programme of work[s]**
согласованная программа работ	agreed programme of work[s]
координировать программы работ	coordinate the programme of work[s]
протокол	**minutes**
вести протокол	keep the minutes
подписывать протокол	sign the minutes
утверждать протокол	approve the minutes
работа(-ы)	**work[s]**
подготовительные работы	preparatory work[s]
разделение работ	division of work[s]
предварительное разделение работ	tentative division of work[s], provisional division of work[s]
осуществлять разделение работ	divide work[s], split work[s]
пересматривать разделение работ	revise the division of work[s]
выполнять работы [совместно]	carry out work[s] [jointly], execute work[s] [jointly]
координировать работы	coordinate work[s]
планировать работы	plan work[s]
расходы	**cost[s], expenses**
совместные расходы	joint expenses
фактические расходы	actual expenses
делить расходы	share cost[s]
нести расходы [пропорционально доле участия]	bear cost[s] and expenses [pro rata to the contract value of the individual share]
ресурсы	**resources**
объединять ресурсы	pool resources
решение	**decision**
выполнять (соблюдать) решение	abide by the decision

риск	**risk**
на наш (ваш) риск	at our (your) risk
брать на себя риск	run a risk
руководство	**leadership, management**
административное руководство	administrative management
коммерческое руководство	commercial management
техническое руководство	technical management
под руководством	under the leadership *of*
осуществлять руководство	carry out leadership, perform management
секреты	**secrets**
деловые секреты	business secrets
торговые секреты	trade secrets
разглашать секреты	divulge secrets
совещание *см.* **встреча**	
согласие	**consent**
давать согласие	give consent *to*
соглашение об образовании консорциума	**agreement on the establishment of a consortium, consortium agreement**
закон соглашения об образовании консорциума	law of a consortium agreement
предмет соглашения об образовании консорциума	object of a consortium agreement
срок действия соглашения об образовании консорциума	duration of a consortium agreement
окончание срока действия соглашения об образовании консорциума	termination of a consortium agreement
условия соглашения об образовании консорциума	conditions of a consortium agreement
аннулировать соглашение об образовании консорциума	cancel a consortium agreement
включать в соглашение об образовании консорциума	incorporate into a consortium agreement
вносить изменения в соглашение об образовании консорциума	amend a consortium agreement
заключать соглашение об образовании консорциума	enter into an agreement on the establishment of a consortium
составлять соглашение об образовании консорциума	draw up a consortium agreement
сотрудничать	**collaborate, cooperate**
сотрудничать в рамках соглашения об образовании консорциума	collaborate within the framework of a consortium agreement

сотрудничать на исключительной основе	collaborate on an exclusive basis
тендер	**tender**
на стадии тендера	at the tender stage
тендерное предложение	**bid, tender**
общее (*совместное*) тендерное предложение	complete tender, comprehensive tender
подготовить общее (*совместное*) тендерное предложение	collate the individual offers into a comprehensive tender, prepare a complete tender
уведомление, извещение	**notice, notification**
порядок уведомления	notification procedure
уведомление о проведении встречи участников консорциума	notice of the members' meeting
услуги	**services**
дополнительные услуги	additional services
объем услуг	volume of services
полнота услуг	completeness of services, entirety of services
проверка услуг	check-up of services
разделение услуг	division of services
предварительное разделение услуг	provisional division of services, tentative division of services
осуществлять разделение услуг	divide services
пересматривать разделение услуг	revise the division of services
стоимость услуг	cost of services
координировать услуги	coordinate services
предоставлять услуги	render services
участник консорциума *см.* **член консорциума**	
ущерб	**damage, loss**
возмещать ущерб	indemnify *smb.* against loss or damage
понести ущерб	suffer damage
причинять ущерб	cause damage, do damage, cause losses, inflict a loss
фонд	**pool, pool of money**
общий (*объединенный*) фонд	joint pool
брать средства из фонда	call upon the pool [of money]
организовывать фонд	establish a pool

член(-ы) консорциума, участник(-и) консорциума	**consortium member(-s), constituent member(-s), member(-s) of a consortium**
возможный член консорциума	prospective consortium member
интересы члена консорциума	interests of a consortium member
охранять интересы члена консорциума	safeguard the interests of a consortium member
представлять интересы консорциума	represent the interests of a consortium member
обязанности члена консорциума	duties of a consortium member, responsibilities of a consortium member
распределение обязанностей членов консорциума	distribution of duties of consortium members, distribution of responsibilities of consortium members
обязательства члена консорциума	obligations of a consortium member
ответственность члена консорциума	liability of a consortium member
разногласия между членами консорциума	disputes among consortium members
согласие члена консорциума	consent of a consortium member
член консорциума, выходящий из консорциума	retiring member of a consortium
член консорциума, не выполняющий своих обязательств	defaulting member of a consortium, faulty member of a consortium
исключать члена консорциума	expel a consortium member
членство	**membership**
исключительное членство	exclusive membership

ФРАЗЫ ◄

Размер вознаграждения лидера консорциума и долевое участие членов консорциума будут определены на встрече участников консорциума	The amount of the leadership fee and the individual shares will be established at the meeting of the consortium members
Все члены консорциума выплачивают в качестве вознаграждения лидера консорциума...% от стоимости предоставляемых ими услуг и поставляемого ими оборудования	All consortium members are to pay...% of the cost of the equipment to be supplied or services to be rendered by them as leadership fee
Каков порядок проведения встреч членов консорциума?	What is the procedure of meetings of consortium members?

Порядок проведения встреч участников консорциума будет зафиксирован в соглашении об организации консорциума подрядчиков	The procedure of meetings of consortium members will be specified in the agreement on the establishment of the consortium of contractors
Встречи участников консорциума созываются по требованию...	Meetings of consortium members are convened at the request of the...
лидера консорциума	consortium leader
члена(-ов) консорциума	consortium member(-s)
Давайте определим...	Let's establish the...
порядок голосования	voting procedure
порядок проведения встреч участников консорциума	procedure of meetings of consortium members
правомочность встреч участников консорциума	competence of meetings of consortium members
Каждый член консорциума имеет один голос	Each consortium member has one vote
График... будет считаться неотъемлемой частью соглашения об образовании консорциума	The schedule of... shall be considered an integral part of the consortium agreement
поставок	deliveries
работ	work[s]
услуг	services
Консорциум подрядчиков будет зарегистрирован в соответствии с законами страны	The consortium of contractors shall be registered in accordance with the laws of the country
Подготовка общего тендерного предложения и его передача тендерному комитету будет осуществляться лидером консорциума	The consortium leader will prepare a comprehensive tender and submit it to the tender committee
Участники консорциума должны...	The consortium members shall...
избегать взаимной конкуренции	avoid mutual competition
соблюдать конфиденциальность деловой информации	keep all business information confidential
тесно сотрудничать в рамках соглашения о консорциуме	closely collaborate within the framework of the consortium agreement
Действие соглашения об образовании консорциума прекращается (утрачивает силу)...	The consortium agreement comes to an end (terminates)...
если тендерное предложение консорциума не принято	if the consortium tender is rejected
по выполнении членами консорциума своих обязательств	when all obligations of the members have been fully performed
по решению всех членов консорциума	by decision of all members

Соглашение об образовании консорциума вступает в силу в день его подписания	The agreement on the establishment of the consortium comes into force on the date of signature
Каковы обязанности лидера консорциума?	What are the obligations of the Consortium leader?
Лидер консорциума...	The Consortium leader...
ведет переписку с Заказчиком	conducts correspondence with the Customer
координирует выполнение контрактных обязательств	coordinates performance of contractual obligations
координирует коммерческую деятельность членов консорциума	coordinates commercial activities of the members of the consortium
осуществляет коммерческое и техническое руководство	performs commercial and technical management
проводит переговоры	conducts talks
В случае необходимости, разделение... будет пересмотрено	The division of... shall be revised, if necessary
поставок	deliveries
работ	work[s]
услуг	services
Новое разделение... должно быть одобрено всеми членами консорциума	The new division of... shall be approved by all members of the consortium
поставок	deliveries
работ	work[s]
услуг	services
Решения встреч членов консорциума должны получать одобрение...	Decisions of the members' meetings shall be approved by...
большинства членов консорциума	the majority of the members of the consortium
всех членов консорциума	all members of the consortium
Каждый член консорциума несет ответственность за выполнение своих обязательств по контракту	Each member of the consortium is responsible for the fulfilment of his obligations under the contract
Член консорциума, не выполняющий свои обязательства, может быть исключен из консорциума	The defaulting member can be expelled from the consortium
Обязательства члена консорциума не могут быть переданы без письменного согласия других членов консорциума	Subletting is subject to the prior written consent of other consortium members
Члены консорциума несут расходы пропорционально доле своих обязательств по контракту	Members of the consortium shall bear costs and expenses pro rata to their individual shares
Общее тендерное предложение должно быть одобрено всеми	The comprehensive tender shall be approved by all the members of the

членами консорциума до его передачи тендерному комитету	consortium before it is submitted to the tender committee

ДИАЛОГИ

Ч. к. Мы считаем, что вы должны выступать в качестве лидера нашего консорциума. У вас есть большой опыт строительства объектов в этой стране, и, кроме этого, доля вашего участия в выполнении работ будет значительно больше нашей.	C. m. Our feeling is that you should act as leader of our consortium. You have considerable experience in constructing projects in that country, besides, your share of the work[s] will be considerably bigger than ours.
Л. к. Согласны. В таком случае, мы хотели бы обсудить подготовку нашего общего тендерного предложения.	C. l. Well, agreed. In this case we find it proper to discuss the preparation of our comprehensive tender.
Ч. к. Мы сможем подготовить свою часть тендерного предложения через два месяца, и у вас будет время подготовить общее тендерное предложение, которое вы, как лидер консорциума, передадите тендерному комитету.	C. m. We can have our tender ready in two months. And you will have time to prepare a comprehensive tender and submit it to the tender committee, as leader of our consortium.
Л. к. Не возражаем. По условиям тендера, все его участники должны представить банковские гарантии на сумму... Как будущий лидер консорциума, мы считаем, что каждый участник нашего консорциума должен представить банковскую гарантию на эту сумму.	C. l. No objections. Under the conditions of the tender, the consortium members are to submit bank guarantees to the sum of... As future leader of our consortium we think that each member should provide a guarantee to this sum.
Ч. к. Нам кажется, что гарантии участников консорциума должны быть пропорциональны их долевому участию.	C. m. We think that the guarantees of the members of the consortium should be proportional to their shares of the works and services.
Л. к. Хорошо, мы уточним этот вопрос во время обсуждения нашего соглашения о консорциуме.	C. l. Well, we may specify that point when we discuss the agreement on the establishment of the consortium.
Ч. к. А когда вы сможете передать нам проект соглашения об организации нашего консорциума подрядчиков?	C. m. When will you be able to hand over the draft of the consortium agreement to us?
Л. к. К концу следующей недели.	C. l. Towards the end of next week.

ПРОВЕДЕНИЕ ТОРГОВ TENDERING

ПРОВЕДЕНИЕ ТОРГОВ TENDERING

агент	**agent**
данные	**data, information**
дополнительные данные	supplementary data
неопределенные данные	ambiguous data
неполные данные	incomplete data
основные данные	basic data
предварительные данные	tentative data, provisional data
фактические данные	actual data
данные о выпуске продукции	production data
данные о производительности	performance data
отрабатывать данные	process data
получать данные	receive data
представлять данные	submit data
документ(-ы)	**document(-s)**
подтверждать документами	document
представлять документы	tender documents *for*, submit documents, present documents
документация	**documents, documentation**
тендерная документация	tender documents
в соответствии с тендерной документацией	in accordance with tender documents
комплект тендерной документации	set of tender documents
заплатить за комплект тендерной документации	pay for a set of tender documents
покупка тендерной документации	purchase of tender documents
стоимость тендерной документации	cost of tender documents
издавать тендерную документацию	issue tender documents, put out tender documents
изучать тендерную документацию	study tender documents
опубликовать тендерную документацию	put out tender documents
залог серьезности	**earnest [money]**
заказ	**bid, order**
запрос	**enquiry, inquiry**
письменный запрос	letter of enquiry

посылать запрос на...	send an enquiry for...
заявка	**tender, bid[ding]**
представление заявки	submission of tender
срок, дата представления заявки	time of submission of tender
окончательный срок представления заявки	bidding deadline
устанавливать окончательный срок представления заявки	set a bidding deadline *for*
подавать заявку	send a tender, tender, submit a tender
информация	**information**
лицо, предлагающее цену	**tenderer, bidder**
лицо, предлагающее самую высокую цену	highest bidder
лицо, предлагающее самую низкую цену	lowest bidder
материалы	**materials**
детальные материалы	detailed materials
конкурентные материалы	competitive materials
оферент	**tenderer**
оферта	**tender**
подрядчик на торгах	**tenderer, bidder**
пошлины	**dues, duties**
преференциальные пошлины	preferential dues, preferential duties
регистрационные пошлины	registration dues
платить пошлины	pay dues
предложение (*цены*)	**bid, bidding, tender**
альтернативное предложение	alternative bid
более выгодное предложение	higher bid
ложное предложение	sham bid, straw bid
конкурентоспособное предложение	competitive bid
выгодное предложение	highest bid, best bid
невыгодное предложение	lowest bid
неконкурентоспособное предложение	noncompetitive bid
первое предложение	first bid
последнее предложение	last bid
предложение по самой высокой цене	highest tender

предложение по самой низкой цене	lowest tender
делать предложение	make a bid
предпочтение	**preference**
отдавать предпочтение	give preference *to*
работы	**work[s]**
выполнение работ	execution of work[s]
сроки выполнения работ	time of the execution of work[s]
завершение работ	completion of work[s]
начало работ	commencement of work[s]
объем работ	amount of work, volume of work[s]
регистрация	**registration**
расходы по регистрации	registration charges
нести расходы по регистрации	bear registration charges
тендер	**tender**
тендерный комитет	**tender committee**
торги	**tender, bid, bidding**
закрытые торги	sealed bid, closed bidding, negotiated bidding
конкурентные торги	competitive bidding
международные торги	international bid
открытые торги	advertised bidding
совместное участие в торгах	joint bidding, joint tendering
извещение о торгах	announcement about (of) tenders
подрядчик на торгах	bidder, tenderer
участие в торгах	participation in a tender, tendering
выиграть торги	win a tender
назначать торги, объявлять торги	invite tenders *for*, invite bids *for*, call for tenders, announce tenders *for*, announce bid[ding] *for*, seek bids *for*
проводить торги	hold a tender
участвовать в торгах	participate in a tender
участник торгов	**tenderer, bidder**
регистрировать участников торгов	register tenderers, register bidders
формальности	**formalities**
местные формальности	local formalities

выполнять формальности	do formalities, go through formalities

ФРАЗЫ

Вы уже подготовили предложение?	Have you prepared your bid?
Мы подготовили...	We have prepared...
альтернативное предложение	an alternative bid
конкурентоспособное предложение	a competitive bid
предложение по самой низкой цене	the lowest tender
Какие пошлины нам придется заплатить?	What dues shall we have to pay?
Регистрационные	Registration dues
Вы выиграли тендер, не так ли?	You've won the tender, haven't you?
Да, мы предложили выгодные условия строительства объекта	Yes, we have offered favourable terms for the construction of a project
Вас устраивают сроки выполнения работ?	Does the time of the execution of the work[s] suit you?
Как вы определили объем работ по объекту?	How did you assess the amount of work[s] on the project?
На основе накопленных данных	On the basis of the data acquired
Должны ли мы выполнить какие-либо формальности?	Must we go through any formalities?
Да, местные формальности	Yes, through local formalities
Регистрация участников торгов уже началась	The registration of bidders has already begun
Каковы правила получения тендерной документации?	What are the terms of obtaining tender documents?
Мы получим для вас комплект тендерной документации	We shall obtain a set of tender documents for you
Расходы будут отнесены на ваш счет	The expenses will be charged to your account
Вы изучили тендерную документацию?	Have you studied the tender documents?
Этот проект нас заинтересует	We may be interested in this project
Кто может принять участие в этих торгах?	Who can take part in the tender?
Все, это открытый тендер	Everybody can, this is an advertised bidding
Когда следует уплатить «Залог серьезности»?	When should we pay earnest money?

Когда нас будут регистрировать как участников торгов?	When shall we be registered as bidders?
Какая окончательная дата подачи заявки?	What is the bidding deadline?
Когда мы должны прислать все данные?	When must we send all the data?
За несколько дней до окончания приема заявок	Several days before the bidding deadline

А. Вы знаете, г-н..., правительство нашей страны объявило тендер на строительство нефтеперерабатывающего завода. Вы не хотите принять участие в этих торгах?	A. You know, Mr..., the Government of our country has invited tenders for the construction of a refinery. Would you like to take part in the tender?
Пр. Да, участие в торгах входит в сферу нашей деятельности, но мы хотели бы узнать, что от нас потребуется, если мы согласимся послать свою заявку.	P. Yes, participation in tenders is in our line of business, but we would like to know what we shall have to do if we agree to send our bid?
А. Как это принято, кроме заявки вы должны прислать данные о стоимости, сроках строительства и объемах работ по уже построенным вами объектам.	A. As it stands, in addition to the bid you must submit information on cost, construction time and the amount of work[s] concerning the projects already constructed by you.
Пр. Мы постараемся сделать это без задержки, но мы хотели бы знать требования тендерного комитета.	P. We'll try and do it without delay, but we should like to know the requirements of the tender committee.
А. Разумеется, мы приобретем для вас полный комплект тендерной документации, и вы сможете изучить требования по объекту. Правда, связанные с этим расходы будут отнесены на ваш счет.	A. Certainly, we shall get a complete set of tender documents for you and you will be able to study the requirements. The expenses involved will be charged to your account, though.
Пр. Ну что же, мы не возражаем. Кстати, должны мы как-либо гарантировать наше участие в тендере?	P. Well, we don't object. By the way, must we guarantee in any way our participation in the tender?
А. Вам надо будет внести «Залог серьезности» как гарантию вашего участия до конца торгов.	A. You will have to pay "earnest money" to guarantee your participation till the end of the tender.
Пр. Это вполне справедливо. Как вы думаете, г-н..., каковы наши шансы на успех?	P. That's quite fair. What are our chances [of success], Mr...?

А. Мы знаем, что у вас большой опыт в этой области, и что вы оказываете техсодействие на выгодных условиях. Я думаю, вы можете выиграть тендер.

П. Будем надеяться. А пока мы должны обсудить ваше предложение еще раз и в ближайшее время дадим вам ответ.

А. Уверен, что он будет положительным.

A. We know that you have great experience in this field and that you render technical assistance on favourable terms. I think you may win the tender.

P. Let's hope so. And meanwhile we must consider your offer once again and we shall give our reply in the near future.

A. I'm sure it will be positive.

СОТРУДНИЧЕСТВО С АГЕНТСКИМИ ФИРМАМИ

DOING BUSINESS THROUGH AGENTS

СОТРУДНИЧЕСТВО С АГЕНТСКИМИ ФИРМАМИ	DOING BUSINESS THROUGH AGENTS
агент(-ы)	**agent(-s)**
генеральный [общий] агент	general agent
единственный агент, монопольный агент, агент с исключительным правом	sole agent, exclusive agent, agent with exclusive rights
импортный агент, агент-резидент	residing agent
сбытовой агент	sales agent
торговый агент, коммерческий агент	commercial agent, sales agent
вознаграждение агента, комиссионное вознаграждение	[agent's] commission, [agent's] rate, commission rate
обязанности агента	obligations of the agent, duties of the agent
отчет агента	account of the agent
сотрудничество через агентов	cooperation through agents
торговля через агентов	business through agents
услуги агента	services of the agent
права, предоставляемые агенту	rights of the agent
выступать в качестве агентов	act as agents, operate as agents
защищать права агентов	protect the rights of agents, safeguard the rights of agents
назначать в качестве агентов	appoint as agents
предоставлять права агенту	grant rights to agents
торговать через агентов	do business through agents
установить отношения с агентом	establish relations with agents
агентский договор *см.* **агентское соглашение**	
агентское соглашение, агентский договор	**agency agreement, agency contract**
агентское соглашение от имени...	agency agreement in the name of...
агентское соглашение по поручению...	agency agreement on behalf of...
агентское соглашение сроком на...	agency agreement for [a period of]..., agency agreement covering a period of...

проект агентского соглашения	draft agency agreement
заключать агентское соглашение	conclude an agency agreement
подписывать агентское соглашение	sign an agency agreement
расторгать агентское соглашение	cancel an agency agreement, terminate an agency agreement
составлять агентское соглашение	draw up an agency agreement, make an agency agreement
внетерриториальная оговорка	**extraterritorial sales clause**
возврат товара	**return of the goods**
вознаграждение, ставка (*агента*)	**remuneration, commission, rate**
высокая ставка	high commission, high rate
максимальная ставка	maximum commission, maximum rate
разумная ставка	reasonable (fair) commission, reasonable (fair) rate
скользящая комиссионная ставка	sliding commission rate
фиксированная комиссионная ставка	fixed commission rate
процент вознаграждения	amount of commission
размер вознаграждения	rate of commission
комиссионное вознаграждение включает...	commission rate covers...
комиссионное вознаграждение в размере...	commission rate of...
вознаграждение, уплачиваемое сверх комиссионных	remuneration over and above the commission
взимать комиссионное вознаграждение	charge a commission rate
выплачивать комиссионное вознаграждение	pay a commission rate
выплачивать комиссионное вознаграждение в валюте платежа клиента	pay a commission rate in the currency of the customer's payment
выплачивать комиссионное вознаграждение в твердой валюте	pay a commission rate in hard currency
выплачивать комиссионное вознаграждение в течение... дней после продажи товара	pay a commission rate within... days of the sale of the goods
выплачивать комиссионное вознаграждение за заказ, полученный через агента	pay a commission rate for the order obtained through the agent
выплачивать комиссионное вознаграждение после акцепта принципалом	pay a commission rate after the principal's acceptance *of*

выплачивать комиссионное вознаграждение после получения платежей от заказчика	pay a commission rate upon (after) receipt of payment[s] from the customer
выплачивать комиссионное вознаграждение после поставки товара	pay a commission rate upon (after) delivery
изменять комиссионное вознаграждение	change a commission rate
оговаривать комиссионное вознаграждение	stipulate a commission rate
пересматривать комиссионное вознаграждение	revise a commission rate
получать комиссионное вознаграждение	receive a commission rate
снизить комиссионное вознаграждение	reduce a commission rate
устанавливать комиссионное вознаграждение	state a commission rate
делькредере	**del credere**
комиссия на делькредере	del credere commission
работать на основе делькредере	work on a del credere basis
демонстрационный зал	**show room**
открывать демонстрационный зал	open a show room
открывать демонстрационный зал за *чей-либо* счет	open a show room at *smb.'s* expence
эксплуатировать демонстрационный зал	run a show room
дистрибьютор	**distributor**
договорная территория	**contractual territory, agreed territory**
определять договорную территорию	define the contractual territory
заказ	**order**
заказ для принципала	order of the principal
изыскивать заказы для принципала	obtain orders for the principal, solicit orders for the principal
запасные части	**spare parts**
запас запасных частей	stock of spare parts
склад запасных частей	warehouse of spare parts
иметь склад запасных частей	keep spare parts, stock spare parts
снабжать потребителей запасными частями	provide customers with spare parts, provide clients with spare parts
запродажа(-и)	**sale(-s)**
отчет о запродажах	sales accounts

посылать отчет о запродажах	send a sales account
предоставлять отчет о запродажах	present a sales account
обеспечить запродажи	provide sales
затрат(-ы)	**expense(-s)**
перечень затрат	list of expenses
составлять перечень затрат	make a list of expenses, list expenses
защита	**protection, safeguarding**
защита монопольных прав	protection of sole (exclusive) rights, safeguarding of sole (exclusive) rights
индент	**indent**
информация	**information**
информация о валютных и таможенных правилах в стране агента	information of currency and customs rules in the agent's country
информация о дефектах в оборудовании, проданном заказчику (клиенту)	information of defects in the equipment sold to the customer (client), information of faults in the equipment sold to the customer (client)
информация о деятельности агентов	information of the activities of the agents
информация о неплатежеспособности клиентов	information of insolvency of customers
информация о новых видах изделий, появляющихся на рынке	information of new kinds of products on the market, information of new kinds of goods on the market
информация о платежеспособности клиентов	information of solvency of customers
информация о политике запродаж	information of sales policy
информация о правилах регулирования импорта в стране агентов	information of import regulations in the agent's country, information of import
информация о состоянии конъюнктуры рынка	information of market condition
предоставлять [принципалу] информацию о...	keep the principal informed..., send information on... [to the principal], present information on... [to the principal]
кампания	**campaign**
широкая кампания	wide campaign
кампания по рекламе	publicity campaign, advertising campaign, sales promotion campaign

начать кампанию по рекламе оборудования	start an advertising campaign, open an advertising campaign
организовывать кампанию по рекламе оборудования	arrange a publicity campaign, arrange an advertising campaign
проводить кампанию по рекламе оборудования	run a publicity (advertising) campaign, conduct a publicity (advertising) campaign, carry a publicity (advertising) campaign
клиент-покупатель	**customer, client**
обслуживать клиентов-покупателей после запродаж	give after-sale service
посещать клиентов-покупателей	visit customers
консигнант (*владелец товара, посланного на консигнацию*)	**consignor**
обязанности консигнанта	obligations of a consignor
консигнатор (*лицо, которому послан товар на консигнацию*)	**consignee**
обязанности консигнатора	obligations of a consignee
консигнационный склад	**consignment warehouse**
консигнационный товар	**consignment stock**
расходы по содержанию консигнационного товара	expenses on the storage and maintenance of a consignment stock
продавать консигнационный товар	sell a consignment stock, handle a consignment stock
содержать консигнационный товар на складе	keep a consignment stock
консигнация	**consignment**
консигнация сроком в... месяца	consignment for a period of... months
условия консигнации	consignment terms
поставлять товар на консигнацию	send goods on consignment
продавать на условиях консигнации	sell on a consignment basis
меры	**measures**
меры для обеспечения сбыта товара	sales promotion measures
меры к защите прав принципала	safeguarding of the principal's rights, protection of the principal's rights
принимать меры	take measures, take action
наблюдение	**supervision**
наблюдение за выполнением проектных работ	supervision for (of) carrying out design work

наблюдение за разгрузкой оборудования	supervision for (of) unloading the equipment
наблюдение за транспортировкой оборудования	supervision for (of) the transportation of the equipment
наблюдение за хранением оборудования	supervision for (of) the storage of the equipment
обеспечивать наблюдение	guarantee supervision
неконкурентность	**non-competitiveness**
оговорка о неконкурентности	non-competitiveness clause
включить оговорку о неконкурентности	include a non-competitiveness clause, insert a non-competitiveness clause
неплатежеспособность [покупателя]	**insolvency [of the customer]**
неуплата цены [со стороны покупателя]	**failure to pay [on the part of the customer], non-payment [on the part of the customer]**
образец	**sample, model, specimen**
посылать образцы	send samples
предоставлять образцы	present samples, provide samples
объем услуг	**amount of services, range of services**
оговаривать объем предоставляемых услуг	stipulate the amount of services, stipulate the range of services
обязанности	**obligations, duties**
обязанности агента	obligations of the agents
обязанности принципала	obligations of the principal
брать на себя обязанности	undertake obligations
покупная цена	**purchase price**
процент от покупной цены	percentage of the purchase price
послепродажное обслуживание	**after-sale service**
осуществлять послепродажное обслуживание	give after-sale service, provide after-sale service
право(-а)	**right(-s)**
монопольное право	sole right, exclusive right
защита монопольных прав	protection of sole rights
нарушение монопольных прав	infringement of sole rights
несоблюдение монопольных прав	non-observance of sole rights
права агентов	agents' rights
права принципала	principal's rights
право платить в кредит	the right to credit terms
право платить отдельными взносами	the right to pay by instalments
предоставлять право	grant a right

принципал	**principal**
инструкции принципала	instructions of the principal
интересы принципала	interests of the principal
обязанности принципала	obligations of the principal, duties of the principal
права принципала	rights of the principal
товар принципала	goods of the principal
рабочая модель	**working model**
демонстрировать рабочую модель	show a working model
расход(-ы)	**charge(-s)**
регистрационные расходы	registration charges
нести регистрационные расходы	pay registration charges
регистрация	**registration**
регистрация торговой марки	registration of a trade mark
рекламный материал	**publicity material (matter), advertising material (matter), promotion material (matter), sales material (matter)**
рекламный материал на... языке	publicity material in..., advertising matter in...
возвращать рекламный материал	return publicity material
высылать рекламный материал	send publicity material
предоставлять рекламный материал	provide publicity material, submit publicity material
публиковать рекламный материал	publish publicity material
согласовывать содержание рекламного материала	agree about the contents of the publicity material
рынок	**market**
освоить рынок	get into the market
появиться на рынке	enter the market
проникать на рынок	penetrate the market, introduce goods on the market
сбыт	**sale(-s)**
организовать сбыт	promote sales
субагент	**subagent**
сеть субагентов	network of subagents
сеть субагентов по продаже	sales subagents, distributive network
сеть субагентов по техническому обслуживанию	after-sale service subagents
создать сеть субагентов	find subagents

техническое обслуживание	**after-sale service**
обеспечить техническое обслуживание оборудования	give after-sale service, render after-sale service
третье(-и) лицо(-а) *см.* **третья(-и) страна(-ы)**	
третья(-и) страна(-ы),	**third party(-ies)**
третье(-и) лицо(-а)	
вознаграждение третьим лицам	commission to third parties
посредничество третьих стран	cooperation with (through) third parties, mediation of third parties
поставки третьим странам	deliveries to third parties
цена сделки	**price of transaction, sale price**
контролировать цену сделки	check the price of a transaction
экспедитор	**shipping agent, forwarding agent**

ФРАЗЫ

Вы получили наш проект агентского соглашения?	Have you received our draft agency agreement?
Да, и практически готовы подписать его. Хотелось бы только уточнить круг обязанностей Агентов	Yes, and we are ready to sign it. We'd like to clear up the range of Agents' activities
Мы готовы заключить монопольное агентское соглашение сроком на 1 год	We are prepared to conclude a sole agency agreement for one year
Это разумно. Если сотрудничество будет плодотворным, мы продлим соглашение	That's reasonable enough. If the cooperation proves to be fruitful we'll extend the agreement
Вас устраивает размер комиссионных?	Does the commission rate suit you?
Не совсем. Мы считаем необходимым увеличить их до...% от общего объема запродаж	Not quite. We would like it to be increased up to...% of the total sales
Как будут выплачиваться комиссионные?	How are you going to pay the commission?
После получения платежей от Заказчика. И конечно в валюте его платежей	After receipt of payments from the Customers. And in the currency of their payment[s] of course
Каковы обязанности Агентской фирмы?	What are the obligations of the Agents?
Фирма обязуется изыскивать заказы для Принципала, контролировать их исполнение и гарантировать поступление платежей	They undertake to obtain orders for the Principals, supervise the execution of them and guarantee payment[s] from the Customers

Обязан ли Агент представлять информацию о состоянии рынка?	Will the Agents present information on the market condition?
Да, также как и подробные отчеты о своей деятельности, деятельности конкурентов и новых видах изделий на рынке	Yes, as well as detailed accounts of their activity, competitors and new kinds of products on the local market
Каковы обязанности Агентов в связи с выполнением контрактов «под ключ»?	What are the duties of the Agents on "turn-key" contracts?
Мы хотели бы, чтобы Агенты обеспечивали наблюдение за разгрузкой, транспортировкой и хранением нашего оборудования	We'd like the Agents to supervise unloading, transportation and storage of the equipment
Это монопольное агентское соглашение?	Is this a sole agency agreement?
Не совсем. Принципал имеет право передать товар третьим лицам, поскольку товар представляет собой часть компенсационной сделки	Not quite. The Principal has the rights to transfer the goods to a third party since the goods make part of a compensation transaction
Оборудование будет посылаться на консигнацию?	Will the equipment be sent on consignment?
Да, сроком на 12 месяцев. По истечении этого срока непроданный товар возвращается	Yes, for 12 months. When the period expires the unsold goods will be returned
Как выплачивается вознаграждение Консигнатору?	How is the commission [to be] paid to the Consignee?
Обычно это процент от стоимости товара, проданного с консигнационного склада	Usually it's some percentage of the value of the goods sold from the consignment stock
Что означает внетерриториальная оговорка?	What does the extraterritorial sales clause mean?
Она означает, что Агент может продавать товар за пределами договорной территории	It means that the Agents have the right to sell the goods outside the contractual territory
Что включается в размер комиссионных?	What does the commission cover?
Общий объем услуг Агентов за вычетом расходов на упаковку и транспортировку, стоимости страхования, уплаты пошлин, налогов и сборов и некоторых других расходов	The Agents' total range of services except [for] packing and transportation expenses, insurance, dues and taxes and some other expenses
Вы указали в соглашении минимальную квоту запродаж?	You have indicated a minimum sales quota in the agreement, haven't you?
Да, она установлена на год. Если Агент превысит ее, он получит дополнительные комиссионные в размере...%	Yes, it's fixed for one year. If the Agents exceed it they will get an extra commission of...%

Может ли Заказчик (Клиент) не уплатить за проданнный Агентом товар?	Is it possible that the Customer may fail to pay for the goods sold through the Agents?
Это может случиться, но Агент должен заплатить делькредере в размере...	Yes, it may happen, but the Agents will have to pay a del credere commission of...
Кто отвечает за организацию кампании по рекламе товара?	Who is responsible for running a publicity campaign?
Обычно Агент. Но Принципал делает значительный вклад в эту кампанию	Usually the Agents are. But the Principals make a considerable contribution to the campaign
Агент проводит кампанию по рекламе за свой счет?	Do the Agents run a publicity campaign at their expense?
Да, но в таких случаях Принципал высылает Агенту бесплатно образцы, чертежи, каталоги, рекламные материалы	They do, but in such cases the Principals send them free samples of goods, drawings, catalogues and publicity material
Какие отчеты посылает Агент Принципалу?	What accounts do the Agents send to the Principals?
Отчеты о запродажах, в сроки, установленные соглашением. Они показывают, как Агент организует сбыт продукции	Sales accounts in the time(s) shown in the Agency Agreement. They show the distribution progress
А каковы обязанности Принципала?	What are the duties of the Principals?
Он обязан представить рекламный материал и держать Агента в курсе всех условий сделок, изменений в цене контрактов, которые будет заключать Агент	They are to present publicity material, to keep the Agents informed of terms of sales or changes in the prices for the contracts to be made through Agents
Может ли Принципал контролировать цены сделок, которые заключает Агент?	Can the Principals check the prices of sales concluded through the Agents?
Да, особенно если меняется валютный курс	Yes, particularly if the exchange rate changes
Должен ли Агент постоянно защищать интересы Принципала?	Is the Agent expected to protect the Principals' interest[s]?
Да, добросовестные Агенты всегда это делают	Yes, reliable Agents always do that
Для чего создается сеть субагентов?	What is the purpose of the distributive network?
Они организуют помощь в сбыте товаров и обеспечивают техническое обслуживание оборудования, проданного через Агентов	The Subagents help to arrange distribution and after-sale service of the equipment sold through Agents
Как Клиенты снабжаются запчастями к закупленному оборудованию?	How can the Customers obtain spare parts for the equipment they bought?

Обычно Агенты снабжают покупателей запчастями. Они имеют склад запчастей для этой цели	The Agents usually provide spare parts. They keep a stock of spares for the purpose
Чем занимаются экспедиторы?	What do shipping agents do?
Они фрахтуют тоннаж для транспортировки товара	They charter tonnage for transportation

А. Нам хотелось бы обсудить вопрос о размере комиссионного вознаграждения.	A. We would like to discuss the amount of commission.
П. Мы предлагаем комиссионные в размере...% от общей стоимости годовых запродаж.	P. We suggest a commission rate of ...% of the total value of annual sales.
А. Я думаю, что...% будет недостаточно при том объеме услуг, который мы предоставляем. К тому же конкуренция со стороны других фирм будет острой.	A. I don't think that...% will be sufficient considering the range of services we are offering. Also, the competition is very high.
П. Но мы обязуемся представить все рекламные материалы, персонал для работы демонстрационного зала и оплатить его работу.	P. But we undertake to provide all the publicity material and the staff to run a show room. We also undertake to pay for the show room operation expenses.
А. Значит все расходы по рекламе будут за ваш счет?	A. Does that mean that all the publicity expenses will be covered by you?
П. Около...%. Материалы будут представлены на английском языке.	P. About...% of them. Publicity materials will be presented in English.
А. Хорошо, тогда мы сможем согласиться на...% комиссионных в течение первого года действия соглашения.	A. Good, then we can agree to the...% commission in the first year the agency is operating.
П. Да, по истечении года мы вернемся к этому вопросу.	P. All right, and when the first year is out we'll return to the matter.
А. А как будут выплачиваться комиссионные?	A. And how will the commission be paid?
П. Наша обычная практика — оплата ежеквартально, против ваших счетов.	P. Our usual practice — quarterly payments against your invoices.
А. Это вполне нас устраивает.	A. That suits us perfectly.

ЗАПРОДАЖА ЛИЦЕНЗИЙ, НОУ-ХАУ, ИНЖИНИРИНГ

SALE OF LICENCES, KNOW-HOW, ENGINEERING

ЗАПРОДАЖА ЛИЦЕНЗИЙ, НОУ-ХАУ, ИНЖИНИРИНГ

SALE OF LICENCES, KNOW-HOW, ENGINEERING

авторское право	**copyright**
временная охрана авторского права	ad interim copyright
международное авторское право	international copyright
нарушение авторского права	piracy
передача авторского права	assignment of copyright
авторское право, основанное на общем правиле	common law copyright
авторское право, установленное законом	statutory copyright
авторское право заявлено, охраняется	copyright reserved
авторское свидетельство	**copyright certificate, certificate of authorship**
авторское свидетельство на изобретение	copyright certificate on invention
выдавать авторское свидетельство	issue a copyright certificate, grant a copyright certificate
агент	**agent**
патентный агент	patent agent
зарегистрированный патентный агент	chartred patent agent
банк	**bank**
центральный банк	central bank
ограничения центрального банка	central bank restrictions
бюро	**agency, office, bureau**
информационное бюро	office of information
патентное бюро	patent brokers' office
бюро патентных поверенных	patent office, patent bureau
бюро юриста по патентам	patent agency
вознаграждение	**commission, award, remuneration**
авторское вознаграждение изобретателю	award to the inventor
единовременное вознаграждение	lump sum remuneration
лицензионное вознаграждение	licence remuneration

минимальное вознаграждение	minimum remuneration
ставка вознаграждения	rate of commission
документ(-ы)	**document(-s)**
лицензионные документы	licence documents
оформление лицензионных документов	presentation of licence documents
правильность оформления лицензионных документов	correctness of presentation of licence documents
обработка документов	document processing
жалованная грамота	**letters patent**
закон	**law**
закон о патентах	patent law
защита	**protection**
правовая защита	legal protection
отсутствие правовой защиты	lack of legal protection
обеспечить правовую защиту	provide [for] legal protection
защита путем патентирования	patent coverage
заявка(-и)	**application(-s)**
конвенционная заявка	Convention application
иностранная конвенционная заявка	foreign Convention application
заявка на патент	patent application
обработка заявок	processing of applications
знания	**knowledge**
комплекс знаний	set of knowledge
передача знаний	transfer of knowledge
продажа знаний в виде ноу-хау	sale of knowledge as know-how
издательское право	**copyright**
изобретатель	**inventor**
поверенный изобретателя	agent for an inventor
изобретение(-я)	**invention(-s)**
запатентованное изобретение	patented invention
использовать запатентованное изобретение	use patented invention
капиталоемкое изобретение	capital-using invention, capital-intensive invention
капиталосберегающее изобретение	capital-saving invention
патентоспособное изобретение	patentable invention
трудоемкое изобретение	labour-using invention, labour-intensive invention

трудосберегающее изобретение	labour-saving invention
автор изобретения	author of invention
авторство на изобретение	authorship to invention, inventorship
объем изобретения	scope of invention
приоритет изобретения	priority of invention
продажа изобретения	sale of invention
рынок изобретений	market of inventions
изобретение, охраняемое патентом	invention covered by a patent
переуступать [свое] изобретение	transfer [one's] invention, assign an invention
присваивать изобретение	pirate an invention
инжиниринг	**engineering**
базисный инжиниринг	basic engineering
детальный инжиниринг	detailed engineering
комплексный инжиниринг, общий инжиниринг	general engineering
конкурентоспособный инжиниринг	competitive engineering
консультативный инжиниринг	consultative engineering
полный инжиниринг	complete engineering
договор на инжиниринг	agreement on engineering
инжиниринг на современном уровне	updated engineering
продажа инжиниринга	sale of engineering
разрешение продажи инжиниринга	permission to sell engineering
договориться об инжиниринге	agree upon engineering, come to terms about engineering
оказывать услуги типа инжиниринга	render services in form of engineering
осуществлять инжиниринг	carry out engineering
предлагать инжиниринг	offer engineering
информация	**information**
конфиденциальная информация	confidential information
объем конфиденциальной информации	volume of confidential information
передача конфиденциальной информации	transfer of confidential information
безвозмездная передача конфиденциальной информации	free of charge transfer of confidential information
патентная информация	patent information

обработка патентной информации	processing of patent information
исследование(-я)	**research**
патентные исследования	patent research
компания	**company**
дочерняя компания	associated company
компания с ограниченной ответственностью	limited-liability company
[профессиональная] компетенция	**expertise**
конкурент	**competitor**
конкурент в сфере лицензионной деятельности	licence competitor
концерн	**concern**
крупный концерн	major concern
координация	**coordination**
лицензиар (*владелец ноу-хау*)	**licensor, grantor of licence**
лицензиат (*заказчик*)	**licensee, licentiate, licence-holder, grantee of licence**
лицензионное соглашение	**licence agreement**
общее лицензионное соглашение	general licence agreement
перекрестное лицензионное соглашение	cross licence agreement, cross licensing agreement
одобрение лицензионного соглашения	approval of a licence agreement
платежи по лицензионным соглашениям	payments on licence agreements
подготовка лицензионного соглашения	preparation of a licence agreement
срок действия лицензионного соглашения	validity of a licence agreement
заключать лицензионное соглашение	conclude a licence agreement
подписывать лицензионное соглашение	sign a licence agreement
лицензионный паспорт	**licence passport**
лицензионный платеж *см.* **роялти**	
лицензирование	**licensing**
взаимное лицензирование	mutual licensing
комплексное лицензирование	package licensing
перекрестное лицензирование	cross licensing
принудительное лицензирование	compulsory licensing
объем лицензирования	scope of licensing

лицензия(-и)	**licence(-s)** (*GB*), **license** (*US*)
генеральная лицензия	bloc licence
глобальная лицензия	global licence
импортная лицензия	import licence
исключительная лицензия	exclusive licence, sole licence
открытая общая лицензия	open general licence
патентная лицензия	patent licence
полная лицензия	exclusive licence
принудительная лицензия	compulsory licence
простая лицензия	open licence, nonexclusive licence, ordinary licence, simple licence
свободная лицензия	free licence
сопутствующая лицензия	forwarding licence
экспортная лицензия	export licence
владелец лицензии *см.* **лицензиар**	
выдача лицензии	issue of a licence
закупка лицензий	purchase of licences
запрос экспортной лицензии	enquiry about export licence
лицензия на использование изобретения	licence to use invention
лицензия на ноу-хау	know-how licence
лицензия на перегрузку товара	transhipment licence
лицензия на сбыт	selling licence
объем лицензии	scope of licence
покупка (продажа) лицензий	purchase (sale) of licences
по лицензии	under licence
получение необходимых лицензий	obtaining necessary licences
приобретение лицензий	obtaining licences
разрешение на приобретение лицензий	permission to obtain licences
продажа лицензий на коммерческих условиях	sale of licences on commercial terms
стоимость лицензии	cost of licence
расчет стоимости лицензий	calculation of the cost of licence
выдавать лицензию	issue a licence, grant a licence
получать необходимую лицензию	obtain a necessary licence
продавать лицензии	sell licences
производить продукцию по лицензии	produce goods under licence
материалы	**materials**
лицензионные материалы	licence materials

исходные лицензионные материалы	initial licence materials
представление исходных лицензионных материалов	submission of initial licence materials
проработка исходных лицензионных материалов	study of initial licence materials
сводные материалы	cumulative materials, summary materials
непатентоспособный	**not patentable**
наименование	**name, denomination**
фирменное наименование	firm's name
наименование заявителя	denomination of applicant
наименование изобретения	denomination of invention
налог(-и)	**tax(-es)**
взимаемые налоги	chargeable taxes
дополнительный налог	surtax
специальный налог	special tax
освобождение от налогов	tax exemption
вводить налоги	impose taxes
освобождать от налогов	exempt from taxes
непатентоспособный	**not patentable**
ноу-хау	**know-how**
незапатентованное ноу-хау	unpatented know-how
неразглашенное ноу-хау	undisclosed know-how
общее ноу-хау	general know-how
разглашенное ноу-хау	disclosed know-how
техническое ноу-хау	technical know-how
технологическое ноу-хау	technological know-how
использование ноу-хау	use of know-how
ноу-хау лицензиара	licensor's know-how
ноу-хау на изготовление	manufacturing know-how
объем передаваемого ноу-хау	volume of the transferred know-how
передача ноу-хау	transfer of know-how
договор на передачу ноу-хау	agreement on the transfer of know-how
контракт на передачу ноу-хау	contract for the transfer of know-how
осуществлять передачу ноу-хау	transfer know-how
перечень ноу-хау	list of know-how
ноу-хау, оформленное для продажи по лицензии	know-how available for licensing
ноу-хау, предоставленное по лицензии	licensed know-how

продавать ноу-хау	transfer know-how
образец	**design, sample, model, pattern**
промышленный образец	industrial design, industrial model
запатентованный промышленный образец	patented [industrial] design
зарегистрированный промышленный образец	registered design, registered pattern
патентоспособный промышленный образец	patentable design
патент на промышленный образец	design patent
опыт	**experience**
производственный опыт	know-how
технический опыт	technical experience
передача технического опыта	transfer of technical experience
открытие	**discovery; breakthrough**
патент	**patent, letters patent**
действующий патент	existing patent, live patent unexpired patent, valid patent, patent in force
основной патент	main patent, basic patent
отечественный патент	domestic patent, home patent, national patent
владелец патента	patent holder, patentee
описание патента	patent specification
патент на изобретение	patent for invention
патент с истекшим сроком действия	expired patent, lapsed patent
передача (*переуступка*) патента	patent assignment
права из патента	patent rights
взять патент	take out a patent
выдавать патент	grant a patent, issue a patent
объединять патенты	pool patents
патентная грамота	**letters patent**
патентное обеспечение	**patent cover**
патентование	**patenting**
объем патентования	scope of patenting
целесообразность патентования	expediency of patenting
патентоспособность	**patentability**
критерий патентоспособности	yardstick of invention
патентоспособный	**patentable**

платеж	**payment**
лицензионный платеж	licence payment, licence royalty
минимальный лицензионный платеж	minimum licence payment
паушальный платеж	lumpsum payment
показатели	**performance**
гарантированные показатели	guaranteed performance
пошлина	**duty, fee, tax**
гербовая пошлина	stamp duty
патентная пошлина	patent fee, patent tax, tax on a patent
ежегодная патентная пошлина	patent annuity
право(-а)	**right(-s)**
авторское право	copyright
законное право	vested right
исключительное право	exclusive right, prerogative right
монопольное право	sole right, monopoly right
гарантировать монопольное право	guarantee a sole right
нарушенное право	infringed right
патентное право	patent right
охрана патентных прав	protection of patent rights
передаваемое право	transferred right
преимущественное право	prior right, underlying right
промышленное право	industrial right
передача права на использование ноу-хау	transfer of the right to use know-how
право выдачи лицензий	right to grant licences, right to issue licences
право на использование изобретения	right to use invention, right to utilization of invention
исключительное право на использование изобретения	exclusive right to utilization of invention
отказываться от *своих* прав	surrender *one's* rights
прибыль	**profit**
дополнительная прибыль	extra profit
обеспечивать получение добавочной прибыли	ensure extra profit
приоритет	**priority**
конвенционный приоритет	convention priority
продукция	**products, produce**
лицензируемая продукция	licensed products, produce of licence
патентоспособная продукция	patentable products

производство продукции	manufacture of products
секрет производства продукции	secret of production, know-how
сбывать продукцию	sell products
проектирование	**designing**
производство	**production**
«секрет» производства	know-how
сфера производства	sphere of production
управление производством	management of production
пул	**pool**
патентный пул	patent pool
работа	**work**
лицензионная работа	licence work
организация лицензионной работы	arrangement of licence work
участие в лицензионной работе	participation in licence work
разрешение	**permission**
получение разрешения	obtaining permission
роялти, лицензионный платеж	**royalty**
договорное роялти	contractual royalty
справедливое роялти	reasonable royalty
ступенчатое роялти	graduated scale royalty
размер роялти	rate of royalty
твердый размер роялти	fixed rate of royalty
установленный размер роялти	established royalty
роялти за ноу-хау	know-how royalty
роялти, определенное в судебном порядке	judicially determined royalty
роялти, рассчитанное в процентах от продажной цены	royalty stated as a percent of selling price
роялти, рассчитанное в процентах от чистого дохода	royalty stated as a percent of net profits
роялти, убывающее с увеличением объема продукции	royalty decreasing with expansion of output
роялти, уплачиваемое с единицы продукции	unit royalty
рынок лицензий	**licence market**
устойчивый рынок лицензий	stable licence market
соавторство	**joint authorship, co-authorship**
собственность	**property**
промышленная собственность	industrial property
охрана промышленной собственности	protection of industrial property

спор	**dispute, argument**
патентный спор	patent dispute, patent litigation, patent conflict
сублицензия	**sublicence**
выдавать сублицензию	grant a sublicence, issue a sublicence
технология	**technology**
передача технологии	transfer of technology
передавать технологию	transfer technology
товарный знак	**trade-mark**
владелец товарного знака	grantee of trade-mark
[за]регистрировать товарный знак	register trade-mark
условия лицензионного соглашения	**terms of a licence agreement**
услуги	**services**
инжиниринговые услуги	engineering
выполнять инжиниринговые услуги	carry out engineering
фабричная марка	**trade-mark, trademark**
фирма	**firm, company, agency**
патентная фирма	patent agency
формуляр	**card, ticket**
патентный формуляр	patent card
экспертиза	**examination, examining**
беспристрастная экспертиза	fair examination
государственная экспертиза	state examination
заключительная экспертиза	final examination
контрольная экспертиза	control examination
независимая экспертиза	independent examination
объективная экспертиза	fair examination
окончательная экспертиза	final examination
отложенная экспертиза	deferred examination, postponed examination, suspended examination
отсроченная экспертиза	deferred examination, postponed examination
патентная экспертиза	patent examination
полная экспертиза	complete examination, full examination
предварительная экспертиза	preliminary examination
специальная экспертиза	specialized examination
срочная экспертиза	prompt examination
тщательная экспертиза	strict examination

ускоренная экспертиза	accelerated examination
формальная экспертиза	examination as to form, formal examination
экспертиза заявки	examination of application
экспертиза на новизну	examination as to novelty
экспертиза на осуществимость	examination as to practicability
экспертиза на патентоспособность	examination as to patentability
экспертиза на полезность	examination as to utility
экспертиза товарного знака	trademark examination
проводить экспертизу	carry out examination, examine

ФРАЗЫ ▲

Что входит в лицензионное соглашение?	What does a licence agreement cover?
В лицензионное соглашение входит передача...	A licence agreement includes the transfer of...
патентного права	patent right
знаний	knowledge
технического опыта	technical experience
«секретов» производства	"secrets" of production
Что такое ноу-хау?	What is know-how?
Это комплекс знаний и опыта, необходимых для освоения «секрета» производства	This is a set of knowledge and experience to master the "secret" of production
Почему вы неохотно патентуете свои изобретения?	Why are you unwilling to patent your inventions?
Мы предпочитаем продавать их в виде ноу-хау	We prefer to sell them as know-how
Эта лицензия (не) предусматривает правовую защиту	This licence (does not provide) provides for the legal protection
В каких случаях продажа лицензий на ноу-хау особенно популярна?	In what cases is the sale of know-how licences especially popular?
При оказании технического содействия в сооружении и эксплуатации промышленных объектов	While rendering technical assistance in the construction and running of industrial enterprises
Изобретатель, как правило, переуступает свое изобретение другому лицу	An inventor normally transfers his invention to another person
Что указывается в патенте?	What does a patent list?
В нем указывается...	It lists the...
приоритет изобретения	priority of invention
исключительное монопольное право на использование изобретения	exclusive sole right to use the invention

Только патентовладелец имеет право на использование изобретения	Only a patent holder has the right to use the invention
Когда будет утвержден промышленный образец этого изделия?	When will the industrial design of this article be approved?
Как только будет проведена экспертиза	As soon as the expert-examination is carried out
Товарные знаки указываются, чтобы отличить товары одного предприятия от товаров других предприятий	The trademark is specified to distinguish items of one enterprise from those of other enterprises
Фирменное наименование охраняется промышленным правом	The trademark is protected by industrial right
Как передается право на изобретение?	How is the right to invention transferred?
Лицензиар выдает разрешение-лицензию лицензиату пользоваться этим правом	The licensor grants a licence-permission to the licensee to use this right
Кем выдается сублицензия?	Who is a sublicence granted by?
Владельцем... лицензии	By the holder of... licence
полной	a full
простой	an open
исключительной	an exclusive
В каком случае выдается (-ются)...?	When is (are) the... granted?
авторское свидетельство	copyright certificate
лицензионные документы	licence documents
Заявка может быть сделана на...	An application can be made for a...
патентоспособное изобретение	patentable invention
трудосберегающее изобретение	labour-saving invention
детальный инжиниринг	detailed engineering
комплексный инжиниринг	general engineering
основной патент	basic patent
отечественный патент	domestic patent
Мы хотели бы получить... лицензию	We would like to obtain... licence
импортную	an import
«исключительную»	an exclusive
патентную	a patent
экспортную	an export
Я рад, что мы договорились о...	I'm glad that we've agreed upon a...
консультативном инжиниринге	consultative engineering
конвенционной заявке	convention application
ставке вознаграждения	rate of commission

передаче конфиденциальной информации	transfer of confidential information
лицензионном соглашении	licence argeement
Мы тщательно изучили...	We have thoroughly studied...
лицензионные материалы	licence materials
перечень ноу-хау	list of know-how
договор на передачу ноу-хау	agreement on the transfer of know-how
патент на изобретение	patent for the invention
Мы можем предоставить вам...	We can grant you...
исключительное право	an exclusive right
монопольное право	a sole right
патентное право	a patent right
промышленное право	an industrial right
право на использование изобретения	a right to use inventions

ДИАЛОГИ

Лцр. Мы можем приступить к делу, г-н...	Lr. We can get down to business now, Mr...
Лцт. Да, конечно. Нас заинтересовало ваше предложение на продажу «ноу-хау» на производство конвертеров.	L-e. Yes, certainly. We are interested in your offer for the selling of know-how on the manufacture of converters.
Лцр. Рад это слышать. И к какому выводу вы пришли?	Lr. I'm glad to hear that. And what conclusion have you come to?
Лцт. Нас устраивает такой вид сотрудничества, но, прежде чем мы дадим окончательный ответ, я хотел бы уточнить некоторые положения.	L-e. This type of cooperation suits us perfectly but before we give our final reply I'd like to clear up some points.
Лцр. Я к вашим услугам, г-н...	Lr. I'm at your service, Mr...
Лцт. В чем отличие приобретения права на использование изобретения от ноу-хау?	L-e. What is the difference between buying the right to use inventions and know-how?
Лцр. Дело в том, что в настоящее время приобретения только права на производство недостаточно, а при продаже лицензий на ноу-хау лицензиату передается так называемый «секрет» производства.	Lr. The thing is that at the present time it's not enough to buy only the right to manufacture, while know-how licences go to the licence complete with the so called production secrets.
Лцт. А что конкретно подразумевается под этим понятием?	L-e. What exactly does this term mean?
Лцр. Это значит, что лицензиату предоставляется информация в виде технических проек-	Lr. It means that the licensee is provided with information in terms of DPR, drawings, techno-

тов, чертежей, технологических инструкций. Все это раскрывает секреты Поставщика в данной области.

logical instructions. All this reveals the Supplier's secrets in this field.

Лцт. Спасибо за разъяснение, г-н... А каков срок действия нашего будущего соглашения?

L-e. Thank you for the clarification, Mr... And how long will this agreement be valid?

Лцр. Мы предлагаем... лет с правом лицензиата продлить его еще на... лет.

Lr. We offer... years, the licensee having the right to prolong it for another... years.

Лцт. Это нас устраивает. Да, мы не обсудили еще вопрос о вознаграждении.

L-e. That suits us. Oh, yes, we haven't yet discussed the question of commission.

Лцр. Лицензионным договором предусматривается отчисление... от стоимости запродаж в течение первых 5-ти лет и... в течение остальных лет действия договора.

Lr. The licence treaty provides [for]... allocations of the sales cost during the first five years and... during the remaining years that the treaty is in force.

Лцт. Я думаю, что мы еще раз все обсудим и продолжим с вами разговор через неделю.

L-e. I think we should discuss it all once again and continue the talk with you in a week.

Лцр. Будем рады встретиться снова. До свидания.

Lr. We shall be glad to see you again. Good-bye.

Лцт. До свидания.

L-e. Good-bye.

ТРАНСПОРТНЫЕ ОПЕРАЦИИ — TRANSPORTATION

ТРАНСПОРТНЫЕ ОПЕРАЦИИ — TRANSPORTATION

аварийный бонд (*аварийная гарантия*)	**average bond**
подписывать аварийный бонд	sign average bond
авария	**average, accident**
агент	**agent**
генеральный агент по фрахтовым операциям	general freight agent
консигнационный агент	agent carrying stocks
судовой агент	ship agent
торговый агент	commercial agent
транспортный агент	carrier agent
фрахтовый агент	chartering agent, freight agent
агент по транспортной обработке груза	cargo handling agent
агентское вознаграждение	**agency fee, agent's fee**
агентство	**agency**
транспортное агентство	transport agency, [cargo] agents
совместное транспортное агентство	joint agents
транспортное агентство по продаже билетов	ticket agents
транспортно-экспедиционное агентство	forwarding agency
акт	**report, certificate**
коммерческий акт	commercial report
удостоверять коммерческий акт	certify a commercial report
аэропорт	**airport**
коммерческий аэропорт	commercial airport
международный аэропорт	international airport
таможенный аэропорт	customs airport, airport of entry
аэропорт вылета	airport of departure
аэропорт назначения	airport of destination
багаж	**luggage, baggage**
зарегистрированный багаж	checked baggage, registered baggage

несопровождаемый багаж	unaccompanied baggage
ручной багаж	hand luggage, personal luggage
сопровождаемый багаж	accompanied baggage
досмотр багажа	luggage examination
доставка багажа	delivery of luggage
просрочка в доставке багажа	delay in the delivery of luggage
излишек багажа	excess baggage
норма бесплатного багажа	free baggage allowance
повреждение багажа	damage to the luggage
порча багажа	damage to the luggage
утрата багажа	loss of luggage
сдавать вещи в багаж	book luggage, register luggage
баратрия (*баратерия*)	**barratry**
баржа	**barge**
грузовая баржа	cargo barge
морская баржа	sea[going] barge
наливная баржа	tank barge
несамоходная баржа	dump barge, nonself-propelled barge
портовая баржа	utility barge
саморазгружающаяся баржа	dump barge
самоходная баржа	self-propelled barge
бергнот	**berth note**
билет	**ticket**
сезонный билет	season ticket
билет в один конец	single ticket
билет за полную стоимость	ticket at full rate
билет по льготному тарифу	ticket at reduced rate
билет прямого сообщения	through ticket
билет туда и обратно	return ticket
владелец билета	ticket holder
заказывать билет	book a ticket
бирка	**label, tag, tally**
багажная бирка	luggage tag, luggage label
брезент	**tarpaulin**
брокер, маклер	**broker**
судовой брокер	ship[ping] broker
таможенный маклер	customhouse broker
фрахтовый брокер	chartering broker
брокерское вознаграждение (*комиссия*)	**brokerage, broker's fee**

брусья	**batters**
букингнот	**booking note**
буксир	**[vessel]tug, tugboat, towboat**
морской буксир	seagoing tug, ocean-going tug
портовый буксир	harbour tug
пользоваться услугами буксира	use a tugboat
тянуть на буксире, буксировать	tow, have on tow, take on tow
буксировка	**haulage, towage, tow[ing]**
плата за буксировку	towage, haulage
бункер	**bin, bunker, hopper**
загрузочный бункер	loading [feed] bin, loading [feed] hopper
разгрузочный бункер	unloading bunker, discharge hopper
оплата бункера	payment for bunker
стоимость бункера	cost of bunker
получить бункер	get bunker
вагон	**car, carriage, coach, van, waggon, wagon**
багажный вагон	luggage van, baggage car
большегрузный вагон	large-capacity car
грузовой вагон	fraight car, goods wagon, goods van
моторный вагон	motor car
почтовый вагон	mail-van, mail-car (*US*)
товарный вагон	goods car, freight car, van
вместимость [объемная] вагона	cubic[al] capacity
повреждение вагона	damage to a car
простой вагона	demurrage of a car
загружать вагон	load a car
подавать вагон под погрузку	spot a car
вес	**weight**
взлетный вес	take off weight
выгруженный вес	landed weight, landing weight
допустимый вес	allowable weight
излишний вес	excess weight, overweight
общий вес	gross weight, total weight
вес багажа	luggage weight
вес брутто	gross weight
вес нетто	net weight
вес при погрузке	shipped weight
единица веса	unit of weight

скидка с веса	weight allowance
проверять вес, уточнять вес	adjust the weight
взвешивание	**weighing**
контрольное взвешивание	check weighing
плата за взвешивание	weighing charges
взнос	**contribution, fee**
единообразный установленный взнос	flat contribution
взнос по общей аварии	general average contribution
водоизмещение	**displacement [tonnage]**
нормальное водоизмещение	normal displacement
полное водоизмещение	total displacement
чистое (*весовое*) водоизмещение	net displacement
судно водоизмещением...	vessel of... displacement
шкала водоизмещения	displacement scale
выгрузка	**unloading, discharge**
выгрузка товара	unloading of goods
шкала выгрузки	unloading scale
груз(-ы)	**cargo, goods, freight, load, weight**
внешний вид груза	cargo appearance
габаритный груз	cargo within loading range, freight within loading range
генеральный груз	general cargo
импортный груз	inward cargo, import cargo
киповый груз	bale cargo
контрактный груз	contract cargo
корабельный груз	shipload
крупногабаритный груз	bulk freight, bulky goods
легкий груз	light cargo
легковоспламеняющийся груз	fire goods, inflammable goods
морской груз	floating cargo
навалочный груз	bulk cargo
наливной груз	bulk cargo
насыпной груз	bulk cargo
негабаритный груз	oversized load
недостающий груз	missing cargo
неупакованный груз	unpacked cargo
обратный груз	return cargo, homeward cargo
объемный груз	measurement cargo, measurement goods
огнеопасный груз	hazard goods
однородный груз	uniform cargo
опасный груз	dangerous load

пакетизированный груз	palletized cargo
палубный груз	deck cargo
перевозимый груз	cargo
поврежденный груз	damaged cargo
полный груз	full and complete cargo
попутный груз	way cargo
скоропортящийся груз	perishable cargo, perishables
торговый груз	commercial cargo
тяжеловесный груз	heavy-weight cargo
упакованный груз	packed cargo
ценный груз	valuable cargo
экспортный груз	export cargo, outward cargo
вес груза	cargo weight
коносаментный вес груза	cargo weight under bill of lading
погруженный вес груза	shipped cargo weight
недостача веса груза	short cargo weight
правильность веса груза	correctness of cargo weight
вид груза	type of cargo
вознаграждение за спасение груза	salvage on cargo
выдача груза	handing over of cargo
задержка в выдаче груза	delay in handing over cargo
гибель груза	loss of cargo
груз без порта назначения	optional cargo
доставка груза	delivery of cargo
запоздалая доставка груза	overdue cargo delivery
качество груза	quality of cargo
количество груза	quantity of cargo
максимальное количество груза	maximum quantity of cargo
правильность количества груза	correctness of cargo quantity
против количества груза	against the quantity of cargo
учитывать количество груза (*при погрузке и выгрузке*)	tally cargo
крепление груза	fastening of goods
недостача груза	cargo shortage
обесценение груза	depreciation of cargo
обработка грузов	operations
обращение с грузом	cargo handling
надлежащее обращение с грузом	proper cargo handling
отгрузка груза	dispatch of cargo, sending of cargo, shipment of cargo
перевалка груза	transhipment of cargo

перевозка груза	cargo carriage, transportation of goods
перегрузка груза	transhipment of cargo, reloading of cargo
переработка грузов	cargo handling
повреждение груза	damage to the cargo
погрузка груза	loading of cargo
потеря груза	loss of cargo
право на груз	right to cargo
присущие грузу пороки	cargo inherent vice
раструска груза	strewing of cargo
свидетельство о происхождении груза	certificate of origin
свойства груза	cargo properties
естественные свойства груза	specific properties of cargo
состояние груза	condition of cargo
сохранение груза	preservation of cargo
стоимость груза	cargo value
тип груза	type of cargo
укладка груза	packing, stowage; placing of cargo, laying of cargo
усушка груза	drying up of cargo, shrinkage of cargo
утечка груза	leakage of cargo, dissipation of cargo, dispersion of cargo
хранение груза	storage of cargo
экспедирование грузов	freight forwarding
экспедитор груза	freight forwarder
брать груз	take in cargo
возвращать груз	return cargo
выгружать груз	discharge cargo, unload cargo
доставлять груз в надлежащем состоянии	deliver cargo in proper condition
оставлять груз	retain cargo
переадресовывать груз	readdress cargo
переваливать груз	transfer cargo, tranship cargo
перевозить груз	transport cargo
перегружать груз	tranship cargo
подготавливать груз	prepare cargo
принимать груз	accept cargo
спасать груз	salvage cargo
грузовместимость	**cargo[-carrying] capacity, load [-carrying] capacity, freightage**
гарантированная грузовместимость на одну тонну дедвейта судна	guaranteed space per ton

зерновая грузовместимость	grain cargo capacity
киповая грузовместимость	bale cargo capacity
полная грузовместимость	full cargo capacity
чистая грузовместимость	net capacity
рассчитывать грузовместимость	calculate cargo capacity
грузонапряженность	**traffic density**
грузооборот	**freight turn-over, goods turnover, freight traffic, goods traffic, cargo traffic**
грузоотправитель	**consignor, sender of freight, shipper**
вина грузоотправителя	consignor's fault
интересы грузоотправителя	consignor's interests
защита интересов грузоотправителя	protection of consignor's interests
грузоподъемность	**load-carrying capacity, load-lifting capacity, lifting power, tonnage, burden**
валовая грузоподъемность	gross deadweight
полезная грузоподъемность	cargo payload
полная грузоподъемность	deadweight
чистая грузоподъемность	cargo deadweight
грузополучатель	**consignee**
вина грузополучателя	consignee's fault
платежеспособность грузополучателя	consignee's solvency
данные, сведения	**data, information**
выборочные данные	sample data, survey data
неопределенные данные	ambiguous data
отгрузочные данные	shipping data
предварительные данные	tentative data, provisional data
точные сведения	accurate information
фактические данные	actual data
обработка данных	data handling, data processing
получать сведения	get information, receive information, gain information, obtain information
демередж (*штраф за простой судна*)	**demurrage**
возникновение демереджа (*в порту*)	occurrence of demurrage
дни демереджа	demurrage days
право на получение демереджа	right to demurrage
ставка демереджа	demurrage rate
сумма демереджа	demurrage sum

уплата демереджа	payment of demurrage
держать судно на демередже	keep a vessel on demurrage
получать демередж	get demurrage
день (дни)	**day(-s)**
рабочие дни	working days
погожие рабочие дни	weather working days
реверсивные дни	reversible lay days
сталийные дни	lay days
текущие дни	running days
чистые дни	clear days
день подачи извещения	reporting day
день приемки груза к отправке	shipping day
дни демереджа	demurrage days
дни диспача	dispatch days
дни прибоя (шторма)	surf days
дератизация (*уничтожение крыс*)	**deratization**
сертификат о дератизации	deratization certificate
дефект	**defect**
диспач (*денежное вознаграждение*)	**dispatch, despatch**
диспач только за досрочную погрузку	dispatch loading only
компенсация в форме диспача	compensation in the form of dispatch
сумма диспача	dispatch sum
уплата диспача	payment of dispatch
быть свободным от диспача	be free from dispatch
диспетчер	**dispatcher, operation officer dock**
док	**dock**
коммерческий док	commercial dock
плавучий док	floating dock
сухой док	dry dock
документ(-ы)	**document(-s)**
грузовые документы	shipping documents
консульские документы	consular documents
отгрузочные документы	shipping documents
погрузочные документы	shipping documents
товарораспорядительный документ	document of title
транспортные документы	transport documents
копия документа	copy of document
перечень документов	list of documents
заверять документ	certify a document
подтверждать документами	document

получать документ	get a document, receive a document
документация	**documentation**
транспортная документация	transport documentation
дорога(-и)	**road(-s), way**
автомобильная дорога	highway
железная дорога	railway, railroad
транзитная железная дорога	transit railway
общественные дороги	public roads
пропускная способность дорог	traffic capacity
частные дороги	private roads
шоссейная дорога	highway
дорога большой грузонапряженности	heavy traffic road
дорога назначения	delivering carrier
дорога отправления	initial carrier
расширение дорог	widening of roads
укрепление и усиление дорог	strengthening of roads
предварительное укрепление и усиление дорог	preliminary strengthening of roads
доставка (*груза*)	**delivery**
своевременная доставка	timely delivery
срочная доставка	express delivery
доставка по частям	delivery by installments
доставка с опозданием	lagged delivery, late delivery
просрочка в доставке	delay in delivery
штраф за просрочку в доставке	penalty for the delay in delivery, penalty for the overdue delivery
срок доставки	delivery time, delivery dates
выполнение срока доставки	observance of delivery time
невыполнение срока доставки	non-observance of delivery time
заказ	**order**
срочный заказ	rush order
подтверждение заказа	confirmation of order
номер заказа	order number
отменять заказ	cancel an order
подтверждать заказ	confirm an order
заказ-наряд	**order, job ticket**
согласно заказу-наряду	in accordance with the order
выдавать заказ-наряд	issue an order, make out an order

извещение	**notification**
извещение о готовности товара к отгрузке	notification of readiness
извещать, уведомлять	**notify**
инструкция	**instruction[s]**
отгрузочная инструкция	shipping instruction[s]
инфраструктура	**infrastructure**
основная инфраструктура	basic infrastructure
канцеллинг (*конечный срок*)	**cancelling**
дата канцеллинга	cancelling date
нарушение даты канцеллинга	violation of cancelling date
отсрочить дату канцеллинга	postpone the date of cancelling
пропустить дату канцеллинга	miss the cancelling date
капитан торгового судна	**ship master**
карантин	**quarantine**
снятие карантина	pratique
держать на карантине	keep *smb.* in quarantine
подвергать карантину	put under quarantine, place in quarantine
снять карантин	pratique, admit to pratique
качество	**quality**
высшее качество	first-rate quality, best quality
приемлемое качество	acceptable quality
среднее качество	average quality
гарантия качества	quality guarantee
ухудшение качества	deterioration of quality
проверять качество	check [up] quality
квитанция	**receipt, ticket**
багажная квитанция	luggage receipt, luggage ticket
лоцманская квитанция	pilot's bill
почтовая квитанция	postal receipt
комиссионер	**commission agent**
компания	**company**
линейная компания	linear company
судоходная компания	shipping company, steamship company
коносамент	**bill of lading**
бортовой коносамент	on board bill of lading, shipped bill of lading
внешний коносамент (*коносамент на груз, отправляемый за границу*)	outward bill of lading

именной коносамент	straight bill of lading
морской коносамент	ocean bill of lading, ship steamer, steamship bill of lading
ордерный коносамент с бланковой передаточной надписью	bill of lading made out to order and endorsed in bank
сборный коносамент (*групповой коносамент на несколько грузов, предназначенных для различных грузополучателей*)	groupage bill of lading
сквозной коносамент	through bill of lading, transhipment bill of lading
чистый коносамент	clean bill of lading
дата [бортового] коносамента	date of [on board] bill of lading
держатель коносамента	bill of lading holder
комплект коносаментов	set of bills of lading
полный комплект коносаментов	complete set of bills of lading
индоссировать полный комплект коносаментов	indorse a complete set of bills of lading
коносамент с оговорками	claused bill of lading
коносамент с отметкой "Freight Collect" — фрахт подлежит уплате грузополучателем	Freight Collect bill of lading
коносамент с отметкой "Freight Paid" — фрахт уплачен	Freight Paid bill of lading
коносамент с пометками капитана — «нечистый»	claused bill of lading, foul bill of lading, qualified bill of lading
копия коносамента	copy of bill of lading
оригинал коносамента	original bill of lading
подписание коносамента	signing of bill of lading
содержание коносамента	contents of bill of lading
судовой экземпляр коносамента	ship's bill of lading, shipped bill of lading
условия коносамента	terms of bill of lading
коносамент на груз, принятый для погрузки на судно, еще не прибывшее в порт	port bill of lading
выписать коносамент	make out a bill of lading, draw up a bill of lading
подписывать коносамент	sign a bill of lading
контейнер	**container, cargo transporter**
грузовой контейнер	cargo container, shipping container
железнодорожный контейнер	railway container
транспортировочный контейнер	shipping container

простой контейнера	demurrage of a container
загружать контейнер	load a container
разгружать контейнер	unload a container
контрагент	**counteragent**
кран	**crane**
плавучий кран	floating crane
курс	**course, direction, route**
отклонение от курса (*при ломанной ротации*)	deviation from the route
лейдейс (*сталийные дни*)	**lay days**
лесовоз	**timber carrying vessel**
лихтер(-ы)	**lighter(-s)**
погрузка посредством лихтеров	lighterage
разгрузка посредством лихтеров	lighterage
перевозить на лихтерах	lighter
подавать лихтеры	place lighters
лицензия	**licence**
лоцман	**pilot**
люк	**hatch, hatchway**
грузовой люк	freight hatch, loading hatch, cargo hatch
загрузочный люк	loading hatch
люмпсум-чартер	**lumpsum charter**
маклер *см.* **брокер**	
манифест (*декларация судового груза*)	**manifest**
грузовой манифест	cargo manifest
заверять манифест	certify a manifest
марка	**mark, brand**
тропическая грузовая марка	tropical loadline
фабричная марка	trade-mark, name plate, brand of merchandise
наносить марку	mark, trademark
место (мест) (*груза, багажа*)	**package(-s), case**
грузовое место	cargo package
число грузовых мест	number of packages
складочное место	stowage
упаковочное место	packing case
место назначения	**place of destination**

механизм(-ы)	**mechanism(-s)**
грузоподъемные механизмы	lifting mechanisms
погрузочно-разгрузочные механизмы	handling mechanisms
погрузочные механизмы	loading mechanisms
разгрузочные механизмы	unloading mechanisms
мост(-ы)	**bridge(-s)**
укрепление мостов	strengthening of bridges
укреплять мосты	strengthen bridges
навигация	**navigation**
воздушная навигация	air navigation
морская навигация	marine navigation
накладная	**bill of lading, bill of parcels, waybill, way bill**
водная накладная	marine way bill
грузовая накладная воздушного сообщения	air bill of lading, aircraft bill of lading, air way bill
железнодорожная накладная	way bill
транспортная накладная	way bill, motor waybill, consignment note
дубликат накладной	way bill duplicate
представлять накладную	submit a way bill
недогруз[ка]	**underload[ing]**
обязательства	**liabilities**
минимальные обязательства	minimum liabilities
непредвиденные (*дополнительные*) обязательства	contigencies
выполнение обязательств	fulfilment of liabilities, discharge of liabilities
надзор за выполнением обязательств	supervision for the fulfilment of liabilities
оговорка(-и)	**clause(-s), provision**
бункерная оговорка	bunker clause
генеральная оговорка (*в коносаменте о правах и ответственности перевозчика*)	paramount clause (*in a bill of lading on carrier's rights and liabilities*)
дополнительная оговорка	superimposed clause
ледовая оговорка	ice clause
оговорка об ответственности за простой судна в ожидании причала	berthing clause
оговорка о готовности причала	ready berth clause
оговорка о лихтерном сборе	lighterage clause
оговорка о небрежности	negligence clause

оговорка (*тайм-чартера*) о прекращении оплаты аренды	breakdown, off hire clause
оговорка о прекращении ответственности фрахтователя (*в чартер-партии*)	cesser clause, cease clause
оговорка о расстройстве рейса	frustration clause
оговорки специальных условий	special conditions clause
операции (*работы*)	**operations**
погрузочно-разгрузочные операции	handling operations
погрузочные операции	loading operations
разгрузочные операции	unloading operations
транспортные операции	transportation, transport arrangements
ответственность	**responsibility**
освобождать от ответственности	release *smb.* from responsibility, relieve *smb.* of responsibility, take responsibility off *smb.*
отгрузка, отправка	**shipment**
вагонная отгрузка	carload shipment
валовая отгрузка	gross shipment
немедленная отгрузка	prompt shipment, immediate shipment
частичная отгрузка	partial shipment
дата отгрузки	date of shipment
порт отгрузки	port of shipment
приостанавливать отгрузку	suspend shipment
отправитель	**consignor, consigner**
отправка *см.* **отгрузка**	
очередь	**turn**
очередь на погрузку	loading turn
пакгауз *см.* **склад**	
паром	**ferry**
перевалка (*грузов*)	**transhipment, transshipment**
пункт перевалки	place of transhipment
перевозка(-и) (*транспортирование грузов*)	**carriage, transport[ation] conveyance**
авиационная перевозка	air transportation
автомобильные перевозки	motor transportation
бесплатная перевозка	free transportation
внешнеторговые перевозки	foreign trade transportation
водные перевозки	transportation over water
воздушные перевозки	air transportation

железнодорожные перевозки	rail[way] transport[ation], carriage by rail
комбинированные перевозки	combined transport
морские перевозки	overseas transportation, carriage by sea
сухопутные перевозки	overland transportation
транзитная перевозка	transit
время перевозки	handling time
договор перевозки	contract of carriage
перевозка внутри страны	inland transport, inwards transport
перевозка по территории заказчика	transportation through the territory of customer
перевозка с перевалкой	transhipment transportation
перевозка тяжелого и негабаритного оборудования	transportation of heavy and oversized equipment
план перевозок	transportation plan
соблюдать план перевозок	observe a transportation plan
правила международных перевозок	rules of international carriage, rules of international transportation
при перевозке	in transit
способ перевозки	way of carriage
условия перевозки	conditions of carriage, terms of transportation
предусматривать перевозку	provide [for] carriage
производить перевозку	fulfil transportation, transport
согласовывать перевозку	agree upon transportation
перевозка грузов на условиях:	**transportation of cargoes on the following terms:**
КАФ (*стоимость груза и фрахт*)	CAF (*Cost and Freight*), c.a.f.
СИФ (*стоимость груза, страхование, фрахт*)	CIF (*Cost, Insurance, Freight*), c.i.f.
СИФ лендид (*стоимость, страхование, фрахт с выгрузкой*)	CIF (*Cost, Insurance, Freight, landed*), c.i.f.l.
ФАС (*свободен у борта судна*)	FAS (*Free Alongside Ship*), f.a.s.
ФОБ (*свободен на борту*)	FOB (*Free on Board*), f.o.b.
франко-автомашина (*наименование пункта отправления*)	FOT (*Free on Truck*), f.o.t.
франко-бункер	Free into bunker
франко-вагон... (*наименование пункта отправления*)	FOR (*Free on Rail*)..., f.o.r...
франко-завод (*с завода*)	ex Works, ex Mill, ex Factory
франко-лихтер (с *лихтера*)	ex lighter
франко-пристань (с *пристани*)	ex quay

франко-склад (*со склада*)	ex warehouse
«фрахт или провоз оплачен»	"Freight Prepaid"
перевозчик	**carrier**
иммунитеты перевозчика	immunity of carrier
обязательство перевозчика	liability of carrier
абсолютное обязательство перевозчика	absolute liability of carrier
ответственность перевозчика	liability of carrier
ограничивать ответственность перевозчика	limit liability of carrier
права перевозчика	rights of carrier
максимальные права и иммунитеты перевозчика	maximum rights and immunity of carrier
освобождать перевозчика от ответственности	release a carrier from liability
перегрузка	**transhipment, transshipment**
работа по перегрузке	work on transhipment
расходы по перегрузке	transhipment expenses
переотправка	**transhipment, transshipment**
пилот	**pilot**
письмо	**letter**
гарантийное письмо	letter of guarantee, letter of indemnity, letter of commitment
сопроводительное письмо	letter of transmittal
план размещения груза на судне	**cargo plan**
плата	**payment**
арендная плата	rent payment
пломба	**seal, lead, stamp**
сорванная пломба	broken seal
таможенная пломба	customs seal
срывать пломбу	break the seal
повреждение	**damage**
быть поврежденным	be damaged
предотвращать повреждение *чего-либо*	prevent damage to *smth.*
погрузка	**loading, shipment**
досрочная погрузка	ahead of time loading, pre-term loading, pre-time loading, preschedule loading
время погрузки	time of loading
общее время погрузки	total time of loading
[дополнительные] часы погрузки	[additional] hours of loading
запрещение погрузки	prohibition of loading

место погрузки	loading berth
начало погрузки	beginning of loading
дата начала погрузки	stemdate
норма погрузки	loading norm
ежедневная норма погрузки	daily loading norm
окончание погрузки	completion of loading
погрузка в порядке очереди	loading in turn
погрузка груза на борт судна	delivery of cargo on board the vessel
подача судна под погрузку	placing a vessel for loading
предписания относительно погрузки	instructions on loading, shipping instructions
разрешение на погрузку	permission for loading, permit to load
наблюдать за погрузкой	supervise loading
осуществлять погрузку	load
прекращать погрузку	terminate loading
принимать судно под погрузку, ставить судно под погрузку	place a vessel for loading
погрузочный ордер, штурманская расписка	**mate's receipt**
погрузочный пункт	**point of loading**
подвижной состав	**rolling-stock**
открытый подвижной состав	open rolling-stock
подсчет	**calculation**
подъездной путь	**access road**
автомобильный подъездной путь	motor access road
железнодорожный подъездной путь	spur-track, spur line
покупатель	**buyer, purchaser**
представитель покупателя	representative of the buyer
извещать покупателя	inform the buyer, notify the buyer
поломка	**breakage, breakdown**
быть поломанным	be broken
предотвращать поломку	prevent breakage
помощник капитана	**mate**
порт(-ы)	**port(-s)**
безопасный порт	safe port
вольный порт	free port
грузовой порт	cargo port
доступный порт	accessible port

импортный порт	port of entry
коммерческий район порта	commercial region of port
морской порт	seaport
небезопасный порт	unsafe port
неудобный порт	inconvenient port
сезонные порты	seasonal ports
удобный порт	convenient port
возможности порта	facilities of port
использовать существующие возможности порта	use the facilities of port
в порту погрузки и в порту разгрузки	both ends
загруженность порта	congestion of port
обычаи порта	customs of port
пикет-порты	picket-ports
порт замены	port of replacement, replacement port
порт захода	port of call
порт назначения	port of destination
объявлять порт назначения	announce the port of destination
оговаривать порт назначения	specify the port of destination
порт отгрузки	port of shipment
порт отхода	port of departure
порт погрузки	port of loading, port of shipment
обусловленный порт погрузки	named port of shipment
порт прибытия	port of arrival
порт приписки	port of hail, port of documentation (*US*), home port
порт разгрузки	port of unloading, port of discharge
порт-убежище	port of distress, port of refuge
реконструкция порта	reconstruction of port
обеспечить реконструкцию порта	provide [for] reconstruction of port
стоянка в порту	mooring
входить в порт	enter port
выходить из порта	leave port
заходить в порт	touch at a port
прибывать в порт	arrive at a port
предупреждение	**notice**
прибытие	**arrival** *in (at)*
дата прибытия	date of arrival
приемо-сдаточный акт	**acceptance report**

причал	**berth**
безопасный причал	safe berth
грузовой причал	cargo berth
швартовка к грузовому причалу	mooring to a cargo berth
готовность причала	readiness of a berth
место причала	moorage
причал для погрузочных работ	loading berth
причал для разгрузочных работ	discharging berth
причал с подъездными железнодорожными путями	railway berth
выделять причал для погрузки (разгрузки)	give berth for loading (unloading)
подготовить причал	prepare a berth
получать причал	obtain a berth, get a berth
предоставлять причал	provide a berth
швартоваться к причалу	moor *to*, berth
причальные условия	**berthing clause**
продавец	**seller**
представитель продавца	representative of the seller
извещать продавца	inform the seller, notify the seller
пропускная способность	**traffic capacity**
протест	**protest**
морской протест	captain's protest, protest by master
расширенный протест	extended protest
судовой протест	ship's protest
заявить протест	note a protest
пункт назначения	**point of destination**
прибывать в пункт назначения	arrive at the point of destination
пункт отправления	**point of departure**
разгрузка	**unloading**
неправильная разгрузка	improper unloading
правильная разгрузка	proper unloading
средняя норма разгрузки	average rate of unloading
начало разгрузки	beginning of unloading
окончание разгрузки	completion of unloading
разрешение на разгрузку	permission for unloading, discharge permit
наблюдать за разгрузкой	supervise unloading, carry out supervision for unloading *over*
прекращать разгрузку	terminate unloading

расписка	**receipt**
охранная расписка	bailee receipt
расходы	**expenses, costs, charges**
брокерские расходы	broker's expenses
дисбурсментские расходы	disbursement expenses
дополнительные расходы	additional expenses, additional costs, additional charges, extra expenses
заменяющие расходы	substituted expenses
накладные расходы	overhead expenses, overhead charges
непредвиденные расходы	out of pocket expenses, incidental expenses
ремонтные расходы	repair expenses
складские расходы	storage charges
согласованные расходы	agreed expenses
текущие расходы	current expenses
транспортные расходы	carriage expenses, transport expenses
прямые транспортные расходы	direct handling charges
фактические расходы	actual expenses
эксплуатационные расходы	operating expenses, working expenses, running expenses, maintenance cost
переменные эксплуатационные расходы	particular operating expenses
возмещение расходов по...	compensation of the expenses for...
оплата расходов	payment of expenses
расходы на техническое обслуживание и текущий ремонт	maintenance expenses
расходы по оплате лихтеров	lighterage charges
расходы по отправке груза	forwarding charges
расходы по погрузке (разгрузке)	expenses on loading (unloading), shipping charges
расходы по помещению товара на пристани	wharfage charges
расходы по чартеру	expenses on charter
быть свободным от расходов по погрузке и выгрузке, ФИО	be free in and out, FIO
взыскивать расходы	levy charges
нести расходы	bear charges, bear expenses
производить расходы	incur expenses
рейд	**roadstead, road, roads**
безопасный рейд	safe road

внешний рейд	outer road
внутренний рейд	inner road
стоять на внешнем рейде	stand in roadstead
рейлинг	**railing**
перейти рейлинг	cross the railing
рейс	**round, run, trip, flight, passage, voyage**
грузовой рейс	cargo trip
первый рейс	maiden trip
скоростной рейс	"hot-shot" run
специальный рейс	special flight
чартерный рейс	charter flight
рейс в один конец	single trip
рейс с малой загрузкой	deadhead run
рейс туда и обратно	round trip
риск(-и)	**risk(-s)**
военный риск	war risk
допустимый риск	admissible risk, allowed risk
морской риск	marine risk
особый риск	special risk
расчетный риск	calculated risk
средний риск	average risk
фактический риск	actual risk
оценка риска	valuation of risk
потери по всем рискам	losses on all risks
риск случайной утраты	risk of accidental loss
нести риск по товару	bear risk on goods
подвергаться риску	run the risk
рассматривать риск	consider the risk
согласовывать риск	agree upon the risk
ротация	**rotation**
ротация в географической последовательности	geographical rotation
Руссвуд (*типовой чартер для перевозки леса из портов Белого моря*)	**Russwood**
санитарный патент (*карантинное свидетельство*)	**bill of health**
сбор(-ы)	**charge(-s), due(-s), fee(-s), duty**
канальные сборы	channel fees
карантинный сбор	quarantine dues, quarantine fee
консульский сбор	consulage, consular fee
корабельный сбор	tonnage dues
лихтерные сборы	lighterage

лоцманские сборы	pilotages, pilotage dues
маячные сборы	light dues
налоговый сбор	tax levy
портовые сборы	port charges, harbour dues
почтовый сбор	air mail fee
причальный сбор	berthage, berth charge, quayage, wharfage [charges]
специальный сбор	special charges
страховой сбор	insurance fee
таможенные сборы	customs dues, customs fees, custom-house duty
тоннажный сбор	tonnage dues, tonnage tax (*US*)
якорный сбор	anchorage
оплата сборов	payment of charges, payment of dues, payment of fees
взимать сборы	levy charges
сведения *см.* **данные**	
свидетельство	**certificate**
карантинное свидетельство	quarantine certificate, bill of health
складское свидетельство	warehouse certificate
свидетельство о происхождении товара, сертификат о происхождении товара	**certificate of origin**
сертификат о происхождении товара *см.* **свидетельство о происхождении товара**	
склад, пакгауз	**warehouse, storehouse**
консигнационный склад	consignment warehouse
таможенный склад	customs warehouse
товарный склад	station warehouse
склад грузополучателя	consignee's warehouse
склад для скоропортящихся продуктов	perishable food warehouse
склад для хранения разнообразных товаров	general merchandise warehouse
склад железнодорожной компании для хранения транзитных и недоставленных товаров	railroad warehouse
«со склада на склад»	"warehouse to warehouse"
доставлять на склад	deliver to a warehouse
складирование	**storage, warehousing**
надлежащее складирование	proper storage
расходы по складированию	storage expenses, storage charges
наблюдать за складированием	supervise storage

склад-рефрижератор	**refrigerator warehouse, refrigerating warehouse**
скорость	**speed, dispatch**
выгодная скорость	convenient speed
с обычной скоростью	with customary dispatch
со всей возможной скоростью	with all dispatch
спецификация	**specification**
весовая спецификация	weight specification
заверенная весовая спецификация	certified list of weighings
отгрузочная спецификация	shipping specification
техническая спецификация	technical specification
позиция в спецификации	item in a specification
не соответствовать спецификации	fail the specification
соответствовать спецификации	meet the specification
срок	**time, period, date[s]**
приемлемый срок	acceptable time limits
разумный срок	reasonable time
в пределах разумного срока	within a reasonable time
срок передачи товара	time of the transfer of goods
согласованный срок	agreed period, fixed period
в пределах согласованного срока	within the agreed period, within the fixed period
срок передачи товара	time of the transfer of goods
переносить срок	transfer the date[s], put off the date[s], postpone the date[s]
продлевать срок	extend the time (period), prolong the time (period)
ставка(-и)	**rate(-s)**
высокие ставки	high rates
низкие ставки	low rates
сталийное время *см.* **сталия**	
сталийные дни *см.* **дни**	
сталия, сталийное время	**lay days**
в пределах согласованного сталийного времени	within agreed lay days
расчет сталийного времени	calculation of lay days
право расчета сталийного времени	right to calculation of lay days
подсчитывать сталийное время	count lay days
учитывать сталийное время	take lay days into account

станция	**station, railway station**
конечная станция	terminal station
пограничная станция	border station
транзитная станция	transit station
правила и нормы станции	rules and norms of the station
станция назначения	station of destination
станция отправления	dispatch station, station of origin, forwarding station
стивидор(-ы)	**stevedore(-s)**
назначать стивидоров	appoint stevedores
стояночное время	**lay days**
судно(-а)	**carrier, ship(-s), vessel(-s), craft**
головное судно	lead ship
грузовое судно	cargo carrier, cargo ship, freight ship, freight boat
зафрахтованное судно	contract carrier, chartered ship
исправное судно	good ship, good vessel
каботажное судно	coasting vessel, coastwise tonnage
контейнерное судно	container cargo ship
линейное судно	linear ship
мореходное судно	seaworthy ship
наливное судно	tank vessel
немореходное судно	unseaworthy ship
однотипные суда	single-line vessels sister ships
пассажирское судно	passenger ship
подвозное судно	craft
промптовое судно (*судно скорой готовности к погрузке*)	prompt ship
рейсовое судно	liner
сухогрузное судно	dry-cargo ship
торговое судно	merchant ship
трамповое судно	contract carrier, tramp vessel
транспортное судно	carrier, transport ship, supply ship, water transport
гибель судна	loss of a ship, wreck of a ship
в случае гибели судна	in case of the loss of a ship
готовность судна к погрузке	readiness of a ship for loading
нотис о готовности судна к отгрузке	notification of readiness
девиация судна (*отклонение от курса*)	deviation of a ship
дедвейт судна (*полная грузоподъемность судна*)	deadweight capacity, deadweight
досмотр судна	inspection of ship

загрузка судна	loading of ship
задержка судна	detention of vessel
название судна	ship's name
повреждение судна	damage to a vessel
происхождение судна	origin of vessel
простой судна	demurrage of vessel, detention of vessel
ремонт судна	repair of vessel
текущий ремонт судна	maintenance of ship
производить ремонт судна	repair a ship
столкновение судов	collision of ships
страхование судна	insurance of a vessel
судно для перевозки генеральных грузов	general cargo ship
судно для перевозки насыпных грузов	bulk cargo ship
судно заграничного плавания	foreign-going ship
судно регулярной судоходной линии	vessel of regular shipping lines
судно со специальным устройством для быстрой погрузки и выгрузки железнодорожных вагонов и автомобилей, ролкер	"roll-on" ship, "roll-off" ship
судно с переходящей позицией	straddle ship
управление судном	management of the ship
уход судна из порта	final sailing
судно, пропавшее без вести	missing ship
судно, стоящее на приколе	laid-up ship
адресовать судно	address a vessel
арестовать судно	arrest a ship
загружать судно	load a ship
[за]фрахтовать судно	charter a ship
судовладелец	**shipowner**
на усмотрение судовладельца	at shipowner's discretion
ответственность судовладельца	liability of a shipowner
ограничение ответственности судовладельца	limitation of shipowner's liability
судоходство	**shipping, navigation**
линейное судоходство	linear shipping
морское судоходство	ocean shipping
суперкарго	**supercargo**
сухогруз	**dry-cargo ship**

счет	**invoice, account, bill**
против счета	against invoice
акцептовать счет	accept invoice
выставлять счет	make out an invoice, invoice
оплачивать счет	pay invoice
предъявлять счет	submit invoice
счет-фактура	**invoice**
сюрвейерский осмотр судна	**hire survey**
проходить сюрвейерский осмотр	undergo hire survey
сюрвейер	**surveyor, appraiser**
табель учета	**time sheet**
содержание табеля учета	contents of a time sheet
тайм-чартер (*чартер на срок*)	**time-charter**
танкер	**tank ship**
нефтяной танкер	oil ship
тара; вес тары	**container, crate; tare**
тариф	**rate(-s), tariff**
багажный тариф	baggage rate
базисный тариф	basing rate
высокий тариф	high rate
грузовой тариф	freight rates
дешевый тариф	cheap rate
дорогой тариф	expensive rate
единый тариф	blanket tariff
железнодорожный тариф	railroad rate
импортный тариф	import rate
классный тариф	class rate
конвенционный тариф	conventional tariff
льготный тариф	reduced tariff, preferential rate, preferential tariff
максимальный тариф	maximum tariff
минимальный тариф	minimum tariff
начальный тариф	basing rate
низкий тариф	low rate
общий тариф	general tariff, blanket tariff
основной тариф	standard rate
смешанный тариф	compound tariff
таможенный тариф	customs tariff
тарный тариф	tariff for tare carriage
транспортный тариф	traffic rate[s]
экспортный тариф	export rate

тариф большой скорости	express rate
тариф воздушных грузоперевозок	airfreight rates
тариф для любого вида грузов	all-commodity rate
тариф для массовых грузов	volume rate
тариф на транзитные товары	tariff for the transit of goods
тариф для грузов, обрабатываемых в пути следования	transit rate
тариф, не зависящий от количества груза	any-quantity rate
товар(-ы)	**goods**
бракованный товар	rejects
индивидуализированный товар	ascertained goods
неупакованный товар	unpacked goods
отгруженный товар	shipped goods
потребительские товары	consumer goods
сельскохозяйственные товары	agricultural goods
складированный товар	storage goods
упакованный товар	packed goods
экспортный товар	export goods
браковка товара	rejection of goods
ввоз товара (*в страну назначения*)	importation of goods
разрешение на ввоз товара	import licence, permit for the importation of goods
вывоз товара	exportation of goods
готовность товара к отгрузке	readiness of goods for shipment
извещение о готовности товара к отгрузке	notification of readiness
дефектное состояние товара	defective condition of goods
качество товара	quality of goods
отгрузка товара	shipment of goods
отправка товара	dispatch of goods
инструкции по отправке товара	instructions on dispatch
партия товаров	consignment, parcel, lot, shipment
перевозка товара	transportation of goods, carriage of goods
передача товара покупателю	placing goods at buyer's disposal
повреждение товара	damage to goods
случайное повреждение товара	accidental damage to goods
свидетельство о повреждении (*выгруженного товара*)	certificate of damage

погрузка товара	loading of goods
поставка товара	delivery of goods
задержка в поставке товара	delay in the delivery of goods
приемка товара партиями	acceptance of goods in lots
акт приемки товара	acceptance report
проверка товара	checking of goods
разгрузка товара	unloading of goods, discharge
риски по товару	risks on goods
свойства товара	properties of goods
сдача товара	delivery of goods
пункт сдачи товара	place of delivery of goods
стоимость товара	cost of goods
товары массового производства	mass production goods
транзит товара по территории другой страны	transit of goods through the territory of another country
упаковка товара	packing of the goods
характер товара	nature of goods
товар, находящийся в неудовлетворительном состоянии	unsatisfactory goods
товары, запрещенные к ввозу	prohibited imports
доставлять товар на склад	deliver goods to warehouse, send goods into warehouse
забраковать товар	reject goods
импортировать товар	import goods
отгружать товар	ship goods
отказываться от товара	reject goods
погрузить товар	load goods
поставлять товар	supply goods, deliver goods
поставлять товар вдоль борта судна	deliver goods alongside the vessel
предоставлять товар в распоряжение покупателя	place goods at the disposal of buyer
экспортировать товар	export goods
тонна(-ы)	**ton(-s)**
весовая тонна	weight ton
длинная тонна	long ton
короткая тонна	short ton, net ton
малая тонна	short ton, net ton
метрическая тонна-нетто	metric net ton
оплачиваемые тонны	payable tons
погруженная тонна	shipping ton
регистровая тонна	register ton
брутто-регистровая тонна	gross register ton
нетто-регистровая тонна	net register ton

фрахтовая тонна	freight ton, cargo ton
тонна-мили	**ton-miles**
тоннаж	**shipping facilities, tonnage, ship-room, space**
бездействующий тоннаж	idle tonnage
грузовой тоннаж	cargo tonnage
«долларовый» тоннаж	dollar tonnage
дополнительный тоннаж	additional shipping facilities
регистровый тоннаж	register[ed] tonnage
«стерлинговый» тоннаж	sterling tonnage
достаточное количество тоннажа	sufficient tonnage
предложение тоннажа	tonnage offering
спрос на тоннаж	demand for shipping facilities
предоставлять тоннаж	place tonnage at *smb.'s* disposal
фрахтовать тоннаж	charter shipping facilities
транзит	**transit**
транспорт	**transport**
автобусный транспорт	bus transport
автомобильный транспорт	motor transport
внутренний транспорт	inland transport, inwards transport
водный транспорт	water transport
воздушный транспорт	air transport
воздушный пассажирский транспорт	air-passenger transport
грузовой транспорт	cargo transport, motor transport
железнодорожный транспорт	rail transport
морской транспорт	marine transport
общественный транспорт	public transport
вид транспорта	type of transport
согласовывать вид транспорта	agree upon the type of transport
транспортирование *см.* **перевозка**	
транспортные средства	**transport vehicles, means of transportation**
перечень транспортных средств	list of transport vehicles
погрузка на транспортные средства	loading on transport vehicles
трюм	**hold**
убыток(-и)	**loss(-es)**
чистый убыток	dead loss
влечь за собой убыток	entail losses
нести убыток	bear losses

покрывать убыток	cover a loss, meet a loss
терпеть убытки	incur losses, suffer losses, sustain losses
уведомление	**notification**
почтовое уведомление	air mail notification
телеграфное уведомление	cable notification
телексное уведомление	telex notification
уведомлять *см.* **извещать**	
укладка (*груза*), **штивка**	**stowage, stowing**
небрежная штивка	negligent stowage
дефект укладки	stowing defect, stacking fault
упаковочный лист	**packing list, packing slip**
вкладывать упаковочный лист	enclose a packing list *with*
условия	**terms**
линейные условия	linear terms
причальные условия	berth terms, berthing clause
условия чартера	terms of charter
ссылка на условия чартера	reference to the terms of a charter
фактура	**bill of parcels, invoice**
формальность(-и)	**formality(-ies)**
карантинные формальности	quarantine formalities
таможенные формальности	custom house formalities
выполнение формальностей	fulfilment of formalities
выполнять формальности	fulfil formalities, do formalities, go through formalities
соблюдать формальности	comply with formalities
форс-мажорные обстоятельства	**force-majeure circumstances**
фрахт	**freight**
дополнительный фрахт	additional freight
«мертвый фрахт»	"dead freight"
сниженный фрахт	distress freight
чистый фрахт	clean freight
аванс фрахта	advance freight, freight advance
страховать аванс фрахта	insure the advance of freight
оплата фрахта	payment of freight
остаток фрахта	balance of freight
риск неполучения фрахта	freight at risk
скидка с фрахта	discount from freight
ставка фрахта	rate of freight
единая ставка фрахта, общая ставка фрахта	flat rate
фрахт за расстояние	distance freight

фрахт оплачен вперед	freight prepaid
фрахт подлежит оплате	freight is to be paid, freight collect, freight forward
фрахт уплачен в порту погрузки	freight prepaid
оплатить фрахт	pay freight charges
фрахтование	**chartering, freightage**
фрахтование на базисе дедвейта	deadweight chartering
фрахтование по высоким (низким) ставкам	chartering at high (low) rates
фрахтование тоннажа	chartering of tonnage
фрахтователь	**charterer, freighter**
интересы фрахтователя	charterer's interests
защита интересов фрахтователя	protection of charterer's interests
фрахтовая единица	**freight unit**
фрахтовая сделка	**freight transaction, tonnage booking**
аннулирование фрахтовой сделки	cancellation of a freight transaction
аннулировать фрахтовую сделку	cancel a freight transaction
заключать фрахтовую сделку	conclude a freight transaction
фрахтовая ставка	**shipping rate**
фрахтовое соглашение	**freight agreement**
фрахтовый ордер	**chartering order**
фрахтовый рынок	**freight market**
фумигация (*окуривание*)	**fumigation**
свидетельство о фумигации	fumigation certificate
хранение (*товара*)	**storage**
чартер	**charter**
банковский чартер	bank charter
генеральный чартер	general charter
гросс-чартер (*гросс условия*)	gross charter
зерновой чартер	grain charter
открытый чартер	open charter
портовый чартер	port charter
причальный чартер	berthing charter
рейсовый чартер	voyage charter, trip charter
рисовый чартер	rice charter
специальный чартер	special charter
угольный чартер	coal charter
чистый чартер	clean charter

аннулирование чартера	cancellation of charter
без ущерба для чартера	without prejudice to charter
оговорка о небрежности по чартеру *см.* **оговорка**	
ответственность по чартеру	liability on a charter
по подписании чартера	on signing a charter
согласно чартеру	according to the charter
условия чартера	terms of a charter
чартер на перевозку грузов судном, находящимся у причала	berth charter
чартер на судно, зафрахтованное без экипажа, бербоат-чартер	bare-boat charter
чартер фрахтования судна на рейсы в оба конца	round-trip charter
аннулировать чартер	cancel a charter
подписывать чартер	sign a charter
расторгать чартер	cancel a charter
чартер-партия	**charter[-party]**
ссылка на чартер-партию	reference to charter[-party]
чертеж(-и)	**drawing(-s)**
отгрузочные чертежи	shipping drawings
чертежи для негабаритного оборудования	drawings of oversized equipment
шкала выгрузки	**scale of discharge, scale of unloading**
шлюпка	**boat**
спасательная шлюпка	lifeboat
шофер	**driver**
штивка *см.* **укладка** (*груза*)	
штурман	**navigator, navigation officer**
штурманская расписка *см.* **погрузочный ордер**	
экспедитор	**forwarding agent, dispatcher, [freight] forwarder**
экспортер	**exporter**
эмбарго	**embargo**
налагать эмбарго	place an embargo
снимать эмбарго	take off an embargo, lift an embargo
якорная стоянка	**anchorage**
ярлык	**label**

ФРАЗЫ

Мы (не) согласны подписать...	We (do not) agree to sign...
аварийный бонд	an average bond
коммерческий акт	a commercial report
К кому можно обратиться по транспортным вопросам?	Who can we turn to to discuss transport problems?
Вам поможет...	A... will help you
генеральный агент по фрахтовым вопросам	general freight agent
транспортный агент	carrier agent
фрахтовый агент	chartering agent
Как будет компенсировано... багажа?	How will the... the luggage be compensated for?
повреждение	damage to
порча	damage to
утрата	loss of
Вам придется обратиться в страховую компанию	You'll have to apply to the insurance company
Если море будет неспокойно, мы будем вынуждены прибегнуть к услугам...	If the sea keeps rough we shall have to use a...
буксира	tug
морского буксира	seagoing tug
портовой баржи	utility barge
Кто будет отвечать за...?	Who will be responsible for the...?
погрузку	loading
разгрузку	unloading
контрольное взвешивание	check weighing
При поставке грузов мы должны учитывать, что это...	While delivering cargoes we must take into account that this is...
генеральный груз	a general cargo
киповой груз	a bale cargo
легкий груз	a light cargo
легковоспламеняющийся груз	an inflammable cargo
неупакованный груз	an unpacked cargo
тяжеловесный груз	a heavy-weight cargo
Мы хотели бы уточнить...	We would like to clear up...
стоимость бункера	the cost of bunker
допустимый вес	the allowable weight
взнос по общей аварии	a general average contribution
Мне кажется, мы имеем право на...	I think we are entitled to the...
вознаграждение за спасение груза	salvage on cargo
диспач	dispatch

льготный тариф	preferential rates
минимальный тариф	minimum rates
низкий тариф	low rates
Это неправильная поставка и мы вынуждены...	This is wrong delivery and we have to...
вернуть груз	return the cargo
переадресовать груз	readdress the cargo
Как рассчитывается...?	How is the... calculated?
грузовместимость	cargo capacity
грузоподъемность	load-carrying capacity
полезная грузоподъемность	cargo payload
Это недоразумение произошло по вине...	This misunderstanding is the fault of the...
фрахтового агента	chartering agent
грузоотправителя	consignor
грузополучателя	consignee
У вас есть какие-либо данные о...?	Have you got any data on the...?
правилах движения	traffic rules
ставке демереджа	demurrage rate
сталийных днях	lay days
Какие документы мы должны представить?	What documents are we to submit to you?
Вы должны передать нам...	You must submit the... to us
отгрузочные документы	shipping documents
товарораспорядительный документ	document of title
отгрузочные инструкции	shipping instructions
Как будут поставляться грузы?	How will cargoes be delivered?
Мы будем отправлять их по...	We shall send them by...
железной дороге	railway
шоссейной дороге	highway
Мы обязуемся выполнять...	We undertake to observe the...
сроки поставки	delivery time
план перевозок	transportation plan
правила международных перевозок	rules of international carriage
условия поставки	terms of delivery
Вы получили наше уведомление о (об)...?	Have you received our notification of...?
готовности товара к отгрузке	readiness
нарушении даты канцелинга	violation of cancelling date
подтверждении заказа	confirmation of the order
уплате демереджа	payment of demurrage
Мы оформим..., как только закончим все формальности	We shall draw up... as soon as we are through with all the formalities

бортовой коносамент	on board bill of lading
внешний коносамент	outward bill of lading
именной коносамент	straight bill of lading
Какой коносамент вы собираетесь выписать?	What bill of lading are you going to issue?
Мы выпишем...	We shall make out a...
чистый коносамент	clean bill of lading
коносамент с оговорками	claused bill of lading
сквозной коносамент	through bill of lading
Какое качество материалов вам подходит?	What quality of materials is acceptable to you?
Нас устраивает... качество материалов	... quality of materials suits us
высшее	First-rate
приемлемое	Acceptable
Мы хотим еще раз напомнить, что товар будет поставляться в...	We wish to remind you again that the goods will be delivered in...
большегрузных вагонах	large-capacity cars
грузовых контейнерах	cargo containers
железнодорожных контейнерах	railway containers
транспортировочных контейнерах	shipping containers
Какие сопроводительные документы потребуются для перевозки груза?	What forwarding documents will be required for the transportation of the cargo?
Необходимо будет проверить наличие...	It will be necessary to check if... is available
водной накладной	marine way bill
железнодорожной накладной	way bill
накладной воздушного сообщения	air way bill
Какие оговорки вы хотели бы уточнить?	What clauses would you like to specify?
Мы хотели бы обратить ваше внимание на...	We'd like to call your attention to a...
генеральную оговорку	paramount clause
дополнительную оговорку	superimposed clause
оговорку о небрежности	negligence clause
оговорки специальных условий	special conditions clause
Какая форма отгрузки предусмотрена в контракте?	What kind of shipment is provided for in the contract?
В контракте предусмотрена... отгрузка	The contract provides for... shipment
вагонная	carload
валовая	gross

немедленная	prompt
Какие перевозки практикуются вашей фирмой?	What kind of transportation does your firm practise?
В основном... перевозки	Mostly... transportation
автомобильные	motor
воздушные	air
железнодорожные	railway
морские	overseas
Несоблюдение... может привести к срывам в выполнении обязательств	Non-observance of the... may lead to serious disruptions in fulfilling the obligations
договора перевозок	contract of carriage
плана перевозок	transportation plan
правил международных перевозок	rules of international carriage
условий перевозок	terms of transportation
На каких условиях вы обычно перевозите грузы?	On what terms do you normally transport cargoes?
Как правило на условиях...	As a rule on... terms
к. а. ф.	c. a. f.
с. и. ф.	c. i. f.
ф. о. б.	f. o. b.
Мы должны согласовать с вами...	We must come to terms about the...
время погрузки (разгрузки)	time of loading (unloading)
место погрузки (разгрузки)	loading (unloading) berth
начало погрузки (разгрузки)	beginning of loading (unloading)
предписание относительно погрузки (разгрузки)	instructions on loading (unloading)
Как вы можете охарактеризовать этот порт?	How will you describe this port?
Это... порт	This is... port
безопасный	a safe
доступный	an accessible
сезонный	a seasonal
(не)удобный	a (an) (in)convenient
Вы должны будете нести... расходы	You will have to bear... expenses
дополнительные расходы	additional
накладные расходы	overhead
складские расходы	storage charges
транспортные расходы	carriage
Мы с вами остановились на...	We've decided on a...
скоростном рейсе	"hot-shot" run
специальном рейсе	special flight
чартерном рейсе	charter flight

Какие сборы взимаются в порту?	What charges are levied at the port?
Как правило... сбор(-ы)	As a rule...
лихтерные	lighterage
лоцманские	pilotage
причальный	berthage
таможенные	customs dues
Данные по оборудованию (не) соответствуют... спецификации	The information on the equipment (does not correspond) corresponds to the... specification
весовой	weight
отгрузочной	shipping
технической	technical
Как производится расчет сталийного времени?	How is the calculation of lay days made?
Мы уже обеспечили... для перевозок	We have already provided a... for transportation
грузовое судно	cargo ship
контейнерное судно	container cargo ship
промптовое судно	prompt ship
сухогруз	dry-cargo ship
торговое судно	commercial vessel
транспортное судно	carrier
танкер	tank ship
Мы только что подписали... чартер	We have just signed... charter
открытый	an open
портовый	a port
рейсовый	a voyage
специальный	a special

ДИАЛОГИ

З. Добрый день, г-н..., мы хотели бы обсудить с вами вопрос транспортировки оборудования.	C. Good afternoon, Mr..., we would like to discuss with you the question of the transportation of the equipment.
П. Добрый день, г-н..., я вас слушаю внимательно.	S. Good afternoon, Mr..., yes certainly
З. Мы договорились, что поставка оборудования будет осуществляться на условиях с. и. ф.	C. We have agreed that the delivery of the equipment shall be carried out on c. i. f. terms.
П. Совершенно верно.	S. You are quite right.
З. В таком случае мы хотели бы уточнить, как будут распределены обязанности.	C. In this case we would like to clear up who will be responsible for what?

П. Мы известим вас, когда оборудование будет готово к отгрузке, и вы откроете безотзывный аккредитив.

S. When the equipment is ready for shipment we'll inform you and you will open an irrevocable L/C (Letter of Credit).

З. Какие данные вы нам сообщите после того, как мы откроем аккредитив?

C. What information (data) will you supply to us when we have opened the L/C?

П. После погрузки оборудования на пароход, мы немедленно сообщим вам название парохода, дату отплытия парохода, порт назначения, наименование и количество груза, номер коносамента и номер контракта.

S. After the equipment has been loaded we shall immediately inform you of the vessel's name, her sailing date, the port of destination, the description and quantity of the load, the number of the B/L and the contract number.

З. Ваши обязанности на этом заканчиваются?

C. Are your obligations over, here?

П. Да, в порту разгрузки Заказчик обеспечивает своевременную разгрузку оборудования и транспортирует его от порта до строительной площадки.

S. Yes, at the port of unloading the Customer provides for prompt unloading of the equipment on time and transportating it from the port to the construction site.

З. Спасибо за разъяснение, г-н...

C. Thank you for the clarification, Mr...

ТАМОЖЕННАЯ ОЧИСТКА. ВЫПОЛНЕНИЕ ТАМОЖЕННЫХ ФОРМАЛЬНОСТЕЙ

CUSTOMS CLEARANCE. CUSTOMS REGULATIONS AND PROCEDURE

ТАМОЖЕННАЯ ОЧИСТКА. ВЫПОЛНЕНИЕ ТАМОЖЕННЫХ ФОРМАЛЬНОСТЕЙ

CUSTOMS CLEARANCE. CUSTOMS REGULATIONS AND PROCEDURE

СЛОВА

багаж	**luggage, baggage** (*US*)
зарегистрированный багаж	checked luggage, registered luggage
личный багаж	personal luggage, personal effects
несопровождаемый багаж	unaccompanied luggage
место багажа	article of luggage
взвешивать багаж	weigh luggage
регистрировать багаж	register luggage
беспошлинный ввоз	**duty-free importation**
разрешение на беспошлинный ввоз	permission for duty-free importation
получение разрешения на беспошлинный ввоз	obtaining permission for duty-free importation
оказывать содействие в получении разрешения на беспошлинный ввоз	give assistance in obtaining permission for duty-free importation
билет	**ticket**
авиационный билет	air ticket
железнодорожный билет	railway ticket
заказывать билет	book a ticket
зарегистрировать билет	register a ticket
вакцинация	**vaccination**
свидетельство о вакцинации	certificate of vaccination, vaccination certificate
вещи	**articles, items, belongings, things**
личные вещи	personal items
вещи, облагаемые пошлиной	things liable to duty
вещи, ограниченные для ввоза и вывоза за границу	things to be declared
взимание таможенной пошлины	**levy of customs duty, collection of customs duty**

виза	**visa, visé**
въездная виза	entry visa
выездная виза	exit visa
получать визу [в паспорте]	have *one's* passport endorsed
декларация	**declaration**
налоговая декларация	tax return
таможенная декларация	customs declaration, customs entry
таможенная декларация по отходу	declaration outwards
таможенная декларация по приходу	declaration inwards
заполнять декларацию	fill in (out) a declaration
подписывать декларацию	sign a declaration
предъявлять декларацию	produce a declaration
законодательство	**legislation**
закон о налогообложении	**taxation law**
изменение в законе о налогообложении	alteration in taxation law
заявлять о вещах, ограниченных для ввоза и вывоза за границу	**declare things**
инспектор	**inspector, surveyor**
таможенный инспектор	surveyor of the port, surveyor of customs (*US*)
медицинское свидетельство	**health certificate**
налог(-и)	**tax(-es)**
государственный налог	state tax, national tax
дополнительный налог	surtax
косвенный налог	indirect tax, assessed tax
местный налог	local tax
небольшой налог	nuisance tax (*US*)
прямой налог	direct tax
взимание налога	taxation, tax collection
возврат налога	tax refund
до вычета налога	before tax
за вычетом налога	after tax
налог на контракт	tax on a contract
налог на корпорацию	tax on a corporation
налог по социальному страхованию	tax on social security
сборщик налогов	tax collector
скидка с налога	tax relief
ставка налога	tax rate
уплата налога	payment of tax

производить уплату налога	pay tax, make payment of tax
необлагаемый налогом	tax-exempt, tax-free
облагаемый налогом	taxable, liable to a tax
освобожденный от налога	tax-exempt, tax-free
взимать налоги	collect taxes, levy taxes
возмещать налоги	compensate taxes
выплачивать налоги	pay taxes
нести налоги вне территории заказчика	pay taxes outside the customer's territory
нести налоги на территории заказчика	pay taxes on the customer's territory
облагать налогами	levy taxes *on*, impose taxes *on*, lay taxes *on*
освобождать от налога	exempt from taxes
отменить налог	abolish a tax
снижать налог	cut down a tax, abate a tax
собирать налоги	collect taxes, raise taxes
удерживать налоги из сумм, выплачиваемых подрядчику	withhold taxes out of the sums to be paid to contractor
уплатить налог	pay tax
налоговый режим	**taxation order**
соблюдать налоговый режим	abide by the tax order
паспорт	**passport**
визировать паспорт	endorse a passport, vise a passport
посылать паспорт на визу	send a passport to be vised
регистрировать паспорт	register passport, have the passport registered
паспортный контроль	**passport check-point**
служащий в паспортном контроле	officer in a passport check-point
проходить паспортный контроль	go through a passport check-point, register *one's* passport
пошлина(-ы)	**duty(-ies)**
импортная пошлина	import duty
таможенная пошлина	customs duty
возмещение таможенных пошлин	reimbursement of customs duties
ответственность за таможенные пошлины	responsibility for customs duties
очистка имущества от таможенных пошлин	customs clearance of property

взимать таможенные пошлины	levy duties, collect duties
не подлежать обложению таможенными пошлинами	be duty-free
облагать таможенной пошлиной	levy duties *on*
освобождать имущество от таможенных пошлин	exempt property from customs duties
подлежать обложению таможенными пошлинами	be dutiable, be liable to duty
экспортная пошлина	export duty
облагаемый пошлиной	dutiable
оплаченный пошлиной	duty-paid
удерживать пошлины из сумм, выплачиваемых подрядчику	withhold duties out of the sums be paid to contractor
правила	**regulations, rules**
таможенные правила	customs regulations
в рамках таможенных правил	within customs regulations
выполнять таможенные правила	observe customs regulations
нарушать таможенные правила	break customs regulations
ручная кладь	**hand luggage**
сбор(-ы)	**duty(-ies), due(-s), fee**
гербовый сбор	stamp duty
импортный сбор	import duty
таможенные сборы	customs duty
экспортный сбор	export duty
уплата сборов	payment of duties
возмещать сборы	reimburse dues
оплачивать сборы	pay duties
таможенная очистка (*грузов*)	**customs clearance**
документы для таможенной очистки	documents on customs clearance
принимать меры по таможенной очистке	take measures on customs clearance
производить таможенную очистку	carry out customs clearance, clear customs
таможенник	**customs officer**
таможенное управление	**customs office, the Customs**
таможенный досмотр	**customs inspection, rummage** (*of a vessel*)

проходить таможенный досмотр	go through the customs [inspection]
таможня	**customs house, the Customs**
служащий таможни	customs officer
формальности	**formalities**
необходимые формальности	necessary formalities
выполнение формальностей	fulfilment of formalities
выполнять формальности	fulfil formalities, go through formalities, comply with formalities, carry out formalities, do formalities

ФРАЗЫ ▲

У вас есть разрешение на беспошлинный ввоз оборудования?	Have you got permission for duty-free importation of the equipment?
Нет, мы просим вас оказать нам содействие в получении разрешения на беспошлинный ввоз	No, but we ask you to assist us in obtaining permission for duty-free importation
Вы заполнили таможенную декларацию?	Have you filled in the declaration?
Вы уже прошли паспортный контроль?	Did you have your passport registered?
Вы познакомились с изменениями в законе о налогообложении?	Have you studied the alterations in the taxation law?
У вас есть вещи, ограниченные для ввоза и вывоза за границу?	Do you have anything to declare?
Мы надеемся, что вы освободите нас от налогов	We hope you will exempt us from taxes
Мы должны соблюдать налоговый режим	We must abide by the tax[ation] order
Вы приняли меры по таможенной очистке?	Have you taken measures in respect of customs clearance?
Да, мы подготовили необходимые документы	Yes, we have prepared the necessary documents
Кто отвечает за таможенные пошлины?	Who is responsible for customs duties?
Это оборудование не подлежит обложению таможенными пошлинами	This equipment is tax-exempt
Все эти вещи не облагаются таможенной пошлиной	All these things are duty-free
Необходимые формальности выполняются в рамках таможенных правил	The required formalities are carried out within the customs regulations

Все пассажиры проходят таможенный досмотр	All the passengers go through the customs examination

ДИАЛОГИ

С. т. Покажите ваши вещи, пожалуйста.	C. of. Will you show your things please.
Пас. Пожалуйста. Это мои вещи.	Pas. Yes, here they are. These are my things.
С. т. Сколько у вас мест?	C. of. How many pieces do you have?
Пас. Два. Чемодан и ручной багаж (ручная кладь).	Pas. Two. A suit-case and some hand luggage.
С. т. У вас есть предметы, ограниченные для ввоза и вывоза?	C. of. Do you have anything to declare?
Пас. Нет. Правда, у меня есть пять пачек сигарет.	Pas. No, I don't. I have five packs of cigarettes, though.
С. т. Такое количество не подлежит обложению пошлиной. А что у вас в чемодане?	C. of. This quantity is not liable to duty. And what do you have in your suit-case?
Пас. Только личные вещи.	Pas. Only things for my personal use.
С. т. Спасибо, это все.	C. of. Thank you, that's all.
Пас. Спасибо.	Pas. Thank you.

* * *

П. Мы хотели бы обсудить сегодня с вами вопрос о таможенной очистке оборудования.	S. We would like to discuss with you the problem of the customs clearance today.
З. Мы к вашим услугам, но хотим напомнить, что строительство ведется на условиях «под ключ».	C. I am at your service, but I would like to remind you that the construction is being carried out an a "turn-key" basis.
П. Да, наша ответственность в строительстве велика.	S. Yes, our responsibility in the construction is great.
З. В таком случае, мы полагаем, что таможенную очистку оборудования будете проводить все-таки вы.	C. In this case, we think you are responsible for customs clearance of the equipment, after all.
П. Мы хотим объяснить свою позицию. Вы, конечно, понимаете, что объем оборудования очень большой и у нас уйдет много времени и средств на выполнение таможенных формальностей.	S. We would like to make our position clear. You will understand that the volume of the equipment is very big and it will take us a lot of time and expenses to carry out the customs formalities.

З. Мы согласны, что это займет много времени. А что вы предлагаете?

C. We agree that it will take a lot of time. And what do you suggest?

П. Если вы получите разрешение на беспошлинный ввоз груза для нашего объекта, т. е. объекта, предусмотренного межправительственным соглашением, то это значительно поможет делу.

S. If you get permission for duty-free importation of the equipment for our project, that is for the project provided for by the intergovernmental agreement, this will be of great help.

З. Хорошо. Это вполне разумно. Мы согласны взять таможенную очистку на себя.

C. Good. It sounds quite reasonable. We agree to see to the customs clearance ourselves.

МЕЖДУНАРОДНЫЕ ЯРМАРКИ И ВЫСТАВКИ. РЕКЛАМА

INTERNATIONAL FAIRS AND EXHIBITIONS. ADVERTISING

МЕЖДУНАРОДНЫЕ ЯРМАРКИ И ВЫСТАВКИ. РЕКЛАМА

INTERNATIONAL FAIRS AND EXHIBITIONS. ADVERTISING

автор (*составитель рекламных объявлений, проспектов*)	**copy writer, copywriter**
авторское право	**copyright**
сохранять авторское право	reserve the copyright
агент (*коммерческий*)	**agent, middleman**
агентская комиссия	**agency commission**
ассигнование (*на рекламу*)	**advertising appropriation**
беседа за круглым столом	**round-table discussion**
проводить беседу за круглым столом	have a round-table discussion, hold a round-table discussion
бизнесмен	**businessman**
брошюра	**brochure**
буклет	**booklet, pamphlet**
бумага	**paper**
в действии	**in operation**
показывать в действии	show in operation
верстка	**make up of a page**
витрина	**show window**
выставочная витрина	exhibition case
небольшая витрина	display case
небольшая витрина (*внутри торгового помещения*)	show case
оформление витрины	window dressing
вопросник	**questionnaire, questionary**
время	**time**
экранное время	screen time
эфирное время	air time, radio time
покупатель эфирного времени	time buyer
покупка эфирного времени	time buying
время вещания	air time
выпуск	**issue**

выставка(-и)	**exhibition(-s), exposition**
национальная выставка	national exhibition
отраслевая выставка	industry show, trade fair
специализированная выставка	specialized exhibition
художественная выставка	art exhibition
обмен выставками	exchange of exhibitions
проведение выставки	holding of an exhibition
организовывать выставку	arrange an exhibition
открывать выставку	open an exhibition
посещать выставку	visit an exhibition
проводить выставку	hold an exhibition
устраивать выставку	arrange an exhibition
участвовать в выставке	participate in an exhibition
экспонировать на выставке	exhibit
выставочная площадь	**exhibition area**
выставочный зал	**exhibit hall**
газета	**newspaper**
вечерняя газета	evening newspaper
воскресная газета	Sunday paper
ежедневная газета	daily
общенациональная газета	national paper
специализированная газета	specialized paper
гонорар (*агентский*)	**agency fee**
графическое производство	**graphic trade**
деловая активность	**business activity**
оживленная деловая активность	brisk business activity
деловая атмосфера	**businesslike atmosphere**
деловые круги	**business community, business circles**
демонстрация, показ (*на выставках, ярмарках*)	**demonstration, display, showing**
демонстрация, показ (*товара в витринах*)	**closed display**
диапозитив	**slide**
диктор	**announcer**
директор	**director**
дублировать	**dub**
журнал	**magazine**
специализированный журнал	specialized magazine
технический журнал	technical magazine
журналист	**journalist**

заголовок (*газетный*)	**headline, streamer** (*US*)
заказ(-ы) [рекламные]	**order(-s)**
заказы, не дающие [рекламному] агентству комиссию	below-the-line advertising
заказы, приносящие [рекламному] агентству комиссию	above-the-line advertising
заказчик *см.* **клиент**	
запродажа(-и)	**sale(-s)**
расширить запродажи	increase sales
значок	**badge, button**
издание(-я)	**edition, publication**
бесплатное издание	free publication
вечернее издание	evening edition
воскресное издание	Sunday edition
двухмесячное издание	bi-monthly
ежеквартальное издание	quarterly
ежемесячное издание	monthly
отраслевое деловое издание	business paper, business publication
отраслевое издание	trade paper, trade publication
платное издание	paid publication
специальное издание	special edition
справочные издания	reference media
стереотипное издание	stereotype edition
техническое издание	technical publication
фирменное издание	company magazine
бесплатно рассылаемые экземпляры издания	complimentary copies
толщина издания	bulk
издатель	**publisher**
издательское дело	**publishing [trade]**
издательство	**publishing house**
изображение	**picture**
переводное изображение	transfer
в цветном изображении	in colour
в черно-белом изображении	black and white
интервью	**interview**
брать интервью	interview *smb.*
давать интервью	give an interview
информационное письмо	**circular**
информация	**information**
достоверная информация	reliable information

информация об образовании	information about education
информация о здравоохранении	information about public health service
информация о культуре	information about culture
получать информацию	get information
исследования (*в области рекламы*)	**advertising research**
календарь	**calendar**
кампания (*рекламная*)	**advertising campaign**
план (*график*) проведения рекламной кампании	flow-chart
проводить кампанию	carry on a campaign, conduct a campaign
каталог	**catalogue**
сборный (*сводный*) каталог	pre-file
кинокадр	**shot**
кинореклама *см.* **реклама**	
кинофильм *см.* **фильм**	
клиент, заказчик	**client, customer**
перспективный клиент	prospective client, prospective customer
потенциальный клиент	potential client, potential customer
клиент рекламного агентства	account
книга отзывов	**visitors' book**
запись в книге отзывов	entry
коллаж	**collage**
колонка	**column**
высота колонки	depth of column
коммерческие способности	**salesmanship**
конкурировать	**compete**
контакт(-ы)	**contact(-s)**
деловые контакты	business contacts
торговые контакты	trade contacts
устанавливать торговые контакты	establish trade contacts
контракт	**contract**
заключать контракт	conclude a contract, make a contract
парафировать контракт	initial a contract
подписывать контракт	sign a contract
крупный план	**close up, CU**

культурная программа	**cultural programme**
листовка	**leaflet, handbill**
раздаваемая листовка	throw-away leaflet
макет	**dummy, model, lay-out**
готовый макет рекламного объявления	comprehensive, "comp"
маркетинг	**marketing**
исследования в области маркетинга	marketing research
план маркетинга	marketing plan
стратегия маркетинга	marketing strategy
материал	**material**
иллюстрированный материал	illustrations
модель	**model**
действующая модель	working model
набирать текст	**set [up]**
набор	**setting, type setting**
наклейка *см.* **этикетка**	
национальный день (*на выставке, на ярмарке*)	**national day**
«не в фокусе»	**"out of focus"**
«носитель» (*средство распространения рекламы*)	**[media] vehicle**
обложка	**cover**
образец (*печатных изданий*)	**sample copy**
коммерческий образец	commercial sample copy
объявление (*краткое рекламное сообщение*)	**spot, [spot] announcement**
опрос	**poll**
производить опрос	poll
оформитель	**lay-out man**
оформление (*рекламного объявления*)	**art, artwork**
паблисити (*популяризация, придание известности*)	**publicity**
павильон	**pavilion**
переводчик	**interpreter, translator**
передача	**programme**
коммерческая передача по телевидению	television commercial
рекламная передача	commercial programme

печатать	**publish**
плакат	**board, poster**
рекламный плакат	board
рекламный плакат на транспорте	dash sign
расклейка плакатов	posting
пластиковая сумка	**plastic bag**
подписчик	**subscriber**
подписываться (*на издание*)	**subscribe** *to*
показ *см.* **демонстрация**	
полиграфия (*полиграфическая промышленность*)	**graphic arts industry**
полоса(-ы) (*в газете, журнале*)	**page(-s)**
первая полоса	front page
черно-белые полосы	black and white pages
поощрительное мероприятие (*в рекламе*)	**sales incentive**
популярность	**popularity**
пользоваться популярностью	be popular with
посетитель	**visitor**
потребитель (*потребляющее предприятие*)	**consumer, user**
конечный потребитель	ultimate consumer, ultimate user
представитель	**representative**
представлять (*на выставке, на ярмарке*)	**represent**
пресса	**press**
отраслевая пресса	trade press
техническая пресса	technical press
пресс-конференция	**press conference**
проводить пресс-конференцию	arrange a press conference, hold a press conference
пресс-релиз	**press release**
пресс-центр	**press centre**
привлекательность (*рекламы*) *см.* **реклама**	
привлекательность (*экспоната*)	**eye appeal**
приложение	**supplement**
рекламное приложение	advertisement supplement
специальное приложение	special supplement
присуждать (*медаль, награду, приз*)	**award**

программа (*телевизионная*), **передаваемая в эфир** (*без записи на пленку*)	**live programme**
прогресс	**progress**
продажа *см.* **сбыт**	
пропаганда	**propaganda**
публикация	**publication**
бесплатная публикация	free insertion, free publication
радиоинформация	**radio information**
радиопрограмма	**radio programme**
радиореклама	**broadcast advertising, radio advertising**
распространение	**circulation**
бесплатное распространение	nonpaid circulation
платное распространение	paid circulation
распространение по запросам	request circulation
редактировать	**edit**
редактор	**editor**
технический редактор	lay-out man
реклама	**advertising**
внешнеторговая реклама	export advertising
изобразительная реклама	display advertising
кооперированная реклама	cooperative advertising
локальная реклама	local advertising
международная реклама	international advertising
местная реклама	local advertising
навязчивая реклама	persuasive advertising
напоминающая реклама	reminder advertising
наружная реклама	outdoor advertising
средство наружной рекламы	outdoor sign
местоположение средств наружной рекламы	poster site
размещение (*расклейка*) средств наружной рекламы	posting
общенациональная реклама	national advertising
плакатная реклама	poster advertising
престижная реклама	prestige advertising
прямая реклама	direct advertising
прямая почтовая реклама	direct mail advertising
региональная реклама	regional advertising
рубричная реклама, строчная реклама	classified advertising

рубрично-изобразительная реклама	semi-display advertising
световая реклама	illuminated signs, electric sign advertising
сезонная реклама	seasonal advertising
экранная реклама	screen advertising
ассигнование на рекламу	advertising appropriation
воздействие рекламы	impact of advertising
последовательность в рекламе	continuity in advertising
привлекательность рекламы	appeal of advertising
реклама в адрес деловых предприятий	advertising to business
реклама в газетах	newspaper advertising
реклама в кино, кинореклама	cinema advertising
реклама в метро (*в поездах и на станциях*)	underground railway advertising
реклама в прессе	press advertising
реклама на железных дорогах	railway advertising
реклама на месте продажи	inside-the-store advertising, point-of-purchase advertising, point-of-sale advertising
реклама на сельское хозяйство	farm advertising
реклама на сферу торговли	trade advertising
реклама на транспорте	transportation advertising
реклама по радио	broadcast advertising, radio advertising
реклама по телевидению	television advertising
реклама потребительских товаров	consumer advertising
реклама при помощи демонстрации диапозитивов (слайдов)	slide advertising
реклама с помощью кинофильмов	film advertising
реклама с помощью надписей в небе выхлопной струей самолета	sky writing
реклама с помощью рассылки почтовых открыток	postcard advertising
реклама с помощью сувениров	specialty advertising
реклама товаров	product advertising
реклама товаров и услуг (*врачей, архитекторов*)	professional advertising
реклама товаров промышленного значения (назначения)	industrial advertising
реклама фирмы	corporate advertising
смета расходов на рекламу	advertising budget

средства распространения рекламы	advertising media
массовые средства распространения рекламы	mass advertising media
местные средства распространения рекламы	local advertising media
общенациональные средства распространения рекламы	national advertising media
рекламирование (*рекламная деятельность*)	**advertising**
рекламировать	**advertise**
рекламируемый товар	**promoted product**
рекламная аудитория	**audience**
рекламная передача по радио или телевидению	**commercial**
рекламное(-ые) агентство(-а)	**advertising agency**
международное рекламное агентство	international advertising agency
рекламное агентство с полным циклом услуг	full service advertising agency
сеть рекламных агентств	advertising agency network
рекламное место	**space**
покупатель рекламного места	space buyer
покупка рекламного места	buying space, space buying
рекламное объявление	**advertisement**
единственная публикация рекламного объявления в прессе	one shot
изобразительное (*макетное*) рекламное объявление	display advertisement
макет рекламного объявления	lay-out of an advertisement
приобретение права на публикацию рекламного объявления	buying space
публикация рекламных объявлений в печатных справочниках	directory advertising
размер рекламного объявления	size of an advertisement
составитель рекламных объявлений	advertisement originator
повторять рекламное объявление	repeat an advertisement
помещать рекламное объявление	place an advertisement, put up an advertisement
рекламное сообщение, написанное краской на стене	**wall sign**

рекламный материал	**advertising material**
аудио-визуальные рекламные материалы (*слайдофильмы, диафильмы*)	audio-visual
рекламный и демонстрационный материал	advertising and display material
рекламный проспект	**prospectus**
рекламный символ (*знак*)	**sign**
рекламные справочники	**advertising registers**
рекламодатель (*заказчик, клиент рекламного агентства*)	**account, advertiser**
региональный рекламодатель	regional advertiser
рекламодатель товаров промышленного назначения	industrial advertiser
рекламополучатель	**recipient**
ролик (*фильм*)	**commercial film**
рекламный ролик	spot [announcement]
телевизионный рекламный ролик (*фильм*)	commercial film, TV
рынок	**market**
национальный рынок	national market
пробный рынок	test market
исследование рынка	market analysis, market research, market study
положение фирмы на рынке	market position
потенциальные возможности рынка	market potential
пробное выступление на рынке	test marketing, try-out campaign
выводить на рынок [товар]	introduce goods into a market
сбыт, продажа	**sale, sales**
каналы сбыта	trade channels
объем сбыта	sales volume
содействие сбыту	promotion
стимулирование сбыта	sales promotion
управляющий службой сбыта	sales manager
связь(-и)	**connection, contact(-s), link(-s), relation(-s), tie(-s)**
внешнеэкономические связи	foreign economic relations, foreign economic links
деловые связи	business relations
культурные связи	cultural relations
устойчивые связи	stable relations
экономические связи	economic relations, economic ties

расширение связей	broadening of economic relations, extension of economic relations
укрепление связей	strengthening of relations, strengthening of links
расширять связи	broaden relations, extend relations
укреплять связи	strengthen links, strengthen relations
устанавливать связи	establish relations, establish contacts, establish links
сделка	**deal, transaction**
выгодная сделка	profitable business, profitable transaction
сумма сделки	amount of a transaction
заключать сделку на сумму	make a deal to the amount *of*
семинар	**seminar, workshop**
симпозиум	**symposium**
слайд	**slide**
слайдофильм	**slide-film**
сотрудничать	**cooperate**
сотрудничество	**cooperation**
научно-техническое сотрудничество	scientific and technical cooperation
экономическое сотрудничество с развивающимися (развитыми) странами	economic cooperation with developing (developed) countries
«спот» (*краткий рекламный ролик*)	**spot, [spot] announcement**
справочник (*ежегодник*)	**directory**
спрос	**demand**
пользоваться спросом	be in demand
стимулировать спрос	stimulate the demand
средства массовой информации	**mass media**
стеллаж	**rack**
стенд (*на выставке*)	**booth, stand**
выставочный стенд	display stand, exhibition stand
стенд модульной конструкции	module
стендист	**stand-attendant**
страница	**page**
строка	**line**
студия (*радио-, фото-, телевизионная студия*)	**studio**

сувениры (*рекламные*)	**specialties, specialities**
съемка	**filming**
тариф (*ставка за единицу рекламного времени или места*)	**[advertising] rate**
творческие работники (*рекламного агентства*)	**visualisers**
текст (*рекламного объявления*)	**copy**
основной текст (*рекламного объявления*)	body copy, body text, general text
подрисуночный текст	caption
рекламный текст	advertising copy
проба рекламного текста	copy testing, copy test
телереклама	**television advertising, TV advertising**
тираж	**circulation**
бросовый тираж	waste circulation
договорный тираж	franchise circulation
массовый тираж	mass circulation
повторный тираж	reprint
товарооборот	**trade turnover**
увеличивать товарооборот	increase the trade turnover
торговая активность	**trade activity**
высокая торговая активность	brisk trade
торговая марка	**trademark, trade-mark, trade mark**
официально зарегистрированная торговая марка	registered trade-mark
торговец	**trader, tradesman**
оптовый торговец	wholesaler
розничный торговец	retailer
торговля	**trade**
внешняя торговля	foreign trade, external trade
оживленная торговля	brisk trade
расширение торговли	extension of trade
способствовать расширению торговли	promote trade
торговое наименование фирмы	**trade name**
Торгово-промышленная палата СССР	**USSR Chamber of Commerce and Industry**
транслировать	**broadcast**
транспарант (*плакат*) **участника выставки**	**header**
двусторонний транспарант	two-sided header
турист	**tourist**

услуга(-и)	**service(-s)**
полный цикл услуг рекламного агентства	agency package
оказывать услуги	render services
успех(-и)	**success**
делать успехи	make progress
иметь успех	be a success
фильм, кинофильм	**film**
документальный фильм	documentary film
короткометражный фильм	spot film, short film
мультипликационный фильм	animated cartoon
рекламный фильм	advertising film
звукозапись рекламного фильма	audio-tape
телевизионный рекламный фильм	TV advertising film
звуковая часть телевизионного рекламного фильма	audio
учебный фильм	training film, instruction film
озвучивание [кино]фильма	sound dubbing
продолжительность [кино]фильма	running time of a film
демонстрировать [кино]фильм	show a film
формат	**size, format**
фотовыставка	**photo-exhibition**
художник-оформитель	**lay-out man**
художник-плакатист	**designer, poster artist**
цвет(-а)	**colour(-s)**
дополнительный цвет	additional colour
основные цвета	primary colours
в цвете	in colour
центр	**centre**
информационный центр	information centre
культурный центр	cultural centre
читаемость (*число читателей, круг читателей*)	**readership**
шоуинг (*показ*)	**showing**
полный шоуинг	full showing
половинный шоуинг	half showing
четверть шоуинга	quarter showing
шрифт	**type**
основной шрифт	body type
рекламный шрифт	advertising type
кегль шрифта	size of type

штат	**staff**
квалифицированный штат	efficient staff
щит [рекламный]	**board, hoarding, panel**
придорожный [рекламный] щит	road sign
рисованный щит	board
щит для плакатов	poster hoarding
[рекламный] щит большого размера, устанавливаемый вблизи полотна железной дороги	railroad showing
[рекламный] щит, установленный на крыше здания	sky sign
монтировать щит, устанавливать щит	fix a board, place a board
экземпляр	**copy**
сигнальный экземпляр	press proof, advance copy
экспозиция (*выставка*)	**exposition**
экспонат	**exhibit**
экспонент (*участник выставки*)	**exhibitioner, exhibitor**
экспонировать	**exhibit**
экспорт	**export**
традиционный экспорт	traditional export
экспортные возможности	**export possibilities**
демонстрировать экспортные возможности	show export possibilities
расширять экспортные возможности	expand export possibilities
эскиз	**rough [drawing], sketch, lay-out**
этикетка, наклейка	**label, tag**
товарная этикетка	brand label
эфир	**air**
выходить в эфир	go on the air
ярмарка	**fair, show**
ежегодная ярмарка	annual fair
книжная ярмарка	book fair
международная ярмарка	international fair
торговая ярмарка	trade fair
традиционная ярмарка	traditional fair
принимать участие в ярмарке	participate in a fair
проводить ярмарку	hold a fair
устраивать ярмарку	arrange a fair

Международные ярмарки и выставки играют важную роль в... экономических связей	International fairs and exhibitions play an important role in... economic relations
расширении	broadening
укреплении	strengthening
Размер комиссионного вознаграждения зависит от расширения запродажи оборудования	The amount of commission depends on the increase in the sales of the equipment
Каков... вашей газеты?	What is the... of your newspaper?
круг читателей	readership
тираж	circulation
Какова тематика вашего журнала?	What does your magazine feature?
Что демонстрирует... на этой выставке?	What does... exhibit at this exhibition?
ваша страна	your country
ваша фирма	your firm
ваше объединение	your objedinenije
Какова стоимость публикации рекламного объявления...?	What are the advertising rates...?
в вашем журнале	in your magazine
в вашей газете	in your newspaper
в воскресном выпуске вашей газеты	in the Sunday edition of your newspaper
в цвете	for advertisements in colour
в черно-белом изображении	for black and white advertisements
Расскажите, пожалуйста, об этом...	Will you tell us something about the..., please?
макете	model
оборудовании	equipment
экспонате	exhibit
Обратитесь к стендисту, он покажет вам оборудование в действии	Ask the stand-attendent to show you the equipment in operation
Я могу предложить вам ознакомиться подробнее с этим оборудованием по нашим...	I suggest you see our... to get a better idea of the equipment
буклетам	booklets
каталогам	catalogues
рекламным материалам	advertising materials
слайдам	slides
фильмам	films
Наши выставки знакомят посетителей с...	Our exhibitions show the... to the visitors

растущими экспортными возможностями	growing export potential
социальным прогрессом	social progress
успехами в области науки, техники и культуры	progress in science, engineering and culture
Мы хотели бы, чтобы вы направили потенциальным клиентам...	We'd like you to send... to the prospective clients
каталоги	catalogues
образцы наших печатных изданий	sample copies
рекламные материалы	advertising materials
фирменные сувениры	specialities
Когда проводится национальный день вашей страны?	When will the national day of your country be held?
Каков ориентировочный объем ассигнований на рекламу?	What is a tentative advertising appropriation?
Какие места вы можете предложить для установки рекламных щитов?	What places can you recommend for fixing boards?
Выбор места будет зависеть от ваших финансовых возможностей. Реклама в центре города стоит дорого	The choice will depend on how much you are prepared to pay. Advertising in the centre of the city is very expensive
Каковы ваши предложения по рекламированию ваших товаров?	What are your proposals on advertising your goods?
Мы хотим, чтобы вы осуществили рекламу наших товаров...	We'd like you to advertise our goods...
в ваших специализированных журналах	in your specialized magazines
путем распространения наших рекламных материалов	by distributing our advertising materials
средствами наружной рекламы	through outdoor advertising
Мы можем предложить свои услуги в создании рекламного фильма о сотрудничестве вашей страны с развивающимися странами	We are ready to offer you our services in making an advertising film about your country's cooperation with developing countries
Какова стоимость рекламного фильма объемом 10 минут экранного времени?	How much will a ten-minutes' advertising film cost?
Мы рассчитываем, что ваша рекламная деятельность позволит нашему объединению установить и значительно расширить экономические связи с вашей страной	We hope, that your advertising activities will enable our objedinenije to establish and considerably expand our relations with your country

З. Спасибо, г-н..., что вы лично показали нам вашу экспозицию. Нам очень понравилось ваше текстильное оборудование, и мы особенно рады, что увидели рабочие модели этого оборудования в действии.	C. Thank you, Mr..., for showing us round your pavilion. Your textile equipment has impressed us most and we are glad that we've seen the working models of the equipment in operation.
П. Очень приятно это слышать. На этой ярмарке, как я уже говорил; мы показываем наше новейшее оборудование, в нем учтены все последние достижения науки и техники в этой отрасли.	S. I'm glad to hear that. As I told you what we are showing at the fair is our most up-to-date equipment incorporating the latest scientific and technological achievements in this field.
З. В какие страны вы поставляете ваше оборудование?	C. To what countries do you supply your equipment?
П. Наше оборудование успешно работает на более чем 200 предприятиях в различных странах.	S. Our equipment operates successfully at more than 200 enterprises in different countries.
З. Мы тоже заинтересованы в покупке вашего оборудования и намерены направить вам запрос.	C. We are also interested in buying your equipment and intend to send you our enquiry.
П. Готовы рассмотреть ваш запрос и будем рады сотрудничать с вами. Кстати, на этой выставке мы уже подписали несколько контрактов на поставку нашего текстильного оборудования.	S. We are ready to consider your enquiry and welcome cooperation with you. Incidentally, we have already signed several contracts for the delivery of our textile equipment here.
З. Мы знаем об этом, г-н... Выставка в целом проходит с блестящим успехом. Торговая активность высокая, сумма заключенных сделок превысила...	C. We know that, Mr... The exhibition is a tremendous success on the whole. Business activity is brisk, and the deals concluded at the fair exceed...
П. Да, выставка вызвала интерес деловых кругов всего мира и безусловно будет способствовать расширению и укреплению торговых и экономических связей.	S. Yes, the business community has shown a great interest in the exhibition which will undoubtedly promote and strengthen trade and economic links.
З. Без сомнения. Мы тоже надеемся заключить с вами взаимовыгодный контракт.	C. Most certainly. We also hope to sign a mutually advantageous contract with you.

ДЕЛОВАЯ ПЕРЕПИСКА — BUSINESS CORRESPONDENCE

ПИСЬМЕННЫЕ ШТАМПЫ — WRITTEN PATTERNS

Для начала письма — Opening Phrases

Уважаемые Господа,	Dear Sirs,
Мы получили Ваше письмо от...	We have received your letter of...
Благодарим за письмо от...	We thank you for your letter of...
Ваше письмо с приложением (с указанием, просьбой о...) рассмотрено	Your letter enclosing (stating that..., asking us to do..., requesting us to do..., has been considered (given proper attention)
В ответ на Ваше письмо от...	In reply (In response) to your letter of...
В подтверждение нашего (их) телефонного разговора (переговоров, состоявшихся в...) сообщаем, что...	In confirmation of our (their) telephone conversation (talks, held in...) we wish to inform you that...
Ссылаясь на наше письмо от... сообщаем, что...	With reference to (Referring to) our letter of... we wish to inform you that...
Вновь ссылаясь на...	With further reference to...
Рады сообщить Вам, что...	We are pleased (We are glad) to inform you that... We have pleasure in informing you that...
К сожалению вынуждены напомнить Вам, что...	We are sorry (We regret) to have to remind you that...
Из Вашего письма мы узнали, что...	We learn from your letter that...
В связи с нашим письмом от... и в подтверждение телеграммы от...	In connection with our letter of... and in confirmation of your cable of...
Приносим извинение за некоторую задержку с ответом на Ваше письмо	We offer apologies for the delay in answering your letter
Пожалуйста, примите наши извинения за...	We apologize for... Please accept our apologies for...
Мы с сожалением узнали из Вашего письма от..., что...	We regret (We are sorry) to learn from your letter of... that...
К сожалению, мы не можем удовлетворить вашу просьбу о...	We are sorry we are unable to meet your request...
Мы с удивлением узнали из Вашего телекса...	We are surprised to learn from your telex...

В дополнение к нашему письму от...	Further to our letter of...
Мы вынуждены напомнить Вам, что...	We have to remind you that...
Имеем удовольствие предложить Вам...	We have pleasure in offering you...
Вам несомненно известно, что...	You are no doubt aware that...
Очевидно вам известно, что...	You may know that...
Прилагаем копию письма фирмы... по поводу... (в связи с...)	We enclose (are eclosing) a copy of a letter from... about... (in connection with...)
Просим принять во внимание (учесть), что...	Please note that...

Связующие элементы письма / Binding Phrases

Мы выражаем уверенность в том, что...	We express confidence that...
Мы совершенно уверены...	We are sure (confident) that...
Одновременно хотели бы напомнить вам, что...	At the same time we would like to remind you that...
Считаем необходимым (важным, целесообразным) отметить...	We find (consider) it necessary (important, reasonable) to note...
Помимо вышеуказанного...	Apart from the above [said]...
В дополнение к вышеуказанному...	Further to the above... In addition to the above...
Мы были бы рады иметь возможность...	We would welcome the opportunity...
Пользуясь возможностью напомнить, что...	We are taking the opportunity to remind you that...
Само собой разумеется...	It is self understood... It goes without saying...
Обращаем Ваше внимание на тот факт, что...	We wish to draw your attention to the fact that... We would like you to note that... We wish to bring to you notice that...
Ввиду вышеизложенного...	In view of the above [said]...
В связи с этим...	In this connection...
В связи с вашей просьбой...	In connection with your request...
В связи с вышеизложенным...	In connection with the above [said]...
В противном случае, мы будем вынуждены...	Otherwise we shall have...

Что касается Вашей просьбы (Вашего заказа, Вашей претензии)...	As to (as regards, with regard to your request (your order, your claim)...
Дело в том, что...	The matter is... The point is...
В сложившихся обстоятельствах...	In the circumstances...
По нашему мнению...	In our opinion... We believe... We think... We feel...
В соответствии с Вашей просьбой...	As requested by you...
В случае задержки в поставках (в уплате, в посылке специалистов)...	In case of delay in delivery (in payment, in sending specialists)...
Мы не испытываем никаких трудностей с...	We have (are having) no difficulty in...
Мы испытываем затруднения с...	We have (are having) difficulty in...
Необходимо признать, что...	We have to admit that...
До сих пор мы не получили ответа...	So far (Up till now) we have received no reply...
Мы не согласны с Вашей точкой зрения по следующим причинам...	We cannot accept this point of view for the following reasons...
В случае Вашего отказа...	In case of your refusal... Should you refuse...
В случае неуплаты...	In case of your failure to make payment[s]... Should you fail to make payment[s]...
Во избежание задержки в...	To avoid delay in...
В соответствии с прилагаемым контрактом...	In accordance with the contract enclosed...
В Вашем письме Вы заявляете, что...	You state (write, are writing) in your letter that...
Далее Вы пишете...	Further you write...
Более того...	Moreover...
Тем не менее...	Nevertheless...
В первую очередь...	First of all (In the first place)...
Фактически...	In fact (In actual fact/Actually/ Virtually)...
Кроме того...	Besides...

Выражения, используемые в конце письма | Closing Phrases

Выражения, используемые в конце письма	Closing Phrases
Мы будем признательны за быстрый ответ	Your early reply will be appreciated
Просим обращаться к нам, если Вам потребуется помощь (содействие)...	If we can be of any assistance please do not hesitate to contact us
Надеемся получить Ваш ответ в ближайшем будущем	We are looking forward to hearing from you We expect your early reply We expect to hear from you in the near future
Просим сообщить нам как можно скорее (в ближайшем будущем)	Please, inform us (let us know) in the shortest possible time (at your earliest convenience)
По получении письма просим телеграфировать (сообщить телексом) подтверждение (согласие)	[Up] on receipt of the letter [will you] please cable (telex) your confirmation (consent)
Мы хотели бы заверить Вас...	We would like to assure you...
Надеемся поддержать сотрудничество с Вами	We wish (would like) to maintain cooperation with you
Будем признательны за быстрое выполнение нашего заказа	Your prompt execution of our order will be (would be) appreciated
Мы не замедлим связаться с нашими организациями (проектными организациями, заводами-производителями)	We shall not fail to contact (to get in touch with) our organizations (design organizations, manufacturers)
Заверяем Вас, что мы незамедлительно свяжемся с соответствующими организациями	We assure you that we shall get in touch with organizations concerned without delay
Заверяем Вас, что мы предпримем срочные меры для исправления создавшегося положения	We assure you that we shall take prompt action (urgent measures) to remedy (correct, rectify) the situation
Ждем приезда ваших представителей для дальнейших переговоров	We are expecting your representatives (officials, engineers) to arrive for the talks
Ожидаем Вашего согласия (одобрения, подтверждения)	We are looking forward to [receiving] your consent (approval, confirmation)
С уважением	Your faithfully Faithfully yours Yours truly Truly yours Yours sincerely Sincerely yours

ДЕЛОВЫЕ ПИСЬМА

Переписка по вопросам цены контракта

Уважаемые господа,

Мы получили Ваше письмо от 10 января с.г., в котором Вы просите нас предоставить Вам скидку в размере 25% с цены, предложенной нами в проекте контракта на поставку оборудования и материалов для расширения... завода. При этом Вы ссылаетесь на наш Контракт №... на поставку оборудования и материалов для строительства первой очереди завода.

С сожалением сообщаем Вам, что мы не можем удовлетворить Вашу просьбу по следующим причинам:

1. Вы считаете, что за период с даты подписания контракта, т. е. за 6 лет, цены на данный вид оборудования возросли на 20%. Однако согласно индексам цен, публикуемым в ФРГ, США и Великобритании, средний годовой рост цен на машины и оборудование составил 8—10%, т. е. 48—60% за 6 лет, что соответствует указанному в проекте контракта приросту в размере 60%.

2. Согласно публикуемым данным капитальные вложения для производства 1 тонны алюминия в настоящее время составляют... ам. долларов.

Как Вам известно, стоимость технологического оборудования составляет 50—60% от капиталовложений на строительство... завода. Это также подтверждает правильность нашей цены.

Мы хотели бы обратить Ваше внимание также и на то, что оборудование, предусмотренное к поставке, отвечает современным требованиям, и степень его автоматизации значительно выше, чем у ранее поставляемого оборудования.

Прилагая при этом расчет стоимости оборудования и материалов, а также данные о стоимости строительства подобных заводов в других странах, просим внимательно изучить эти материалы, которые, мы уверены, помогут Вам согласиться с нашим предложением.

В ожидании Вашего ответа,

С уважением

Уважаемые господа,

Благодарим Вас за конкурентные материалы, переданные нам 20 мая с. г. Вашим представителем для повторного рассмотрения цены, которую вы считаете завышенной на 20%.

Мы тщательно изучили эти материалы и пришли к заключению, что не можем удовлетворить Вашу просьбу о снижении цены на оборудование и материалы, предусмотренные в проекте контракта.

Мы считаем, что предложенная нами цена находится на уровне цен, указанных в переданных Вами материалах.

При этом мы хотели бы обратить Ваше внимание на следующие факты:

1. Мы считаем, что предложенные нами условия платежей более выгодны, чем условия наших конкурентов. Согласно проекту контракта мы предлагаем осуществить оплату поставок на условиях коммерческого кредита, из расчета...% годовых в течение 8 лет, в то время как наши конкуренты предоставляют коммерческий кредит на более короткий срок и с более высокой процентной ставкой.

BUSINESS LETTERS

Correspondence Relating to Prices

We have received your letter of January 10, this year, asking us to grant you a discount of 25% off the price which we quoted in our Draft Contract for the delivery of equipment and materials for the extension of the... plant. In doing so, you refer to our Contract No... for the delivery of equipment and materials for the construction of the first stage of the plant.

We regret to inform you, that we cannot meet your request for the following reasons:

1. You think that in the 6 years since signing the Contract the prices for this kind of equipment have gone up by 20%. However according to the price indexes put out in the FRG, USA and UK the average annual price rise for machines and equipment makes 8—10%, i. e. 48—60% in 6 years, which corresponds to the 60% price rise indicated in the draft contract.

2. According to the published data, the production of 1 ton of aluminium required investments of up to $...

You certainly know that the cost of equipment makes 50—60% of the investments required for the construction of an... plant. This also proves that our price is reasonable.

Meanwhile we would like to draw your attention to the fact, that the equipment intended for delivery meets modern requirements and the level of automation is considerably higher than that of the equipment supplied before.

Herewith we are sending you our calculation of the prices as well as information on the construction costs of plants of this kind in different countries. Will you please scrutinize the materials as we feel confident they will help you to accept our proposal.

We look forward to your reply.

Your faithfully,

Dear Sirs,

We thank you for the competitors materials handed over to us by your representative on May 20, this year with the view to our revising the price which you find overestimated by 20%.

We have carefully studied the materials and come to the conclusion that we cannot meet your request to reduce the price of the equipment and materials indicated in our Draft Contract.

We believe that our price is much the same as the prices stated in the materials you gave us.

At the same time we should like to draw your attention to the following:

1. We trust that our terms of payment are more favourable than those of our competitors. As stated in our Draft Contract we suggest payments be made on the basis of commercial credit to be granted for 8 years at a ...% annual interest rate while our competitors offer commercial credit for a shorter period of time and at a higher interest.

2. Мы обязуемся поставить оборудование и материалы в течение 30 месяцев с даты подписания контракта. Срок поставки наших конкурентов равен 40 месяцам.

3. Кроме того, в объем поставок по представленным конкурентным материалам не входит оборудование для автоматизированной системы управления технологическим процессом.

Ввиду вышеизложенного, мы считаем нашу цену вполне разумной. Однако мы были бы рады предоставить Вам скидку в ...%, если по завершении строительства первой очереди завода Вы закупили бы у нас оборудование и материалы для последующего расширения завода.

Надеемся, что наше новое предложение заинтересует Вас.

С уважением

Уважаемые господа,

Мы внимательно рассмотрели Ваши замечания к проекту контракта на строительство электростанции в г... на условиях «под ключ».

Часть Ваших замечаний нами принимается, в связи с чем нашему представителю дано указание внести в проект контракта соответствующие изменения.

С сожалением должны сообщить Вам, что мы не имеем возможности принять Ваши предложения по нижеуказанным пунктам:

1. Предлагаемые Вами 5% от стоимости контракта на мобилизационные расходы в 4 раза меньше указанных нами ранее 20% и не покрывают наши расходы по подготовке к строительству.

2. ...% от стоимости контракта в свободно конвертируемой валюте недостаточны для закупки в третьих странах необходимого количества оборудования. ...%, указанные в проекте контракта, рассчитаны, исходя из реальной потребности в таком оборудовании, и учитывают лишь стоимость оборудования на базе мировых цен, стоимость фрахта, страхования и наши затраты по организации закупки и доставки оборудования на строительную площадку.

3. Единичные расценки стоимости рабочей силы и материалов, указанные в нашем проекте контракта, рассчитаны по официальным документам, полученным нами в Ваших государственных организациях и у потенциальных субподрядчиков — местных строительных фирм.

Учитывая вышеизложенное, мы просим Вас снять Ваши замечания по указанным пунктам и согласиться с нашими предложениями в проекте контракта.

В подтверждение нашей позиции направляем Вам дополнительные материалы по расчетам объема мобилизационных расходов, а также копии предложений фирм и документов по единичным расценкам.

С уважением

Переписка по вопросам форм расчетов и условиям платежа

Уважаемые господа,

С сожалением сообщаем Вам, что до настоящего времени мы не получили от Вас банковскую гарантию.

2. We undertake to deliver the equipment and materials within 30 months of the date of signing the contract. The delivery period in our competitors' offers is 40 months.

3. In addition, the volume of deliveries as shown in your competitors' materials does not comprise delivery of an automated system for the production process.

In view of the above, we feel certain that our price is quite reasonable. We should, however, be pleased to allow you a discount of...% if you care, upon completion of the first stage to order from us equipment and materials for further extension.

We hope you will see a real opportunity in our new proposal.

Your faithfully,

Dear Sirs,

We have carefully studied your comments on our draft contract for the construction of the... Power Station in... on a "turn-key" basis.

We have accepted some of your requests and instructed our representative to amend the Draft Contract accordingly.

Much to our regret, however we cannot accept your suggestions on the points listed below:

1. The 5% of the contract value which you allotted for mobilization expenses is 4 times less than the 20% we indicated originally and is insufficient to cover our expenses on the preparation period.

2. The...% of the contract value in free currency would not be adequate to purchase the required equipment in third countries. The...% stated in our Draft Contract is based on the actual requirements and covers only the cost of the equipment as per world prices, freight, insurance and our expenses on procurement and delivery of the equipment to the construction site.

3. Calculations of labour and material unit costs are based on the official documents we received from your state organizations and our potential subcontractors among local civil-engineering firms.

In view of the above we would request you to withdraw your suggestions and agree to the provisions of the Draft Contract.

To substantiate our point we are sending you further calculations of mobilization expenses as well as copies of offers and materials containing the unit costs.

Faithfully yours,

Correspondence Pertaining to Methods and Terms of Payment

Dear Sirs,

Much to our regret we have to inform you that so far we have not received a bank guarantee from you.

В связи с этим мы хотели бы напомнить Вам о Вашем письме от 20 мая с. г., в котором Вы просили нас изменить аккредитивную форму расчетов, в связи с трудностями и дополнительными расходами, связанными с открытием аккредитива.

Понимая Ваши затруднения, наша фирма пошла Вам навстречу и дала согласие на инкассовую форму расчетов. Вы приняли предложенную форму расчетов и обязались представить в трехнедельный срок гарантию первоклассного банка на 80% стоимости контракта.

В свою очередь мы дали указание нашему торговому представителю в Вашей стране подписать дополнение к нашему контракту во изменение первоначальной формы расчетов. Вышеуказанное дополнение было подписано 15 июня с. г.

После подписания дополнения к контракту завод-изготовитель начал отгрузку запасных частей в порт.

Однако в связи с задержкой в представлении Вами банковской гарантии, мы были вынуждены дать указания приостановить поставку вышеуказанных частей. В настоящее время в порту находится более... тонн запасных частей, и расходы по их складированию будут отнесены на Ваш счет.

Мы просим Вас незамедлительно сообщить нам, когда будет представлена банковская гарантия и подтвердить согласие оплатить расходы по хранению запчастей в порту.

С уважением

Уважаемые господа,

В ответ на ваше письмо от 15 марта с. г., в котором Вы просите уточнить предлагаемые условия платежа, сообщаем Вам следующее:

1. Все платежи за поставляемое оборудование должны быть осуществлены в фунтах стерлингов в соответствии с торговым и платежным соглашениями между нашими странами, путем перевода причитающихся нам сумм на счет Банка по внешнеэкономическим связям СССР в Центральном банке вашей страны в пользу нашего объединения.
2. Предусмотренные контрактом платежи должны быть осуществлены следующим образом:
   — аванс в размере 25% от стоимости контракта выплачивается в течение 30 дней с даты подписания контракта;
   — остальные 75% от общей стоимости контракта выплачиваются пятью ежегыи взносами, в размере 15% каждый, причем первый платеж должен быть сделан в течение 12 месяцев с даты коносамента на последнюю партию оборудования.

На дату последней отгрузки Поставщик выставит на Заказчика пять тратт. Тратты должны быть акцептованы Заказчиком в течение 5 дней с даты их получения.

За пользование кредитом Заказчик уплатит Поставщику проценты из расчета...% годовых. Сумма каждой тратты будет включать процент, причитающийся на дату платежа по тратте.

Мы полагаем, что данная информация поможет Вам положительно оценить предлагаемые условия платежа, и мы были бы рады детально обсудить их во время наших переговоров.

С уважением

In view of the above we would like to remind you of your letter of 20th May, this year, in which you asked us to change the L/C method as inconvenient owing to the difficulties and extra expenses incurred.

Being aware of your difficulties our firm made a concession in suggesting payment for collection terms. You accepted the suggested method of payment and undertook to submit within three weeks a first-class bank guarantee for 80% of the contract value.

Further we authorized our trade representative in your country to sign an addendum to our contract providing for the change in the original method of payment. The above addendum was signed on 15th June, this year.

After signing the addendum the manufacturing works started shipping the spare parts to the port.

However, as we are still without your bank guarantee, we have had to give instructions to suspend the above shipments. At present over... tons of spare parts are at the port causing storage expenses which we feel should be charged to your account.

We urge you to advise us at your earliest convenience when the bank guarantee will be submitted and also let us have your consent to covering the above storage expenses.

Yours faithfully,

Dear Sirs,

In reply to your letter of 15th March, this year, asking us to specify the terms of payment we are ready to advise you as follows:

1. All payments for the equipment to be delivered shall be made in pounds sterling in accordance with the Trade and Payments agreements in force between our countries, the sums due to us being remitted to the account of the USSR Bank for Foreign Economic Relations with the Central Bank of your country in favour of our association.
2. Payments under the contract shall be made in the following way:
   — advance payment of 25% of the contract value shall be paid within 30 days of the date of signing the contract
   — the remaining 75% shall be paid by five annual installments of 15% each, the first installment being paid within 12 months of the date of the bill of lading for the last consignment under the Contract.

At the date of the last shipment the Supplier will draw five drafts on the Customer. The drafts shall be accepted by the Customer within 5 days of the date of their receipt.

For using the credit the Customer will pay to the Supplier a...% interest per annum. The amount of each draft will include the interest due on the maturity date of the draft.

We trust the information we have given you is sufficient for you to be able to favourably consider the suggested terms of payment and we would be glad to discuss them in detail during our talks.

Yours faithfully,

Уважаемые господа,

В соответствии с Контрактом №... от 22 марта с. г. мы командировали в Вашу страну высококвалифицированных советских специалистов для оказания Вам помощи в составлении задания на проектирование горно-обогатительного комбината, сбора необходимых исходных данных и проведения геологических изысканий в районе строительства.

Оплата услуг специалистов должна производиться Вами ежеквартально против наших счетов с приложением подробной калькуляции. Такой порядок платежей предусмотрен Статьей 10 упомянутого контракта, в соответствии с которой мы выставили первый счет за услуги наших специалистов.

Однако наш счет был оплачен лишь частично. Так, Вами не оплачена стоимость проезда и провоза багажа членов семей специалистов, а ставки возмещения не были начислены в полном соответствии со Статьей 25 контракта, предусматривающей консультации между сторонами по спорным вопросам. Направляя Вам настоящее письмо с приложением калькуляции, в которой отмечены неоплаченные Вами суммы, просим рассмотреть его в возможно короткое время и оплатить возникшую задолженность.

Одновременно мы вновь хотели бы отметить, что Вами до настоящего времени не выполнены условия контракта, предусматривающие предоставление советским специалистам бесплатного медицинского обслуживания и соответствующих транспортных средств для доставки их к месту работы. В связи с этим просим Вас принять самые действенные меры по решению этих вопросов.

В ожидании скорейшего ответа,

С уважением

Уважаемые господа,

Тщательно рассмотрев Ваши замечания по проекту контракта на строительство тепловой электростанции на подрядных условиях, мы хотели бы обратить Ваше внимание на нижеследующие моменты, содержащиеся в ваших замечаниях к статье «Условия платежа»:

1. Кредитная часть цены контракта.

Мы не можем принять ваше предложение об оплате кредитной части в соответствии с графиком платежей, т. к. этот способ противоречит условиям межправительственного соглашения.

2. Платежи в местной и свободно конвертируемой валюте.

Мы согласны, что оплата расходов, связанных с таможенной очисткой, доставкой на стройплощадку оборудования и материалов, выполнением строительно-монтажных работ, страхованием работ и сооружений и т. д. будет осуществляться в соответствии с графиком платежей. Однако, рассмотрев Ваш график платежей и график строительно-монтажных работ, мы считаем, что суммы ежемесячных платежей в первом году строительства должны быть увеличены и приведены в соответствие с планируемыми объемами работ.

Что касается платежей в твердой валюте, то мы согласны с Вами, что они не будут значительными, и готовы получать их в предложенной Вами валюте.

В связи с вышеизложенным, просим Вас пересмотреть Ваши замечания по статье «Условия платежа», приняв во внимание наш проект контракта и настоящее письмо.

В ожидании скорейшего ответа,

С уважением

Dear Sirs,

In accordance with Contract No... of 22nd March, this year, we have sent to your country competent Soviet specialists to give you assistance in preparing Memorandum of Instructions for the ore-dressing complex to collect initial data and carry out survey works in the area of construction.

Payments for the services of Soviet specialists should be made by you quarterly against our invoices attaching a detailed calculation. The payments procedure is stipulated in Article 10 of the above contract under which we have made out our first invoice for the services of our specialists.

However you have paid only part of the invoiced amounts. The travelling expenses and the cost of luggage transportation of the Soviet specialists' families have not been covered. Moreover you have not calculated the reimbursement rates in strict conformity with Article 25 of the contract which provides for consultations between the parties on matters of dispute.

We are sending you this letter enclosing calculations of the outstanding sums. Please give the matter your prompt attention and arrange for the earliest possible payment of the amount due.

At the same time we would like to note that so far you have failed to meet the contractual obligations with regard to free medical treatment of Soviet specialists and provision of adequate transport facilities to take them to their place of work.

In view of this we would ask you to take urgent action in settling the matter in question.

Awaiting your early reply, we remain,

Yours faithfully,

Dear Sirs,

After careful study of your comments on our Draft Contract for the construction of the Thermal Power Station on a "turn-key" basis, we would like to draw your attention to the following points of your comments on "Terms of Payment" article:

1. Credit part of contract price.

We cannot accept your proposal with regard to payment of the credit part to be made against the schedule of payments as the method runs counter to the provisions of the intergovernmental agreement.

2. Payments in local and hard currencies.

We agree that payments for the customs clearance, delivery of equipment and materials to the construction site, execution of civil and erection works, insurance of the works and buildings, etc. should be made in accordance with a schedule of payments. Having considered your schedule of payments and the schedule of civil and erection works, however, we conclude that the amounts of monthly payments during the first year of construction should be increased and adjusted to the volumes of work planned to be done.

As to the payments in hard currency, we agree that they will not be considerable and would be prepared to receive them in the currency of your option.

In view of the above will you please reconsider your stand on the clause "Terms of Payment" taking into account our Draft Contract and the present letter.

Awaiting your early reply, we remain,

Yours faithfully,

Переписка по вопросам гарантий и устранения дефектов

Уважаемые господа,

Мы получили Ваше письмо от 20 декабря с. г. и были удивлены Вашим решением продлить гарантийный период на генератор, вышедший из строя из-за дефектов завода-изготовителя, только на один месяц.

В связи с этим мы хотели бы обратить Ваше внимание на Статью 7 нашего контракта, предусматривающую продление гарантийного периода в случае выхода оборудования из строя по вине завода-изготовителя на срок, в течение которого оборудование простаивало.

Вам, конечно, известно, что мы незамедлительно сообщили Вам о выходе генератора из строя. Однако Ваши представители прибыли с большой задержкой, в результате чего генератор повторно был пущен в эксплуатацию только через два месяца после его поломки.

Более того, мы были удивлены Вашим отказом полностью возместить нам убытки, вызванные простоем генератора.

По нашему контракту Заказчик имеет право требовать удовлетворения претензий, возникших в связи с выходом оборудования из строя по вышеуказанным причинам.

Принимая во внимание эти соображения, мы хотели бы возобновить наши переговоры и окончательно определить дату истечения гарантийного периода и решить вопрос о полной компенсации наших убытков.

С уважением

Уважаемые господа,

Мы ссылаемся на Ваше письмо, в котором Вы сообщаете о выходе из строя генератора и просите немедленно устранить дефекты, вызвавшие поломку.

В связи с этим мы хотим напомнить Вам, что в соответствии с нашим контрактом, подписанным на условиях «под ключ», эксплуатация станции в течение гарантийного периода осуществляется персоналом Заказчика при строгом соблюдении инструкций по эксплуатации.

Срочно прибывший представитель завода-изготовителя сообщил нам, что он осмотрел генератор в присутствии представителя Инженера и пришел к выводу, что генератор вышел из строя из-за грубого нарушения Вашим персоналом инструкций по его эксплуатации.

В виду серьезности повреждения представитель завода-изготовителя считает целесообразным заменить отдельные узлы генератора.

В сложившейся ситуации мы предлагаем срочно провести переговоры по вопросу о поставке дополнительных узлов к генератору, их монтажа и наладки.

С уважением

Correspondence Relating to Guarantees and Elimination of Defects

Dear Sirs,

We have received your letter of 20th December, this year and are surprised to hear of your decision to prolong for one month only the guarantee period for the generator which broke down owing to manufacturing defects.

In view of this we would like to draw your attention to Clause 7 of our contract providing for the prolongation of the guarantee period, if the equipment breaks down owing to the manufacturing defects for the period during which the equipment stood idle.

You certainly know that we duly informed you about the breakdown of the generator. Your representatives, however, arrived at the plant very late as a result of which the generator was put into operation only two months after its breakdown.

Moreover we are surprised at your refusal to compensate us fully for the losses caused by the idle time of the generator.

Under our contract the Customer has the right to make a claim if the equipment fails due to the above reasons.

Taking into account the above, we would like to resume our talks to finalize the date of the guarantee period expiration and to solve the matter of full compensation for our losses.

Yours faithfully,

Dear Sirs,

We refer to your letter in which you inform us about the breakdown of the generator and request us to eliminate as early as possible the defects which caused the failure.

In this connection may we remind you that under our contract signed on a "turn-key" basis during the guarantee period the station should be operated by the Customer's personnel who are responsible for the strict observance of the operation instructions.

The representative of the manufacturing works who immediately arrived at the plant, let us know that he had examined the generator in the presence of the representative of the Engineer and concluded that the generator had failed because your personnel had grossly infringed the operation instructions.

As the damage proves to be very serious, the representative of the manufacturing works finds it advisable to replace some of the parts.

Under the circumstances we suggest holding early talks on the terms of delivery, erection and adjustment of the required additional parts.

Truly yours,

Переписка по вопросам страхования

Уважаемые господа,

Мы получили Ваше письмо от 3 марта с. г., в котором Вы просите изменить условия страхования оборудования, предложенные нами в проекте контракта на поставку оборудования для машиностроительного завода. Вы хотите, чтобы контракт предусматривал страхование поставляемого оборудования от... рисков.

Мы обращаем Ваше внимание на тот факт, что Ингосстрах СССР не производит страхование от... рисков товаров, поставляемых в... порты. Нам известно, что страхование от... рисков может быть осуществлено в Лондонском страховом обществе.

Что касается страхования оборудования от других рисков, то убытки возмещаются в зависимости от условий, на основании которых заключен договор страхования.

Мы готовы еще раз обсудить условия страхования.

С уважением

Переписка по вопросам форс-мажорных обстоятельств

Уважаемые господа,

Настоящим сообщаем, что ввиду обстоятельств непреодолимой силы (из-за сильного шторма) порт... временно закрыт и мы не сможем поставить Ваше судно под разгрузку.

Мы будем Вам очень признательны, если Вы задержите отгрузку оборудования до нашего уведомления о прекращении форс-мажорных обстоятельств.

Надеемся, что эта кратковременная задержка не нарушит графика поставок.

Переписка по вопросам рекламаций и урегулирования претензий

Уважаемые господа,

Подтверждаем получение Вашего письма от 5 сентября с. г., из которого мы узнали, что Вы предъявляете нам претензию на сумму... долларов за задержку в передаче технической документации по Контракту №...

Мы тщательно рассмотрели Вашу претензию и хотели бы сослаться на условия контракта. Дело в том, что Пункт 6 вышеуказанного контракта предусматривает передачу техдокументации в течение 3 месяцев после открытия Вами в нашу пользу безотзывного аккредитива в Банке по внешнеэкономическим связям СССР на сумму в... долларов. Вы обязались открыть аккредитив до 5 июня с. г., фактически же он был открыт Вами 25 июля, т. е. с опозданием более чем на один месяц.

Таким образом Вы нарушили контракт в отношении условий платежа, что и вызвало указанную задержку и, следовательно, мы полагаем, что Вы не можете возлагать на нас ответственность и требовать уплаты неустойки.

Искренне Ваши

Correspondence on Insurance

Dear Sirs,

We have received your letter of March 3, this year, requesting us to revise the terms of insurance indicated in our Draft Contract for the delivery of equipment for the machine-building plant. You suggest that the contract should provide insurance of the equipment against... risks.

We wish to draw your attention to the fact that Ingosstrakh of the USSR does not insure equipment delivered to ports against... risks. We know that insurance against... risks can be done with the London Insurance Company.

As to insurance against other risks losses are indemnified as per terms and conditions of an insurance contract.

We are ready to discuss once again the terms of insurance.

Yours faithfully,

Correspondence on Force-majeure [Circumstances]

Dear Sirs,

This is to advise you that because of force-majeure circumstances (because of a heavy storm) port... is temporarily closed and we shall not be able to place your vessel for unloading.

We shall appreciate it if you suspend shipments till we notify you about the end of force-majeure circumstances.

We hope this short delay will not affect the schedule of deliveries.

Correspondence on Claims and Arbitration

Dear Sirs,

We acknowledge receipt of your letter of September 5, this year, from which we learn that you are making a claim on us for... dollars for the delay in submitting the technical documentation under Contract No...

We have carefully studied your claim and would like to refer to the contract terms and conditions. The matter is that Article 6 of the above contract runs that the technical documentation should be submitted within three months of your opening an irrevocable L/C in our favour with the USSR Bank for Foreign Economic Relations for... dollars. You undertook to open the L/C before June 5, this year, but in fact you did not do so until July 25, which made a delay of over one month.

Thus, you have infringed the contract in respect of the terms of payment, which has caused the delay and consequently we feel that you cannot hold us responsible and claim damages.

Yours faithfully,

Уважаемые господа,

Ссылаясь на Ваше письмо от 30 мая с. г., из которого мы узнали, что Вы предъявляете нам претензию в связи с задержкой пуска станции в эксплуатацию и требуете уплаты неустойки, мы хотели бы напомнить Вам, что в соответствии с контрактом Вы обязаны были передать нам площадку для строительства в течение 1 месяца с даты подписания контракта. Площадка была предоставлена с опозданием в 3 месяца, что повлияло и на начало строительных работ.

Кроме этого, в ходе выполнения контракта, в связи с неоднократным нарушением Вами контрактных обязательств возникли серьезные трудности. Строительство поселка для рабочих было завершено с опозданием, и вы не оказали должного содействия в обеспечении таможенной очистки оборудования и материалов, необходимых для выполнения работ.

Несмотря на то, что к настоящему моменту прошло только 3 месяца с даты истечения контрактного срока, станция готова к приемным испытаниям.

Учитывая вышеизложенное, мы считаем Вашу претензию необоснованной и просим Вас отозвать ее.

С уважением

Переписка по проектно-изыскательским работам

Уважаемые господа,

Мы хотим напомнить Вам, что в соответствии с Дополнением №... к Контракту №..., подписанному... (*число, месяц, год*), В/О... должно подготовить рабочие чертежи для строительства завода в городе...

Как Вам известно, рабочие чертежи должны быть переданы Заказчику тремя комплектами. Последний комплект рабочих чертежей должен быть готов за 6 месяцев до окончания поставок оборудования.

Вы, конечно, помните, что во время защиты Технического проекта Ваша корпорация внесла в проект ряд изменений. В связи с этим была достигнута договоренность о закупке Заказчиком в... компрессоров для данного объекта. Кроме этого, Вы обязались в двухмесячный срок передать объединению технические характеристики и чертежи закупаемого оборудования.

Однако, к нашему сожалению, мы должны отметить, что до настоящего времени мы не получили от Вас необходимые данные, и наши проектные организации не могут приступить к разработке рабочих чертежей.

В связи с вышеизложенным, мы хотим обратить Ваше внимание на тот факт, что если вышеуказанные данные не будут получены в текущем месяце, мы будем вынуждены поднять вопрос о соответствующем продлении сроков подготовки рабочих чертежей.

С уважением

Dear Sirs,

With reference to your letter of May 30, this year, from which we learn that you are making a claim on us because of delay in commissioning the station and claim damages we would like to remind you that under the contract you were to have provided the construction site within one month of the date of signing the contract. This was not done until three months later which affected the commencement of the construction works.

Also in the course of contract performance there were serious difficulties resulting from your failures to meet the contractual obligations. There was a long delay in constructing the workers' settlement and you failed to provide due assistance in clearing through the customs the required equipment and materials.

In spite of the fact that only 3 months have passed since the expiration of the contractual time the station is ready to perform acceptance tests.

In view of the above, we find your claim unjustified and would request you to withdraw it.

Yours faithfully,

Correspondence on Carrying out Design and Survey Works

Dear Sirs,

We would like to remind you that in accordance with Addendum No... to Contract No..., signed on... (*day, month, year*) V/O... is to prepare working drawings for the construction of the plant in...

As you are well aware, the working drawings are to be handed over to the Customer in three sets. The last set is to be ready six months before the completion of deliveries.

You will certainly remember that during the discussions of the DPR your corporation introduced a number of alterations. In this connection the agreement was reached for the Customer to purchase compressors for the above project in... . In addition you undertook to forward to the V/O within two months technical characteristics and the working drawings of the equipment to be procured.

However we regret to note that we have not yet received the required data from you and our design organizations are unable to start elaborating the working drawings.

In view of the above we would like to draw your attention to the fact that unless we receive the above mentioned data within this month we shall have to raise the question of extending the time-limits for the preparation of the working drawings.

Yours faithfully,

Уважаемые господа,

Ссылаясь на наше письмо от... сообщаем Вам, что группа советских специалистов успешно закончила сбор исходных данных для составления Техпроекта по Контракту №...

Однако наши проектные организации не могут приступить к составлению вышеуказанного Техпроекта, так как мы еще не получили от Вас все исходные данные по топографии и геологии района площадки строительства, которые Вы в соответствии с контрактом обязались представить до...

Из ваших писем мы поняли, что из-за отсутствия необходимого оборудования и квалифицированных специалистов Вы столкнулись с серьезными трудностями в проведении этих работ.

Мы сознаем, что задержка в представлении Вами указанных данных может повлиять на сроки выполнения проектных работ и вызвать задержку в строительстве объекта, и поэтому мы готовы оказать Вам необходимую помощь.

Мы можем направить в Вашу страну наших специалистов либо для оказания Вам содействия в выполнении этих работ, либо для выполнения всего объема геологических и топографических работ.

Если наши предложения окажутся для Вас приемлемыми, мы готовы направить Вам на рассмотрение проект контракта на оказание этих услуг.

С нетерпением ждем Вашего ответа,

С уважением

Переписка по командированию советских специалистов

Уважаемые господа,

В связи с Вашим запросом и в подтверждение беседы с Вашим представителем, господином..., сообщаем Вам, что мы могли бы направить по Вашей просьбе группу специалистов для оказания технического содействия в сооружении завода тяжелого машиностроения и подготовке оборудования цехов этого завода к наладке и пуску в эксплуатацию.

Так как строительные и монтажные работы должны полностью соответствовать проектам Поставщика, мы могли бы включить в эту группу специалистов авторского надзора.

Основные условия, на которых мы обычно направляем специалистов за рубеж, следующие:

Вы должны возместить нам расходы по:

— месячным ставкам в долларах США,

— подъемным пособиям за каждого специалиста,

— стоимости проезда специалистов и членов их семей из Москвы до... и обратно самолетом по нормам туристического класса,

— страхованию специалистов в Ингосстрахе СССР от производственных рисков и несчастных случаев.

Кроме того, Вы за свой счет должны обеспечить всех советских специалистов, переводчиков и членов их семей надлежащим образом меблированными квартирами.

Вы также должны обеспечить наших специалистов транспортными средствами во время их командировок по стране и предоставить им бесплатную медицинскую помощь, включая госпитализацию.

Dear Sirs,

With reference to our letter of..., we wish to inform you that the group of Soviet specialists has successfully completed the initial data collection for preparing the DPR under Contract No...

However our design organisations are unable to start elaborating the above DPR, as we have not yet received full initial data on topography and geology of the construction site area, which in accordance with your contractual obligations you were to have submitted by...

We understand from your letters that you have faced serious difficulties in work resulting from lack of the necessary equipment and qualified specialists.

We are aware that if you are late in submitting the data the design work may be affected and a delay in the construction of the project may be caused. We are therefore prepared to assist wherever possible.

We could send our specialists to your country either to help you in carrying out these types of work or to do the entire volume of geological and topographic work.

Should you find our proposals acceptable we will be ready to forward for your consideration our Draft Contract for the above services.

Awaiting your reply,

Yours faithfully,

Correspondence on Sending Soviet Specialists Abroad

Dear Sirs,

In connection with your enquiry and in confirmation of our talk with your representative Mr... we are informing you that if requested we could send a group of highly qualified specialists to give technical assistance in constructing a heavy-machine building plant and preparing the equipment of the shops of the above plant to be adjusted and put into operation.

As the construction and erection works should be in full conformity with the Supplier's design, we could include in this groop engineers to carry out the designer's supervision.

The general conditions on which we usually send our specialists abroad are the following:

You will reimburse us for the following expenses:

— monthly salaries in USA dollars,
— transfer allowances for each specialist,
— round trip air travelling expenses, economy of the specialists and their families,
— insurance of specialists with Ingosstrakh of the USSR against professional risks and accidents.

You are also expected to provide at your expense all the Soviet engineers, interpreters and their families with adequately furnished air-conditioned accommodation.

In addition you are expected to provide our specialists with transport facilities for business trips in the country and free medical service, including hospitalization.

Мы бы хотели оговорить, что, если специалист заболеет в период своего пребывания в..., Вы не должны приостанавливать выплату месячных ставок за время его болезни.

Количество направляемых нами специалистов будет зависеть от объема необходимых работ. Сроки пребывания их в Вашей стране подлежат согласованию во время переговоров.

Ждем Вашего ответа,

С уважением

Переписка по подготовке национальных кадров

Уважаемые господа,

В соответствии с Контрактом № от... в июле 19... намечается завершение строительства железной дороги в..., которое осуществляется при техническом содействии вашей фирмы.

В настоящее время в нашей стране нет достаточного количества квалифицированных специалистов для эксплуатации этой железной дороги. Ввиду этого мы просили бы Вас помочь нам в подготовке соответствующих специалистов.

Мы просили бы Вас командировать в нашу страну 3-5 квалифицированных специалистов для работы советниками в Министерстве коммуникаций, а также организовать курс лекций по различным отраслям железнодорожного транспорта. Кроме того, мы просим оказать нам содействие в организации учебного центра в... по обучению наших специалистов для работы в области транспорта и связи.

Мы понимаем, что оказание технического содействия в эксплуатации железных дорог не предусмотрено межправительственным соглашением, поэтому мы предлагаем оплачивать Ваши расходы за указанную помощь в фунтах стерлингов по Советско-... торговому соглашению.

В ожидании вашего скорого ответа,

С уважением

Уважаемые господа,

Подтверждаем получение Вашего письма с приложением списка стажеров, подлежащих командированию в СССР в текущем году для прохождения производственно-технического обучения.

Из вашего письма мы с удивлением узнали, что Вы уже наметили выезд первой группы на 20 февраля с. г. В связи с этим мы считаем необходимым напомнить Вам, что необходимо прежде всего направить перечень специальностей, по которым Вы хотели бы подготовить Ваших стажеров.

Пользуясь случаем, напоминаем Вам также о Статье № 6 нашего контракта, предусматривающей передачу Заказчиком объединению данных о направляемых в СССР стажерах не позднее, чем за два месяца до их приезда в СССР. Кроме того, в соответствии с этой статьей Вы должны информировать объединение о планируемой дате прибытия стажеров в СССР за 10 дней до их выезда.

Вышеуказанная информация требуется объединению как для согласования приема стажеров на производственно-техническое обучение с соответствующими организациями, так и для подготовки мест в гостиницах, обеспечения транспортом в городе Москве и билетами для последующего направления Ваших стажеров на места практики.

We should like to specify the fact that if a specialist falls ill during his stay in..., you do not suspend payment of the reimbursement rates during his illness.

The number of specialists to be sent will depend on the volume of works to be done. The period of stay in your country will be agreed during negotiations.

Awaiting your reply,

Yours faithfully,

Correspondence on Training Local Personnel

Dear Sirs,

In accordance with Contract No... dated... the railway in..., which is undertaken for construction with the technical assistance of your firm is scheduled to be completed in July, 19...

We are aware that currently the country is lacking in qualified senior stuff to operate the railway. In view of this we would like to ask you to assist us in training the necessary specialists.

Could you send to our country 3 or 5 qualified specialists to work as advisers in the Ministry of Communications and also to deliver a course of lectures on different aspects of railway transport operation. We would also request you to assist us in setting up a training centre in... to train our personnel to operate transport and communications.

We understand that technical assistance of this kind is not stipulated by the Intergovernmental agreement and would therefore offer to pay for the above expenses in pounds sterling under the Soviet-... Trade agreement.

We look forward to your prompt reply.

Yours faithfully,

Dear Sirs,

We have received your letter enclosing a list of trainees to be sent to the USSR this year to undergo vocational training.

We are surprised to learn from your letter that you have already scheduled the departure of the first team for February 20, this year. In this connection we feel we have to remind you that we expected you to start with forwarding a list of specialities you would like your specialists to be trained in.

We take the opportunity to remind you of Article 6 of the contract which runs that the personal data on the trainees to be sent to the USSR should be submitted to the Objedinenije within two months of their arrival. In addition, in accordance with this Article you are expected to inform the Objedinenije of the date of the trainees' scheduled arrival in the USSR 10 days before their departure.

Our Objedinenije requires the above data to be able to coordinate the trainees' arrival with the appropriate factories, as well as to book accommodation in hotels, provide transport facilities in Moscow and arrange further bookings for their trips to the places of training.

В связи с тем, что упомянутая информация нами не получена, мы вынуждены информировать Вас о невозможности принять указанных стажеров ранее апреля месяца этого года.

С уважением

Переписка по вопросам поставки оборудования

Уважаемые господа,

Кас.: строительство металлургического завода в...

В дополнение к нашему письму №... от 10 августа с. г. сообщаем, что, к сожалению, оборудование, указанное в Приложении 1, не может быть изготовлено на строительной площадке завода, так как в нашем распоряжении нет необходимого количества металлообрабатывающих станков.

Мы хотели бы напомнить Вам, что Пункт 9 нашего контракта предусматривает возможность изготовления на строительной площадке оборудования, не требующего сложных видов работ.

В связи с этим мы просим Вас внести соответствующие изменения в статью «Разделение Поставок» и поставить вышеуказанное оборудование из Советского Союза в 4-м квартале 19... года.

Что касается нестандартизированного оборудования, указанного в Приложении 2, то оно может быть изготовлено в нашей стране при условии, что все необходимые материалы будут поставлены из Советского Союза.

С уважением

Уважаемые господа,

В соответствии с Контрактом №... поставка оборудования для строительства завода минеральных удобрений должна быть осуществлена тремя партиями.

Первые две партии оборудования были доставлены Вам в сроки, оговоренные контрактом, и Вы остались довольны его техническими характеристиками.

К сожалению, по вине завода-изготовителя и в связи с трудностями в обеспечении транспортных средств произошла задержка в поставке третьей партии. Оборудование прибыло в порт погрузки 20 ноября, лишь когда срок действия вышеуказанного контракта уже истек. Поскольку срок действия аккредитива на оплату последней 3-й партии оборудования закончился, убедительно просим Вас или продлить его до января 19... года, или подтвердить оплату счетов, которые будут выставлены на инкассо.

С уважением

Переписка по вопросам поставки запасных частей

Уважаемые господа,

К сожалению, мы не сможем больше поставлять Вам запасные части №№... в связи с тем, что указанная модель... снята с производства и завод-изготовитель перешел на выпуск более совершенного типа оборудования, отвечающего всем требованиям новейшей технологиии.

As the above mentioned information has not reached us, we have to inform you that we shall not be able to receive your trainees until April this year.

Yours faithfully,

Correspondence on the Delivery of Equipment

Dear Sirs,

Re.: Construction of Metallurgical Plant in...

Further to our letter No... of August 10, this year, we regret to inform you that the equipment stipulated in Supplement I cannot be manufactured at the construction site as we lack the required number of metalcutting machine tools.

We would like to remind you that Article 9 of the present contract provides for the manufacture of equipment on the construction site only if its production does not involve complicated work.

In this connection we would ask you to make respective alterations in "Division of Supplies" to provide for delivery of the above equipment from the Soviet Union in the fourth quarter of 19...

As to the nonstandard equipment specified in Supplement 2 it can be manufactured in our country on condition that all the necessary materials are supplied from the Soviet Union.

Yours faithfully,

Dear Sirs,

Under Contract No... the delivery of equipment for the construction of the mineral fertilizer plant is scheduled to be carried out in three consignments.

The first two consignments were delivered to you in the contractual time and you were satisfied with the technical characteristics.

Much to our regret the third consignment was delayed because the manufacturers had failed to produce the equipment in time and also due to difficulties in providing transport facilities. The equipment had not arrived at the port of loading until November 20, when the validity of the above contract had expired. Since the letter of credit validity for the last third consignment is no longer valid we would request you to either extend it till January 19... or to confirm payment of invoices to be made for collection.

Yours faithfully,

Correspondence Pertaining to the Delivery of Spare Parts

Dear Sirs,

We regret to advise you that we shall no longer be able to deliver spare parts Nos ... in view of the fact that production of Model... has been discontinued and the manufacturing plant has introduced a more updated type which is in full conformity with the latest technology.

• Запасные части, которые будут поставляться в будущем, отличаются рядом преимуществ, одним из которых является повышенная надежность.

Мы просим вас рассмотреть наше предложение и, если у Вас возникнут какие-либо замечания, мы будем рады обсудить их.

Надеемся, что наше предложение вы найдете приемлемым. Стоимость вновь поставляемых запасных частей будет скорректирована на взаимоприемлемой основе.

С уважением

Переписка по вопросам сотрудничества на условиях подряда («под ключ»)

Предконтрактная переписка

Уважаемые господа,

Благодарим Вас за замечания и предложения, сделанные по нашему проекту контракта на строительство... завода.

Мы изучили вышеупомянутые замечания, и в целом готовы включить их в контракт.

Одновременно мы хотели бы еще раз отметить, что в соответствии с проектом контракта Подрядчик берет на себя полную ответственность за организацию и выполнение всех строительных работ.

Строительные работы будут выполняться советскими специалистами, а также местными фирмами, которые будут наняты на условиях субподряда. Выполняемые этими фирмами работы будут контролироваться высококвалифицированными советскими специалистами, стоимость услуг которых включена в цену контракта. Мы уже ознакомились с указанными фирмами и считаем, что они обладают необходимым опытом, квалификацией и достаточными возможностями для выполнения работ, которые мы собираемся им поручить.

В связи с вышеизложенным просим Вас рассмотреть настоящее письмо и в случае согласия телеграфировать нам о Вашей готовности подписать контракт.

В ожидании скорейшего ответа,

С уважением

Уважаемые господа,

Мы с удовольствием направляем Вам предложение на строительство «под ключ» пяти систем нефтепроводов в соответствии с тендерной документацией, датированной 5 марта с. г.

При подготовке нашего предложения мы руководствовались положениями тендерных документов и различными поправками, которые вносились за прошедшее время.

Мы считаем, что Вы получили бы значительное преимущество, если бы поручили строительство всех пяти систем нефтепроводов одному компетентному подрядчику. В этом случае было бы гораздо легче решать вопросы координации поставок оборудования и материалов, ввоза строительного оборудования и механизмов, выбора разумных дневных ставок для оплаты местной рабочей силы различных категорий.

Однако наиболее важным вопросом при строительстве пяти систем является достижение полной стандартизации технологического оборудования, что означает сокращение эксплуатационных расходов

The spare parts to be supplied in the future have a number of advantages, one of them being greater reliability.

We ask you to consider our offer and if you have any remarks to make we shall be glad to discuss them.

We hope that you will find our proposal suitable. We shall adjust the cost of the spare parts to be delivered on a mutually acceptable basis.

Yours faithfully,

Correspondence Relating to Cooperation on "Turn-Key" Basis

Correspondence Preceeding Conclusion of Contracts

Dear Sirs,

We thank you for your comments and proposals on our Draft Contract for the construction of the... plant.

We have studied your amendments and on the whole are ready to incorporate them into the contract.

At the same time we would like to re-state that in accordance with our Draft Contract the Contractor assumes full responsibility for the organization and execution of all civil works.

The civil works will be carried out by both Soviet specialists and local firms engaged as subcontractors. The work to be executed by your local firms will be supervised by competent Soviet specialists and the cost of their services is included in the contract price. We have already familiarized ourselves with the firms and believe that they have sufficient experience, competence and facilities to execute the work we intend to entrust to them.

In view of this we would ask you to consider the present letter and if you are agreeable to the above please let us know by cable when you will be ready to sign the contract.

We look forward to your prompt reply.

Yours faithfully,

Dear Sirs,

We are pleased to send you our offer for the construction on a "turn-key" basis of five systems of oil pipelines in accordance with your tender documents of 5th March, this year.

The offer has been prepared on the basis of the tender documents and the recent amendments.

We believe that you would get a considerable advantage if you entrusted the construction of all the five systems to one competent contractor. In that case it would be easier to arrange coordination of deliveries and supply of constructional equipment and mechanisms, as well as to choose reasonable daily wage rates for different categories of local labour.

The most important problem in the construction of the five systems is however full standardization of process equipment, which if is achieved, would mean reduction of operational expenses and unification of spare

и унификацию необходимых запасных частей при эксплуатации нефтепроводов.

Хотя цены в нашем предложении указаны в соответствии с Вашими инструкциями, мы рады сообщить, что смогли бы предоставить Вам разумную скидку и готовы обсудить этот вопрос в удобное для Вас время.

Одновременно прилагаем тендерную гарантию, выданную Банком..., как это предусмотрено требованиями тендерной документации.

Мы признательны за возможность передать Вам данное предложение и будем рады обсудить с Вами все изменения, которые Вы найдете целесообразными.

С уважением

Переписка по вопросам медицинского обслуживания

Уважаемые господа,

В своем письме от 15 июля с. г. Вы пишете, что наши обязательства, как Подрядчика, включают обеспечение всего персонала на площадке медицинским обслуживанием.

Мы считаем необходимым дать следующее разъяснение по данному вопросу.

Мы готовы оказывать, в случае необходимости, первую медицинскую помощь всему персоналу на площадке, включая местную рабочую силу. В этих целях мы организуем пункт медицинской помощи с необходимым персоналом и современным оборудованием.

Что касается медицинского обслуживания советских специалистов и членов их семей, включая оплату стоимости медикаментов и расходов на лечение в местных госпиталях, мы считаем, что эти расходы должны покрываться Заказчиком.

Если период болезни специалиста будет длиться более 60 дней, мы примем меры по его замене.

В ожидании Вашего подтверждения,

С уважением

Переписка по вопросам выполнения строительно-монтажных работ

Уважаемые господа,

Мы хотим сообщить вам, что несмотря на то, что советская сторона делает все возможное для успешного выполнения своих обязательств по Контракту №..., ход выполнения работ вызывает у нас некоторую озабоченность.

Мы считаем необходимым напомнить вам, что во время переговоров в Москве Вы выразили желание, чтобы мы привлекли как можно больше местной рабочей силы для осуществления строительства и пригласили местные строительные фирмы в качестве субподрядчиков.

Однако практика строительства показала, что местные субподрядные фирмы, приглашенные по Вашей рекомендации, не в состоянии выполнить строительные работы качественно и в срок.

parts in the operation of the oil pipelines.

Though the prices we quoted correspond to your prices, we are glad to advise you, that we could grant a reasonable discount which we are ready to discuss at any time convenient for you.

We enclose herewith a guarantee of the USSR Bank... which was required in the tender documents.

We appreciate the opportunity of making the offer and will be glad to discuss with you any amendments you may find necessary to make.

Yours faithfully,

Correspondence on Provision of Medical Service

Dear Sirs,

In your letter of 15th July, this year, you write that our obligations as Contractor include provision of medical services to all personnel on the construction site.

We would like to clear the matter up as follows.

We are prepared to give first aid to all the personnel on the construction site, including local labour. For this we shall arrange a first-aid medical center staffed with the required personnel and equipped with modern facilities.

As to the medical treatment of Soviet specialists and their dependents we believe that all expenses, including the cost of medication and hospitalization should be borne by the Customer.

Please note that if a specialist has been ill for more than 60 days we shall arrange for replacement.

We look forward to your letter confirming these points.

Yours faithfully,

Correspondence Relating to Execution of Civil and Erection Works

Dear Sirs,

We are writing to let you know that though the Soviet side is doing its best to successfully fulfil its obligations under Contract No..., we are greatly concerned about the progress of works.

We feel that it is necessary to remind you that during the talks in Moscow you suggested we make maximal use of your local labour during the construction and engage local firms as subcontractors.

The progress of work shows, however, that the local subcontractors you recommended do not seem able to duly execute the works.

Кроме того, график строительства поселка для советских специалистов систематически не выполняется, что задерживает прибытие советских специалистов в Вашу страну.

Далее, в Москве была достигнута договоренность, что местные организации закупят и поставят на строительную площадку оборудование и строительные материалы, указанные в приложении к этому письму. Но, к сожалению, это оборудование до сих пор не передано Вашей стороной, что пагубно сказывается на ходе выполнения работ.

Для выполнения оставшихся объемов работ в строгом соответствии с проектной документацией советским организациям в ближайшее время предстоит дополнительно командировать... советских специалистов.

Понимая, что только строгое выполнение обязательств обеими сторонами позволит успешно закончить строительство объекта вовремя, просим Вас внимательно изучить это письмо и принять необходимые меры.

С уважением

Приложение: Список оборудования и материалов

Уважаемые господа,

Мы с удивлением узнали, что Вы не подписали наш отчет о ходе выполнения работ в III-м квартале с.г. в связи с тем, что мы, как Вы утверждаете, не выполнили запланированный объем работ.

Мы тщательно рассмотрели отчет и считаем, что причина Вашего отказа подписать его необоснованна.

В подтверждение нашей точки зрения мы хотим напомнить Вам следующее:

Несмотря на все наши усилия по соблюдению графика III-го квартала, мы несколько раз за это время были вынуждены приостанавливать строительные и монтажные работы по не зависящим от нас причинам, информируя Вас о каждом случае.

Вы, конечно, знаете, что постоянные задержки с разгрузкой наших судов и таможенной очисткой грузов задерживают доставки оборудования на строительную площадку.

Более того, несмотря на наши своевременные уведомления о готовности к проведению проверок и сдаче скрытых работ, представитель инженера не приезжал на площадку в указанное время, что вызывало неоднократный перенос проведения проверок и испытаний.

Ввиду вышеизложенного, мы еще раз хотим подчеркнуть, что считаем Ваши возражения необоснованными и просим незамедлительно подписать отчет о ходе выполнения работ, что даст нам возможность получить финансирование, необходимое для дальнейшего выполнения работ.

В ожидании скорейшего ответа,

С уважением

Besides, the construction schedule for the Soviet engineers' settlement has constantly been disrupted causing a delay in their arrival in your country.

Moreover, understanding was reached in Moscow that your local organizations would procure and deliver to the construction site equipment and materials stated in the enclosure with this letter. Unfortunately the equipment has not been transferred to us so far, which is having a bad effect on the progress of work.

To fulfil the remaining volume of work, in strict accordance with the design documents, the Soviet organizations will have to send Soviet specialists to your country.

We understand it is only by strictly observing the obligations that the sides will be able to complete the project in time and we would ask you to consider the letter carefully and take the required action.

Yours faithfully,

. . . .

Encl.: List of equipment and materials.

Dear Sirs,

We are surprised to learn that you have not signed our progress report for the 3rd quarter, this year, on the grounds that we, as you allege, have not executed the volume of works scheduled for the 3rd quarter.

We have carefully scrutinized the report and are sorry to say that the reason for your refusal to sign it does not look valid.

To substantiate our point of view we would like to remind you of the following:

Notwithstanding our best efforts to fulfil the schedule for the 3rd quarter, we had to suspend the civil and erection works several times due to the circumstances beyond our control, in each case duly informing you about it.

You certainly know that constant delays in unloading our vessels and customs clearance of the cargo badly affect delivery of equipment to the construction site.

Furthermore, in spite of our due notifications of check-ups and hand over of covered-up works, the representative of the Engineer did not come to the construction site at the appointed time causing numerous postponements of check-ups and tests.

In view of the foregoing, we stress again that we find your objections groundless and urge you immediately to sign the progress report, which will enable us to get the financing required for further execution of the works.

Looking forward to your prompt reply, we remain

Yours faithfully,

Переписка по вопросам завершения выполнения контрактных обязательств

Уважаемые господа,

Просим отметить, что мы завершаем выполнение контрактных обязательств по нашему контракту на строительство гидроэлектростанции и проводим подготовительные работы к отправке в СССР части строительного оборудования и неиспользованных материалов, ввезенных в Вашу страну на условиях временного ввоза.

В последнее время, как Вы знаете, сложилась практика продажи строительного оборудования и неиспользованных материалов в стране Заказчика по завершении работ, выполняемых на условиях «под ключ», и мы намерены использовать эту практику в сложившейся ситуации.

В связи с тем, что Вы выразили желание иметь право первого выбора в закупке нашего строительного оборудования, направляем Вам перечень оборудования и материалов, которые мы хотели бы продать в Вашей стране.

Все оборудование находится в рабочем состоянии и будет продаваться с комплектами запчастей. Оборудование будет реализовываться по разумным ценам с учетом его амортизации.

Цены не включают импортные пошлины. Они должны быть уплачены покупателем оборудования в соответствии с таможенными правилами, существующими в Вашей стране.

Осмотр оборудования и материалов может быть произведен в любое удобное для Вас время.

С уважением

Уважаемые господа,

Мы внимательно рассмотрели Ваше письмо, в котором Вы сообщаете, что обеспокоены вероятностью несоблюдения нами контрактных сроков сдачи объекта в эксплуатацию.

Мы полностью разделяем Ваше беспокойство, однако хотели бы еще раз подчеркнуть, что мы принимаем все меры для завершения строительно-монтажных работ в предусмотренные контрактом сроки. При этом мы хотим отметить, что по-прежнему испытываем серьезные трудности в связи с тем, что Вами не были своевременно рассмотрены некоторые вопросы, решение которых должно быть обеспечено Вашей стороной.

В связи с этим мы вновь хотим напомнить Вам, что трансформаторная подстанция была пущена Вами с задержкой на 3 месяца.

Кроме этого, мосты на дороге №... не были своевременно усилены должным образом, что значительно задержало поставку оборудования на строительную площадку.

Мы также крайне обеспокоены тем, что на строительную площадку еще не завезены эксплуатационные и сырьевые материалы, необходимые для пусконаладочных работ и испытаний.

В связи с вышеизложенным, считаем необходимым провести переговоры, где мы могли бы выработать совместные решения по обеспечению завершения строительства в контрактные сроки, либо согласовать новые сроки сдачи объекта в эксплуатацию.

С уважением

Correspondence Pertaining to Completion of Contractual Obligations

Dear Sirs,

Please note you that we are completing the contractual obligations under our contract for the construction of the Power Station and are making arrangements to take back to the USSR part of the building equipment and unused materials brought in on a re-exportation basis.

As you know it has recently become standard practice to sell building equipment and unused materials in the country of the Customer upon completion of the works on a "turn-key" basis. We intend to use it in the situation.

Since you have expressed intention to have a first option in purchasing our building equipment, we are sending you a list of our equipment and materials available for sale in your country.

All the equipment is serviceable and is going to be sold complete with a standard set of spare parts. The equipment will be available at reasonable prices and allowance is made for depreciation.

The prices do not include import duties, which should be paid by the Buyer in compliance with the customs regulations in force in your country.

Inspection of the equipment and materials can be made at any time convenient for you.

Yours faithfully,

Dear Sirs,

We have carefully studied your letter in which you write that you are concerned about a possible delay in our commissioning the project.

Although we fully share your concern we would like to stress again that we are making every effort to meet the contract dates for all civil and erection works. At the same time, we would like to point out that we are still having serious difficulties since you failed to settle in time a number of matters you were responsible for.

In this connection we have to remind you again that there was a three-month delay in your commissioning the transformer substation.

Besides the bridges on road No... were not properly strengthened in due time which caused a considerable delay in delivering the equipment to the construction site.

We are also anxious about your failure to deliver to the construction site operational and raw materials required for the start-up and adjustment operations and tests.

Under the circumstances we believe it necessary to hold talks wherein we could either arrive at joint solutions helpful for our meeting the contractual dates or agree on new dates for commissioning the project.

Yours faithfully,

Переписка по вопросам сотрудничества в рамках консорционного соглашения

Уважаемые господа,

Настоящим сообщаем Вам, что Министерство... промышленности объявило торги на строительство... комплекса в...

Торги объявлены на выполнение проектных работ, строительство комплекса и подготовку местных кадров для эксплуатации предприятия.

Мы имеем опыт в строительстве подобных предприятий на условиях «под ключ» и весьма заинтересованы в участии в торгах.

Вы, безусловно, знаете, что реализация таких крупномасштабных проектов связана с решением целого круга технических, организационных и финансовых вопросов и осуществляется успешно, если фирмы выполняют работы совместно.

В связи с этим, мы предлагаем Вам рассмотреть вопрос о совместном участии в вышеуказанных торгах.

Если данное предложение заинтересует Вас, мы готовы представить проект консорционного соглашения и провести переговоры по его подписанию в удобное для Вас время. Одновременно мы сможем обсудить вопросы, связанные с подготовкой общего тендерного предложения и привлечением местной агентской фирмы для оказания нам содействия во время торгов.

Окончательный срок подачи тендерного предложения 5 августа с. г.

Тендерная документация будет Вам направлена по получении Вашего принципиального согласия.

С уважением

Переписка по вопросам участия в торгах

Уважаемые господа,

С удовольствием сообщаем, что Центральный тендерный комитет от имени правительства объявил торги на проектные работы, поставку комплексного оборудования и строительство теплоэлектростанции.

Если Вы хотите принять участие в торгах, пришлите нам, пожалуйста, данные об объектах, построенных с Вашей помощью, включая такие данные, как стоимость, сроки строительства (*начало и завершение работ*), объем работ и т. д.

Как только мы получим от Вас эти сведения, мы зарегистрируем Вас как участников тендера и получим для Вас полный комплект тендерной документации. Расходы будут отнесены на Ваш счет.

Следует отметить, что последний срок подачи предложения назначен на... апреля. Мы должны получить Вашу заявку и необходимые документы по крайней мере за 2 дня до окончания приема заявок для того, чтобы мы смогли вовремя представить их в тендерный комитет.

Возможно Вам интересно будет узнать, что осмотр места строительства теплоэлектростанции будет организован... марта.

Заверяем Вас, что Вы можете полностью рассчитывать на нашу помощь.

С уважением

Correspondence Pertaining to Cooperation Within the Framework of Consortium Agreement

Dear Sirs,

We wish to inform you that the Ministry of Industries of... has announced tenders for the construction of an... complex in...

Tenders are invited for carrying out design works, construction of the project and training of local personnel to operate the plant.

We have gained experience in the "turn-key" construction of similar projects and are interested in participating in the tenders.

As you may know the implementation of such large-scale projects involves a variety of technical, organizational and financial matters and is carried out successfully if projects are built by several companies on a joint basis.

Hence, we suggest you consider the possibility of our joint participation in the above tenders.

Should you be interested in our proposal, we would be ready to submit a Draft Agreement on setting up a consortium and hold talks at any time convenient with the view to signing the Agreement. We shall also be able to discuss the preparation of a joint tender and engagement of a local agency firm to give us assistance in the tenders.

The bidding deadline is scheduled for 5th August, this year.

The tender documents will be sent to you on receiving your favourable reply.

Yours faithfully,

Correspondence in Tendering

Dear Sirs,

We have pleasure in informing you that the Central Tender Committee on behalf of our government has invited tenders for carrying out design works, delivery of complete equipment and construction of a thermal power station.

If you wish to participate in the tender, please send us relevant information on the projects, constructed with your assistance, including such data as the cost, the period of construction (*commencement and completion of the work*), the volume of works, etc.

As soon as we receive this information from you, we shall register you as participants of the tender and obtain a complete set of tender documents for you. The expenses shall be charged to your account.

Will you please note that the bidding deadline is set for April... We expect to receive your offer and the necessary documents at least two days before the closing date, so that we can submit them to the tender committee in time.

You may be interested to know that the inspection of the construction site is going to be arranged on March...

We assure you of our full cooperation.

Yours faithfully,

Уважаемые господа,

Подтверждая нашу телеграмму от 15 февраля с. г., сообщаем Вам, что правительство страны объявило тендер на выполнение проектных работ, поставку оборудования и строительство трансформаторных подстанций. Мы полагаем, что участие в тендере будет представлять для Вас интерес.

Просим Вас изучить тендерные документы, прилагаемые к данному письму. Как оговорено в агентском соглашении, расходы по покупке тендерной документации будут отнесены на Ваш счет.

Следует принять во внимание, что окончательная дата подачи предложения—21 мая с. г. Ваше предложение должно быть получено нами за 10 дней до окончательной даты, что даст нам возможность выполнить местные формальности и представить Ваше предложение тендерному комитету.

Сообщаем Вам, что для того, чтобы выиграть тендер, желательно предоставить коммерческий кредит на период 7—10 лет с не более, чем...% годовых.

Надеемся, что Вы заинтересуетесь этой стороной сотрудничества.

С уважением

Переписка по вопросам сотрудничества с агентскими фирмами

Уважаемые господа,

В ответ на Вашу телеграмму от 18 декабря с. г. мы просим Вас извинить нас за некоторую задержку с ответом на письмо от 20 ноября с. г. с приложением составленного Вами проекта агентского соглашения.

Мы тщательно изучили Ваш проект и, к сожалению, должны сообщить, что мы не можем принять редакцию некоторых пунктов, указанных в Вашем проекте агентского соглашения.

Мы просим Вас принять к сведению, что мы хотели бы, чтобы обязанности Агентов включали не только изыскание для нас заказов и оказание содействия при участии нашей фирмы в торгах, объявляемых в Вашей стране, но чтобы Агент постоянно информировал нас о состоянии рынка в стране и организовал широкую кампанию по рекламированию нашего оборудования.

Кроме этого, при выполнении контрактов, подписанных на условиях «под ключ», мы хотели бы, чтобы Агент обеспечивал наблюдение за разгрузкой, транспортировкой и хранением нашего оборудования в Вашей стране.

Что касается выплаты Вашего комиссионного вознаграждения, то мы хотим подчеркнуть, что мы выплачиваем комиссионные только после получения платежей от Заказчика и только в валюте платежа.

Мы также считаем необходимым включить в агентское соглашение пункт, по которому настоящее соглашение не будет распространяться на проектные работы, продажу оборудования и оказание технического содействия, осуществляемые в Вашей стране в соответствии с существующими межправительственными соглашениями.

Надеемся, что эти предложения и изменения не встретят возражения с Вашей стороны.

С уважением

Dear Sirs,

In confirmation of our cable of February 15, this year, we wish to advise you that the government of our country has invited tenders for the execution of design work, delivery of equipment and construction of transformer substations. We believe that participation in the tenders will be of interest to you.

We request you to study the tender documents enclosed herewith. As [it is] specified in the Agency agreement the expenses on purchasing the tender documents will be charged to your account.

Please note that the bidding deadline is set for May 21, this year. Your bid should reach us at least 10 days before the closing date which will enable us to do the local formalities and submit your bid to the tender committee.

May we inform you that to win the tender it is desirable that you should grant a commercial credit for a period of 7—10 years at no more than...% interest a year.

We hope you will be interested in this line of business.

Yours faithfully,

Correspondence on Doing Business Through Agents

Dear Sirs,

In reply to your cable of December 18, this year, we are offering apologies for the delay in sending a reply to your letter of November 20, this year, with your draft agency agreement enclosed.

We have carefully studied the draft and are sorry to have to tell you that we are unable to accept some of the articles as they are worded in the present draft.

Will you please note that we would like your obligations to include not only obtaining orders for us and providing assistance in arranging our participation in tenders invited in your country; we also would like you to keep us informed of your country's market condition and run a wide publicity campaign of our equipment.

We would also request you to supervise unloading, transportation and storage of our equipment in your country while executing "turn-key" contracts.

As regards payments of commission to you we would emphasize that we usually do that after we have received payments from the Customers and in the currency of these payments only.

We also think it necessary for you to include an article providing that the present Agency agreement does not cover design works, sales of equipment or rendering technical assistance in your country under the Intergovernmental agreements now in force between your country and ours. We trust the above suggestions and alterations will be found acceptable.

Yours faithfully,

Уважаемые господа,

Ссылаясь на переговоры, проходившие в... в конце июля с. г., между Вашим представителем, г-ном..., и коммерческим директором фирмы..., г-ном..., мы с удовольствием подтверждаем, что готовы действовать в качестве Агентов по продаже вашего оборудования в нашей стране.

Прежде чем Вы вышлете нам проект Агентского Соглашения, мы хотели бы еще раз изложить основные моменты достигнутого в... соглашения, а именно:

1. Мы обязуемся выступать в качестве Агентов с монопольным правом продажи Вашего оборудования в течение трех лет с даты подписания соглашения.

2. Мы будем получать комиссионное вознаграждение в размере...% всех запродаж Вашего оборудования на договорной территории.

3. Вы вышлете нам 1-ю партию Вашего оборудования на консигнацию сроком на 12 месяцев и предоставите рекламный материал (брошюры, каталоги, образцы, рабочие модели, фильмы) для организации рекламной кампании. Со своей стороны мы откроем демонстрационные залы в... и поместим рекламные материалы в наших журналах.

4. Мы обязуемся предоставлять квартальные отчеты о запродажах оборудования. Оплата за проданное оборудование будет производиться каждый квартал по безотзывному аккредитиву против наших счетов.

Надеемся, что соглашение будет взаимовыгодным и откроет пути к дальнейшему сотрудничеству.

С уважением

Переписка по вопросам запродаж лицензий, ноу-хау, инжиниринга

Уважаемые господа,

Мы получили Ваше письмо от 2 марта с. г. с просьбой поставить оборудование для химического завода.

Мы рассмотрели Вашу просьбу и сообщаем, что мы готовы провести переговоры по данному вопросу. Одновременно мы хотели бы обратить Ваше внимание на то, что наша фирма осуществляет продажу лицензий на передачу ноу-хау, которые сопутствуют поставкам комплектного оборудования.

Эта форма сотрудничества, как Вы знаете, широко практикуется во всем мире. В договоре на передачу ноу-хау мы гарантируем получение лицензиатом дополнительной прибыли и выпуск продукции высокого качества в соответствии с техническими спецификациями.

Если Вас заинтересует наше предложение, мы подготовим материалы для патентования (описание, чертежи оборудования) с учетом требований Вашего патентного ведомства.

В ожидании Вашего ответа,

С уважением

Dear Sirs,

With reference to the talks held in... in July, this year, between your Mr... and Mr..., Commercial Director of..., we are pleased to confirm our readiness to act as your Agents for the sale of your equipment in this country.

Before you send us your draft agency agreement we would like to restate the main points of the agreement reached in..., namely:

1. We undertake to operate as your Sole Agents for a period of three years from the date of agreement.

2. We shall receive a commission of ...% of all sales of your equipment on the contractual territory.

3. You will send us the first lot of your equipment on consignment for a period of 12 months and let us have publicity material (brochures, catalogues, samples, working models, films) to arrange a publicity campaign. On our part we shall open show rooms in... and..., and place advertizing material in our journals and magazines.

4. We undertake to present quarterly sales accounts. Quarterly payments for the sales will be made by an irrevocable letter of credit against our invoices.

We believe the agreement will be mutually beneficial and open up ways for further cooperation.

Yours faithfully,

Correspondence on the Sale of Licences, Know-How, Engineering

Dear Sirs,

We have received your letter of March 2, this year, with the request to deliver equipment for a chemical plant.

We have considered your request and write to inform you that we are ready to negotiate the matter. At the same time we would like to draw your attention to the fact that our company sells licences on know-how which go along with deliveries of complete equipment.

As you know these lines of cooperation are widely used all over the world. In the agreement on the transfer of know-how we guarantee additional profit for a licensee and the output of produce of high quality, in accordance with technical specifications.

If you find our offer of some interest we shall prepare materials for patenting (description, drawings of the equipment) taking into account the requirements of your patent office.

Awaiting your reply,

Yours faithfully,

Переписка по вопросам транспортных операций

Уважаемые господа,

В соответствии с Контрактом №..., подписанным между... 12.8.19..., поставка оборудования для расширения первой очереди завода начинается в ноябре текущего года. Все основное оборудование будет поставляться с. и. ф... Чтобы избежать простоя вагонов и задержки с перегрузкой оборудования на станции..., а также срыва графика доставки оборудования на площадку завода, просим Вас подготовить соответствующие площадки для перегрузки оборудования в вагоны в...

В соответствии с графиком поставки оборудования и его монтажа в первую очередь будут поставлены негабаритные тяжеловесные технологические металлоконструкции.

Поставку конвертеров предлагаем осуществить морем на специальных баржах, т. к. значительная негабаритность указанного оборудования не позволяет транспортировать его по железной дороге.

Просим Вас сообщить о принимаемых мерах по обеспечению своевременной поставки оборудования на площадку завода.

С уважением

Переписка по вопросам рекламы

Уважаемые господа,

Своим письмом от 23 января с. г. Вы предложили нам услуги при размещении заказов на публикацию рекламных объявлений наших клиентов в журналах, издающихся во Франции.

Наши клиенты заинтересованы в Вашем предложении и хотели бы получить полную информацию в отношении журналов, в которых Вы намерены помещать их рекламные объявления. В частности, они хотели бы знать круг их читателей, тираж и расценки за публикацию одноразовых рекламных объявлений.

С нетерпением ждем Ваш скорейший ответ.

С уважением

Уважаемые господа,

В подтверждение нашего телефонного разговора от 2 февраля с. г., просим Вас принять заказ на публикацию рекламных объявлений наших клиентов в каталоге предстоящей... ярмарки.

Объявления должны быть опубликованы в черно-белом изображении.

Просим Вас сообщить о готовности рекламных объявлений и своевременно представить нам образцы, подготовленные к опубликованию.

Заранее благодарны за Ваше внимание к нашему заказу.

Приложение: фото — 5 экз.
тексты — 5 экз.
марки — 5 экз.

Correspondence on Transportation

Dear Sirs,

In accordance with contract No... signed between... on 12.8.19... the delivery of the equipment for the expansion of the first stage of the works is to begin in November this year. The main equipment will be delivered c.i.f... In order to avoid the detention of cars and delay in transhipment at ... as well as to avoid disruption of the delivery to the construction site, we would ask you to prepare suitable platforms for reloading the equipment into cars at...

In accordance with the schedule of the deliveries and erection oversized heavy-weight technological steel structures will be given priority.

We suggest the delivery of the converters be done by sea on special barges, as the equipment is too bulky to be transported by railway.

Please inform us about the measures being taken to provide delivery of the equipment to the site in time.

Yours faithfully,

Correspondence Pertaining to Advertising

Dear Sirs,

In your letter of 23d January, this year, you offered your services in placing our clients' advertisements in magazines published in France.

Our clients welcome the opportunity and should be glad to have full information about the magazines in which you intend to place their advertisements. In particular they would like to know the readership, circulation and one-time advertising rates.

A prompt reply will be appreciated.

Yours faithfully,

Dear Sirs,

Confirming our telephone conversation of 2nd February, this year, we ask you to accept our order for publication of our clients' advertisements in the catalogue of the coming... fair.

Kindly arrange for 1/1 page BW advertisements.

Please advise us when the advertisements will be ready and forward samples of the advertisements in due course.

We thank you in advance for your kind attention to this matter.

Encl.: photoes — 5
texts — 5
stamps — 5

Переписка по совместным предприятиям

Кас: О возможности создания совместного предприятия

Уважаемые господа,

В результате недавних переговоров между г-ном... и г-ном... в... мы понимаем, что обе стороны считают необходимым создать совместное предприятие для успешного сбыта и реализации продукции фирмы... на рынке Советского Союза. Одновременно мы сознаем, что в настоящее время фирма... не готова делать крупные капиталовложения в совместное предприятие. Необходимый уставной фонд делится поровну (50% на 50%). Поэтому мы предлагаем разделить капвложения в пропорции 90% — советская сторона, и 10% — фирма...

Эта сумма должна быть достаточна для организации производства и сбыта.

Мы предпочитаем предлагаемое деление вкладов по следующим причинам:

1. Создание совместного предприятия будет наилучшим способом обеспечивать успешную реализацию продукции... на советском рынке.
2. Фирма... сможет увеличить свой вклад в любое удобное для нее время.
3. ... не будет принимать значительного участия в предварительной рекламе производства продукции.

Мы предлагаем обсудить это предложение во время переговоров в Москве.

С наилучшими пожеланиями

Уважаемые господа,

В соответствии с достигнутым в Москве соглашением, просим Вас представить нам информацию, необходимую для рассмотрения возможности организации совместного предприятия по производству мебели в СССР. В настоящее время мы проводим переговоры с возможными субподрядчиками. В переговорах с 14 по 15 февраля участвуют 16 представителей.

С уважением

Кас: О заводе по производству табачных изделий

Уважаемые господа,

Делегации фирмы... и представителей табачных предприятий... провели встречи для обсуждения ТЭО по вопросу строительства объекта на основе производственных мощностей в..., Москва.

В ходе переговоров фирме... было сообщено, что строительство объекта будет перенесено на... завод в Ленинграде. Советская сторона не представила объяснений по поводу причин изменения строительной площадки.

Во время встреч большое внимание было уделено выводам, изложенным в ТЭО, а также предполагаемым изменениям в ТЭО.

Поэтому в дальнейшем необходимо будет:

1) Посетить завод... в Ленинграде (посещение планируется на...).
2) Повторно оценить вклад советских партнеров, качество и стоимость.

Correspondence Relating to Joint Ventures

Re: Possible establishing of JV...

Dear Sirs,

Following your recent negotiations with Mr... and Mr... in ... we understand that both sides consider establishing of JV... to be necessary for successful marketing and sales of products on the Soviet market. At the same time we realize the... is not ready now to make large investments in the JV. What is necessary in authorized fund is shared 50—50%. That is why we suggest investments be shared 90% — Soviet side, 10% — ... .

This amount of money must be enough to organize sales and production activities.

We consider the offered division of shares to be preferable because of the following reasons:

1. It will be possible to organize the JV as the best way to succeed with... sales on the Soviet market.
2. Any time... would like to enlarge its share they are welcome.
3. ... will not be involved seriously in pre-press production business.

We suggest that we should discuss this proposal during our meeting in Moscow.

Best regards,

Dear Sirs,

In accordance with the agreement reached in Moscow we kindly ask you to provide us with relevant information needful for considering the possibility of setting up a joint venture to produce furniture in the USSR. At the moment we are having negotiations with probable subcontractors. The number of the sitting participants is 16 persons from 14 till 15 of February.

Yours faithfully,

Re: Tobacco Project

Dear Sirs,

Meetings were held between the... delegation and the tobacco delegation of... to review the Technical and Economic Feasibility Study for the project based on production facilities at..., Moscow.

During the meetings, ... was advised that the project location would be moved to the... factory in Leningrad. No reasons for the change in site were provided by the Soviet. Much of the discussion at the meetings focused on the assumptions used in the feasibility study and the modifications that would have to be made.

The next steps therefore are to:

1) Visit the production facilities of the... site in Leningrad (visit planned for...).
2) Reassess the Soviet partners contributions, quality and value.

3) Договориться относительно исходных позиций по вопросам стоимости производства, стоимости рабочей силы и сбыта.

4) Подготовить пересмотренный вариант ТЭО с учетом пунктов 1), 2) и 3).

5) Встретить представителей... для окончательного согласования ТЭО.

6) Совместно разработать общий план деятельности предприятия (на 15 лет) для...

Мы полагаем, что вышеуказанное даст Вам достаточную информацию о настоящем положении дел.

С уважением

Уважаемый господин,

Мы хотели бы воспользоваться возможностью пригласить Вас посетить фирму... во время Вашей поездки в Соединенные Штаты с 4 июня. Мы полагаем, что вы планируете провести ряд встреч в период с 4 по 13 июня. Мы были бы очень рады пригласить Вас в нашу головную фирму в Нью-Йорке.

Целью предстоящих встреч будет познакомить Вас с деятельностью нашей фирмы и обсудить создание совместных предприятий по переработке пищевых продуктов, которые в настоящее время обсуждаются фирмой в Советском Союзе.

Президент фирмы, г-н... также будет рад познакомиться с Вами.

С нетерпением ждем Вашего визита, чтобы сообщить Вам о наших планах на рынке Советского Союза.

С благодарностью и наилучшими пожеланиями.

С уважением

3) Agree on assumptions to be used for production costs, labour costs and distribution.

4) Prepare a revised Technical and Economic Feasibility Study based on 1), 2) and 3) above.

5) Meet with... to agree and finalize the Technical and Economic Feasibility Study.

6) Jointly develop the aggregate business plan (15 year projection) for the...

We trust that the above suffices for your update.

Yours faithfully,

Dear Sir.

We would like to take this opportunity to extend an invitation to you to visit... during your trip to the United States starting June 4. We understand you are planning a series of meetings from June 4—13. It would be our pleasure to welcome you at our corporate headquarters in New York.

The purpose of these meetings will be to introduce you to our firm and discuss the food processing joint ventures being discussed by... in the Soviet Union.

Our chairman, Mr... would also be pleased to meet you.

We look forward to your visit and to briefing you about our plans in the Soviet market.

Thank you and best regards.

Sincerely yours,

ЗНАКОМСТВО, ВСТРЕЧИ, ОБЩЕНИЕ / INTRODUCTIONS, MEETING PEOPLE, CONTACTS

ЗНАКОМСТВО, ПЕРВЫЕ ВСТРЕЧИ / INTRODUCTIONS, MEETING PEOPLE

Разрешите представить г-на...	May I introduce Mr...
Знакомьтесь, г-н...	This is Mr... Meet Mr...
Здравствуйте, г-н...	How do you do, Mr...
Рад вас видеть	Glad (Nice) to see you
Проходите сюда, пожалуйста	Come this way, please
Г-н... (Президент) вас ожидает	Mr... (The president) is expecting you. Mr... (The president) is waiting for you
Вы знакомы с г-ном?	Have you met Mr...? Do you know Mr...?
Да, мы знакомы (встречались)	Yes, we've met
Нет, мы не знакомы	No, we haven't met No, I haven't had the pleasure to meet you
Садитесь, пожалуйста. Вы курите?	Do sit down, please. Do you smoke?
Что вы будете пить?	What will you drink? What would you like [to have]?
Чай? Кофе? Сок?	Tea? Coffee? Juice?
Рад вас видеть в... Как вы доехали? Как себя чувствуете?	Welcome to... Did you enjoy your trip? How are you?
Вы здесь впервые?	Is this your first visit to...?
Где вы остановились? Как вам нравится гостиница?	Where are you staying? How do you like the hotel?
Это одна из лучших гостиниц города	It's one of the best hotels in the city
Как вам нравится город? (Как вам здесь нравится?)	How do you like the city? (How do you like it here?)
Вы здесь давно?	Have you been here long?
Вы надолго приехали?	How long are you here for?
Вы видели Москву? Какое впечатление производит на вас наша столица?	Have you seen [much of] Moscow? What's your impression of our capital?
Надеюсь, мы сможем показать вам город. Что бы вы хотели посмотреть в первую очередь?	I hope we'll be able to show you round. What would you like to see first?

Уверен, что вам понравится наша столица	I'm sure you'll enjoy staying here I'm sure you'll enjoy seeing our capital
Как вам нравится наша погода?	How do you like the weather here?
Сегодня чудесный день	It's a lovely day
Сегодня ужасная погода (холодно, сыро, туманно)	The weather is nasty (cold, humid, foggy) today
Обычно у нас в это время тепло (холодно, жарко, прохладно)	Usually it's warm (cold, hot, chilly) at this time of year
А какая погода сейчас в вашей стране?	What sort of weather are you having in your country now?
Сейчас у нас холодный период	Now we're having a cold spell
Сегодня влажно	It's humid today
Наверное, будет дождь	It looks like rain
Обещают солнечную погоду во второй половине дня	They promise sunshine in the afternoon

С. п. Проходите, г-н..., Президент ожидает вас.	S.r. [Come] this way, Mr..., the president is expecting you.
Пр. Здравствуйте, г-н... Рад вас видеть в Москве.	Pr. Good morning, Mr... Welcome to Moscow.
И. п. Здравствуйте, г-н... Знакомьтесь, г-н..., наш коммерческий директор.	F. r. Good morning, Mr... This is Mr..., our sales manager.
Пр. Мы знакомы.	Pr. We've already met.

* * *

С. п. Разрешите, пожалуйста, представить вам нашего нового эксперта, г-на...	S. r. May I introduce our new expert, Mr...
И. п. Здравствуйте, г-н... Приятно познакомиться.	F. r. How do you do, Mr... Pleased to meet you.
С. п. Здравствуйте, г-н... Рад приветствовать вас в нашей столице. Садитесь, пожалуйста. Вы курите?	S. r. How do you do, Mr... Welcome to our capital. Take a seat, please. Do you smoke?
И. п. Нет, спасибо.	F. r. No, thank you.
С. п. Хотите что-нибудь выпить? Чай? Кофе? Спиртное?	S. r. What would you like to have? Tea? Coffee? A drink?
И. п. Да, чаю, если можно. Сегодня у вас прохладно.	F. r. Tea, please, it's chilly today.
С. п. Как доехали? Как себя чувствуете?	S. r. Did you have a nice trip? How are you?
И. п. Спасибо, хорошо.	F. r. I'm quite well, thank you. I enjoyed the trip.

* * *

С. п. Как давно приехали, г-н...? Где вы остановились?	S. r. How long have you been here, Mr...? Where are you staying?
И. п. Мы остановились в гостинице «Россия». Там очень удобно.	F. r. We're staying at the Rossia hotel. We're very comfortable there.
С. п. Да, это одна из лучших наших гостиниц. И рядом с нашим учреждением, вы даже можете дойти сюда пешком.	S. r. Yes, it's one of our best hotels. And it's quite close to our office, you can even walk here.
И. п. Совершенно верно. Гулять полезно, да и город посмотреть очень приятно.	F. r. Quite right. Walking is useful, and it's nice to see the city.
С. п. Я рад, что вам здесь нравится.	S. r. I'm glad you like it here.

* * *

С. п. Как вам нравится Москва? Вы что-нибудь успели увидеть в нашей столице?	S. r. How do you like Moscow? Have you seen much of our capital?
И. п. Москва — интересный город, но мы очень заняты и почти не видели города.	F. r. Moscow is an interesting city, but we've been very busy and haven't seen much of it yet.
С. п. Я думаю, у вас будет возможность познакомиться с нашей столицей. У нас сейчас много изменений. Сколько времени вы здесь пробудете?	S. r. I think you'll have an opportunity to go round. There's a lot of changes here now. How long are you here for?
И. п. Я думаю, около недели. Все будет зависеть от хода переговоров.	F. r. A week or so. It will depend on the progress of the talks.
С. п. Как вам нравится наша погода?	S. r. How do you like the weather here?
И. п. Мне она кажется холодной. У нас гораздо теплее сейчас.	F. r. I think it's too cold. It's much warmer in our country now.
С. п. Но сегодня чудесный день, и обещают солнечную погоду на всю неделю. Теперь все меняется быстро, даже погода.	S. r. But it's a lovely day and they promise sunshine for the rest of the week. There is a lot of changes everywhere now, even in weather.
И. п. Да, вы правы. Мы слышали прогноз погоды. Но похоже, что пойдет дождь.	F. r Yes, you 're right. We've heard the weather forecast. But it looks like rain.

* * *

С. п. Сегодня ужасный день. Дождь, холодно. А какая у вас сейчас погода, г-н...?	S. r. It's a nasty day. Rainy and cold. What sort of weather are you having in your country now, Mr...?

И. п. О, у нас прекрасно. Правда, очень жарко, но сухо. Сейчас сухой сезон.	F. r Oh, it's wonderful there. A bit too hot, but dry. We're having a dry season now.

РАЗГОВОР ПО ТЕЛЕФОНУ	TELEPHONE CONVERSATION
Мне нужно заказать разговор с... с оплатой абонента	I want to make a reverse charge call to...
Назовите ваше имя по буквам	Will you spell your name?
Снимите заказ	Cancel the call
Попросите г-на..., пожалуйста	Could I speak to Mr..., please?
Я хотел бы поговорить с г-ном...	I'd like to speak to Mr...
Подождите, пожалуйста, телефон занят	Hold on, please, the number is engaged
Говорит..., из «...экспорта»	This is... of (from) "...export"
Мне нужен добавочный номер 25	I want extention 25
Г-на... нет (он занят)	Mr... is out (he is engaged)
Г-н... на совещании	Mr... is in conference
Вы будете звонить еще раз?	Will you call back again?
Передать что-нибудь г-ну...?	Will you leave a message for Mr...?
Чем могу быть полезен?	What can I do for you?

О. Международная?... Доброе утро.	O. International Service?... Good morning.
С. Мне нужно заказать разговор с... оплатой абонента	S. I want to make a reverse charge call to...
О. Ваш номер в...?	O. What's your number in...?
С. 138457. Моя фамилия Сомов.	S. 138457 (one, three, eight, four five, seven). My name is Somov.
О. Назовите по буквам.	O. Will you spell it, please?
С. С-О-М-О-В.	S. S for Sun, O for Orange, M for Mother, O for Orange, V for Victor.
О. Сомов, спасибо. Ваш номер в...?	O. Somov, thank you. And your number in...?
С. 235589.	S. 235589 (two, three, double five, eight, nine).
О. Ждите, пожалуйста. Вы слушаете? Ваш номер не отвечает.	O. Will you hold on, please? Are you there? There's no reply on your number.
С. Хорошо, я снимаю заказ.	S. All right, cancel the call.

* * *

Ад. Гостиница «Националь», администратор. Что вы хотите?	R. National Hotel. Reception. Can I help you?

С. Попросите г-на Грина, комната 201.	S. Yes, please: I'd like to speak to Mr. Green, room 201 (two, ou, one)
Ад. Подождите, пожалуйста. Извините, номер занят.	R. Hold on, please. I'm sorry, the number is engaged.
С. Хорошо, я позвоню позже.	S. All right then, I'll call again later.

* * *

Грин. Алло, комната 201.	Green. Hallo, room 201.
Серов. Г-н Грин? Говорит Серов, из «...экспорта», Вы сегодня встречаетесь с г-ном Петровым?	Serov. Green? This is Serov here, from "...export". You have an appointment with Mr. Petrov today, don't you?
Г. Да, в 3 часа.	G. That's right, at 3 o'clock in the afternoon.
С. Извините, г-н Петров будет занят сегодня во второй половине дня. Не могли бы вы прийти завтра, часов в 10 утра?	S. I'm sorry, Mr. Petrov will be engaged this afternoon. Could you possibly come tomorrow morning, say, 10 o'clock?
Г. Прекрасно, это меня вполне устраивает.	G. Fine, that suits me very well.
С. Хорошо. Я заеду за вами в гостиницу в 9.30.	S. Good then. I'll call for you at the hotel at 9.30.
Г. Вы очень любезны, г-н Серов.	G. That would be very kind of you, Mr. Serov.

* * *

Сек. «...экспорт», доброе утро.	Sec. "...export", good morning.
Браун. Доброе утро! Попросите г-на Белова, пожалуйста.	Brown. Good morning. Could I speak to Mr. Belov, please?
Сек. Кто звонит?	Sec. Who's calling, please?
Бр. Браун, из Кемиклз.	Br. This is Brown from Chemicals.
Сек. Подождите минутку. Я посмотрю, у себя ли он (здесь ли он). К сожалению, г-на Белова нет (г-н Белов занят). Что передать ему?	Sec. One moment, please, I'll see if he is here (available). I'm sorry Mr. Belov isn't here (unavailable). Would you like to leave a message?
Бр. Передайте ему, пожалуйста, что звонил Браун из Кемиклз. Я еще раз позвоню во второй половине дня.	Br. Yes, please. Could you tell him that Brown from Chemicals phoned? I'll call again in the afternoon.
Сек. Хорошо. Позвоните в 4 часа, он будет у себя.	Sec. Certainly, sir, if you call again at 4 he'll be here.
Бр. Спасибо, до свидания.	Br. Thank you, good-bye.
Сек. До свидания.	Sec. Good-bye.

* * *

Сек. «...экспорт», доброе утро.	Sec. "...export", good morning.
Бр. Доброе утро, говорит Браун еще раз. Попросите г-на Белова, пожалуйста.	Br. Good morning. This is Brown here again. Could I speak to Mr. Belov?
Сек. Одну минуту, г-н Браун. Я вас соединю.	Sec. One moment, Mr. Brown. I'll put you through.
Белов. Здравствуйте, г-н Браун. Как поживаете?	Belov. Hallo, Mr. Brown. How are you?
Бр. Спасибо, хорошо. Мне хотелось бы договориться о встрече. Можем ли мы встретиться завтра утром?	Br. I'm fine, thank you. I'd like to make an appointment. Would it be possible for you to see me tomorrow morning?
Б. Утром я занят. А в 4 часа дня (в понедельник утром)? Это было бы очень удобно.	B. I'm afraid I'll be engaged. How about 4 o'clock tomorrow afternoon (Monday morning)? That would suit me very well.
Бр. Хорошо. Я буду у вас завтра в 4.	Br. Fine. I'll be at your office at 4 tomorrow afternoon.
Б. Хорошо, до завтра.	B. Good, see you tomorrow.

* * *

Васильев. Алло, позовите г-на Грина, пожалуйста.	Vasilijev. Hallo, could I speak to Mr. Green, please?
Грин. Грин у телефона.	Green. Green speaking, good morning.
Вас. Доброе утро, г-н Грин. [Говорит] Васильев из «...экспорта».	Vas. Good morning, Mr. Green. This is Vasilijev here from "...export".
Г. Здравствуйте, г-н Васильев. Чем могу быть полезен?	G. Oh, how are you, Mr. Vasilijev? What can I do for you?
Вас. У нас трудности с получением виз для наших инженеров. Не могли бы вы нам помочь?	Vas. You see we're having difficulty in obtaining visas for our engineers. Could you possibly help us with that?
Г. Конечно. Пришлите список их имен со всеми данными. Я постараюсь уладить этот вопрос со своей стороны.	G. Certainly. Will you send me a list of their names with all particulars? I'll try to speed up things at my end.
Вас. Спасибо, г-н Грин. Я сейчас же это сделаю. До свидания.	Vas. Thank you, Mr. Green. I'll do it right away. Good-bye.
Г. До свидания.	G. Good-bye.

* * *

Сек. Брейк и К°, ЛТД. Доброе утро.	Sec. Brake & Co. Ltd. Good morning.
Родин. Доброе утро. Попросите г-на Брейка, пожалуйста.	Rodin. Good morning. Could I speak to Mr. Brake, please?
Сек. Кто говорит?	Sec. Who's calling, please?

Р. Родин, из торгпредства СССР.	R. Rodin from the USSR Trade Office.
Сек. Извините. Г-н Брейк занят, говорит по телефону. Вы подождете?	Sec. I'm sorry, Mr. Rodin, Mr. Break is speaking on another line. Will you wait?
Р. Хорошо.	R. Yes, I will.
Брейк. Брейк у телефона. Как поживаете (Как дела), г-н Родин?	Brake. Brake speaking. How are you, Mr. Rodin?
Р. Спасибо. Хорошо. Как вы?	R. Fine, thank you. How are you?
Бр. Прекрасно. Чем могу быть полезен?	Br. Never felt better. What can I do for you?
Р. Не могли бы вы организовать посещение завода в... одному из наших инженеров, который сейчас здесь, в вашей стране?	R. I wonder if you could arrange a visit to your factory in... for one of our visiting engineers.
Бр. Конечно. Это очень просто. Когда он хотел бы поехать туда?	Br. No problem. When would he like to come?
Р. Если можно, сегодня во второй половине дня.	R. This afternoon, if possible.
Бр. Хорошо. Приезжайте сюда в 2 часа. Я вас буду ждать.	Br. Good. Just come up to my office at 2 o'clock. I'll be waiting for you.
Р. Большое спасибо. Мы будем у вас в 2.	R. Thanks a lot. We'll be there at 2.

ОТДЫХ. РАЗВЛЕЧЕНИЯ — HOLIDAY. PASTIME

Вы прекрасно выглядите, вы загорели	You look fine, very tanned
Вы были в отпуске?	Have you just been on holiday? Have you just had a holiday?
Хорошо ли вы провели время?	Did you have a nice holiday?
Мне (не) нравятся места, где много людей	I (don't) like crowded places
Какой отпуск вы предпочитаете?	What kind of holiday do you prefer?
Вы любите путешествовать (активный отдых, читать, ходить в походы)?	Are you fond of travelling (active holiday, reading, camping)?
Вы хотите сменить обстановку?	Do you just want a change of scene?
Вы предпочитаете жить в гостинице?	Do you prefer to stay at a hotel?
Вам нравится заниматься спортом?	Do you enjoy doing sports?
Сейчас принято делать все самим	Do-it-yourself practice is very popular at the moment

Садоводство — одно из лучших занятий в свободное время. Это полезно и дает необходимую нам физическую нагрузку	Gardening is one of the best pastimes. It's useful and gives us the exercise we need
Сейчас слишком увлекаются видео. Из-за этого перестают общаться (ходить в кино, театр)	Watching video is an obsession nowadays. It stops people from mixing (going out)
Сейчас популярны различные увлечения	Hobbies are popular now
Ничего нет лучше хорошей книги	There's nothing like reading a good book
Я люблю заниматься своей машиной	My car is my hobby

И. п. Вы загорели, г-н... Были в отпуске?	F. r. You look tanned, Mr... Have you had a holiday?
С. п. Да, я только что вернулся с побережья Балтийского моря. Там прекрасно.	S. r. Yes, I've just come back from the Baltic seaside. It's beautiful there.
И. п. Это одно из любимых мест отдыха у вас, да?	F. r. It's one of your favourite holiday-places, isn't it?
С. п. Оно стало им за последнее время. Там легкий, здоровый климат, можно загорать и купаться в июне и в июле.	S. r. It has become one, in the last few years. It's mild and healthy there, you can get enough sunshine and a lot of swimming there in June and July.
И. п. А Черное море также популярно?	F. r. Is the Black Sea equally popular?
С. п. Это зависит от человека. Молодые люди предпочитают жаркие пляжи Черного моря. Для людей моего возраста это уже не подходит.	S. r. That depends on the individual. Young people still prefer the hot Black sea beaches. They are no longer good for people of my age.

* * *

С. п. Какой отпуск вы предпочитаете, г-н...? Вы любите путешествовать?	S. r. What kind of holiday do you prefer, Mr...? Are you fond of travelling?
И. п. Не очень. Мне достаточно изменить обстановку или оторваться от работы.	F. r. Not very. A change of scene, just a break from the office routine is often enough for me.
С. п. Вам нравится заниматься спортом?	S. r. Do you enjoy doing sports?
И. п. Я иногда играю в сквош, но никогда не стремлюсь выиграть. Вы играете в сквош?	F. r. I go for a game of squash now and then, but I've never been keen on winning. Do you play squash?

С. п. В эту игру в нашей стране не играют. Но многие занимаются теннисом.	S. r. We don't play it in our country. Many go in for tennis though.
С. п. Я слышал, вы вернулись из отпуска. Вы опять ездили туристом, как в прошлом году?	S. r. I hear you're just back from a holiday. Have you been camping like last year?
И. п. Нет, я жил в гостинице и загорал на пляже.	F. r. No, I stayed at a hotel and enjoyed sunshine on the beach.
С. п. Вы ездили на юг?	S. r. Did you go to the South?
И. п. Нет, мне не нравятся популярные места для отдыха. Там обычно много людей и дорого. Я был в очаровательном местечке на берегу озера.	F. r. No, I don't like special places for holiday. They are very crowded and often expensive. I went to a lovely place near a lake.
С. п. Много купались?	S. r. Did you do a lot of swimming?
И. п. Да, и ловил рыбу.	F. r. Yes, and a bit of fishing too.
С. п. Я знаю, вы любите рыбную ловлю.	S. r. I know you are keen on fishing.
И. п. Чем вы занимаетесь на досуге?	F. r. What's your pastime?
И. п. Я люблю садоводство. Это полезно и дает необходимую физическую нагрузку.	F. r. My favourite pastime is gardening. It's useful and gives you the exercise you need.
С. п. В нашей стране садоводство тоже очень популярно. Люди, по-видимому, понимают, что им нужен свежий воздух и физическая нагрузка. А сейчас и правительство поддерживает это увлечение.	S. r. Gardening is very popular in our country too. People seem to realize the need for fresh air and exercise. And now the government promotes this hobby too.
С. п. Вы часто смотрите телевизор?	S. r. Do you often watch TV?
И. п. Время от времени, но не регулярно.	F. r. I do now and then, but not as a regular pastime.
С. п. Я думаю, это очень разумно. Сейчас слишком увлекаются телевидением и видео. Жаль.	S. r. Very wise, I think. Watching TV and video has become an obsession nowadays. And it's a pity.
И. п. Совершенно верно. В целом приходится признать, что телевидение — хороший источник новой информации. Но из-за этого люди перестают общаться (ходить в кино, театр).	F. r. I couldn't agree more. On the whole you have to admit that TV is a good source of fresh information. But often it stops people from mixing (going out).
С. п. Да, к сожалению это так.	S. r. I'm sorry to say that is so.

* * *

И. п. Я замечаю, г-н Седов, что советские люди очень любят	F. r. I notice, Mr. Sedov, that Soviet people are very fond of

читать. Многие читают в метро и в автобусе.	reading. Lots of people read in the underground trains and on buses.
С. п. Вы совершенно правы. Мы любим много читать.	S. r. You are quite right. We read a lot.
И. п. Я лично думаю, что ничего нет лучше хорошей книги после рабочего дня. Это прекрасный отдых.	F. r. Personally I think there's nothing like reading a good book after a day's work. It's excellent relaxation.
С. п. Вы правы. Хотелось бы иметь больше времени для чтения.	S. r. You're quite right. I wish I had more time for reading.

ОСМОТР ДОСТОПРИМЕЧАТЕЛЬНОСТЕЙ — SIGHTSEEING

Мы составили программу осмотра достопримечательностей	We set up a sightseeing programme
Мы планируем четырехчасовую поездку по... (двухдневную поездку в...)	We're planning a four-hour tour of ... (a two-day trip to...)
Так как это ваш первый визит в...	As this is your first visit to...
Так как вы недавно были в...	As you have recently been to...
Вы многое видели в нашей столице (стране)?	Have you seen much of our capital (country)?
Что вас интересует прежде всего?	Is there anything you would like to see first?
Я предложил бы (рекомендовал бы) поехать в...	I would suggest (recommend) a trip to...
Думаю, вам нужно посмотреть Кремль (... собор, Эрмитаж, Олимпийский комплекс, стадион Лужники, Новый Арбат, Международный Торговый Центр)	I think you should see the Kremlin (the... cathedral, the Hermitage, the Olympic complex, the Luzhniki stadium, the New Arbat, the World Trade Center)
Чем вы увлекаетесь? Искусством (спортом, балетом, оперой, музеями, цирком)?	What are you keen on? Art (sport, ballet, opera, museums, circus)?
Дворец (комплекс, музей) действительно прекрасный (замечательный, великолепный)	The palace (complex, museum) is really superb (fantastic, magnificent, great)
Очень интересно увидеть...	It's a lot of fun to see...
Если хотите, в программу можно включить спортивные соревнования (футбольный матч, бокс, хоккей)	The programme may also include sporting events (a football match, boxing, a hockey game)
Не хотите ли вы посмотреть наши новые жилые районы?	Would you like to see our new residential areas?
Пригороды действительно красивы	The suburbs are really beautiful
Вы были в...?	Have you been to...?

ФРАЗЫ

Это одно из мест развлечений	It's one of our best entertainment places
Сейчас Москва сама по себе интересна	Moscow itself is interesting now
Мы можем включить в программу посещение завода (совместного предприятия)	We can fit in a visit to a factory (joint venture)
Тогда мы совместим приятное с полезным	That will combine business and pleasure
Мы можем закончить поездку обедом в...	We shall finish up with dinner at...
Если вас это устраивает, я передам вам программу, как только она будет готова (сегодня после обеда, завтра утром)	If this is all right with you I'll let you have a copy of the programme as soon as it's completed (this afternoon, first thing in the morning)
Г-н... обеспечит транспорт (билеты, номера в гостинице)	Mr... will take care of transport (tickets, hotel accommodation)
Г-н... свяжется с вами. Он сообщит вам, если будут изменения	Mr... will keep in touch with you. He'll let you know if there's a change

ДИАЛОГИ

С. п. Вы впервые в Москве, г-н...?	S. r. Is this your first visit to Moscow, Mr...?
И. п. Нет, я был здесь в прошлом году, но очень недолго.	F. r. No, I was here last year but it was a very short stay.
С. п. Я полагаю, вы не все видели в нашей столице?	S. r. I presume then that you didn't see much of the capital, did you?
И. п. Да, очень немного. У меня была короткая двухчасовая поездка по Москве.	F. r. Well, very little of it, I must admit. It was just a quick two-hour tour of Moscow.
С. п. Конечно, это мало. Мы составим вам программу. Что вас интересует больше всего?	S. r. Ah, that's hardly anything. We're setting up a sightseeing programme for you. Is there anything you'd like to see particularly?
И. п. Я надеюсь на вас. Для меня будет все интересно.	F. r. I'll leave it to you to choose. Anything would be welcome.
С. п. Г-н..., мы составляем программу осмотра достопримечательностей для поездки. Мы поедем на 4 дня в Ленинград.	S. r. Well, Mr..., we're setting up a sightseeing programme for our trip. It's going to be a four-day trip to Leningrad.
И. п. Я с большим удовольствием поеду. Никогда не был в Ленинграде, хотя и много слышал о нем.	F. r. I'll be delighted to go there. I've never been to Leningrad but I've heard a lot about it.
С. п. Я уверен, что поездка доставит Вам удовольствие. Вы увлекаетесь искусством?	S. r. I'm sure you'll enjoy it then. Are you keen on art?

И. п. Не очень. Но знаю, что Эрмитаж действительно великолепен.
F. r. Not particularly, but I know that the Hermitage is really fantastic.

С. п. Да, я предложил бы вам посетить его. Это один из лучших музеев мира. Пригороды Ленинграда тоже прекрасны. Вам нужно их осмотреть, я думаю.
S. r. Yes, I'd certainly suggest a visit there. It's one of the best museums in the world. The Leningrad suburbs are also among the main attractions. I think you should see them.

И. п. Надеюсь, вы включили это в программу. И я хотел бы посмотреть некоторые СП.
F. r. I expect you'll fit in whatever you can. And I'd like to see some joint ventures.

С. п. Конечно.
S. r. We'll certainly do our best.

* * *

С. п. Я слышал, вы очень любите балет. Вы были в Большом театре?
S. r. I hear you are very keen on ballet. Have you been to the Bolshoi Theater?

И. п. Нет, не был. На этой неделе мы были очень заняты.
F. r. Not yet. We've been very busy all this week.

С. п. Я предлагаю пойти сегодня вечером в Большой театр.
S. r. I'd suggest a visit to the Bolshoi tonight.

И. п. Это было бы прекрасно. Что сегодня идет?
F. r. That would be great. What's on tonight?

С. п. «Щелкунчик» Чайковского. Прекрасный балет. Мы можем потом поужинать в ресторане.
S. r. The "Nutcracker" by Tchaikovsky. It's a great ballet. And we can finish up with dinner at the restaurant.

И. п. Прекрасно.
F. r. Lovely.

* * *

С. п. Вы видели программу осмотра достопримечательностей, г-н...?
S. r. You've seen the sightseeing programme, Mr..., haven't you?

И. п. Да, г-н Петров дал мне ее сегодня утром. Большое спасибо.
F. r. Yes, Mr. Petrov gave it to me first thing in the morning. Thanks a lot.

С. п. Не хотите ли вы, чтобы я включил в нее хоккейный матч? Сегодня вечером на стадионе Лужники будет интересная игра.
S. r. Would you like me to fit in a hockey match? There's an interesting game at the Luzhniki stadium tonight.

И. п. Я бы с удовольствием ее посмотрел. Я не очень большой любитель хоккея. Но у вас очень хорошо играют в хоккей.
F. r. I'd love to watch it. I'm not a great hockey lover. But you're very good at hockey.

С. п. Спасибо. Тогда я попрошу г-на Петрова заказать билеты.

S. r. Thank you. Then I'll ask Mr. Petrov to take care of the bookings.

* * *

С. п. Вы ознакомились с центром Москвы. Не хотите посмотреть наши новые жилые районы?

S. r. You've seen a lot of central Moscow. Would you like to see some of our new residential areas?

И. п. Очень хотел бы. Я вижу, что в вашей столице строится много жилых домов.

F. r. I'd love to. I see there's a lot of housing construction going on in your capital.

С. п. Да, мы много строим, но нам все еще не хватает жилой площади. Мы покажем вам один из совершенно новых жилых районов.

S. r. Yes, we do a lot, but there's still a housing shortage. We'll take you to one of our completely new residential areas.

И. п. Прекрасно. Он за пределами города?

F. r. Lovely. Is it in the suburbs?

С. п. Нет, это часть большой Москвы. Мы стремимся по возможности сохранить природу. Экология — проблема для Москвы, больше даже, чем для других столиц.

S. r. No, it's now part of greater Moscow. But we try to preserve nature where we can. Ecology is a problem for Moscow, more, then for other capitals.

* * *

С. п. Вот ваша программа осмотра достопримечательностей, г-н... Это окончательный вариант.

S. r. Here is the sightseeing programme, Mr... It's now complete.

И. п. Большое спасибо. Вы действительно все учли.

F. r. Thanks a lot. You really did take care of everything.

С. п. Всегда разумно устроить все заранее. Но что-то может измениться и в последнюю минуту.

S. r. It's wise to arrange things in advance. But then you can always have a last minute change.

ТЕАТР. КИНО. ЦИРК. ОБМЕН ВПЕЧАТЛЕНИЯМИ

THEATRE. CINEMA. CIRCUS. EXCHANGING IMPRESSIONS

ФРАЗЫ ◄

В нашей столице много интересного

There are different forms of entertainment in our capital

Мы можем предложить посмотреть вам многое (удовлетворить любые запросы)

We cater for [all] different tastes

Опера (балет, цирк) очень популярны

The opera (ballet, circus) is very popular

Постановка в театре имеет свои преимущества

A live performance has its advantages

Большой театр (Кукольный театр, МХАТ) славится во всем мире	The Bolshoi theatre (Puppet theatre, Art Theatre) is famous all over the world
Они много раз выезжали на гастроли и везде выступали с успехом	They have toured many countries and have always been a success
Театр ставит много новых спектаклей современных драматургов	The theatre does a lot of new productions by modern playwrights
Репертуар в основном классический	The repertoire is mainly classical
Постановка таких спектаклей дорого стоит	Such productions are very expensive
Театр субсидируется государством	The theatre is subsidized by the state
Сейчас театр развивает коммерческие связи с другими компаниями мира	Now the theater sets up commercial ties with other world entertainment companies
Труппа состоит из актеров-профессионалов	The company are all professional actors
Театр очень красив внутри	The interior is very ornate
Спектакли начинаются в 7 и заканчиваются около 10 часов вечера	Performances begin at 7 and are over around 10 o'clock p. m.
Билеты можно заказать заранее в гостинице	You can book tickets in advance at the hotel
Вам понравился спектакль (передача, концерт)?	[How] did you enjoy the performance (show, programme)?
Что вы думаете о спектакле (концерте, составе действующих лиц, декорациях, программе, ведущем актере, танцовщице)?	What do you think of the show (the concert, the cast, the set, the programme, the leading actor, the dancer)?
Спектакль давно идет. Он пользуется большим успехом	The performance has had a long run. It is a hit
Опера...— одна из лучших постановок театра	Opera... is one of the theatre's best productions
Игра совершенно необычная (производит большое впечатление, выразительная, прекрасная, великолепная)	The acting is quite unusual (impressive, expressive, fantastic, great)
Театр современный, у него мало декораций на сцене	It's a young theatre, they don't use a lot of scenery on the stage
Спектакль классический, он поставлен в традиционном стиле	The production is classical, it's put on in a traditional style
Это концерт народной музыки	It's a folk music concert
Народные танцы прекрасны	Folk dances are really marvellous
Наша страна развивает широкие культурные связи со всеми странами мира	Our country promotes world wide cultural contacts

21-186

ДИАЛОГИ

С. п. Что бы вы хотели посмотреть у нас, г-н...? Мы можем предложить вам многое.	S. r. Is there anything you would prefer to see, Mr...? We cater for all tastes here.
И. п. Я знаю, что ваша опера (балет) очень популярна. Ваши певцы (солисты балета) прекрасны.	F. r. I know your opera (ballet) is very popular. Your singers (dancers) are magnificent.
С. п. Совершенно верно. Наш Большой театр славится во всем мире. Труппа побывала во многих странах и везде пользовалась успехом.	S. r. That's very true. Our Bolshoi is famous all over the world. They've toured many countries and have always been a success.
И. п. У них в основном классический репертуар?	F. r. Is their repertoire mainly classical?
С. п. Я бы не сказал. У них есть много современных постановок, и все прекрасны, в стиле Большого театра. А теперь они развивают связи с другими компаниями мира.	S. r. I wouldn't say so. They have quite a few new productions, all excellent, in the grand style of the Bolshoi Theatre. And now they promote world wide ties.
И. п. Мне бы очень хотелось посмотреть спектакль Большого театра.	F. r. I'd love to see a Bolshoi performance.
С. п. Это возможно.	S. r. That can be easily arranged.

* * *

С. п. Как вам понравился спектакль, г-н...?	S. r. How did you enjoy the performance Mr...?
И. п. Прекрасный спектакль.	F. r. It was grand.
И. п. А пьесы современных драматургов у вас ставят?	F. r. Do they do any plays by modern playwrights?
С. п. Да, и очень много. МХАТ, Театр сатиры и многие другие театры ставят пьесы современных советских и западных драматургов.	S. r. They do quite a lot of them. The Art Theatre, the Satire Theatre and many others put on a lot of new plays by modern Soviet and western playwrights.
С. п. Вы вчера смотрели телевизионную передачу, г-н...?	S. r. Did you watch TV last night, Mr...?
И. п. Да, и мне очень понравилось выступление ансамбля народной песни и пляски. По-моему они выступали с большим артистизмом.	F. r. I did, and I very much enjoyed the folk song-dance show. I thought they were very artistic.
С. п. Я рад, что вам нравится наша народная музыка. Но увидеть концерт на сцене значительно интереснее. Не хотите ли посмотреть выступление ансамбля?	S. r. I'm glad you appreciate our folk music. But a live performance is much more interesting. Would you like to see our ensemble on the stage?

И. п. С удовольствием. Когда начинается концерт?

F. r. I'd love to. When does the show begin?

С. п. Концерт начинается в 7 и заканчивается около 10 часов вечера. В антракте можно перекусить и выпить что-нибудь.

S. r. They start at 7 and are over at around 10 o'clock p. m. You can have refreshments and soft drinks in the interval.

С. п. Что вы думаете о (Каково ваше мнение о) спектакле, г-н...?

S. r. What do you think of the performance, Mr...?

И. п. Прекрасный мюзикл. Игра очень выразительна, а песни и танцы превосходны.

F. r. It's an excellent musical. The acting was very expressive and the songs and dancing were superb.

С. п. Я рад, что он вам понравился. Спектакль давно идет, но театр часто полон.

S. r. I'm glad you enjoyed it. It's had a long run, but the house has often been full.

И. п. А что вы думаете о ведущих актерах?

F. r. What do you think of the leading actors?

С. п. Лично мне (не) понравился ведущий актер. Он (не) соответствовал характеру героя.

S. r. Personally I liked (didn't quite like) the main male character. He was (wasn't) true to type.

И. п. Вам лучше судить. Я недостаточно знаю пьесу.

F. r. You are a better judge. I don't know the play well enough.

* * *

С. п. Не хотите ли посмотреть цирковую программу?

S. r. Would you like to see a circus performance?

И. п. С удовольствием. Ваши клоуны очень выразительны, не нужно знать язык, чтобы понять их трюки (шутки).

F. r. I'd love to, I'm sure. Your clowns are very expressive, you don't need the language to understand their tricks (jokes).

С. п. Заказать вам билеты в цирк на завтра на вечер?

S. r. Shall I book tickets for tomorrow night?

И. п. Если это нетрудно. На днях я смотрел цирковое представление по телевизору, но на сцене всегда лучше (много преимуществ).

F. r. If it's no problem. I happened to watch a circus performance on TV the other night. But a live performance is always better (has a lot of advantages).

С. п. Хотите что-нибудь поесть или выпить, г-н...? Или погуляем в фойе?

S. r. Would you like to have refreshments, or a drink, Mr...? Or we can just walk about the foyer during the interval?

И. п. Давайте просто походим. Этот театр интересен.

F. r. Let's walk about. The theatre has a very interesting interior.

С. п. Да, он своеобразен. Мы любим ходить в театры. Я ду-

S. r. Yes, it's pretty unusual. We like going to the theatres. I think you should go to

маю, вам также следует сходить на Арбат, посмотреть молодежные выступления на открытом воздухе.	Arbat street to see open-air shows of young people.
И. п. С удовольствием последую вашему совету.	F. r. I'd love to follow your advice.

ПОСЕЩЕНИЕ ЗАВОДА / VISIT TO A FACTORY

ФРАЗЫ

Мы хотели бы (Не могли бы мы) посетить завод	We would like to see your factory Could we see your factory?
Когда можно договориться о посещении завода?	When can (could) you arrange a visit to the manufacturing plant?
Каков общий годовой объем выпускаемой продукции?	What is the total annual output of the factory?
Это один из крупнейших заводов такого типа	This is one of the biggest factories of its kind
Раньше он работал на нефти, а теперь он (завод) работает на электроэнергии	They used to run on oil, now they've gone over to electricity
Потребление энергии — ... в год	Power consumption is... per year
Сколько рабочих занято на заводе?	How many workers does the factory employ?
Штат инженерных работников большой?	Is the staff of engineers big?
Какое сырье вы используете?	What raw materials do you use?
У вас (не)достаточно современная технология (технологический процесс)	You use (do not use) up-to-date technology
Цех (завод) механизирован и имеет высокий уровень автоматизации	The shop (factory) is highly mechanized and automated
В цехе (на заводе) используется слишком много рабочих. Это отражается на себестоимости продукции	The factory is overmanned. The unit price reflects this
Завод работает с полной загрузкой (часто простаивает)	The factory is operating to (at) full capacity (is often idle)
Часть продукции производится субпоставщиками	Part of the production is made by subcontractors
Контроль за качеством — очень существенный фактор. Он осуществляется в... отделе	Quality control is an essential factor. It is carried out in... section
Окончательная приемка проводится (осуществляется) вашими (нашими) инженерами	Final inspection is done (carried out) by your (our) engineers
Новое предприятие будет гарантировать качество на уровне мировых стандартов	The new venture will guarantee world standards in quality
Упаковка производится на нашем заводе (субпоставщиками)	Packing is done by ourselves (subcontractors)

Мы начали выпуск новой модели	We have started producing a new model
К сожалению, наш(-и) проектный отдел (проектировщики) не всегда использует(-ют) современную технологию (не отстает(-ют) от требований современной технологии)	I am sorry to say, our design department (designers) does not always keep (do) up with modern technology
Вы можете посмотреть бытовые условия на заводе	You can see the factory social facilities
На заводе есть столовые, спортзалы, места для отдыха, кабинет медобслуживания	There are canteens, sporting facilities, a recreation centre, a medical care centre (dispensary) at the factory
Кабинет медобслуживания открыт круглосуточно для оказания первой помощи	The medical care centre (dispensary) is open round the clock for emergencies
Мы (Завод) работает в три восьмичасовых смены	We (The factory) work(s) in three eight-hour shifts
Меры охраны труда хорошие (эффективные)	The labour protection is good (effective)
Сейчас наши профсоюзы стремятся обеспечить участие рабочих в управлении заводом	Now our trade unions are trying to ensure workers' participation in management
Приватизация предприятий — проблема для всей страны	Privatization of enterprises is a nation-wide problem
При заводе имеется факультет вечернего образования	There is a part-time engineering college at the factory
На заводе есть курсы для обучения специалистов	There's a training section at the factory
Там обучаются молодые рабочие (иностранные специалисты)	Apprentices (Foreign workers) get a training there

С. п. Вы хотели посмотреть завод, изготовляющий для вас оборудование, г-н...?	S. r. You wanted to look at our manufacturing factory, didn't you, Mr...?
И. п. Да, я был бы очень признателен, если бы вы организовали мне посещение завода-изготовителя.	F. r. Yes, I'd appreciate it if you could arrange for me a visit to your manufacturers.
С. п. Это возможно. Мы можем показать вам завод в..., это один из наших крупнейших заводов.	S. r. That's possible. We could take you to the plant in..., it's one of our biggest manufacturers.
И. п. Это было бы прекрасно. Я хотел бы посмотреть условия производства и обучения специалистов на этом заводе.	F. r. That would be wonderful. I'd like to see their production and training facilities.

С. п. Мы можем показать вам основные цеха и затем побеседовать в кабинете главного инженера.	S. r. We can show you round the main shops and then we can have a talk in the chief engineer's office.
И. п. Хорошо. Сколько рабочих занято на заводе?	F. r. Good. Can you tell me how many workers you employ here?
С. п. Приблизительно около... тысяч.	S. r. Roughly about... thousand.
И. п. Мне кажется, вы применяете недостаточно современную технологию. Не слишком ли много рабочих занято на заводе?	F. r. I think you do not use enough up-to-date technology in the factory. The factory is not overmanned, is it?
С. п. Возможно, но мы собираемся менять технологию. Мы хотели бы увеличить годовой объем выпускаемой продукции и разнообразить ее ассортимент.	S. r. Perhaps, but we're going to change technology. We would like to increase the total annual output and diversify the range of production.

* * *

С. п. Рад приветствовать вас на нашем заводе, г-н...	S. r. I'm glad to welcome you to our factory, Mr...
И. п. Я рад побывать у вас. Завод (То, что я видел) произвел на меня неплохое впечатление. Как я понимаю, завод работает с полной загрузкой.	F. r. The pleasure is mine. I've been impressed by what I've seen. I understand the factory is operating at full capacity.
С. п. Да, у нас много заказов. Как для внутренних нужд, так и на экспорт.	S. r. Yes, we've plenty of orders, both for home needs and for export.
И. п. Какая-нибудь часть работы выполняется субпоставщиками?	F. r. Is any work done by subcontractors?
С. п. Нет, мы полностью обслуживаем свои потребности. У нас есть лаборатории, отдел контроля за качеством, упаковочный цех — все здесь. Но мы собираемся создавать совместное предприятие на базе завода.	S. r. No, we are fully self-sufficient. We have laboratories, quality control department, packing—all here. But we are going to set up a joint venture based at the factory.
И. п. Вы изготавливаете новые модели?	F. r. Do you produce new models?
С. п. Да, мы внедрили новую технологию и в прошлом году начали производство новой модели. Но наши проектировщики отстают от требований (времени) современной технологии. Да и база не всегда достаточна, к сожалению.	S. r. Yes, but we've introduced new technology and started a new model last year. But our designers do not keep up with the modern technology (times). And production facilities are not always quite adequate.

И. п. А инженерный состав большой?	F. r. Is the staff of engineers big?
С. п. У нас есть инженеры-проектировщики и инженеры, работающие непосредственно в цеху. В целом около...	S. r. We have design engineers and production engineers on the factory floor. All in all it comes to about... people.
И. п. Как вы обеспечиваете контроль за качеством, г-н...?	F. r. How do you ensure quality control Mr...?
С. п. Это делается отделом контроля за качеством. Окончательная приемка осуществляется также и вашими инженерами.	S. r. Well, it's done by our quality control department. And of course final inspection is done by your engineers too.
И. п. А упаковку вы проверяете?	F. r. Do you also check the packing?
С. п. Да, но недавно мы начали прибегать к услугам упаковочных фирм.	S. r. Yes, but we've recently started to use packing companies too.

* * *

И. п. Это отдел (цех), где будут стажироваться наши инженеры?	F. r. Is this the section (shop) where our engineers are going to be trained?
С. п. Да, и в других цехах тоже. Мы готовим для них программу стажировки.	S. r. Yes, and in other shops too. We are setting up a training programme for them.
И. п. Я слышал, что при заводе есть вечерний факультет по подготовке инженеров?	F. r. I hear there's a part-time engineering college at the factory?
С. п. Да, часть стажировки будет проходить и там.	S. r. Yes, some of the training will be done there too.
И. п. Мне бы хотелось посмотреть программу стажировки.	F. r. I'd be very glad to look at the programme.
С. п. В ближайшее время мы вышлем ее вам на одобрение.	S. r. We'll send it for your approval as early as possible.
И. п. Я должен сказать, что бытовые условия на заводе не всегда очень хорошие.	F. r. The factory's social facilities are not always very good, I must say.
С. п. Мы уделяем внимание вопросу благосостояния рабочих, и в будущем на эти цели будут выделяться большие средства.	S. r. Well, we give attention to the workers' welfare, and in future we are planning to allocate more money into the field.
И. п. У вас есть кабинет медобслуживания, да?	F. r. You have got a medical care centre, haven't you?
С. п. Да, он открыт круглосуточно, на случаи травм или для оказания первой помощи.	S. r. Yes, it's open round the clock to deal with injuries or emergencies.
И. п. Все рабочие на заводе члены профсоюза?	F. r. Are all your workers trade union members?

С. п. Да, профсоюзы занимаются многими вопросами на заводе. Сейчас это особенно актуально.	S. r. Yes, trade unions look after a lot of things at the factory. This is particularly essential now.

РЕСТОРАН. ПИТАНИЕ / RESTAURANT. MEALS

ФРАЗЫ ◄

Не хотите ли поесть?	Would you like to have a meal?
Что вы хотите заказать?	What would you like to order?
Вы предпочитаете мясо или рыбу?	Do you prefer fish or meat?
Я рекомендую мясо с картофелем	I'd recommend meat and potatoes
Выбирайте сами, пожалуйста	I'll leave it to you to choose
Что вы хотите выпить?	What would you like to drink?
Вы вегетарианец?	Are you a vegetarian?
Какие овощи вы предпочитаете?	What vegetables would you like?
Пожалуйста, берите овощи	Help yourself to vegetables
Это обычное (типичное) русское блюдо	This is an entirely Russian dish
Что вы хотите взять на десерт?	What will you have for [a] sweet? Any dessert?
Не хотите ли чай (кофе, сыр)?	Would you like tea (coffee, cheese)?
Я не ем сладкого. От него толстеют	I don't eat sweet. It makes one fat
Как питаются у вас в стране?	What are the main meals in your country?
Мы (не) любим острую пищу	We like (don't like) spicy food
Больше всего у нас едят за обедом (в середине дня)	Lunch (Dinner) is our heaviest meal of the day
Обычно мы не пьем вино за обедом (во время еды)	We usually (don't) drink (have, take) wine at lunch (with meals)
В 11 часов (4 часа) делается перерыв на чай (кофе)	There's a tea (coffee) break at 11 (4) o'clock
За завтраком мы едим мало	Breakfast is a light meal with us
В обед (днем) мы обычно едим суп	We usually have soup for lunch (a midday meal)
Мы часто (редко) едим салаты	We often (seldom) have salads
Я не люблю бутерброды, на завтрак я предпочитаю кашу или яйца	I don't like sandwiches for breakfast. I prefer porridge or eggs
У нас не очень приняты каши	Cereals are not very common with us
У нас едят много овощей (рыбы, мяса, яиц)	We eat a lot of vegetables (fish meat, eggs)
Питание индивидуально. Оно в значительной степени зависит от вашего распорядка дня (образа жизни)	Meals are very individual. They depend a lot on your daily routine (your way of life)

Если хотите, можно питаться и не дома	You can eat out if you wish
У нас в городе много закусочных, кафе, ресторанов	There are a lot of snack-bars, cafes and restaurants in the city

ДИАЛОГИ

С. п. Что вы хотели бы выпить, г-н...?	S. r. What would you like to drink, Mr...?
И. п. Сок или воду, пожалуйста. Я не пью крепких напитков.	F. r. Juice or some water, please. I'm off alcohol.
С. п. Хотите яблочный сок? Может быть, легкое пиво?	S. r. Apple juice, then? Would you like to have a very light beer?
И. п. Мне сок, пожалуйста.	F. r. Juice for me, please.
С. п. Что вы будете пить, г-н...?	S. r. What will you drink, Mr...?
И. п. Сухой мартини, пожалуйста.	F. r. A dry martini, please.
С. п. Заказывайте, пожалуйста, г-н...	S. r. Would you like to order, Mr...
И. п. Выбирайте сами. Вы лучше знаете русскую кухню.	F. r. I'll leave it to you to choose. You know Russian food better, I'm sure.
С. п. Вы хотите мясное или рыбное?	S. r. Do you prefer meat or fish?
И. п. Ни то, ни другое. Я вегетарианец.	F. r. Neither. I'm a vegetarian.
С. п. Тогда хорошо взять эти салаты. Пожалуйста, берите. Хлеб? Масло?	S. r. Then these salads would be very nice. You can help yourself. Bread? Butter?
И. п. Спасибо.	F. r. Yes, please.

* * *

И. п. Интересно, как питаются у вас в стране?	F. r. What are the meals in your country, I wonder?
С. п. Это довольно индивидуально, многое зависит от распорядка дня (образа жизни). Обычно мы питаемся три раза в день, как и везде.	S. r. It's quite individual, you know, a lot depends on your way of life. Usually we have three meals a day, like everywhere, I guess.
И. п. Но завтрак у вас обычно плотный?	F. r. Do you have a heavy breakfast?
С. п. Я люблю как следует поесть, прежде чем начну работать. А вы?	S. r. I feel I must take something substantial before I go to work. And you?
И. п. Я ем только бутерброд и пью чашку кофе. Я плотно обедаю днем.	F. r. I just have a sandwich and a cup of coffee. I usually have a heavy midday meal.

* * *

И. п. Я знаю, вы плотно питаетесь днем?
С. п. Да, мы едим мясной суп, очень питательный, в нем много овощей.
И. п. За обедом у вас пьют вино?
С. п. Нет, если это неофициальный обед. На второе мы едим мясо или рыбу с овощами, затем чай или кофе.
С. п. Я порекомендовал бы вам взять это мясо с грибами. Оно очень острое.
И. п. Хорошо. У нас в стране любят острую пищу.
С. п. Берите овощи, пожалуйста. Зеленый горошек, бобы, картофель. Салат очень свежий. Что вы хотите на десерт?
С. п. Чай или кофе?
И. п. Черный кофе, без сахара.
С. п. С ликером?
И. п. Немного коньяку, пожалуйста.

F. r. I know your midday meal is quite heavy, isn't it?
S. r. Yes, it is. We have soup, which is very nourishing with meat and a lot of vegetables.
F. r. Do you have wine at lunch?
S. r. No, not unless it's something official. For the main course we have meat or fish and vegetables, then tea or coffee.
S. r. I'd recommend this meat. It's specially cooked with mushrooms. It's very hot.
F. r. I'll have it. We like spicy food in our country.
S. r. Help yourself to vegetables, please. Peas, beans, potatoes. Lettuce is very fresh. What will you have for [a] sweet?
S. r. Would you like tea or coffee?
F. r. Coffee, black and no sugar.
S. r. Liqueur?
F. r. A drop of brandy, please.

РЕЧЕВЫЕ ШТАМПЫ — SPEECH PATTERNS

ДЛЯ НАЧАЛА РАЗГОВОРА — OPENING PHRASES

ДЛЯ НАЧАЛА РАЗГОВОРА	OPENING PHRASES
Я приехал в..., чтобы обсудить вопрос о...	I've come to... to discuss the point of...
Чем могу быть полезен?	What can I do for you?
С чего мы начнем [сегодня]?	What shall we start with [today]?
Я думаю, мы начнем с...	I think we can (shall) start with...
Дело в том, что...	The point (The matter/The fact) is that...
Давайте приступим к делу	Let's get down to business
Перейдем к вопросу о...	Let's get on to the point of...
Давайте говорить по существу	Let's speak to the point
Мне хотелось бы выяснить вопрос о...	I'd like to clear up the point of...
У нас затруднения с... и мы хотели бы...	We are having trouble (difficulty) with... and we'd like...
Прежде всего нужно обсудить...	First comes...
Давайте возобновим обсуждение	Let's resume the discussion[s]

ПРОМЕЖУТОЧНЫЕ ЭЛЕМЕНТЫ — INTERMEDIATE PHRASES

ПРОМЕЖУТОЧНЫЕ ЭЛЕМЕНТЫ	INTERMEDIATE PHRASES
Интересно, можно ли...	I wonder if I (we) can...
Мы упустили один вопрос	We've left out (overlooked) one point
Хотелось бы выяснить еще один вопрос	I'd (We'd) like to clear up one more point
А теперь второй (третий) вопрос	Now comes the next (third) point
А как насчет...?	What about...? How about...?
Давайте перейдем к вопросу о...	Let's get on (pass on) to...
Между прочим, мы хотели бы посмотреть...	By the way we'd like to see (look) at...
Вы еще что-нибудь хотите обсудить?..	Is there anything else you'd like to take up?
Во-первых..., во-вторых...	In the first place (First)..., in the second place (then)...
С одной стороны..., с другой стороны...	On the one hand..., on the other hand...

ЗАКЛЮЧИТЕЛЬНЫЕ ФРАЗЫ	CLOSING PHRASES
Полагаю, мы сегодня все решили	I think we've settled everything today
Я думаю, вопрос можно считать решенным	I believe we can consider the matter closed
Хорошо, я свяжусь со своими коллегами и посоветуюсь с ними	All right I'll get in touch with my friends (colleagues, people) and consult them
Хорошо, жду от вас известий (вашего ответа, следующего визита)	I'll be expecting to hear from you (your reply, your next visit)
Я позвоню вам сегодня (завтра, во второй половине дня)	I'll phone you (ring you up, call you up) today (tomorrow, in the afternoon)
Это вас устраивает? Да, вполне	Does it suit you? (Is it all right with you?) Yes, quite
Мое (Наше) решение окончательное	My (Our) decision is final
Мы обдумаем ваше предложение (это)	We'll think your proposal (it) over
Мы будем ждать вашу телеграмму (подтверждение)	We'll be expecting your telegram (confirmation)
В заключение я хотел бы сказать	In conclusion I'd like to say...
Подведем итог обсуждению	Let's sum up the discussion Let's recapitulate what we said

ВЫРАЖЕНИЕ СОГЛАСИЯ, УВЕРЕННОСТИ, ОДОБРЕНИЯ	EXPRESSIONS OF AGREEMENT, CERTAINTY, APPROVAL
Полностью с вами согласен (согласны)	I (We) quite agree with you
Согласен с вашей точкой зрения	I fully agree with your point of view
Мы согласны с вашими условиями	We agree to your terms
Нам (мне) это [вполне] подходит (Нас это устраивает)	It suits us (me) [quite] all right
Вы совершенно правы	You are quite right
Вы правы в некоторой степени	You are right in a way You are right to some extent
Совершенно верно	Quite right Exactly so
Естественно, несомненно	Certainly No doubt Sure

Договорились	Agreed Done Settled
Это прекрасная мысль	That's a fine idea
Это вполне справедливо	That's fair enough
Рад это слышать	[I'm] glad to hear it

ВЫРАЖЕНИЕ НЕСОГЛАСИЯ, НЕОДОБРЕНИЯ, ОТКАЗА / EXPRESSIONS OF DISAGREEMENT, DISAPPROVAL, REFUSAL

Думаю, нет	I'm afraid not
Вряд ли это возможно	It's hardly possible
Вряд ли мы сможем сделать что-либо для вас	We can hardly do anything [for you]
Боюсь, вы неправы	I'm afraid you are wrong
Боюсь, (Думаю,) вы в этом несколько ошибаетесь	I'm afraid (I think) you are a bit wrong here
Это не [совсем] так	It isn't [quite] so
Боюсь, наши мнения не совпадут (разойдутся)	I'm afraid our opinions won't coincide
Это совершенно исключается	It's out of the question
К сожалению, я должен ответить отказом	I'm sorry to say no
Это противоречит нашей практике	It goes against our practice It isn't in our practice
Я не вижу никаких преимуществ	I don't see any advantages
Я с вами не согласен	I disagree with you I don't agree with you
Не думаю	I don't think so
Конечно нет	Certainly not
Не совсем так	No, not quite
Обычно нет	No, not usually
Это несправедливо	It's not fair
Это очень любезно с вашей стороны, но...	It's very kind of you but...
Боюсь, мы не можем удовлетворить вашу просьбу	I'm afraid we can't meet your request

ВЫРАЖЕНИЕ СОВЕТА, РЕКОМЕНДАЦИИ / EXPRESSIONS OF ADVICE

Вам нужно (не нужно)...	You should (shouldn't)...
Я предлагаю навести справки	I suggest you make inquiries I think you should make inquiries
Во-первых, я посоветовал бы вам..., во-вторых...	First of all I'd advise you..., secondly...

Я бы порекомендовал вам...	I'd recommend you... I think (feel) I think... you should...
На вашем месте я...	In your place I'd...
Вам лучше...	You'd better...
Не кажется ли вам, что лучше...	Don't you think [that] you should...
Самое лучшее это...	The best thing to do is...

ВЫРАЖЕНИЕ СОЖАЛЕНИЯ, СОЧУВСТВИЯ, СИМПАТИИ — **EXPRESSIONS OF REGRET, CONSOLATION, SYMPATHY**

Как жаль!	What a pity! Too bad! What a shame!
Очень печально (плохо)	That's bad
Я вам сочувствую	I [can] sympathize with you
[Я] надеюсь, нет ничего страшного	It's nothing much, I hope
Не о чем беспокоиться	There's nothing to worry about
Не волнуйтесь	Don't worry
Что вас волнует? Что-нибудь серьезное?	What's troubling you? Anything serious?
Что случилось?	What's wrong?
Не волнуйтесь, все будет в порядке	Don't worry, it'll be all right
Хорошо, мы что-нибудь придумаем	Oh, we'll think of something
К сожалению, положение не улучшилось	Unfortunately things haven't improved

ВЫРАЖЕНИЕ НЕОПРЕДЕЛЕННОСТИ, СОМНЕНИЯ, КОЛЕБАНИЯ — **EXPRESSIONS OF UNCERTAINTY, DOUBT, HESITATION**

Вы уверены?	Are you sure?
Я не совсем понимаю вас	I don't quite understand you
Пока трудно сказать, но...	It's hard to say yet but...
Минуту (Подождите). Я не совсем понимаю, о чем вы говорите	Let me see. I can't follow you I don't quite get (catch) you

ПРИЛОЖЕНИЯ APPENDIX

ОБРАЗЕЦ КОНТРАКТА SAMPLE CONTRACT

Контракт №...

Совместное предприятие..., Москва, в дальнейшем именуемое Покупатель, с одной стороны, и фирма..., в дальнейшем именуемая Продавец, с другой стороны, заключили настоящий Контракт на следующей основе:

Предмет Контракта

Продавец продал и Покупатель купил на условиях франко-стенд-Москва товар согласно прилагаемой спецификации, составляющей неотъемлемую часть настоящего Контракта.

Цена и общая стоимость Контракта

Общая стоимость Контракта составляет... долларов.

Цена за товар, поставляемый по данному Контракту, понимается как цена франко-стенд, Москва и включает упаковку для отгрузки и поставки морем, маркировку, погрузку в трюмы, укладку, лихтеровку, переноску на пристани, уплату портовых и доковых сборов за товар, выполнение таможенных формальностей, а также плату за использование кранов и стивидорные работы.

Цены твердые и не подлежат изменению в ходе выполнения Контракта.

Условия платежа

1. Платеж производится в ам. долларах в течение 30 дней после получения Внешэкономбанком СССР (Москва) следующих документов:

а) 1 оригинала и 4 экземпляров подробного счета,

б) акта приемки-поставки,

в) 3 экземпляров упаковочного листа.

2. При осуществлении платежа Покупатель имеет право вычесть предусмотренные Контрактом суммы, т.е. заранее согласованные и оцененные убытки, неправильно подсчитанные суммы и т. д. в случае появления таковых.

Дата поставки

Заказанный по Контракту товар (см. статью 1) должен быть поставлен в июле 19...

Маркировка

Маркировка выполняется в несмываемой краске на английском и русском языках на 3 сторонах ящика (на крышке, на передней стороне и на левой стороне каждого ящика).

Каждый ящик должен иметь следующую маркировку:

Осторожно
Не бросать
Держать в сухом месте
СП «...»
Контракт №
Наряд №
Транс №
Вес брутто
Ящик №
Габариты ящика, см
Объем, м ^{3}

Товар по каждому транс № должен быть упакован в отдельные ящики.

Если товар по одному транс № будет упакован в несколько ящиков, номер ящика должен быть маркирован дробью следующим образом: числитель относится к соответствующему номеру общего числа ящиков, необходимых для упаковки данной партии.

Продавец несет ответственность за все потери и/или повреждения, вызванные недостаточной упаковкой или неправильной маркировкой.

Инструкции по отгрузке

Продавец должен обратиться к экспедиторам покупателя за инструкциями относительно транспортировки товара, а также отправить ему извещение о готовности товара к отгрузке вместе с 3 экземплярами счета, 1 экземпляром упаковочного листа и 1 экземпляром спецификации.

Согласованные и заранее оцененные убытки (неустойка)

Если не будет соблюден срок поставки по Контракту, Продавец должен уплатить Покупателю согласованные и заранее оцененные убытки за задержку в поставке в размере 0,5 процента стоимости непоставленного товара за каждую неделю задержки в течение первых четырех недель и 1 процент за каждую последующую неделю, но общая сумма согласованных и заранее оцененных убытков не должна превышать 10 процентов стоимости задержанного товара.

Если задержка в поставке товара превышает 3 месяца, Покупатель имеет право расторгнуть часть Контракта или весь Контракт.

Сумма согласованных и заранее оцененных убытков не подлежит изменению Арбитражной комиссией.

При осуществлении платежей Покупатель имеет право вычесть сумму согласованных и заранее оцененных убытков из сумм, причитающихся Продавцу.

Гарантии

Качество поставляемого товара должно полностью соответствовать техническим условиям спецификаций Контракта. Гарантийный срок составляет 12 месяцев с даты введения оборудования и приборов в эксплуатацию, но не более 24 месяцев с даты отгрузки.

Упаковка

Продавец предпримет все предосторожности, чтобы обеспечить надежную и соответствующую упаковку для складирования, морской и сухопутной транспортировки, а также перегрузки товара с помощью кранов или других средств.

Арбитраж

Любые споры и разногласия, которые могут возникнуть из или в связи с выполнением настоящего Контракта, будут передаваться во Внешнеторговую арбитражную комиссию при Торгово-промышленной палате СССР, решения которой являются окончательными и обязательными для обеих сторон. Апелляции в государственные судебные инстанции исключаются.

Contract No...

Joint Venture..., Moscow, hereinafter referred to as the Buyer on the one hand and... hereinafter referred to as the Seller on the other hand, have concluded the Present Contract on the following basis:

Subject of the Contract

The Seller has sold and Buyer has bought on conditions franco-stand Moscow the goods as per specification attached which is an integral part of the Present Contract.

Price and Total Value of the Contract

The Total Value of the Contract is... dollars.

The price for the goods delivered under the Present Contract and understood franco-stand, Moscow includes packing for overseas shipment and delivery, marking, loading into holds, stowing, lighterage, quay porterage, port and dock dues and duty on the cargo, attendance to the Custom formalities and any cranage and stevedoring.

Prices are firm and not subject to any alteration during the whole period of the Contract.

Terms of Payment

1. Payment will be effected in US dollars within 30 days after receipt by the Vnesheconombank (Moscow) of the following documents:

a) 1 original and 4 copies of detailed invoice,

b) acceptance-delivery report,

c) 3 copies of packing list.

2. The Buyer has the right to deduct while effecting payment the amounts provided for in the Contract, i. e. agreed and liquidation damages, miscalculations, etc. if any.

Delivery Date

The goods ordered under the Contract (see Clause 1) are to be delivered in July, 19...

Marking

Marking is to be made in weatherproof paint both in English and Russian on 3 sides of the case (on the cover, on the front side and the left side of each case).

Each case must bear the following marking:

Handle with care
Do not drop
Keep in dry place
JV "..."
Contract No.
Narjad No.
Transport No.
Gross weight
Case No.
Dimensions of case, cm
Volume, m^3

The goods under each transport No. must be packed in separate cases.

If the goods under the same transport No. are packed in several cases, the case number must be marked in fractions, as follows: the numberator refers to the consecutive number of the total quantity of the cases required to pack this parcel (lot).

The Seller shall be responsible for all losses and/or damage proved to be due to inadequate packing and wrong marking.

Shipping Instructions

The Seller shall apply to the Buyer's Shipping Agents for instructions concerning the transportation of the goods as well as send to him advice of readiness of the goods for shipment together with 3 copies of invoice, 1 copy of packing list, 1 copy of specification.

Agreed and Liquidated Damages

If the agreed delivery date of the Contract is not observed, the Seller shall pay to the Buyer agreed and liquidated damages for delay in delivery at the rate of 0.5 per cent of the value of the goods delayed per each week of the first four weeks and 1 per cent per each following week, but the total amount of agreed and liquidated damages is not to exceed 10 per cent of the value of the delayed goods.

If delay in the delivery of the goods continues over a period of three months the Buyer has the right to cancel part or the whole of the Contract.

The amount of agreed and liquidated damages is not to be altered by the Arbitration Commission.

The Buyer has the right to deduct the amount of agreed and liquidated damages from the amounts due to the Seller when effecting payment.

Guarantee

Quality of the delivered goods shall be in full conformity with the technical conditions of the specifications of the Contract. The guarantee period is 12 months from the date of putting the machines, equipment and instruments in operation, but not more than 24 months from the date of shipment.

Packing

Every precaution shall be taken by the Seller to have the goods securely and properly packed to withstand storage, overseas and overland transport and transhipment by cranes and/or other means.

Arbitration

All disputes and differences which may arise from the present Contract or in connection with the same are to be referred to the Foreign Trade Arbitration Commission at the USSR Chamber of Commerce and Industry, the decisions of which are final and finding upon both parties. The applications to the State courts are excluded.

ЭКОНОМИЧЕСКИЕ ОРГАНИЗАЦИИ И УЧРЕЖДЕНИЯ	ECONOMIC ORGANIZATIONS AND INSTITUTIONS
Министерство внешних экономических связей СССР, МВЭС СССР	USSR Ministry of Foreign Economic Relations
Министерство финансов СССР	USSR Ministry of Finance
Министерство экономики и прогнозирования СССР	USSR Ministry of Economic and Forecasting
Государственный комитет СССР по науке и технике, ГКНТ СССР	State Committee of the USSR for Science and Technology
Главное управление государственного таможенного контроля СССР, ГУГТК СССР	Chief Directorate of the State Customs Control
Таможенный комитет СССР	USSR Customs Committee
Таможенно-тарифный сосет	Customs Tariff Council
Торгово-промышленная палата СССР, ТПП СССР	USSR Chamber of Commerce and Industry
Ассоциация делового сотрудничества с зарубежными странами	Association of Business Cooperation with Foreign Countries

Всесоюзное внешнеэкономическое объединение [системы МВЭС СССР]	All-Union Foreign Economic Amalgamation [of the USSR Ministry of Foreign Economic Relations]
Всесоюзное внешнеторговое объединение [отраслевых министерств и ведомств СССР]	All-Union Foreign Trade Amalgamation [of the USSR Sectoral Ministries and Departments]
Республиканское внешнеторговое объединение при Совете Министров союзных республик	Republican Foreign Trade Amalgamation at the Council of Ministers of the Union Republics
Внешнеторговая фирма научно-производственного объединения (предприятия, организации)	Foreign Trade Firm of a Research and Production Amalgamation (enterprise, organization)
Организация экономического сотрудничества и развития, ОЭСР	Organization for Economic Cooperation and Development, OECD
Международная организация по стандартизации, МСО	International Organization for Standardization, ISO
Генеральное соглашение по торговле и тарифам, ГАТТ	General Agreement on Tariffs and Trade, GATT
Международная торговая палата, МПП	International Chamber of Commerce, ICC
Европейское экономическое сообщество, ЕЭС, «Общий рынок»	European Economic Community, EEC, "Common market"
Европейская ассоциация свободной торговли, ЕАСТ	European Free Trade Association, EFTA
Государственный банк СССР, Госбанк СССР	State Bank of the USSR, Gosbank
Банк внешнеэкономической деятельности СССР, Внешэкономбанк СССР	USSR Bank for External Economic Activity, Vnesheconombank
Международный банк экономического сотрудничества, МБЭС	International Bank for Economic Cooperation, IBEC
Международный инвестиционный банк, МИБ	International Investment Bank, IIB
Международная ассоциация развития, МАР	International Development Association, IDA
Международный банк реконструкции и развития, МБРР	International Bank for Reconstruction and Development, IBRD
Международный валютный фонд, МВФ	International Monetary Fund, IMF
Банк международных расчетов, БМР	Bank for International Settlements, BIS
Европейский инвестиционный банк, ЕИБ	European Investment Bank, EIB
Торговое представительство СССР [за границей]	USSR trade representation [abroad]
Страховое акционерное общество СССР, Ингосстрах	Insurance Company of the USSR, Ingosstrakh

Экономический и Социальный Совет ООН, ЭКОСОС	UN Economic and Social Council, ECOSOC
Организация ООН по вопросам образования, науки и культуры, ЮНЕСКО	UN Educational, Scientific and Cultural Organization, UNESCO
Конференция ООН по торговому развитию, ЮНКТАД	UN Conference on Trade and Development, UNCTAD
Организация ООН по промышленному развитию, ЮНИДО	UN Industrial Development Organization, UNIDO
Европейская экономическая комиссия ООН, ЕЭК	UN Economic Commission for Europe, ECE
Экономическая и социальная комиссия ООН для Азии и Тихого океана, ЭСКАТО	UN Economic and Social Commission for Asia and the Pacific, ESCAP
Экономическая комиссия ООН для Африки, ЭКА	UN Economic Commission for Africa, ECA
Экономическая комиссия ООН для Латинской Америки, ЭКЛА	UN Economic Commission for Latin America, ECLA
Всемирная организация интеллектуальной собственности, ВОИС	World Intellectual Property Organization, WIPO
Продовольственная и сельскохозяйственная организация ООН, ФАО	Food and Agricultural Organization of the United Nations, FAO

ОСНОВНЫЕ ДОЛЖНОСТНЫЕ ЛИЦА / NAMES OF OFFICIALS

Министр внешних экономических связей	Minister for Foreign Economic Relations
Заместитель министра	Deputy Minister
Председатель Торгово-промышленной палаты СССР	President of the USSR Chamber of Commerce and Industry
председатель объединения	President of the amalgamation (objedinenje)
заместитель председателя	vice-president
начальник управления	head of a department
директор конторы	director of an office, office director
старший инженер	senior engineer
инженер	engineer
стажер-инженер	engineer-in-training
эксперт	expert
старший эксперт	senior expert
товаровед	goods expert
экономист	economist
торговый представитель	trade representative
генеральный директор	director general
управляющий	manager

заведующий отделом	head of a department, head of a sector
коммерческий директор	commercial director (manager), sales director (manager)
юрисконсульт	legal adviser
главный инженер	chief engineer
главный инженер проекта	chief engineer of the project
главный архитектор проекта	job captain
инженер-конструктор	design engineer
мастер	foreman
монтажник	[erection] engineer
прораб	superintendent
секретарь	secretary
машинистка	typist
инокорреспондент	correspondence clerk
архитектор	architect
бухгалтер	accountant
патентный работник	patent worker
патентный консультант	patent consultant

НАЗВАНИЯ ОСНОВНЫХ ДЕЛОВЫХ ДОКУМЕНТОВ — MAIN BUSINESS DOCUMENTS

авианакладная	air bill
автодорожная накладная	road bill
агентское соглашение	agency agreement, agency contract
аккредитив	letter of credit
гарантийное обязательство	guarantee certificate
генеральный полис	open cover
график [поставок, монтажных работ]	schedule [of deliveries, of erection works]
деталировочный чертеж	detail drawing
договор	agreement, contract
железнодорожная (*транспортная*) накладная	way bill
заказ-наряд	order, narjad
исполнительный (*рабочий*) чертеж	working drawing
импортная лицензия	import licence, import permit
ковернот	cover note, covering note
карантинное свидетельство	quarantine certificate
коносамент	bill of lading
контракт	contract
консульская фактура	consular invoice
манифест [декларация судового груза]	[ship's] manifest
общие условия поставок	general conditions of deliveries

общие условия оказания технической помощи	general conditions of rendering technical assistance
отгрузочная спецификация	shipping specification
предварительный счет	proforma invoice
приложение [к контракту]	appendix [to a contract], supplement [to a contract]
протокол испытаний	inspection report, inspection certificate
рабочие инструкции	manual, set of instructions
разрешение на отгрузку	release for shipment
сертификат (свидетельство) о прививках	certificate of vaccinations
свидетельство о происхождении	certificate of origin
сертификат о качестве	certificate of quality
складская квитанция	warehouse bill
соглашение [о поставках]	contract [for deliveries]
сопроводительное письмо	covering letter
спецификация	specification
страховой полис	insurance policy
счет	invoice
таможенная декларация	customs declaration
экспортная декларация	export licence

ОСНОВНЫЕ ЕДИНИЦЫ СИСТЕМЫ ИЗМЕРЕНИЙ / MAIN UNITS OF SYSTEM OF MEASUREMENT

Линейные меры / Linear Measure

километр	kilometre
метр	metre
дециметр	decimetre
сантиметр	centimetre
морская миля	nautical mile
ярд	yard
фут	foot
дюйм	inch

Меры площади / Square Measure

километр квадратный	square kilometre
гектар	hectare
метр квадратный	square metre
сантиметр квадратный	square centimetre
миля квадратная	square mile
акр	acre
ярд квадратный	square yard

фут квадратный	square foot
дюйм квадратный	square inch

Меры объема / Cubic Measure

кубическая тонна	cubic ton
кубический метр	cubic metre
кубический фатом (*для круглого леса*)	cubic fathom
кубический сантиметр	cubic centimetre
регистровая тонна	register ton
фрахтовая тонна	cargo ton
стандарт (*для пиломатериалов*)	standard
кубический ярд	cubic yard
баррель	barrel
кубический фут	cubic foot
кубический дюйм	cubic inch

Меры веса (массы) / Weight Measure

тонна большая (длинная)	ton gross (long)
тонна малая (короткая)	ton net (short)
тонна метрическая	ton metric
центнер	centner
килограмм	kilogram
грамм	gram, gramme
вей	wey
хандредвейт (большой, длинный)	hundredweight (gross, long)
хандредвейт (малый, короткий)	hundredweight (net, short)
стоун	stone
фунт	pound
унция	ounce
драхма	drachm, dram

Меры жидкостей / Liquid Measure

килолитр	kilolitre
гектолитр	hectolitre
литр	litre
баррель	barrel
галлон	gallon
кварта	quart
пинта	pint
драхма (*жидкая*)	drachm
унция (*жидкая*)	ounce

Меры сыпучих тел / Dry Measure

Меры сыпучих тел	Dry Measure
челдрон	chaldron
квартер	quarter
коум	coomb
сак	sac
бушель	bushel
галлон	gallon
кварта	quart
пинта	pint
баррель	barrel

УКАЗАТЕЛЬ НА РУССКОМ ЯЗЫКЕ

RUSSIAN INDEX

А

Б

В

Г

Д

К

Л

М

Н

О

П

Р

С

Т

У

Ф

Х

Ц

Ч

Ш

Щ

Э

Ю

Я

УКАЗАТЕЛЬ НА АНГЛИЙСКОМ ЯЗЫКЕ ENGLISH INDEX

A

B

C

D

E

F

G

H

I

J

K

L

M

Q

R

S

T

U

V

W

Y

Z

Справочное издание

Памухина Людмила Георгиевна,
Любимцева, Светлана Николаевна,
Дворникова Татьяна Васильевна,
Жолтая, Лидия Романовна

РУССКО-АНГЛИЙСКИЙ РАЗГОВОРНИК
ПО ВНЕШНЕЭКОНОМИЧЕСКИМ СВЯЗЯМ

Зав. редакцией *Т. М. Никитина*
Редакторы *Т. М. Никитина, Т. Е. Андреева, Э. Л. Вартумян*
Художник *М. М. Мержеевский*
Художественный редактор *Н. И. Терехов*
Технический редактор *Э. С. Соболевская*
Корректор *Г. Н. Кузьмина*

ИБ № 9110

Подписано в печать 04. 09.92. Формат 84x108/32. Бумага офсетная № 2. Гарнитура таймс. Печать офсетная (с готовых диапозитивов). Усл. печ. л. 34,44. Усл. кр.-отт. 34,44. Уч.-изд. л. 40,04. Тираж 50060 экз. Заказ №186. . С 068.

Издательство „Русский язык" Министерства печати и информации Российской Федерации. 103012 Москва, Старопанский пер., 1/5.

Отпечатано на Можайском полиграфкомбинате Министерства печати и информации Российской Федерации. 143200 Можайск, ул. Мира, 93.

ДЛЯ ЗАМЕТОК

ДЛЯ ЗАМЕТОК

ДЛЯ ЗАМЕТОК